Luc Lachapelle

Carmen Viguette

Septembre 2001

LE DON DE QÂ

DU MÊME AUTEUR :

Nègre blanc, Robert Laffont, 1996.

Jean-Marc Pasquet

LE DON DE QÂ

roman

JC Lattès

À Divine, Victor et Oscar
et aux forêts du monde entier

PREMIÈRE PARTIE

L'APPEL

1

Le chien puait. Heureusement pour moi. Il m'avait semé au bord de la route, dans la brume de cet après-midi blême, s'enfonçant droit à travers un massif de ronciers pour échapper au flux des voitures. Janvier avait rabattu son couvercle de nuages sur le bassin lémanique, et Genève avait revêtu cette uniformité de teintes, entre gris et gris, si chère à l'esprit de Calvin. Frigorifié, je laissai fuser une bordée de jurons rituels, y mêlant son nom, avec pour seul espoir que la colère me réchauffe un peu les sangs.

Le chien était sourd comme un pot. C'était un berger belge, au nom d'Ulysse, dont les nombreuses années avaient parsemé le pelage noir de touffes de poils gris et laineux. Il n'obéissait plus depuis longtemps qu'aux humeurs dictées par sa digestion. Je me hâtai de remonter à contre-courant le flot automobile, cherchant un passage dans les taillis du bas-côté. Le grincement des pneus froids sur le goudron gelé soulignait l'inutilité de mes appels. Les voitures, reliées entre elles par les traînées lumineuses de leurs feux de croisement, semblaient glisser le long de rails blancs et rouges. J'évitai de croiser les regards des conducteurs. Tous arboraient le même air hagard et satisfait des travailleurs rentrant chez eux, et tous devaient voir sur mon visage l'air imbécile et accablé du glandeur qui a perdu son chien.

Ce chien, j'en avais hérité en même temps qu'un pavillon, délabré mais néanmoins confortable, promis à une démolition prochaine. L'ancien propriétaire, un ami, m'avait autorisé à le squatter, à condition que je garde Ulysse, lui-même n'étant pas en mesure de l'emmener. À l'époque, je sortais d'une mauvaise passe. J'étais célibataire malgré moi, sans travail et sans logement, mon métier de musicien me permettait à peine de joindre les deux bouts. J'avais accepté, avec soulagement, la proposition d'adopter Ulysse en échange d'une maison.

Depuis plus d'un an, je m'étais installé là avec mon matériel et mes instruments, et le projet d'élaborer un prochain disque tout seul. Mais j'avais le cœur amer, mon inspiration musicale, comme le soleil, se cachait derrière les nuages. J'en étais réduit à enregistrer des jingles publicitaires pour des radios de troisième catégorie, et dans ce marasme de ma vie, de petits jobs en désillusions, les promenades régulières que m'imposait Ulysse m'étaient devenues un genre de discipline salutaire. Et malgré son odeur, en compagnon fidèle, il épongeait bien souvent ma solitude.

Habituellement, j'évitais cet itinéraire le long de la grande route, privilégiant les chemins de campagne, mais ce matin-là, le chien avait décidé pour moi, et, le sachant borné, je m'étais contenté de le suivre, jusqu'à ce qu'il me joue cette fâcheuse perpendiculaire. Réticent à l'idée de m'enfoncer dans la végétation blanchie par le givre, je pestai de plus belle et m'allumai une cigarette pour me réchauffer les poumons. Plus loin, je découvris un passage derrière un gros condensateur électrique, où les broussailles étaient moins denses. Je rabattis le capuchon de mon anorak et me faufilai dans le crissement glacé des épines.

À ma grande surprise, je me retrouvai sur une ancienne allée, courant sous le couvert de grands arbres. J'étais passé devant ce condensateur une bonne centaine de fois, j'avais depuis toujours vu cette forêt et ces broussailles. J'étais persuadé d'avoir entièrement parcouru cette banlieue cossue et champêtre, certain d'en connaître tous les sentiers, les chemins, les propriétés et les terrains vagues. Et voilà que, soudain, ce que j'avais toujours pris pour un bosquet rabougri, coincé entre la route et le coteau, s'avérait être l'entrée d'une allée, bordée d'arbres majestueux, qui remettait en question toute ma topographie du quartier.

Intrigué, je me retournai ; à l'évidence les broussailles et un rideau d'arbres trop serrés avaient été plantés là, à dessein, pour masquer le chemin. Il gravissait la berge droite d'une profonde ravine, au fond de laquelle coulait un nant. J'avais souvent enjambé ce ruisseau plus haut sur le plateau, et je savais également à quel endroit il passait sous la route en contrebas, mais jamais je n'avais soupçonné l'existence de cette petite vallée entre les deux.

Ulysse sentait si fort que je perçus son odeur avant de trouver ses traces, comme si des particules puantes flottaient en suspension dans la brume. Ses empreintes zigzaguaient sur la mince croûte de neige, s'y inscrivant aussi lisiblement que des chiures de mouches sur une page. Il avait fouiné de droite et de gauche, constellé une souche de taches jaunes, rejoint l'allée et là, ses pas s'espaçaient soudain quand il s'était mis à courir, droit vers le haut de la ravine. Sans doute s'était-il élancé derrière un volatile, car ses marques seules couraient sur le chemin devant les miennes.

Je l'appelai à nouveau, si fort que toute ma figure se mit à trembler sur la dernière note. Puis je tendis l'oreille, mais le nauséabond quadrupède ne daigna pas me répondre, je ne perçus en écho de mon cri qu'un lointain croassement de corneille. Maugréant, j'écrasai ma cigarette et, avec une bonne quinte de toux, repris ma progression et parvins enfin en haut de la ravine.

Juste devant moi, une barrière coupait le chemin. Un simple poteau, posé sur deux fourches inversées. L'allée s'arrêtait là. À une dizaine de mètres, le chemin disparaissait, englouti par la végétation. Les grands arbres cédaient la place à de multiples essences d'arbustes et de buissons, tous chargés d'épines. Décidément, cette allée ne commençait ni ne menait nulle part. Circonspect, je m'apprêtais à lancer un nouvel appel, quand j'aperçus soudain les traces d'Ulysse non pas sous, mais sur la barrière, et pour moi qui le connaissais depuis longtemps, c'était aussi stupéfiant que s'il s'était mis à pleuvoir des grenouilles.

Oui, pas de doute, il avait sauté. Les empreintes de ses pattes s'inscrivaient clairement dans la neige qui recouvrait la barrière. Il avait pris là l'élan nécessaire pour bondir en direction des broussailles, un saut d'au moins deux mètres qui témoignait d'un enthousiasme dont je le croyais bien incapable. Il avait dû pour le moins renifler un troupeau de renardes en chaleur ou un gisement de Canigou. Je passai sous la barrière comme on se jette à l'eau, bien résolu à le rattraper au plus vite, et à le ramener de force au bercail. Harassé par la côte, je m'enfonçai droit à travers les buissons.

Je fus obligé de m'accroupir pour pouvoir suivre le passage du chien, me faufilant de mon mieux entre les piquants multiples, et finis par voir le grillage d'une clôture à quelques mètres devant moi. Quand j'enfonçai mes doigts entre ses mailles pour me redresser, je m'aperçus qu'il s'agissait en fait d'une volière immense, à l'abandon, complètement envahie par la végétation exubérante. Et, derrière la volière, je voyais une maison.

Je compris enfin où je me trouvais.

À une centaine de mètres sur ma gauche, sur le plateau, la propriété était délimitée par une haie très haute, dont j'avais souvent longé l'autre côté, et qui cachait aussi bien la ravine que le début de la forêt. La maison elle-même était une « villa mon cul », sans aucun charme, une construction en préfabriqué, datant sans doute des années 50. Elle paraissait vide, les volets en étaient fermés, aucune fumée ne s'échappait de sa cheminée. Le jardin, à l'image de la volière, était magnifique et désolé, visiblement à l'abandon depuis des lustres. Seule une étroite bande d'herbe, tout autour de la maison, semblait avoir été tondue plus régulièrement, dénotant pour le moins une fréquentation passagère. Mais d'où je me trouvais, je ne voyais pas la moindre trace de pas reliant le portail à la maison, et comme la neige était tombée depuis plus d'une semaine, j'en déduisis qu'il n'y avait personne. Je m'enhardis.

— Ulysse ! Ulysse, viens ici ! Allez, bon chien, allez viens, bon chienchien, on rentre ! Ulysse, au pied, viens ici tout de suite !

Je le vis soudain apparaître de l'autre côté de la maison, se livrant à un curieux stratagème, courant de droite et de gauche, le museau enfoncé sous la neige, sans doute à la poursuite d'un mulot. J'essayai d'avancer de côté pour sortir de derrière la volière, mais les ronces s'accrochaient à mes habits, et je dus m'accroupir à nouveau.

— Ulysse, bon dieu ! Ça suffit, viens ici, foutu clébard !

J'aurais pu tout aussi bien lui parler chinois. M'ignorant complètement il disparut derrière la maison, et soudain je l'entendis aboyer furieusement. Oh non, il ne me manquait plus que ça, s'il se mettait en tête d'attaquer quelqu'un dans une propriété privée, je n'étais pas au bout de mes emmerdements. Je me laissai tomber à quatre pattes pour sortir de là.

— Ulysse, assez, ça suffit, arrête. Couché ! Viens ici ! Arrête ! hurlai-je. Et, alors que je n'étais plus qu'à un mètre de la liberté, j'entendis soudain ses aboiements se transformer en terribles hurlements de douleur, qui me glacèrent les nerfs. Je me relevai, offrant mon dos aux épines, et fonçai, arrachant tout sur mon passage. Me ruant hors des fourrés, je courus de mon mieux et alors que j'allais contourner la maison, avant même d'apercevoir le chien, je vis la neige écarlate, maculée de son sang…

Je freinai brusquement à l'idée qu'il pouvait être aux prises avec un pitbull ou pire, un humain féroce, et contournai le coin de la maison sur le qui-vive. Mais non, Ulysse était seul. Il gisait sur le flanc, agité de tremblements. Le sol était complètement retourné, mêlé de sang, de neige et de boue. Il avait dû se blesser le museau sur un tesson de bouteille et faire une crise cardiaque. Ou il avait rencontré une belette enragée, ou... Je tombai à genoux à côté de lui, et quand il tenta de me mordre, je vis que son nez était intact et qu'il saignait d'une patte arrière. Malgré ses convulsions, il avait encore son sale caractère, j'eus du mal à lui attraper le museau.

— Ulysse, c'est moi, c'est moi, bon chien, mais qu'est-ce que t'as fait ? Oh non... Du calme, du calme, vieux frère, je suis là.

Mon odeur sur son nez le tranquillisa, je parvins à le maîtriser. Je le caressai et, quand il se détendit, je fis glisser ma main vers sa blessure. Il ne cessait d'émettre un long gémissement, de plus en plus faible. Tout doucement je soulevai sa cuisse.

— Oh merde...

L'intérieur de sa patte gauche était déchiré d'un trou circulaire de deux centimètres de diamètre, la peau et des chairs manquaient, et le sang en giclait en flots saccadés. Il avait dû s'embrocher sur un fer à béton, en sautant dans la neige, ou bien... Il me vint soudain à l'esprit que ce pouvait être le point d'entrée d'une défense, qu'il avait peut-être été chargé par un sanglier, et à la seconde même, je ressentis une présence derrière moi.

— Hé oh y'a quelqu'un ? Oh, pas de bêtises hein !

Je pivotai de droite et de gauche, les yeux écarquillés de peur. Mais non, nous étions seuls. La maison était fermée et la véranda déserte.

— Y'a quelqu'un ? J'ai besoin d'aide, s'il vous plaît !

Rien ni personne ne bougeait. Et d'ailleurs en regardant mieux, je vis que seuls mes pas et ceux d'Ulysse marquaient la neige.

Je fus rappelé à l'urgence par le sale bruit mouillé du sang. Je n'avais pas la moindre idée de la morphologie d'un chien, mais je m'accroupis près de lui, arrachai mon écharpe, et tentai de lui faire un garrot à la hauteur de la cuisse, le déplaçant un peu. Ulysse poussa un râle terrible, tous ses membres, queue y comprise, se mirent à trembler, puis d'un coup se relâchèrent. Et, dans un jappement bref, il rendit son dernier soupir.

— Oh non Ulysse, non, c'est pas vrai... Mon chien, non, s'il te plaît...

Plus la moindre haleine ne sortait de sa gueule, plus le moindre souffle embué de son museau. J'eus beau le secouer et tenter de ranimer son cœur en massant ses flancs, je dus me rendre à l'évidence.

Mort, Ulysse était mort, et avec lui j'avais l'impression de perdre un de mes derniers amis. À genoux dans la neige, je ne pus empêcher mes larmes de couler, et restai là un long moment, serrant les poings, maudissant le ciel jusqu'à ce que le froid me prenne.

Quand je voulus me redresser, je ressentis comme une baisse de tension, un malaise vertigineux, au goût d'acier et de vide, éclaboussé de taches noires éphémères. Je retombai assis dans la neige. En proie à des sensations diffuses et contradictoires, comme des réminiscences d'amnésie, la perception infime d'inoubliables souvenirs chargés de terribles menaces, enfouis au plus profond de mon instinct, que j'avais juste au bout de la mémoire, mais dont j'étais incapable de me rappeler. Je restai suspendu au bord de la nausée, secouant la tête, essayant de déchirer cette angoisse qui m'oppressait. Je saisis une poignée de neige, lui arrachant des cris de polystyrène, la frottai sur mon visage, inspirai profondément, et le vertige se dissipa.

Je regardai la maison, saisi d'une étrange sensation. Ce malaise n'était pas fortuit. Il y avait peut-être vraiment une menace, un danger.

Je me relevai et, suivant une intuition, je me mis à marcher, puis à courir en direction de la maison. Je passai l'endroit où j'avais découvert Ulysse et tournai en rond pour repérer l'objet sur lequel il s'était blessé. Mais il n'y avait rien, pas la moindre ferraille, pas la moindre lame rouillée. Peut-être un morceau de verre ? J'eus beau scruter le sol, je ne trouvai rien. Je continuai vers la véranda.

Peut-être y avait-il quelqu'un dans cette foutue baraque ? Je retins mon souffle pour mieux écouter. Les nuages à présent étaient si noirs au-dessus de ma tête, qu'il résonnait en permanence comme un tonnerre lointain, et une petite pluie glacée s'était mise à tomber. Et d'un coup, je fus persuadé de sentir une présence juste devant moi, de l'autre côté des volets fermés.

— Sortez de là, fumiers ! Ça vous fait plaisir de laisser crever un vieux chien, hein salopards ! Sortez de là nom de dieu ou j'défonce cette porte !

Je donnai des coups de pied furieux dans les volets, et derrière, de l'autre côté de ma colère, je croyais ressentir une présence, hostile, glacée, narquoise.

Mais non. Rien. Pas la moindre réaction. Non, il n'y avait personne, c'était impossible. Et d'ailleurs, seules mes traces et celles d'Ulysse étaient visibles dans la neige autour de la maison. Personne n'en était sorti ou entré, depuis plus d'une semaine que le manteau blanc était tombé. J'attendis encore quelques minutes en tendant l'oreille par acquit de conscience, n'entendant que mon propre halètement.

Pourtant, je n'arrivais pas à m'éloigner. Quelque chose m'intriguait, quelque chose qui avait à voir avec ma vie qui foutait le camp. Il y avait quelque chose de plus qu'un stupide accident, quelque chose qu'il me fallait savoir. La mort d'Ulysse ne pouvait pas être seulement la mort d'un vieux chien.

Et Ulysse un vieux chien mort.

Chienne de vie...

Il était mort de façon si atroce et soudaine, et il n'y avait pas le moindre objet contondant pour expliciter sa blessure. Peut-être la maison était-elle piégée ? Le crépuscule transformait rapidement la grisaille en ténèbres, il aurait fallu que je m'en aille, mais non, cet endroit recelait le secret de la mort de mon chien et je refusais de partir sans avoir compris.

Mû par un instinct de revanche, je décidai de pénétrer dans la maison.

Je rasai les murs et entrepris d'en faire le tour, essayant de soulever chaque store pour vérifier si toutes les fenêtres étaient bien fermées, mais à vrai dire, je ne réussis qu'à déchirer mes gants et à me pincer les doigts.

À l'arrière, je découvris la vraie porte d'entrée en haut d'une volée de marches. À tout hasard je l'essayai, mais elle était en bois massif, parfaitement hermétique, et même si j'avais eu un pied-de-biche, je n'en serais pas venu à bout. Plus loin, le collecteur d'une gouttière surplombait l'encadrement d'une petite fenêtre, fermée par un simple volet percé d'un cœur. Enlevant mon ceinturon, je le glissai par l'ouverture, et parvins rapidement à accrocher la boucle au levier qui le fermait et à le faire basculer. Derrière, la fenêtre n'était pas verrouillée et, sans doute, je devais pouvoir entrer par là.

J'étais sur le point de faire une connerie majeure, mais mon sang était saturé d'un taux de rancœur tout à fait inhabituel, et il me fallait aller au bout de ce que j'avais commencé. J'étais convaincu que la maison était vide, après tout le vacarme que je venais de faire. L'intérieur en était obscur, mais j'avais dans la poche ma lampe à vélo, j'éclairai brièvement l'endroit où j'allais sauter, vérifiai derrière moi que personne ne m'observait, puis me hissant, je me laissai glisser à travers la fenêtre. J'atterris dans une petite pièce déserte, fermée par une porte vitrée. Je l'ouvris, sur le qui-vive, la franchis, et arrivai dans un vaste salon avec une mezzanine qui donnait sur la véranda.

Non, décidément il n'y avait personne.

Des meubles étaient rassemblés sur un tapis de valeur, au milieu de la pièce, recouverts d'une bâche en plastique. Le reste était vide.

Furtif, je visitai l'endroit, jusqu'à la mezzanine, avant de me décider à soulever la bâche. Il y avait là des meubles magnifiques, des buffets ajourés, marquetés avec science, incrustés de nacre et de coquillages, des chaises à haut dossier droit complètement sculptées, une table basse dont les pieds évoquaient des pattes de phénix, et un haut miroir, dans lequel le reflet de ma lampe de poche me fit un instant sursauter. Tout cela évoquait des origines yéménites, mongoles ou kazakhs, mais sûrement lointaines, aventurières et orientales. Il y avait également un lit, des étagères et, sur l'une d'elles, un drôle de coffre en aluminium. Je m'enfilai sous la bâche, posai le coffre sur la table, pris ma lampe entre mes dents, et en ouvris les trois serrures.

Mon sang se glaça. Il y avait dedans un énorme fusil comme je n'en avais jamais vu, avec une grosse lunette, un de ces trucs à infrarouge qui permettent même de tuer la nuit, et surtout, dessous, une longue cartouche de gaz d'un noir mat et cinq projectiles, des espèces de seringues avec des plumes. Sans aucun doute, c'était l'arme qui avait tué Ulysse et cela signifiait qu'il y avait quelqu'un dans la maison, pour tirer sur le chien d'une fenêtre. Pris d'un soudain élan de paranoïa aiguë, je refermai le coffre, le remis en place, puis m'empressant de sortir de sous la bâche, j'allai me blottir dans un coin, couvrant toute la pièce du faisceau de ma lampe de poche, avant de l'éteindre et de rester aux aguets, dans l'obscurité.

Et maintenant que faire, fuir, appeler, aller voir la police ? « Bonjour, Messieurs, c'est pour vous dire que j'ai trouvé dans une propriété privée où je suis entré par effraction une arme très certainement prohibée, Ulysse en est mort je pourrai en témoigner... » J'allais finir au cachot dans une camisole de force. Non. Je restai dans le noir, me concentrant sur les bruits alentour, mais à part le ruissellement de la pluie et un vague bourdonnement électrique, je n'entendais rien de suspect. Électrique ?

Sans doute un appareil était-il branché quelque part. De toute façon, qui que ce soit qui ait tenu ce fusil n'était plus là. Peut-être au sous-sol ? Quitte à être là, autant essayer de jeter un coup d'œil.

Je me remis en mouvement, discret comme une ombre. Sous la mezzanine, il y avait une porte, fermée d'un tour de clé. Je la franchis et me retrouvai dans un hall d'entrée au sol de marbre maculé d'empreintes sinueuses et de boue séchée, comme si on avait traîné là des tuyaux d'arrosage. Une autre porte était ouverte sur la cuisine, là aussi le carrelage était couvert de traces, et certaines paraissaient plus fraîches. Peut-être y avait-il eu une inondation au sous-sol et avait-on pompé l'eau vers l'extérieur ? À côté de l'évier, des boîtes de conserve et des bouteilles vides, des sprats, du foie de morue et de la vodka. Russes. Oh non, il ne manquait plus que ça. Je fis le tour des placards et découvris une petite provision de boîtes et de bouteilles pleines, qui témoignait d'une propension pour les pique-niques frustes et solitaires. Le propriétaire devait être un dangereux cinglé. Je percevais mieux le bourdonnement électrique qui semblait provenir de la cave. Au fond de la pièce s'ouvrait une nouvelle porte et j'y dirigeai mes pas. Au sol, les traces de tuyau convergeaient vers elle, et je vis qu'elles disparaissaient dans un conduit, percé dans le mur, de la circonférence d'un ballon, et qui semblait plonger vers la cave.

Qu'est-ce que c'était encore que ça ? Je ne voyais pas ce qu'on pouvait faire d'autre avec des tuyaux que d'évacuer de l'eau, beaucoup d'eau. Un laboratoire... J'avais peut-être mis les pieds dans un laboratoire clandestin de la mafia russe, en train de synthétiser une nouvelle drogue. Soudain j'eus vraiment peur, pourtant j'avais déjà la main sur la poignée lubrifiée qui céda et la porte s'ouvrit d'un coup, allant frapper contre le mur avec un grand fracas. Je restai là figé, en haut d'une volée de marches qui plongeaient dans le noir, prêt à fuir. Mais il n'y avait pas la moindre lumière, pas le moindre bruit, pas le moindre jaillissement de malabars armés jusqu'aux dents. J'éclairai l'escalier qui donnait sur un couloir où s'ouvrait une autre porte. Peut-être plus bas, dans un abri souterrain ? Ma lampe faiblit, le faisceau devint jaune, je la tapai et elle reprit son intensité. Je descendis les marches.

Il faisait considérablement plus froid que dans le reste de la maison et j'avais hâte d'en finir. Le sol ici était sec, pourtant la moquette était moisie. Je ne sais pourquoi, je pensai à la mémoire des choses puis au malaise que j'avais ressenti plus tôt, cette impression terrible de danger, enfoui dans un tiroir de ma mémoire dont j'aurais perdu la clé, et j'en eus des frissons dans le dos. La dernière porte s'ouvrait dans le mur adjacent à l'escalier. Et, là non plus, pas la moindre lumière ne transparaissait par ses interstices. Ce devait être le garage et c'était sans doute là que plongeaient les traces de tuyau de la cuisine. Je posai la main sur la poignée, l'ouvris, et plusieurs choses se passèrent simultanément. Je fus frappé par une bouffée d'air frigorifique, comme si une tempête polaire s'était levée à l'extérieur, la température chutant d'au moins dix degrés, lorsque le faisceau de ma lampe de poche diminua brusquement avant de s'éteindre, me laissant à peine le temps d'entrevoir une énorme masse gélatineuse et tentaculaire, brillante de mille feux au milieu de la pièce.

Noir.

Je paniquai complètement, me retournai et, tâtant le mur derrière moi, actionnai un interrupteur à côté de la porte. Un tube de néon se mit à crachoter au plafond, illuminant le garage d'une lumière blanche. J'en restai bouche bée.

Il n'y avait personne, pas la moindre trappe menant à un abri souterrain. Mais un grand congélateur ouvert débordait de tonnes de glace se répandant sur le sol tout autour de lui, en monticules brillants qui envahissaient le bas de la porte basculante contre laquelle il se trouvait. C'était de là que provenait le bourdonnement. Ah non, j'étais tombé chez un Landru du congélateur, je...

Non, non ce n'était pas ça. Je vis soudain à côté de moi, au bas du mur, l'ouverture du conduit qui provenait de la cuisine, et là aussi, il y avait quantité de traces de tuyau et toutes convergeaient vers le tas de glace. Mais le plus extraordinaire, c'était que les traces se prolongeaient à l'intérieur de la glace, comme si une taupe avait creusé un labyrinthe de galeries au cœur de la glace la plus dure. De l'autre côté, un long tentacule de glace, improbable couloir circulaire, courait sur le mur, montant vers un vasistas entrouvert sur le jardin.

— Mais qu'est-ce que... ?

Et d'un coup ça me revint. Le message de mon

malaise, la mémoire sous-jacente sur le bout de ma langue, elle me revint d'un coup, et le sens était clair.

« Fuis, fuis de toutes tes jambes ! »

Et à l'instant même cela me tomba dessus. Ou plutôt cela me bondit contre. Le choc fut terrible et me plaqua contre le mur.

Une vague de peur. Viscérale, atavique, millénaire, instinctive.

De peur pure.

De celle que devaient ressentir de très lointains ancêtres, quand ils fuyaient en hurlant le long des prairies monotones n'offrant pas le moindre abri, courant devant les fauves en appui sur leurs mains. Oui, c'est cette peur-là qui vint me frapper et j'en sentis la vague annihiler ma volonté.

Je me cognai contre le mur, et alors que j'allais hurler, mes jambes cédèrent sous moi, devinrent soudain molles. En glissant au sol, je sentis la chaleur de mon urine maculer mon pantalon et une douleur terrible irradier ma moelle épinière. Je tombai sur le côté, écrasant ma pommette sur le béton glacé, les yeux écarquillés, incapable même de geindre, totalement tétanisé par cette peur immonde et tandis que je me criais, « qu'est-ce que tu fais, lève-toi et fonce », sans pouvoir bouger ne serait-ce que le petit doigt, tandis que paralysé, gisant sur le béton froid, j'exhortais mes membres sourds à me répondre, je vis quelque chose...

Quelque chose sembla sourdre au milieu de la glace translucide, suinter hors du congélateur, pour s'amonceler à l'entrée d'un des tubes, quelque chose de blanchâtre, au mouvement visqueux, s'amalgama pour franchir un siphon, puis se mit à descendre, comme un sirop trop épais glissant à l'intérieur d'une paille, avec une lenteur exaspérante. Et quand je suivis le tube de glace qu'il empruntait jusqu'à son extrémité, je m'aperçus qu'il venait fondre sur la dalle à moins de deux mètres de moi. Le tronçon de matière innommable poursuivait sa glissade intestine droit dans ma direction.

Et je sus pourquoi j'avais peur...

2

Boris, je m'appelle Boris Genssiac. J'ai vingt-sept ans, je suis musicien sans gloire, rêveur impénitent. Né de mère franco-suisse et de père russe, j'ai été élevé dans une communauté du sud de la France, heureuses années d'enfance. Puis mon père est parti, et j'ai suivi ma mère, de ville en ville, d'homme en homme, adolescence meurtrie. Elle est morte à Paris, des suites d'une longue maladie. Je l'ai enterrée le jour de l'anniversaire de mes dix-sept ans, et j'ai trouvé refuge à Genève chez une tante aisée et toujours absente et depuis, malgré tous mes voyages, je reviens toujours ici.

Et j'ai un peu peur de la vie, parce que j'ai déjà pris mon lot de claques dans la gueule.

Non !!!

Non, ce n'est pas ça ! Je suis Boris, Boris Genssiac, et je n'ai pas peur de la vie ! J'ai peur parce que je suis ici, cloué sur le béton glacé, incapable de bouger, et j'ai peur de cette douleur qui corrode mon esprit, j'ai peur parce que cette douleur n'est pas mienne, on me l'instille, on me la projette, et mon corps ne me répond plus ! Ma colonne vertébrale n'est plus que braises ardentes. Aaah... Et ce truc qui ne peut pas être, glissant aux entrailles de la glace, qui circonvolutionne et menace, et trouve sa voie dans ma direction. C'est ça, c'est lui, c'est elle, qui génère cette terrifiante paralysie. Il faut que je réagisse, me concentre, fuir cette chose. Si seulement je pouvais ramper hors d'ici, jusqu'à cet escalier, me hisser sur ces marches...

Je suis Boris et je n'ai pas peur, je ne dois pas, je ne dois plus avoir peur. Si ! Non. Arrête tu délires, il faut fuir, que je me concentre focalise mes esprits, ah merde ma tête me quitte. Si mal. Fais un effort, lève-toi et fuis pendant qu'il est encore temps. Allez tu sais, la prédominance de l'esprit sur le corps, de la volonté sur la douleur. Ah ah, j'me marre, je m'en taperais bien les genoux, mais le sel de mes larmes coule dans mes yeux ouverts et je n'ai même plus la force de cligner des paupières. Décomposé je suis...

Le regard figé dans le tube de glace, je me dissous, je m'abandonne, et mes yeux rivés au fond du cylindre, au coude d'arrivée, voient venir quelque chose. De blanc, de grumeleux qui tourne inexorablement comme dans un pas de vis pour se rapprocher, une boule, une balle de golf déformée, non, non, une capsule hérissée de...

Mais qu'est-ce que c'est ?!

J'en viens à regretter de ne pas croire en un dieu créateur de toutes choses, au moins je pourrais l'insulter. Bouge de là, bouge de là ! C'est comme si mes neurones s'étaient trompés de code de transmission, je sens des choses oui, mais je ne sais plus les décrypter.

Et la chose, le truc, la bête, elle est là, déjà presque à l'orifice et je vois...

C'est une fraise, une foreuse sur laquelle sont disposées des rangées d'aspérités en cercles concentriques. Non ! C'est un nez, un museau, une gueule et les pointes sont des écailles complètement hérissées, qui semblent aiguisées comme des lames de rasoir, et se resserrent dans une cavité, et qui tourne, c'est une bouche ! Oh non, et ça, les narines, mais qu'est-ce que c'est ! Je hurle en silence dans ma tête. Et le truc sort de son tube de glace. Un reptile ?

La peur m'évapore et je quitte mon corps.

Je me vois. Je dors ? Je vois mon enveloppe inerte sur le sol, oui c'est ça, je dors, je dois dormir et si je pouvais fermer les paupières, je les rouvrirais peut-être dans une chambre d'hôtel au sein de l'amour de ma vie. Je suis mort. Et je vois le truc, la chose, la bête qui sort, comme un serpent blême et trapu et son corps semble gonfler quand elle l'extrait du tube, elle fait presque un mètre de long. Derrière la protubérance d'écailles aiguisées de glace de la gueule, très en arrière de la tête, disposés latéralement, des yeux batraciens me guettent, blancs, lignés d'une pupille écarlate.

La chose glisse hors de sa gangue, lente comme une limace, s'immobilise et soudain se dresse. Elle déploie quatre courtes pattes, une paire très en avant, armées de griffes redoutables, et tout au bout encadrant la queue courte, une autre paire qui ressemble à des pelles, jusque-là étendues le long de son corps. Mais qu'est-ce que c'est ? Un triton, un iguane, une salamandre géante, un artefact ? Je suis mort et, à part la peur, me désintéresse de mon sort, je regarde, je vois, je constate. Son corps est translucide, couleur de neige et de glace, il n'a d'écailles que sur la tête, sous la transparence, je distingue un organe d'un rouge bien trop vif et je comprends que je vois, à travers sa peau, le sang d'Ulysse.

C'est ça, c'est cet avatar qui a perforé Ulysse, c'est cette bestiole. Un batracien, ou un reptile. Du poison, du venin, il a dû me cracher du venin ! Ce truc m'a intoxiqué ! Je suis foutu, déjà virtuellement mort. Et l'animal se dresse sur ses pattes de devant et m'adresse quelques hochements de tête solennels, comme je l'ai vu faire à certains geckos en Asie juste avant qu'ils se battent, puis il se met en marche, serpent entre ses pattes, oscillant de son corps comme une anguille, son ventre effaçant les traces de ses griffes, c'est lui qui laisse ces marques de tuyau sur le sol. Il se dirige vers mon propre ventre...

Je suis mort et, d'ailleurs, la lumière change dans l'espace.

La blancheur se teinte de jaune, solaire, céleste, je vois un rectangle de clarté s'ouvrir dans le ciel, et je reconnais là le passage dont m'ont souvent parlé les morts, j'entends des cascades d'eau cristalline, et soudain la musique éclate, dense, superbe. Ça alors !...je reconnais, c'est *Yellow Shark* de Frank Zappa, je m'ahuris, je m'exaspère, me stupéfie, mais jamais, jamais je n'aurais prêté un aussi bon goût aux anges !

Je suis mort, la bête à la reptation lente est déjà presque sur moi. Et soudain je les vois, et je les entends, les anges ! Un ange, non une ange, son sexe est indéniable, elle est là à côté de moi, à côté de mon corps qui gît sur le sol, vêtue d'une gaze transparente, recouverte de milliers de brillants, à travers laquelle je vois ses longs cheveux blonds, elle avance presque aussi lente que la bête qui glisse vers mon ventre, et elle lui parle, d'une voix très douce, je reconnais, c'est de l'italien, tiens, j'aurais cru que les anges ne parlaient que latin.

— *Ma Priprefrè chè hai fatto, ma guarda questo casino, stai buono per piacere, to portato un coniglietto.*

Elle dit ça de sa voix douce, d'un ton un peu réprobateur, comme si elle grondait avec indulgence une perruche, un pinson. Mais je vois à ses gestes qu'elle fait très attention. Elle fait apparaître un grand sac, plonge une main à l'intérieur et en sort un lapin. C'est elle, c'est Alice, excellent le coup du lapin, quelle magicienne ! Elle le tient par les oreilles, il se débat, elle le jette. Il tombe et se tétanise et je reconnais dans son œil terrifié la même peur que dans le mien.

La bête, la chose, le mutant se détourne de moi. Il regarde le lapin et soudain se vrille, la tête et tout le corps dans le même mouvement, et à une vitesse stupéfiante, il se propulse en avant en tournant sur lui-même comme une mèche de perceuse, et son rostre se plante dans le ventre du lapin, je vois gicler le sang. Je m'éveille, je me réintègre, je suis d'un coup dans mon corps. Je ne peux toujours pas bouger, mais non je ne suis pas mort. Peut-être que je dors ? Mais qui dormirait avec une telle peur à l'âme ?

L'ange se penche sur moi, dieu qu'elle est belle, ses yeux ont la couleur de l'azur du ciel, elle se penche, et ses cheveux glissent du capuchon de sa pèlerine en plastique transparente où scintillent les gouttes de pluie, elle me regarde à l'envers, m'examine un peu inquiète, puis elle sourit, et l'expression de son visage dilue un peu ma peur.

— Ça va ? Vous m'entendez ?

J'aimerais bien lui répondre, mais je ne peux toujours pas parler, ni bouger, si pourtant, j'arrive à cligner des paupières.

— Ne vous en faites pas, me dit-elle, les effets vont disparaître d'ici quelques minutes. — Les effets... Les effets de quoi ? — Tout va bien maintenant, vous ne craignez plus rien, je vais vous tirer de là. Surtout ne bougez pas, je reviens tout de suite.

Et je veux hurler, non, non, pitié, ne m'abandonnez pas avec cette bête, non ne faites pas ça, c'est un monstre, un incube, au secours ! Mais déjà elle s'est tournée vers l'animal, levant un doigt en admonition, elle le secoue à son adresse.

— *Stai buono Priprefrè, se non la smeti ti dovro chiudere dentro, capito ?* Ne bougez pas, je reviens !

Et elle s'en va. Et je hurle en silence, non revenez, au secours, et elle se détourne et remonte les marches, elle n'entend pas mes cris, mais la bête, si. Qui arrache son museau du ventre du lapin, fait pivoter sa tête et rive son œil dans le mien. Non !

Je me tais, je m'efface, l'humilité totale. L'animal n'est pas dupe, il fouette l'air de sa queue, et son œil de glace ligné d'écarlate me fait clairement comprendre que j'ai beaucoup de chance qu'il préfère le lapin. Il s'y replonge avec entrain. Et la vie revient dans mes membres, je le sens parce que je tremble. La lumière change, la porte du soleil s'éteint et il ne reste que le néon blanc, la musique aussi s'arrête soudainement. J'entends claquer une portière, et je réalise que l'ange avait garé sa voiture, les phares allumés devant le vasistas. Pourvu qu'elle se hâte.

L'animal m'ignore, ne prête plus attention à moi. Lentement je récupère, je l'observe. Sa circonférence semble avoir doublé par rapport à celle du tube dont il est sorti. Il est épais, malgré sa longueur, un orvet, un ver, un monstrueux lézard des neiges, avec des pattes si courtes qu'on dirait qu'il lui en manque une douzaine de paires. Sa protubérance sur le museau me rappelle celle de certains iguanes des Galapagos et je distingue à l'arrière de sa tête, sur le côté, des excroissances comme de corail blanc, qui pourraient être des branchies. Il n'a d'écailles que sur la tête, le reste du corps est nu, comme une peau d'anguille albinos. Mais qu'est-ce que c'est ? Quand il s'est vrillé tout à l'heure, j'ai pensé aux crocodiles qui se roulent sur eux-mêmes pour noyer leurs proies, un saurien ? Ou une création de la biogénétique ?

La fille est là. Pour de vrai, elle est toujours aussi belle, mais plus du tout aussi aimable. Les sourcils froncés, elle se mord la lèvre en me regardant, anxieuse de ce qu'elle va faire de moi.

— ... sortir, sortir de là, parvins-je à geindre en jetant un œil terrorisé sur l'animal.

— Ne vous en faites pas, répond-elle.

Elle passe mon bras sur son épaule, me tire, me hisse, m'aide à me relever, elle est étonnamment forte pour sa taille, elle voit la flaque sous moi, mais n'en a cure, et moi j'ai bien trop mal pour avoir honte, elle m'entraîne hors du garage, me soulève presque pour gravir les marches et nous sortons enfin de cette foutue cave.

— Qu'est-ce que... Qu'est-ce que c'est ?

Elle élude en pressant le pas, traverse la cuisine, m'amène dans le salon et là me pose contre un mur, debout, bancal comme une planche fêlée. J'insiste.

— C'est quoi, cette bête, ce truc, c'est quoi ?

— Et vous que faites-vous là ?

Elle me laisse, se précipite sous la bâche au milieu de la pièce, sous laquelle elle se glisse. Je m'attends à la voir revenir avec le fusil pour être sûre de bien m'achever, et je m'en réjouis presque tant est atroce la douleur qui me brûle les vertèbres de la nuque au coccyx. Je l'entends fouiller, ouvrir des tiroirs en jurant, mais non elle revient avec une chaise sur laquelle elle me fait asseoir, et le fer rouge qui me transperce le dos se brise en multitudes d'éclats acérés qui s'enfoncent entre mes os. Je gémis. Elle tient une fiole dans sa main, contenant un peu de poudre noire, qu'elle brandit dans la lumière, puis jure de plus belle en s'apercevant qu'elle est presque vide.

— Avez-vous été en contact direct avec lui ? me demande-t-elle anxieusement.

— Non, non...

Mais déjà elle repart vers la cuisine. J'ai à peine la force de remuer la tête et l'impression de revenir d'un trip d'enfer, un voyage hallucinatoire avec une drogue particulièrement violente, toxique. La fille revient avec une bouteille d'eau et une de vodka qu'elle débouche. Elle verse le contenu de la fiole dans un verre, le dilue dans la vodka et me le passe. Je bois sans poser de questions, l'alcool me brûle horriblement mais me fait du bien, comme si je chassais un poison avec un autre que je connais bien.

— C'est quoi, cet animal, c'est quoi ?

Elle me regarde un instant l'air de se dire que j'exagère, et son regard se fait fuyant.

— Un iguane, une variété très rare d'iguane de Patagonie.

— Quoi ! Un iguane ? Non, non. — Je secoue la tête avec véhémence, en grimaçant de douleur. — Pas d'iguane, en Patagonie... Des branchies, ...pas un reptile ce truc...

Surprise que j'en sache autant, elle comprend qu'elle ne s'en tirera pas avec des fables, j'ai eu bien trop peur pour accepter ça.

— Qui êtes-vous, reprend-elle, et que faites-vous chez moi ?

— Je m'appelle Boris, Boris Genssiac.

Et je lui raconte l'accident d'Ulysse qu'elle n'a pas

vu en franchissant le portail, sa mort, et ma colère, à la vue du fusil, et puis la rencontre avec son machin abominable.

— J'ai vu ma mort, dis-je sous le choc. Et je veux boire encore.

Mais elle retient la bouteille de vodka.

— Allez-y doucement avec ça, c'était juste pour vous administrer l'antidote, il faut que vous buviez beaucoup d'eau, tenez.

Et elle me passe l'autre bouteille, mais j'ai un mal fou à l'attraper. Elle observe mes gestes asynchrones comme pour se rendre compte de mon état.

— Je suis empoisonné, c'est ça ?

— Non, l'antidote est très efficace, enfin tout dépend du degré d'intoxication, me dit-elle, loin de me réconforter.

La douleur peu à peu s'amenuise, mais son simple souvenir suffit encore à me tétaniser et mes vertèbres ne sont toujours pas dessoudées. Je bois longuement au goulot.

— C'est terrible, pauvre chien, reprend-elle. C'est de ma faute, Pripréfré ne mange que tous les six mois, mais j'ai plus d'un mois de retard, il a dû avoir trop faim, d'habitude il se contente d'un oiseau dans ces cas-là. — Elle a vraiment l'air désolé. — Votre chien a dû arriver juste au mauvais moment, je suis navrée.

Pour le coup, c'est elle qui porte la vodka à sa bouche et boit une longue gorgée.

— Il ne mange que tous les six mois ? Mais qu'est-ce que c'est, ce Pripréfré ?

Mes forces me reviennent. Bon sang, j'ai bien vu cet animal, je n'ai pas rêvé, ni halluciné, pourtant jamais auparavant je n'en avais entendu parler, ni dans les livres, ni dans les reportages animaliers, ni de rien qui lui ressemble. Ma pommette me pique, je veux la gratter, mais la fille retient mon bras.

— Ne vous frottez pas. Son venin est proche des batracyotoxines que sécrètent certaines grenouilles et il est capable de le pulvériser, heureusement à doses infimes, mais la moindre inhalation est suffisante pour paralyser momentanément le système neuro-moteur, et provoquer cette angoisse insoutenable, il va falloir vous doucher.

— Bon dieu, je sais que ce truc est dangereux, il a tué mon chien ! Mais, qu'est-ce que c'est ? !

Devant mon insistance, elle porte à nouveau la bouteille à sa bouche, elle a une sacrée descente.

— Ça n'est ni un reptile, ni un batracien, bien qu'il tienne un peu des deux, à vrai dire, à ma connaissance il est l'unique exemplaire de son espèce, vivant et connu. Il faudrait créer un ordre, une famille pour lui tout seul, et mon père s'y est toujours refusé.

— Votre père ?

— Le professeur Kalao vom Hoffé, oh pardon, je suis Béatrice, Béatrice Kalao vom Hoffé, enchantée.

Elle me tend soudain la main et je la serre douloureusement.

— Boris Genssiac, je...

Mais déjà elle reprend son exposé, passionnée.

— Son sang possède des caractéristiques qui le rapprochent de certains poissons de l'Arctique. Grâce à des enzymes, qui agissent comme une espèce d'antigel, il supporte d'importantes températures négatives sans pour autant cesser de circuler. Son sang ne peut pas geler. Vous l'avez vu, il est remarquablement adapté à la vie dans la glace, et possède un double système respiratoire qui lui permet d'être aussi à l'aise dans l'air que dans l'eau. Il peut hiberner pendant des mois, peut-être même des années, puis se réveiller et se mettre à forer la glace en quête de nourriture. Les écailles incroyablement dures de ses mâchoires et de sa tête, et sa technique de creusage, il se vrille en utilisant sa queue comme un puissant ressort tandis que ses pattes évacuent les déchets, lui permettent d'avancer de plus de deux mètres à l'heure dans la glace la plus dure. Malheureusement, nul n'a jamais pu étudier ses mœurs à l'état sauvage, dans son environnement naturel, Pripréfré étant le seul exemplaire connu, et...

— Mais c'est quoi ? Ce truc, c'est quoi ?

Elle sursaute, étonnée de mon interruption, puis me lâche comme une évidence.

— Un tatzelwurm.

— Un tatzelwurm... ?... ?

— Un tatzelwurm.

— ... ? Oh, je vois, le fameux tatzelwurm des Alpes, et sa mère est un dahu, c'est ça ?

La moutarde me monte au nez. Bien sûr, le fameux tatzelwurm, mon père m'en avait souvent parlé. C'était lui qui allait sortir de mon oreille si je racontais des mensonges, lui qui était chargé de ramasser les dents de lait. D'ailleurs une fois ma mère et mon père s'étaient chamaillés pour savoir qui de la souris ou du tatzelwurm allait l'emporter, le tatzelwurm bien sûr. C'était lui aussi le seul dépositaire de l'adresse du bon dieu, dire s'il était difficile à trouver. Je sens la douleur s'estomper et en même temps ma colère monter. Ce foutu lézard a failli me tuer, mais Béatrice affirme très sérieusement :

— Pripréfré est un tatzelwurm. Mon père l'a acheté, bien avant ma naissance, à un vieux paysan de montagne dans les Alpes italiennes qui le tenait de son arrière-grand-père, qui, lui-même, l'avait acheté à un camelot de passage. D'après cette source, il aurait été capturé dans une grotte glacée du haut Tyrol, par quelqu'un qui serait parvenu à le recouvrir de tissus imbibés d'huile d'olive, d'où son nom : Prima Prezione a Freddo, Pripréfré. Il a au moins déjà cent cinquante ans de captivité, et à mon avis, il est encore jeune. Quand la température s'abaisse, il peut à volonté ralentir ses fonctions vitales, jusqu'à paraître presque mort. Il peut ainsi passer de longues périodes en léthargie, et d'après le vieux Tyrolien, il aurait une fois dormi plus de deux ans sans manger.

— Arrêtez, vous vous moquez de moi là ?

— Pas du tout. Sa peau présente une texture archaïque évoquant celle des dinosaures avec des qualités d'élasticité extraordinaires. Son squelette est d'une grande souplesse, mis à part ses mâchoires et son crâne. Il est capable d'encaisser des pressions redoutables, de vivre aussi bien au fond des lacs glaciaires, que sous des tonnes de glace et de neige. Ses pattes griffues sont non seulement des pelles très efficaces, mais le dessous est recouvert de milliers de lamelles qui font office de ventouses, un peu comme celles d'un gecko, ce qui lui assure une bonne adhérence même au plafond des grottes de glace, d'où ses talents de chasseur.

Oui merci, j'en ai fait les frais... Je deviens dingue, je sors d'une douleur hallucinatoire à en frôler la mort et voilà que je tombe en plein conte de fées. Seulement, je l'ai vue de mes yeux la bête dont il est question, et tout ce que la fille dit peut être la vérité. Mais alors, c'est ma réalité à moi qui se débine, mes convictions, mes certitudes, si ce qu'elle dit est vrai, je n'ai plus aucune raison de ne pas croire au Père Noël. Elle continue.

— Au-dessus de la tête, la peau présente des nodules par lesquels il sécrète un poison proche de la batracyotoxine. Celui-ci s'écoule à travers les écailles, jusqu'à une sorte de coupelle située sous les narines et Pripréfré est capable de le pulvériser très précisément jusqu'à une dizaine de mètres. En extérieur, il sait tenir compte de la vitesse et de la direction du vent, et peut atteindre des proies beaucoup plus éloignées. Mon père a l'habitude de le lâcher quelques jours, tous les deux ou trois ans, dans des glaciers de haute montagne. Une fois il l'a vu s'en prendre à une perdrix des neiges, distante de plus de deux cents mètres. Quand l'oiseau est tombé, tétanisé, Pripréfré a plongé dans une fissure. Mon père a cru l'avoir perdu, mais, après des heures de recherche, il l'a trouvé sous la perdrix, qu'il avait déjà à moitié dévorée. Nous ne savons pas exactement comment il s'y prend pour se diriger sous la glace avec une telle précision, mais il semble que son ventre, comme celui des serpents, soit sensible aux vibrations les plus infimes. Son venin, à l'inverse de la batracyotoxine, ne touche que le système neuro-moteur. La victime est paralysée, ses perceptions sont confuses mais intactes, et elle reste consciente jusqu'au dernier moment.

— Et ce poison, les effets, ça dure longtemps ?

— Je ne l'espère pas, je vous ai donné tout l'antidote qu'il me restait. Mais mon père en a toujours avec lui, s'empresse-t-elle d'ajouter quand elle voit la tête que je fais.

— Il a aussi été empoisonné ?

— Oui, à plusieurs reprises, c'est lui qui a élaboré l'antidote pour pouvoir manipuler Pripréfré.

— Mais comment est-ce possible, je veux dire, comment est-ce qu'un animal aussi dangereux peut vivre en Europe sans que personne le sache ?

— Vous vous trompez, il existe tout au long des siècles de multiples témoignages décrivant des créatures similaires, vous-même étiez au courant de son existence !

— Non, mais attendez, ce sont des mythes, des légendes...

— Bien sûr, mais quand on analyse ces légendes, on s'aperçoit que nombre d'entre elles possèdent un fond de vérité. Ainsi, en Autriche, on dit que le tatzelwurm est si venimeux qu'il suffit de le voir pour en mourir ; en Haute-Provence que quiconque rencontre le ver à pattes, répond à ses énigmes et s'en tire vivant, aura de la fortune pour le reste des temps. Deux dictons qui reflètent des mentalités très différentes mais qui font indiscutablement référence aux capacités venimeuses de l'animal, et à l'examen de Pripréfré, elles sont scientifiquement avérées.

Tout ça est complètement dingue. Béatrice Kalao vom Hoffé parle avec conviction, passionnée par son sujet, et moi je l'écoute, bouche bée, en secouant de temps en temps la tête pour réaffirmer mon scepticisme, mais en fait je crois tout ce qu'elle me raconte. Dans le feu de son exposé, elle enlève sa pèlerine transparente, en dessous elle porte une veste de montagne bleu marine, un fuseau noir, qui révèle ses formes de sportive, et des après-skis, peut-être revient-elle des sports d'hiver.

— Les Alpes, continue-t-elle, du nord au sud, présentent un réseau inextricable de galeries et de lacs souterrains ou glaciaires, dont l'homme n'a et ne peut visiter qu'une infime partie. Il n'y a aucune raison de penser qu'une espèce bien adaptée, et particulièrement sensible et farouche, ne puisse y vivre depuis toujours à l'abri du regard des hommes.

— Ça veut dire qu'il y en a d'autres ?

— Oh oui, je l'espère. Voyez-vous, l'alpinisme et la spéléologie glaciaires sont deux disciplines pour lesquelles l'homme a besoin d'un équipement bruyant et volumineux, ce qui lui interdit toute approche discrète. Néanmoins, je crois que les rencontres sont plus fréquentes qu'on ne l'imagine, et qu'on peut imputer aux congénères de Pripréfré la responsabilité de certains accidents de montagne.

Effaré, je n'ai aucune peine à imaginer la tête de l'alpiniste qui en pleine paroi de glace se retrouve soudain face à un truc pareil, sans même que la bête ait à utiliser son venin, la chute est garantie.

— Berk, mais c'est dégueulasse, bon dieu, plus jamais j'irai skier.

À nouveau je veux me frotter la joue, cette fois Béatrice attrape ma main et la garde dans la sienne.

— Non, ne faites pas ça ! Il faut que vous vous douchiez, d'ailleurs, vous êtes trempé, venez, je vais vous donner des vêtements secs.

— Vous croyez vraiment que...

— Oui, il le faut. Venez.

— Et Ulysse... son corps, je ne peux pas le laisser comme ça.

— Je vais m'en occuper. Si vous le voulez, nous pouvons l'enterrer dans le jardin.

— L'enterrer ? Bon sang, je n'arrive même pas à réaliser qu'il est mort.

— Je suis vraiment désolée, Boris, navrée, me dit encore Béatrice, tirant mon bras pour me relever. Allons, venez.

Je la suis, anéanti par les mystères de la vie.

3

Dans la salle de bains, ignorant si le tatzelwurm pouvait ramper dans les canalisations d'eau, je fermai prudemment la lunette des toilettes, puis j'obstruai le clapet du lavabo, le remplissant d'eau chaude à ras bord et, en grimpant dans la baignoire, je maintins le bouchon sous mon pied, bien enfoncé. Malgré le sourire réconfortant que Béatrice m'avait adressé en me remettant une pile de vêtements secs, des linges et du savon antiseptique, je n'avais aucune envie de voir cette fichue bestiole me suivre jusque-là. Nu sous la douche, dans cette salle de bains inconnue, commotionné, je fermai les yeux et me savonnai vigoureusement le visage et les cheveux, comme elle m'avait recommandé de le faire.

Tout ça m'apparaissait tellement irréel. Ulysse mort, et cette fille, cette femme si belle, avec ses yeux pervenche et malgré tout un air asiatique sous sa blondeur. Béatrice Kalao vom Hoffé, rien que son nom était un poème, et son animal familier, le dragon, la mandragore, son ver à pattes, le Pripréfré, peut-être que tout ça je l'avais rêvé ? Peut-être que je dormais, j'allais sans doute me réveiller, tout ça j'avais dû l'imaginer ? Pourtant non, quand j'ouvris les yeux, mon corps résonnait encore de douleur comme pour en témoigner.

Quel cauchemar... Ce venin était un poison terrifiant.

Jamais je n'avais eu aussi mal. Jamais je n'avais eu aussi peur. J'étais rompu, cassé. Mes muscles vibraient encore, refusant de se relâcher, pourtant je n'avais fait qu'en inhaler un peu. Mon pauvre chien, comme il avait dû souffrir. Ces gens étaient cinglés de détenir un animal aussi dangereux en semi-captivité. Totalement irresponsables. Béatrice m'avait sauvé, mais c'était bien à cause d'elle que j'avais failli y passer. Je me promis d'avoir une explication avec son père, le professeur Machinchose, et même de lui foutre mon poing dans la figure, pour lui faire réaliser son insoutenable légèreté. Un animal aussi mortellement venimeux aurait dû être enfermé dans un vivarium aux vitres blindées. Un ver à pattes, un tatzelwurm... Je n'arrivais pas à accepter cette idée. Comment une bestiole pareille avait-elle pu échapper depuis toujours aux yeux des naturalistes ? Ça dépassait l'entendement.

La mort d'Ulysse était tellement absurde, plus que de la malchance, elle relevait d'une inexorable fatalité. Enfin, dorénavant, pour lui, tout allait bien, il devait courir dans le Whallala des chiens-loups, mais moi... Je ne pouvais nier l'efficacité de cet antidote, à sentir à quelle vitesse mes douleurs s'étaient évaporées, pourtant j'avais intérêt à aller au plus vite consulter un spécialiste.

Je me rinçai et me savonnai une fois encore, partout où le venin aurait pu m'effleurer. Je n'arrivais pas à cesser d'être ahuri. C'était une rupture si abrupte avec la banalité de ma solitude, si brutale avec mon ennui routinier. Comme si, par sa simple existence, le ver à pattes avait soudain déchiré une crevasse béante dans la morne plaine de ma réalité. Je me retrouvai d'un coup, juste au bord de l'abîme. Et tout cela était vrai : cette fille incroyable, à qui je devais déjà la vie et les pires tourments, le tatzelwurm, dont le venin létal justifiait les légendes les plus folles courant à son propos. Aussi tangible que le carrelage mouillé sous mes paumes, les tuyaux et les robinets, l'eau ruisselant sur ma tête et mes muscles endoloris. Malgré le chagrin de la perte d'Ulysse, malgré les échos cuisants du poison dans ma mémoire, je ne pouvais m'empêcher de sourire jaune à cette farce surréaliste que m'assenait la vie.

Tout ça était réel, et Béatrice était si belle.

Je n'étais ni religieux, ni superstitieux, je ne croyais ni au destin ni au karma, au contraire, depuis toujours seuls le chaos et la déveine décidaient de mes jours. Mon quotidien étriqué d'artiste à la dérive m'avait rendu plus que cartésien, d'un pragmatisme fataliste. Pourtant, quand j'évoquais l'apparition de Béatrice, son intervention angélique pour me tirer des griffes de Pripréfré, j'en restais tout ébloui. Tout en moi me disait qu'une telle rencontre ne pouvait être fortuite. Dans le désert peuplé de relations superficielles qu'était devenue ma vie, malgré la présence menaçante du tatzelwurm, elle me faisait l'effet d'une source d'eau claire. Je ne la connaissais pas, mais déjà je partageais avec elle l'intimité d'un terrifiant secret et j'en étais profondément troublé.

« Qui voit le ver à pattes, répond à ses énigmes et s'en tire vivant... », me dis-je, avé l'asseng', pour tenter de me réconforter.

Je me douchai longuement. Debout sous l'eau chaude, le dos bien droit, gonflant mon abdomen, je fis de profondes inspirations et m'évertuai à me détendre. Au cours de l'année précédente, j'avais échafaudé des scénarios abracadabrants de rencontres avec des filles improbables qui mettraient fin au spleen de mon célibat. Aucun n'arrivait à la cheville de cette réalité-là. J'avais bien cru mourir, pourtant, finalement je me sentais plutôt bien. Soit l'antidote était vraiment efficace, soit ce venin n'était pas si terrible que ça. En tout cas, l'irruption de Béatrice dans ma vie prévalait sur tous mes tracas.

« Excuse-moi pauvre Ulysse, mais si tu voyais cette fille, tu comprendrais mon état. » Je poussai un gros soupir. En pensant à Béatrice j'eus une soudaine et intense bouffée de désir. Mon sexe, depuis longtemps privé de stimuli intéressant, se déploya et je me mis à bander comme un tigre, preuve manifeste de ma santé recouvrée.

C'était comme si les événements que je venais de vivre avaient modifié, non pas mes perceptions, mais mes perspectives. Comme si mon regard, sur le monde et sur moi-même, avait gagné une acuité nouvelle. Oui, je me sentais bien, plein d'une audace et d'une conviction nouvelle, déterminé à reprendre les rênes de ma vie amoureuse, de ma vie tout court, déliquescente depuis des années. Je me laissai aller à mes fantasmes, nu dans la salle de bains de cette femme, dont la rencontre, je le savais quoi qu'il advienne, marquerait un tournant de mon existence. Je bandai dur, et plus mon sexe gonflait, plus je reprenais courage, hésitant à me masturber. Cependant j'avais toujours été plutôt prude, et Béatrice risquait d'entrer à tout moment, je ne voulais pas l'effaroucher.

Dans un accès de soul, je me mis à chantonner comme un crooner. Je ne reconnaissais pas ma voix. Elle avait pris des racines, de la profondeur et de l'expérience, elle était rauque, cassée et pourtant pleine de joie. Et les mots coulaient, comme autrefois :

I gotta something wild inside, aha ha, coming out in special cases,
coming out when I'm drunked up, like the wrath of a bush wizard
lost in the middle of my culture, calling out for violence
when the pressure's too much around me

I gotta something wild inside, aha ha, coming out in special cases,
coming out when I feel bluesy, like the cry of a lonely wolf
lost in the forest of my thoughts, calling out for love
when there's nobody close to me

I gotta something wild inside, aha ha, coming out in special cases,
coming out when I'm in love, like the fright of a wounded bird
trying to break his golden cage, calling out for freedom
with no attention to the pain

I gotta something wild inside, aha ha, coming out in special cases,
coming out with tomtom beats, like the transe of a voodoo woman
dancing round and round in my brain, calling out for magic music
to cancel all the boring days

Ma voix se réverbérait sur les catelles, avec une résonance métallique. J'étais sûr qu'en l'entendant Béatrice devait sourire. Comme je bandais encore, je me dis qu'un peu d'eau froide ferait du bien à l'homme fort que j'étais, et je fermai d'un coup le robinet d'eau chaude.

Cela se produisit à ce moment-là.

Une déchirure tellurique. Un incendie du ciel, un écartèlement d'atome. Alors que le choc thermique de l'eau glacée explosait sur ma nuque, mon coccyx éclata en multiples fragments, et de là une longue tige de fer barbelé s'enfonça dans ma moelle épinière, remonta en griffant chacune de mes vertèbres, se forant un passage en déchiquetant les tissus pour aller se ficher dans mon cerveau, puis se réchauffer et se mettre à rougir comme branchée sur de la haute tension.

Je hurlai des jours, des nuits, à la lenteur du supplice, qui pourtant ne dura qu'une fraction de seconde ; à l'idée, plus atroce encore que la douleur, de la peur de la ressentir, et plus angoissant encore, de soudain comprendre que l'antidote n'avait pas pris, que le venin du tatzelwurm s'était fixé à tout jamais dans mon organisme, au cœur même de ma vie. J'allai mourir, j'étais encore empoisonné. Cette fois c'était cuit, il me restait juste le temps d'un cri.

Je hurlai et mon cri s'interrompit sur une note d'ahurissement lorsque la douleur s'évanouit d'un coup, aussi brutalement qu'elle était arrivée. Je chancelai devant le vide soudain créé par son absence, tentai de me rattraper au rideau de douche, l'arrachai et basculai par-dessus le bord de la baignoire, m'effondrant entre le lavabo et les chiottes dans un grand fracas. J'atterris sur le carrelage, choqué, sans autre dommage toutefois que ma stupéfaction. La douleur s'en était allée. Je n'avais plus mal qu'à mes contusions, mais mon cœur battait à se rompre, mes muscles restaient tétanisés. Irrévocablement je sus : si cela devait se reproduire, il me faudrait mourir.

Alertée par mon cri, Béatrice ouvrit la porte à la volée, se précipitant sur moi.

— Boris, ça va ? Que se passe-t-il ?

Étalé sur le sol, frissonnant, j'étais presque paralysé.

— J'ai eu comme... Le venin..., lui dis-je, haletant et blême.

Je lui tendis mon bras, j'étais nu et, malgré mon état, je bandais encore. Au contact de sa main chaude, mon sexe s'agita de soubresauts que je refrénai aussitôt, troublé. Béatrice, préoccupée, n'en fit pas cas et, devant son inquiétude, ma gorge se serra.

— Le venin, ça brûle terriblement, il me faut encore de l'antidote, et vite..., ajoutai-je.

— Vous avez toujours mal ou la douleur est passée ? dit-elle en m'aidant à m'asseoir dos à la baignoire.

— C'est passé, je crois... Votre antidote, il m'en faut plus, ça n'a pas marché...

— Calmez-vous, calmez-vous, ça va aller.

Bouleversée, elle s'accroupit au-dessus de moi, essuya mon visage de sa main, se penchant pour examiner mes pupilles, puis m'intimant de me taire, elle posa deux doigts sur ma carotide, écoutant attentivement mon rythme cardiaque, avant de soupirer, rassérénée. Elle sentait délicieusement bon. Frissonnant, je n'osais plus bouger, gêné par ma nudité, affolé presque autant par sa proximité que par les douleurs ressenties.

— Ces putains de brûlures, ça a été pire cette fois.

L'air navré, elle me répondit :

— Je n'ai plus d'antidote, je vous ai déjà tout donné. Il faut vous sécher, vous êtes glacé.

Je me recroquevillai sur moi-même, atterré, lui prenant le linge des mains pour me couvrir.

— Quoi, mais il m'en faut ! Vous avez dit que votre père en a...

— Il n'est pas là, il est au fin fond du Canada !

— Quoi ? C'est pas vrai ! — Mon affolement se muait en colère. — Mais bon sang c'est de ma peau qu'il s'agit !

Béatrice tressaillit, me reprenant le linge pour m'en frotter les épaules, je tentai de la repousser.

— Écoutez, je vais aller à l'hôpital, faites-lui envoyer l'antidote, ou sa formule et...

— C'est impossible, non, je vous en prie, Boris, ne faites pas ça. Ce serait terrible si l'existence du tatzelwurm venait à être révélée au public ! Ça ne peut pas être si grave, juste une réminiscence du choc, et... Nous allons arranger ça, faite-moi confiance.

— Vous faire confiance ! Ça fait atrocement mal, si ça se reproduit je... Je dois voir un médecin, et il faudra bien que je lui parle de votre Pripréfré.

Béatrice pâlit.

— Ne faites surtout pas ça, Boris, il ne faut pas qu'on en arrive là.

— Et si ça me reprend tout à coup, je fais quoi moi ? J'ai cru que j'allais y passer !

— Non, si vous aviez franchi le seuil de tolérance, il y a longtemps que vous seriez mort, me répondit catégoriquement Béatrice. Les crises sont cycliques, la prochaine ne se produira pas avant quelques jours, nous aurons tout le temps d'intervenir.

— Quoi ? Ça veut dire quoi cyclique ? Que cette saloperie va continuer, l'antidote ne guérit pas ?

— Non, l'antidote atténue la douleur des crises mais n'agit pas sur le venin, et celui-ci met quelques mois à se résorber. J'en suis navrée, Boris...

— Oh merde...

Elle m'annonçait tout simplement que ma vie était devenue un enfer, et elle le faisait avec la beauté compatissante d'un ange. Je restai là, prostré, anéanti, mais bandant toujours.

— L'antidote est un amalgame de plantes. Mon père l'a concocté avec un médecin tibétain, il le porte autour de son cou dans un étui de cuir, c'est une espèce de porte-bonheur. Il nous en fera parvenir dès que possible.

— Tibétain ? J'peux pas y croire, de mieux en mieux, dis-je en secouant la tête. Et pourquoi est-ce que je n'irai pas immédiatement à l'hôpital, peut-être que...

— Non, Boris, la médecine occidentale ne connaît pas d'antidote pour ce type de venin. Elle ne connaît même pas le venin lui-même. Et heureusement. Toutes les dernières découvertes en ce qui concerne les batracyotoxines ont été détournées à des fins militaires, vous savez. Le venin de Pripréfré recèle un potentiel destructeur épouvantable, ce serait terrible s'il tombait en de mauvaises mains. C'est une des raisons pour lesquelles mon père et moi avons toujours refusé de révéler l'existence du tatzelwurm. C'est une question d'éthique. Les risques sont trop importants.

— Quoi, mais qu'est-ce que vous me chantez là, comme couplet paranoïaque, grelottai-je. J'vous parle pas d'un hypothétique complot avec des militaires neurotoxiques, j'vous parle du vrai présent, de ma peau à moi, maintenant, là, tout de suite !

— Je comprends, Boris, mais la peur vous fait raisonner en individualiste, dans mon monde à moi, on se serre les coudes et on se bat... Allons laissez-moi vous sécher, il fait froid.

J'en restai coi. Cette fille... Cette fille me regardait avec un aplomb... Cette fille à papa, dans sa grande maison, si belle, si intelligente et fière de l'être. Ma vie était en jeu et elle avait le culot de me dire un truc pareil. Je brandis un doigt à son intention, fulminant, et comme je brassais l'air en quête d'arguments, Béatrice s'en empara, du linge et de ma main. Me saisissant par un coude, elle m'aida à me relever. Chancelant sur mes jambes, je lui tournai le dos, m'appuyant au lavabo pour masquer mon érection. Elle se mit à sécher ma tête, ma nuque et mes omoplates.

— Boris, je sais ce que vous ressentez, mais faites-moi confiance, je vous en prie, nous allons arranger ça, faites-moi confiance.

Elle était si proche de moi, je la voyais dans le miroir embué, fragile et déterminée à la fois, troublée mais pleine de courage. Hirsute, hagard, avec ma pommette violacée, je faisais à côté bien triste figure, et malgré mon désarroi, mon sexe s'agitait toujours, gonflé d'un priapisme aigu.

— Éthique mon cul, ajoutai-je pour avoir le dernier mot, je ne sais pas si je supporterais une nouvelle crise...

Bon sang, c'est de ma santé qu'il s'agit, qu'est-ce que vous comptez faire ?

— J'ai déjà contacté la messagerie de mon père, il ne va pas tarder à rappeler et pourra nous aider. Et puis, vous êtes plutôt bien constitué, vous avez de la réserve, répondit Béatrice disparaissant à ma vue.

Elle se pencha derrière moi pour frotter mes reins, mes fesses, mes cuisses et mes mollets, avec un sans-gêne... Je retins mon souffle.

— Tournez-vous, ajouta-t-elle en se redressant.

À nouveau j'essayai de lui reprendre le linge, mais insistante, elle me fit pivoter, essuyant mes bras et mon torse, puis baissa les yeux en même temps que moi sur mon sexe tendu. Mal à l'aise, je me raclai la gorge. Sans y prêter une particulière attention, elle s'accroupit pour le sécher délicatement, enveloppant mes bourses dans le linge, avant de frotter mes jambes. Oh, cette fille, si belle, là, juste devant moi. J'avais beau être en état de choc, mon membre boursouflé se mit à s'agiter frénétiquement. Confus, je balbutiai :

— Je... Je ne sais pas ce qui... C'est sans doute un effet du venin, je...

— Vraiment ? dit Béatrice, haussant les sourcils en se relevant, elle planta ses yeux bleus dans les miens avec un drôle de sourire. Dommage...

Je piquai un fard. À ce moment, un téléphone retentit, et avant que j'aie eu le temps de réagir, Béatrice se détourna.

— Ça doit être papa, habillez-vous, je vais répondre.

Elle me planta là, rouge pivoine, gobant l'air comme une carpe. Con, con, j'étais trop con. J'étais là, nu devant cette femme sublime, pas farouche pour un sou, et je n'étais même pas capable de saisir l'occasion. Même si je ne tenais qu'à moitié sur mes jambes, je maudissais mon manque de repartie. Tout cela était tellement ahurissant, ce truc insensé qui m'arrivait, et cette fille, belle au-delà de tous mes souhaits.

Marchant sur des œufs, je pris les habits qu'elle

m'avait apportés. Les jeans, appartenant à son père, étaient trop grands d'au moins quatre tailles. Ce devait être un colosse, et je révisai mon intention de lui flanquer ma main dans la figure, optant plutôt pour une simple et franche explication. Sous le coup de ma soudaine et prudente humilité, mon sexe daigna enfin se dégonfler. Je m'habillai assez vite malgré mes muscles endoloris, pressé autant par la hantise du venin menaçant ma vie, que par l'envie de rejoindre au plus tôt Béatrice. Cependant chacun de mes mouvements menaçait mon équilibre, je dus me tenir au mur, luttant pour enfiler les interminables jambes du pantalon. J'entendais Béatrice parler fort au téléphone dans une langue inconnue aux consonances nordiques. Quand, retroussant les manches d'un pull-over vaste comme une tente de camping, les pieds flottant dans des chaussures de pointure 53, j'entrebâillai la porte de la salle de bains, elle me fit signe de la rejoindre. Elle écoutait avec attention son père à l'autre bout du fil, puis parlait avec véhémence, féline dans sa façon de se mouvoir, et le moindre de ses gestes amenait jusqu'à moi de légers effluves de son parfum.

Je vérifiai, avant de sortir de la salle de bains, que la porte donnant sur la cuisine et la cave était bien fermée. Béatrice avait enlevé la bâche qui recouvrait le mobilier et réparti quelques meubles alentour, les autres restant groupés au milieu de la pièce. Je n'osais m'approcher d'aucun siège, sans avoir préalablement vérifié que Pripréfré n'était pas collé dessous, et le faisant, j'aurais eu l'air trop ridicule. Je m'approchai de la jeune femme. Me voyant épier anxieusement le moindre recoin, par signes, elle me fit comprendre que je n'avais rien à craindre, le tatzelwurm étant à la cave. Devant mes hésitations, elle m'attrapa par le bras pour me conduire jusqu'à une chaise, insistant pour m'y installer, mais je préférai rester debout.

Elle semblait surprise de ce que lui disait son père au téléphone et ça n'était pas pour me rassurer. Frustré de ne pas comprendre ce qui se tramait à propos de ma santé, je la questionnai du regard. Elle se détourna pour aller griffonner quelques mots sur un bloc-notes, sur une table basse où était éparpillé le contenu d'un gros sac, des appareils photo, des carnets de notes, son ordinateur et quantité de clichés en vrac. Circonspect, j'errai précautionneusement dans la pièce, me tenant à l'écart de tout endroit où aurait pu se cacher le tatzelwurm. À l'extérieur, devant la porte-fenêtre de la véranda, je vis la bâche de plastique, qui plus tôt recouvrait les meubles, enroulée en un gros paquet d'où dépassait la queue d'Ulysse, et juste à côté, une pelle. Béatrice avait ramené le corps de mon chien jusque-là, pour que nous allions l'enterrer. Je posai mon front contre la vitre.

« Mon pauvre Ulysse, tu vas me manquer tu sais... » J'éprouvais des sentiments mitigés, chagrin, colère, appréhension, mais aussi inexplicablement, une inavouable gratitude. Derrière moi, j'entendais Béatrice et, sans comprendre ses mots, je savais son intérêt et ses préoccupations pour moi sincères. Malgré mes craintes et mes regrets, je ne pus m'empêcher de glisser à la dépouille d'Ulysse : « Merci mon chien, merci... » Je décidai de l'enterrer au matin, dans le jardin de mon pavillon délabré, où il avait passé la majeure partie de sa vie. Je retournai vers la jeune femme, elle répétait à haute voix des consignes me concernant que son père avait dû lui transmettre. Anxieux, je m'accroupis à côté d'elle, prenant au hasard un cliché sur la table. C'était la photo d'un curieux rhinocéros, revêtu de plaques évoquant une armure, à moitié dissimulé dans une végétation dense et tropicale. Je me penchai pour mieux voir, en pris d'autres. Elle mit fin à sa communication, posa le téléphone sur la table, l'air grave.

— Un rhinocéros de la Sonde, me dit-elle. Je l'ai photographié à Bornéo peu de temps avant que brûle la forêt où il se cachait.

— Vous êtes photographe animalière ?

— Non, je suis paléontologue et zoologiste, je suis également tireuse d'élite et spécialisée dans l'anesthésie des grands mammifères, mais avant tout, je suis l'assistante de mon père qui lui est cryptozoologue.

— Pffuuuit, sifflai-je, faussement épaté. Et c'est quoi ça, la cryptozoologie ?

— Littéralement, c'est la science des animaux cachés.

— Oh je vois, un chasseur de tatzelwurm... Un peu irresponsable, sans doute ?

Elle eut un sourire contrit.

— En fait, c'est la rencontre de Pripréfré qui a suscité la vocation de mon père, avant il était simple entomologiste. Depuis, on lui doit la découverte de plusieurs espèces inconnues, aussi bien des insectes que des petits mammifères.

— Que dit-il à mon sujet ? demandai-je, un peu trop agressif.

— Il va tout faire pour vous aider et dit qu'il est prêt à vous dédommager pour les torts subits.

— Et l'antidote ?

— Il en a pour vous, bien sûr... Il dit que l'intoxication ne devrait pas durer plus de trois ou quatre mois, et après avoir pris l'antidote, vous ressentirez à peine les crises, un léger mal de dos tout au plus.

— Ah ? Eh bien merci, je... Et quand va-t-il nous le faire parvenir ?

— Eh bien je... — Elle éluda ma question en plantant ses yeux dans les miens. — Boris, que faites-vous dans la vie ?

— Je suis musicien, pourquoi ?

— Et vous avez des concerts prévus ces prochains jours, des enregistrements, des obligations professionnelles ou familiales ?

— Où voulez-vous en venir ?

— Boris, nous avons un problème, reprit-elle. Mon père est actuellement en expédition en Colombie-Britannique, il est loin de tout, et s'il vous envoie de l'antidote, celui-ci risque de mettre des jours avant de vous parvenir. D'autre part, mon père a un besoin urgent d'un certain matériel, je ne peux malheureusement pas le lui amener. Je suis prête à vous payer le voyage, à vous équiper, et à vous verser un salaire confortable si vous acceptez d'y aller. Ainsi il pourra vous donner lui-même l'antidote.

— Quoi, non mais attendez, je rêve là ? Je viens de vivre des... J'ai ce putain de venin dans la moelle épinière. Mon chien est mort et pas encore enterré et vous... Vous me proposez un voyage au Canada, c'est ça ? Écoutez, c'est trop là, non c'est trop... Et si je fais une crise dans l'avion ou je ne sais où ? Qu'est-ce que j'en sais, peut-être même que je suis contagieux et...

— Bien sûr que non, vous ne l'êtes pas, c'est ridicule, et si vous faites une crise, ici ou ailleurs, quelle différence ?

— Quelle différence ! Mais enfin, ici je suis chez moi, j'y ai ma... Et mes... — Et au fond de moi je criai, ici c'est mon pays, ma ville, j'y ai ma famille, mes amis, ma femme, mes enfants, mon travail. Et rien, je n'avais rien de tout ça. — Vous voulez que je quitte la scène, c'est ça, vous voulez que je disparaisse à l'autre bout du monde, plus de Boris, plus de soucis, plus de tracas, c'est ça ?

— Non, il ne s'agit pas de ça... Et en aucun cas je ne voudrais forcer votre décision, Boris, croyez-moi.

— Ha, elle est bien bonne ! Vous êtes pire qu'un ouragan, Béatrice. Est-ce que vous vous rendez compte de la façon dont vous déferlez sur ma vie ?

Elle rougit, confuse.

— J'en suis navrée, Boris. Je suis désolée de tout ce qui est arrivé, mais c'est arrivé, et je n'ai pas d'autres soucis que celui de votre santé. La prochaine crise ne devrait pas se produire avant cinq ou six jours. Si vous partez, vous pourriez très vite accéder à l'antidote. Si vous ne pouvez pas, Boris, il vous faudra attendre qu'il arrive par courrier, et moi je devrais trouver quelqu'un d'autre pour aller en Colombie-Britannique dès demain, reprit-elle.

Je secouai la tête, éberlué, tombant pour de bon assis sur le parquet.

— Attendez, non mais attendez, tout ça va un peu trop vite pour moi, vous voyez, je...

— C'est très urgent, Boris, et pour vous et pour mon père, vraiment. Je ne sais pas à qui d'autre m'adresser, et en vous, même si je vous connais à peine, je sais que je peux avoir confiance.

Nous plongeâmes longuement dans les yeux l'un de l'autre. Il se passait quelque chose, entre elle et moi, malgré mon effarement, je pouvais sentir pétiller les hormones. Il se passait quelque chose qui allait au-delà des événements qui nous assaillaient, au-delà de la plaisanterie de la salle de bains. Elle avait un petit air suppliant, se souciant réellement du mal qui me menaçait. À cet instant, sur un signe d'elle, je serais tombé raide amoureux à ses pieds. J'en avais connu des femmes, de toutes sortes, des belles et des moins belles, mais je n'avais jamais connu l'amour qu'après de longs préliminaires empêtrés d'émotions ou au moins de mensonges. Depuis bien longtemps je ne croyais plus au coup de foudre, et soudain je me retrouvai reniflant l'ozone à plein nez, les poils électrisés, debout comme un paratonnerre juste en dessous de l'orage.

— Écoutez, je ne peux pas me décider comme ça, il faut que je réfléchisse...

— Nous n'avons pas le temps, Boris, reprit-elle, la voix trouble en s'approchant tout près de moi. Je me sens tellement responsable de ce qui vous arrive, croyez-moi, nous en avons longuement parlé avec mon père, c'est la meilleure solution. Si vous partez, ce ne sera que l'affaire de quelques jours.

— Ha, vous en avez de bonnes, m'exclamai-je en secouant la tête.

Elle était si proche, je voyais ses lèvres trembler sous l'intensité des émotions qu'elle aussi semblait ressentir à mon égard, et dans ses yeux, le même effarement, la même surprise de les éprouver. J'ajoutai, comme pour me retenir :

— Et en vertu de quoi devrai-je vous faire confiance plutôt qu'à un spécialiste en toxicologie des venins ?

— Il n'existe pas de spécialiste en tatzelwurm, affirma-t-elle en un soupir.

Puis hésitante, comme étonnée de ses propres pulsions, elle leva une main pour caresser mon visage, effleurant ma bouche de son pouce, et me glissa fiévreuse :

— Je ne devrais pas vous dire ça, Boris, mais... Faite-moi confiance en vertu des circonstances exceptionnelles qui nous réunissent. Faites-moi confiance en vertu de l'attirance que nous éprouvons l'un vers l'autre, Boris. Je serai là. Je serai là à votre retour... Et, Boris, je peux vous assurer que vous n'êtes pas contagieux...

Elle posa doucement ses lèvres contre les miennes, glissa sa langue dans ma bouche et je fus stratosphérisé de surprise, aux promesses de délices de son baiser. Nous nous embrassâmes avec une avidité pleine de retenue et de considération. Mon cœur battait la chamade, mon sexe se redéployait dans mon pantalon, et en même temps je ne pouvais m'empêcher de me hurler : « C'est un traquenard ! Elle fait ça pour t'influencer ! Te faire perdre la tête... » Ma tête, je l'avais déjà perdue. Pour une fille comme elle, j'aurais damné mon âme. Alors la perte d'Ulysse, les abominables douleurs du venin, le tatzelwurm, même s'il me fallait aller jusqu'au fin fond du monde, pour conquérir son cœur, tout ça n'était pas cher payé, pour qu'une fille comme elle m'enlace de ses bras. Soudain Béatrice me repoussa, se redressant d'un coup, affolée.

— Non, non, Boris, je vous en prie. Oh mon dieu mais qu'est-ce qui m'arrive... Non, il ne faut pas, pas dans votre état..., susurra-t-elle en se rajustant.

— Mais je me sens bien, vous êtes le meilleur des médicaments, et...

Je lui caressai doucement la poitrine par-dessus son corsage, elle détourna ma main, la gardant dans les siennes.

— Oh non, arrêtez, Boris, je vous en prie.

Je lui bafouillai, solennel :

— Béatrice, vous m'avez sauvé la vie, je vous appartiens corps et âme. Faites de moi ce que vous voulez.

Elle éclata d'un rire si frais, que son souffle balaya les étendues arides de mon spleen, et s'infiltrant dans le moindre interstice de ma carapace, dispersa la poussière de mon cynisme en tourbillons multiples. Et je me dis : si ça n'est pas de l'amour, alors je donne ma langue au chat.

— Non, Boris, pas comme ça, il faut penser à votre santé, vous, tu... Tu ne dois pas trop t'exciter. Tant que le danger n'est pas écarté, je ne me sentirai pas tranquille. Oh Boris, je t'en prie, accepte de partir, plus vite tu seras guéri, plus vite tu pourras revenir.

Je la dévorai des yeux, planant à trois cent mille. Elle était là, ses chairs chaudes à portée de mes mains, sa peau douce, ses longs cheveux défaits sur ses épaules, l'intelligence de ses yeux, et la sensualité de son sourire. Elle était là, pour de vrai, contre moi, et quoi qu'elle m'eût demandé, je l'aurais fait pour la conquérir.

— Je viens à peine de te rencontrer et déjà tu me demandes de m'en aller ?

— Mais Boris, c'est pour ton bien, il faut que tu ailles voir mon père. Juste pour quelques jours. Quand tu seras guéri, nous aurons tout le temps d'approfondir ce qui nous arrive...

Et, devant les promesses de sa voix, j'acceptai de partir.

4

Nous passâmes l'heure qui suivit sur le Net. Béatrice brancha son computer et prévint son père de mon arrivée. Elle fit ma réservation pour le lendemain en fin de matinée, puis entreprit de me faire créditer une somme importante sur mon compte en banque, ce qui tombait bien étant donné mes revenus du moment, plus que sporadiques. Pourtant, ébloui, j'étais bien trop obnubilé par les odeurs qui émanaient d'elle pour m'attacher à ces vils détails matériels. Accroupi dans son dos, mes cuisses de part et d'autre de ses hanches, avec une indécente familiarité, je lui caressais les épaules, les omoplates, glissais jusqu'à sa taille, l'encerclais de mes mains, comme le galbe d'une amphore, remontais le long de ses reins. Elle gémissait de bien-être. Je reniflais ses cheveux, les dégageais de mes doigts, mordillais sa nuque, le lobe de son oreille. Et je bandais encore, me retenant de presser mon sexe contre elle. Béatrice riait, tout en pianotant, et me questionnait sur ma vie. Nous faisions connaissance, et l'intimité de nos corps contredisait tout ce que nous ignorions l'un de l'autre.

— Et tu fais quoi comme musique, du classique, du rock, du jazz, de la techno ?

— Je mélange un peu tout, j'essaie de rester aussi libre que possible avec les structures, sans pour autant renier l'esprit du rock. Tout à l'heure, quand j'étais presque mort, j'ai cru entendre Frank Zappa dans les limbes.

— Oui, *Yellow Shark*, je n'écoute que ça en voiture.

— C'est aussi un de mes préférés. Tu n'as pas peur de la conduite erratique ?

Encore elle riait, et son rire balayait en tornade toutes les craintes que j'aurais jamais pu avoir quant à son plaisir de me rencontrer. Je n'en revenais pas. Cette femme, si belle, pour moi, Boris Genssiac, moi tout seul.

— Quelles sont les origines de ton nom étrange ?

— Mon père est un Néerlandais de Macao et ma mère était eurasienne.

— Heureux mélange, repris-je, heureuse rencontre. Je te dois la vie, Béatrice, et aussi une sacrée quantité d'emmerdements... À présent, je te dois un désir sans fin, lui glissai-je à l'oreille, elle rit encore.

— Quelle horreur, imagine si j'étais arrivée dans quinze jours... — Elle me regarda par-dessus son épaule. — J'aurais eu le plus grand mal à dépecer ton cadavre...

Elle le dit avec un tel aplomb que je l'imaginai sans peine en tablier de boucher, avec un grand couteau à la main.

— Tu en a équarri beaucoup comme ça ?

— Non, rassure-toi, c'est la première fois que Pripréfré laisse quelqu'un entrer dans la maison. D'habitude il dissuade les visiteurs à distance, d'une bouffée de son venin. Tu as dû lui faire très peur.

— Ça se peut oui, à un moment j'ai fait beaucoup de bruit. Bien fait pour lui... Fichue bestiole...

Ainsi le malaise ressenti dans la propriété n'était pas une prémonition, j'avais en fait reniflé un peu de cette saloperie de venin, un peu de morve de ver à pattes. Berk...

— Ne dis pas ça. Pripréfré n'est pas une fichue bestiole, mais un animal extraordinairement rare, et venimeux. Oh Boris, j'ai eu si peur pour toi, il faut vite qu'on te soigne.

Elle posa ses doigts sur ma bouche, puis me donna un bref baiser. Ses yeux bleus scintillaient de malice.

— Alors, es-tu prêt à partir ?

Je la jaugeai longuement.

— D'accord, si tu penses vraiment que c'est la meilleure solution, je te crois. Je ferai comme tu voudras.

— Oui, sans aucun doute. C'est le chemin le plus court vers ta guérison. Alors, nous parlerons vraiment du plaisir de notre rencontre.

La beauté de son sourire rayonnait de promesses, je hochai solennellement la tête. Elle groupa ses envois, et d'un clic les expédia.

— Voilà, nous n'aurons plus qu'à passer à la banque pour retirer ta carte de crédit, et ton billet d'avion t'attendra à l'aéroport, pour le vol de 12 h 30. Boris, il y a encore une chose que nous devons faire. Pour activer l'antidote, mon père a besoin d'un peu de venin de Pripréfré, il faut en prélever, me dit-elle.

Se levant lestement pour échapper à mon étreinte, elle alla fouiller dans la poche d'un sac et en sortit une brosse à dents neuve dans son étui de plastique, qu'elle déballa et brandit à mon intention.

— Et voilà le meilleur instrument pour le faire.

— Tu veux aller frotter ça sur ta bestiole ? Tu crois qu'il va apprécier ?

— Bien sûr, mais j'ai besoin de toi. Pripréfré ne sécrète pas de venin en ma présence, il a besoin d'une certaine menace latente.

— Quoi, oh non, non, pas ça, m'affolai-je soudain. Non, Béatrice, j'ai eu trop mal... Et tu n'as même plus d'antidote, si je renifle de nouveau cette saleté, je...

— Le venin n'est pas volatil, Boris, c'est Pripréfré qui le projette et il ne le fera jamais en ma présence, crois-moi. Allons, viens.

Elle me tendit la main et je lui donnai la mienne, elle ne me laissa cependant pas le loisir d'en profiter, elle me serra avec poigne et m'entraîna derrière elle en direction de la cave. Je la suivis malgré moi, incapable de lui résister. Mais à la vue de l'ouverture dans le mur, où plongeaient les traces sinueuses, le souvenir de la douleur se réveilla dans ma colonne vertébrale, je freinai soudain des quatre fers.

— Attends, est-ce qu'il faut vraiment que j'y aille, je ne me sens pas, je...

Elle posa sa paume contre ma poitrine appuyant plus fort.

— Calme-toi, Boris, calme-toi et tout ira bien. — Elle épousait le rythme de ma respiration, et malgré mes habits je sentais la chaleur de sa main. — Concentre tes énergies, tu n'as rien à craindre.

— Facile à dire. Tout à l'heure j'ai frôlé la mort de si près que j'ai vu ma vie défiler devant moi ; elle ne ressemblait à pas grand-chose, et pourtant à présent j'y tiens plus que jamais.

Béatrice sourit.

— Tu seras à côté de moi, et Pripréfré ne te fera rien, je te le garantis.

Je soufflai profondément pour tâcher de m'en convaincre.

— On y va, lui dis-je, en sentant, à défaut d'énergies harmonieuses, la chaleur du désir irradier mon ventre.

Nous descendîmes les marches de la cave. Elle alluma les lumières, et ouvrit lentement la porte du garage, je la suivis dans la pièce, et me sentis d'un coup transi jusqu'aux os. Non seulement l'atmosphère était frigorifique, mais l'amas de glace, jaillissant du congélateur avec sa multitude de tubes scintillants, évoquait la chevelure de quelque gigantesque méduse souterraine. Je me retournai et, pétrifié, m'immobilisai là, tandis que Béatrice avançait en appelant l'animal de curieux bruits de bouche chuchotés.

— Pripréfré, *piccolino, ti facciamo una visità, vieni fuori, dove sei* ?

— Il ne comprend que l'italien ? murmurai-je, la voix tremblotante.

— Non, mais c'est sa langue favorite. Pripréfré, allez viens. *Abbiamo bisogno di te, fatti vedere.*

Et tandis qu'elle scrutait le labyrinthe de glace, ou

se juchait sur la pointe des pieds pour voir dans le congélateur, moi, je levai doucement la tête. Évidemment il était là, le tatzelwurm, collé au plafond, juste au-dessus de moi.

Mon regard se riva dans ses yeux d'une froideur minérale, d'un blanc-bleu aussi intense qu'aux entrailles d'un iceberg, tranché du losange étiré de la pupille, d'un rouge laser, qui semblaient détailler jusqu'au tréfonds de mon âme avec un savoir millénaire. De toutes mes forces, je me retins de hurler, mais je ne crois pas que j'aurais pu. J'entendais la voix de Béatrice qui continuait à l'appeler, comme si elle se trouvait très loin, dans une vallée perdue. Je m'évertuais à chasser ma peur, à faire le vide. En même temps, tétanisé, je voyais quelque chose luire entre ses écailles, en reflets scintillants et s'écouler vers le bout de son nez, juste à la verticale de mon front. Et je ne pouvais pas bouger...

Je vis le liquide s'agglomérer en une lente stalactite, s'arrondir en une goutte au mouvement élastique, qui s'étira vers le bas, puis remonta pour se gonfler encore, et redescendit au bout d'un long pédoncule, avant de se détacher et de choir droit entre mes deux yeux. Avant qu'elle me touche, je poussais une dernière exhalaison, une épitaphe rauque, pathétique à mourir.

Béatrice se retourna en sursautant, s'approcha d'un mouvement coulé, épongea mon front d'un revers de manche et me tira lentement en arrière.

— Ça n'est rien, c'est de l'eau, me glissa-t-elle.

Je voyais bien à son air qu'elle avait eu presque aussi peur que moi. Puis elle se mit à engueuler Pripréfré tout doucement :

— *Ma chè fai, ma sei stronzo di fare paura a la gente così, ma che ti prende.* Si tu continues comme ça, je le dirai à papa, ça suffit maintenant, allons descends de là, viens ici, Pripréfré, allez viens.

Et moi, blême, les bras ballants, liquéfié par cette seconde résurrection, je répétais en balbutiant :

— De l'eau... Oui c'est de l'eau... avant d'essuyer mon front de plus belle.

Le tatzelwurm se mit en mouvement, sa reptation aérienne défiait les lois de la pesanteur. Ses pattes arrière solidement arrimées au béton lisse du plafond, sur lequel même une mouche n'aurait pu adhérer, il prenait appui sur sa queue courte et tout l'avant de son corps avançait, oscillant horizontalement, flottant dans l'air parallèle au plafond. Puis il accrochait ses pattes avant à des prises impossibles, prenait appui sur son menton, et ses pattes arrière venaient le rejoindre, tâtant le plafond avant de s'y fixer, réunissant son corps serpentiforme contracté en boucle comme quelque gigantesque chenille. Béatrice s'était accroupie et avait repris ses petits bruits de bouche. Lorsque Pripréfré se laissa couler du mur sur le sol, son corps suivit en faisant un angle à 90 degrés.

— Le seul moyen de le faire tenir tranquille, c'est de le caresser, et il n'y a qu'un endroit où on puisse le faire en toute sécurité, hein Pripréfré. *Dai, vieni quà, vieni piccolino, dai, sbrigati un puo.* Tu sais, c'est bon signe qu'il t'ait fait une farce, c'est qu'il te considère comme un ami...

Le machin se hâtait de sa reptation glaciaire. Le temps en sa présence devait se dilater, car il avait beau être d'une extrême lenteur, je trouvais qu'il s'approchait encore beaucoup trop vite. Il nous avait rejoints, il était là, juste là. Béatrice se pencha davantage, prenant appui sur une main, et tendit un doigt dans sa direction. Pripréfré s'avança encore et soudain ouvrit une gueule démesurée et voilà que Béatrice — non je rêve, cette fille est folle — et voilà qu'elle enfonce son index dans la gueule du tatzelwurm et se met à lui caresser le palais en lui susurrant des mots doux.

Je manquai m'évanouir. Dans quelle réalité errai-je ? Où étais-je là ? Cette fille incroyable, à genoux devant moi, enfonçait son doigt dans la gueule d'un animal aussi monstrueux qu'improbable, aussi toxique qu'une centrale nucléaire, en lui montrant de l'autre main une brosse à dents neuve. Et moi j'étais là, figé, grotesque, complètement stupéfié, incapable d'autre chose que de béer, ma bouche grande ouverte.

Comment avais-je pu penser un seul instant que ma vie était terne, réagis bon dieu, réagis. Je crois que c'est à ce moment-là que je me promis de me mettre à écrire un jour, pour tenter de retranscrire un peu de ce maëlstrom d'émotions absurdes qui m'assaillait, tout en doutant de jamais pouvoir l'accomplir.

Ébahi, je n'entendis que la fin du discours de Béatrice.

— *E quindi avro bisogno delle due mani, e è Boris, quest'amico che ti vuole bene che ti accarezerà, mentre ti prendero un puo del tuo veleno con questo, capisci ?*

Béatrice avait déjà posé la brosse, attrapé mon bras et tiré dessus, et moi tout mou, je fus bien obligé de m'accroupir. Elle profita de ma malléabilité pour lestement s'emparer de mon index. Tandis que j'étais en plein conflit avec moi-même, me hurlant en même temps : « Non quelle horreur fous le camp, c'est la mort, et trop tard, sois cool sois cool sois cool », elle déplia mon doigt et le glissa d'un mouvement à la place du sien dans la gueule ouverte du tatzelwurm.

Iiiiark...

— Tu sens comme c'est doux, et Pripréfré adore ça, tu verras, me dit-elle, tout en maintenant mon doigt avec fermeté.

Je la regardai en roulant des yeux effarés, pour tenter de lui faire comprendre à quel point j'étais terrorisé, mais elle me lança un regard sévère, puis m'ignora avec superbe. Oh mon dieu, non, j'avais trop peur ! Chhuut il sent tout... Non non je n'ai pas peur, pas peur du tout, sois cool sois cool sois cool. Je n'osais baisser les yeux sur l'animal, et je sentais, arg, au bout de mon index un contact froid et visqueux, à la fois doux comme un glaçon et rêche comme du velcro, entre le velours et le poisson mal décongelé, ah merdre, quelle horreur... Je me concentrai pour lutter contre mes tremblements, m'efforçant de ne pas le heurter, et agitai mon doigt en petits mouvements contraints et à contrecœur.

Béatrice lâcha ma main. Je rouvris les yeux que j'avais fermés d'angoisse. Pripréfré, la gueule grande ouverte sur sa multitude de petites dents acérées, fit pivoter sa tête latéralement autour de l'axe de son corps et de mon doigt pour mieux me regarder. Il ferma voluptueusement sa paupière horizontale, me signifiant son approbation, je le caressai de plus belle, prenant garde de ne pas frôler les écailles aiguisées de son nez. Béatrice récupéra la brosse à dents et, tout en lui parlant doucement, l'approcha de son dos. Prifréfré, sans que sa tête et ses pattes avant bougent d'un millimètre, se mit à agiter l'arrière de son corps convulsivement, rebondissant de droite et de gauche pour lui échapper, avec des flaps de saucisse molle.

— Arrête, non, arrête, tu vois bien que ça l'énerve, criai-je tout bas, mais Béatrice n'en tint pas compte et susurra prudemment :

— *Lalalalala. Ma smetilà adesso, basta Pripréfré...*

Et le tatzelwurm s'immobilisa. Le cœur au bord des lèvres, affolé, je retenais mon souffle, suspendu à un instant de terreur, puis repris lentement mon mouvement de doigt. Je sentais la bestiole complètement tendue, bandée comme un ressort. Béatrice continua sa mélopée, et Pripréfré, dompté, finit par se relâcher. Elle approcha très lentement la brosse à dents de sa tête, après la lui avoir bien montrée, et prenant appui d'une main sur l'autre, elle entreprit doucement de la frotter sur son dos. Je me penchai et vis les poils s'engluer d'une substance qui suintait de ses nodosités, juste derrière les écailles de sa tête.

Pripréfré se laissait faire.

C'est à ce moment-là que résonna une lointaine sonnerie de téléphone. Oh non...

— Oh non, dit Béatrice en se redressant, ça doit de nouveau être mon père. J'arrive, dit-elle en se levant d'un mouvement coulé et en sortant gracieusement de la pièce.

— Non, attends, sifflai-je en arrachant mon doigt de la gueule de Pripréfré. Elle était déjà sortie, et je n'avais pas la force de sauter sur mes pieds pour la suivre. Quand je me retournai, Pripréfré avançait droit sur mes genoux, la gueule béante. Sans réfléchir je brandis à nouveau mon doigt et le replongeai dans sa bouche, reprenant mes caresses. Il s'arrêta net.

— Non, Pripréfré, cool, cool, je suis ton ami...

Je luttai si fort contre moi-même... La peur me commandait de fuir, et la peur me commandait de rester et de ne plus avoir peur. Je luttai si fort contre moi-même, j'allais si loin dans le souvenir de la douleur, et je luttai si fort contre ce souvenir... J'eus l'impression qu'on me déchirait en deux, et tandis que mes deux moitiés s'entrechoquaient, je me sentis renaître.

On me déchiquetait, la peur éparpillait mes membres et en même temps je me sentais renaître, d'un noyau incandescent, situé juste en dessous de mon nombril et je reprenais possession de mon corps dans un état de béatitude que je n'avais ressenti qu'une fois, des années auparavant, lorsque j'avais interrompu un jeûne de cinq jours en mangeant une omelette aux champignons hallucinogènes, à Hawaii, au sommet d'un volcan. Un immense vide me remplit, un état de bien-être où je n'étais plus que sens, sens et conscience, où je ne pensais plus, j'étais.

Pripréfré, tatzelwurm, lézard, mon frère, regarde. Les figures de tes écailles ressemblent à celles de mes iris. Géométries fractales, polyèdres aléatoires et réguliers, nous sommes fruits des savants calculs, des bidouillages et des formules d'un dieu fou nommé chaos. La spire de mon index au contact de tes papilles crée des formes inédites, qui pourtant se répètent au même instant et à l'échelle, dans les brisants d'une vague sur les coraux d'un atoll, et dans des déchirures spatio-temporelles, engloutissant des réalités dont nous n'avons aucune notion. Nous vibrons, nous résonnons comme des cristaux. Tout est dans tout et nous en sommes un petit bout.

La chaleur de son œil de glace dilatait ma

conscience, j'avais l'impression de grandir au sein d'un temps immobile, de m'expandre à partir d'un noyau.

— Pripréfré, tu m'éblouis, lui dis-je avec respect.

Je ne savais si c'étaient les émanations de ses toxines ou les flux d'hormones fabriqués depuis ma rencontre avec Béatrice, en tout cas je me sentais pousser des ailes, et j'atteignis des altitudes de conscience jusqu'alors insoupçonnées sans jamais perdre l'adhérence à la réalité.

Lorsque Béatrice me rejoignit, j'avais récupéré la brosse et j'en caressai doucement la tête de Pripréfré. Je crois que, s'il avait pu, il aurait ronronné et moi, j'avais un peu l'impression d'apprivoiser la mort. Je me rendis compte de sa présence seulement lorsqu'elle s'accroupit à côté de moi.

— Eh bien je vois que vous avez fait connaissance, chuchota-t-elle, et moi je lui souris.

— Je crois que nous sommes amis, hein, Pripréfré ?

Je retirai mon doigt de sa gueule et le tatzelwurm se remit en mouvement, tournant sur lui-même pour se diriger vers un des tuyaux de glace. Il paraissait bien trop gros pour pouvoir y pénétrer, pourtant il y enfila la tête puis, calant ses pattes antérieures à l'entrée du tube, il se mit à se contorsionner en même temps que ses pattes postérieures pédalaient, paraissant enjamber à chaque fois son propre corps. Il se vrilla tant et si bien qu'il parut raccourcir de moitié, et grossir, tout entortillé. Soudain, il cala ses pattes arrière et sa queue, lâcha prise à l'avant et, comme un élastique enroulé qu'on libère, il s'enfonça dans le tuyau en tournant sur lui-même. Je restai là, à hocher la tête. C'était grotesque, c'était totalement irréaliste, et pourtant, en vérité je vous le jure, je le vis de mes propres yeux. Et ce truc avait mis ma vie en danger.

— Bon dieu, quelle bestiole, dis-je en me relevant la voix rauque, il m'a fait complètement décoller.

— Oui, c'est un de ses secrets.

— C'est dû à quoi ? La proximité de ses toxines ?

— Oh non, rien de chimique. Je crois plutôt qu'il

s'agit d'un genre de choc philosophique, provoqué par la confrontation de la réalité et du mythe, dit-elle avec un sourire malicieux. C'est dû au fait qu'il est unique.

Je hochai encore la tête. J'étais dans un drôle d'état émotionnel, profondément conscient de la fragilité de ma réalité et, en même temps, complètement détendu, pleinement dans mon être, malgré ses failles, sa vulnérabilité. Je regardai Pripréfré disparaître dans le congélateur.

— Je n'arrive pas à croire que j'ai osé le toucher. Crois-moi, les effets de son poison n'ont rien de philosophique, mais malgré ça j'ai... Incroyable, c'est vrai qu'il gagne à être connu. Ça fait combien de temps que vous l'avez ?

— Ça fait trente-deux ans que Pripréfré a adopté mon père, ça fait vingt-huit ans qu'il me connaît, mais ça ne fait que douze ans que nous l'avons installé ici.

— Et si le congélateur tombe en panne ?

— Il y a un générateur auxiliaire sous l'escalier, et Pripréfré sait l'allumer en frappant l'interrupteur de sa queue. De toute façon, il supporte très bien un climat plus tempéré, il semble simplement que la chaleur accélère son vieillissement.

— Sa découverte ferait le bonheur des scientifiques, dis-je en regrettant immédiatement ma bourde et Béatrice me foudroya du regard.

— Elle provoquerait sa mort, et sans doute la mise en danger de milliers de personnes. Boris, il faut à tout prix que le secret soit gardé. Tu sais, il y a quelques années, un confrère de mon père a découvert une petite grenouille péruvienne, *Philobates Terribilis.* Sa peau, d'un jaune fluorescent, sécrète suffisamment d'une batracyotoxine très particulière, capable de foudroyer mille cinq cents personnes en quelques minutes. Dès la première publication concernant leurs recherches, lui et son équipe ont disparu du jour au lendemain, et tous leurs travaux avec eux. Quand mon père a voulu le retrouver, il s'est heurté à une agence gouvernementale américaine qui lui a clairement fait comprendre de ne pas s'en mêler. L'existence du tatzelwurm doit rester confidentielle, Boris, il en va de nos vies à tous.

Je ne souscrivais pas à ses thèses alarmistes, même si j'étais bien conscient des méfaits d'une époque où le meilleur des sciences et des technologies trouvait avant tout des applications militaires. Je me rendais bien compte que Pripréfré n'était pas à mettre entre n'importe quelles mains. Sa simple existence posait des questions auxquelles la science ne saurait répondre que de façon procédurière, et je ne pouvais imaginer le tatzelwurm en bestiole de laboratoire. Alors, malgré la menace du venin qui courait dans mes veines, j'acquiesçai du menton à la requête de confidentialité de Béatrice. Je lui remis la brosse à dents, soigneusement emballée dans son étui de plastique, et la suivis jusqu'au salon, où elle la rangea dans une trousse de toilette.

— C'était mon père au téléphone, il se réjouit de pouvoir t'administrer lui-même l'antidote, et que tu lui apportes ce dont il a tellement besoin. Merci de pouvoir compter sur toi, Boris, merci de ta disponibilité. Ce qui est arrivé est tellement insensé, j'ai vraiment de la chance d'être tombée sur toi...

— De la chance, ha ! — Je ris et l'enlaçai. D'abord un peu effarouchée, elle se crispa, puis plongea ses yeux dans les miens, se laissant aller à mon étreinte. — De la chance, c'est moi qui en ai. J'ai perdu Ulysse, affronté un monstre inimaginable, enduré les pires supplices, mais je t'ai rencontrée. Imagine, j'aurais pu être sauvé par une vieille sorcière...

— Qui te dit que je n'en suis pas une ? me répondit-elle avant de m'embrasser, et son baiser était parfumé d'une ivresse incandescente.

Nous chavirâmes passionnément. Mon désir regonflait en bourrasque. Nous nous étreignîmes d'une étreinte farouche, je glissai ma jambe entre ses cuisses, elle se frotta contre moi, se cambrant pour se coller à mon ventre. Elle râla, je l'embrassai de plus belle, sa bouche avait un goût de noisette acidulée. Ses mains griffaient mon dos, mes reins, mes fesses. Je glissai la mienne sous son corsage pour caresser son sein menu et ferme, dont le téton s'érigea sous ma paume puis mes doigts, d'une texture si délicate, qu'on aurait dit une fleur en bourgeon déployant ses pétales. Se contorsionnant comme une liane, Béatrice enfouit soudain sa main entre nous et, à travers mon pantalon, s'empara de mon sexe dur comme un olisbo d'ivoire. Je feulai, me penchai en relevant son pull, et gobai son mamelon durci, le suçant et l'affolant de ma langue. Sa main serra ma hampe sur toute sa longueur, puis vint englober mes couilles, les pressant doucement, encore et encore, comme pour en pomper la sève. Je bandai comme un fou, ébahi de l'incroyable intimité que déjà nous partagions, de ces élans vertigineux qui nous jetaient l'un vers l'autre, avec ce bonheur éblouissant de la découverte et, en même temps, cette impression de la connaître depuis longtemps, ou peut-être, de l'avoir toujours attendue.

Elle attrapa mes cheveux pour me tirer en arrière et à nouveau m'embrassa, sa langue s'enroulant autour de la mienne. Enivrés par nos salives comme de vieux amants, et alors que je la soulevai pour mieux la serrer contre moi, à nouveau Béatrice se débattit et s'écarta soudain.

— Oh Boris, non, doucement, pardonne-moi, je n'aurais pas dû, tu ne dois pas... Désolée. Mon père recommande de ne pas prendre à la légère la gravité de ton intoxication. Même si ta vie n'est pas directement menacée, il faut que tu restes le plus calme possible, que tu évites toute forme d'excitation qui pourrait hâter l'arrivée d'une nouvelle crise.

— Hmm, facile à dire... Tu en as de bonnes. Alors tu ferais bien de me ligoter, ou te couvrir d'un voile. Ta simple vue me trouble au plus haut point.

Reculant, facétieuse, elle me dévora des yeux, des pieds à la tête, mordillant sa lèvre inférieure en une moue sensuelle.

— Oh Boris, toi aussi tu me troubles... Ça va être long, ça va être long de t'attendre... Oh mais qu'est-ce qui me prend de dire des choses pareilles. — Elle leva ses mains devant elle comme pour me maintenir à distance. — Je crois, je crois que nous ferions bien de ne pas trop nous... toucher pour le moment.

En le disant elle me souriait, et dans ses yeux je goûtais le parfum de sa langue, et sur ses lèvres se dessinait la volupté de son téton érigé entre mes doigts.

— Je suis prêt à en courir tous les risques.

— Je sais, répondit-elle, et son sourire m'encourageait et me repoussait à la fois.

J'avais l'impression de jouer au chat et à la souris, et même si elle reculait, la souris, c'était moi. Elle se détourna soudain, alla soulever sa veste, prit dans son sac un portefeuille duquel elle sortit lestement trois billets de mille francs, neufs et craquants, qu'elle vint me tendre.

— Tiens, mon père m'a dit de te donner ça pour tes frais immédiats.

— Quoi, encore. Attends, tu viens de faire un virement sur mon compte, non, avec ça, ça fait presque quinze mille balles. C'est très généreux de votre part, mais c'est quoi ? Le prix de mon silence ? Vous m'engagez comme quoi, là, comme tueur à gages ? ricanai-je niaisement.

Béatrice insista, me fourrant les billets dans la main.

— Allons, prends-les. Nous sommes responsables de tous tes ennuis, et puis tu vas aller dans la forêt, et en Colombie-Britannique en cette saison ce n'est pas une plaisanterie. J'ai tout le matériel nécessaire, sac à dos, tente, sac de bivouac, réchaud, etc. Par contre, il va falloir que tu t'achètes des vêtements adaptés. Si tu veux, je peux t'accompagner demain matin à la première heure.

— Volontiers. Mais avec ça je pourrais y aller en smoking, dis-je en froissant les billets, la regardant circonspect.

Jamais jusqu'ici aucune femme, ni aucun homme d'ailleurs ne m'avait donné autant d'argent sans exiger de contrepartie. Me les prenant des doigts, elle glissa les billets directement dans ma poche. J'en profitai pour lui saisir un sein, même à travers son pull le contact était délicieux.

— Béatrice, c'est fantastique, mais tout ça pour quelques jours de voyage et un peu d'antidote ? C'est quoi le matériel dont ton père a tant besoin ?

Elle prit le temps de me jauger, avant d'enlever ma main pour la garder dans la sienne.

— Boris, tu réalises bien que ce que je vais te dire est strictement confidentiel ?

Je hochai la tête d'un air entendu.

— Mon père est en pleine préparation d'une expédition. Il ne peut obtenir ce dont il a besoin au Canada qu'avec une autorisation du ministère de l'Environnement, lequel prend un bon mois pour la délivrer. Or, le temps presse.

— C'est quoi, des armes, un permis de chasse ?

— Non, un anesthésiant, un anesthésiant pour grand mammifère...

— Oh, il est après quoi, un dahu géant ?

Béatrice sourit.

— Presque. Mon père a localisé dans une vallée très difficile d'accès un, une... — Elle recommençait avec ses hésitations. — En pleine forêt dense, il a trouvé une... colonie de... une colonie de carcajous albinos, tu sais ce qu'est un carcajou ?

— Un glouton, c'est ça ?

— Oui, c'est ça, un membre de la famille des mustélidés, une espèce de gros blaireau si vorace que même le grizzli lui abandonne sa proie. Ce qu'il y a d'étonnant, c'est que ce sont habituellement des animaux solitaires et nomades. Or ceux que mon père a découverts semblent sédentaires, vivent en colonie. Le fait qu'ils soient tous blancs fait penser qu'il s'agit peut-être d'un sous-groupe inconnu, des derniers survivants d'une branche de la famille. Mon père veut à tout prix les baguer, pour pouvoir les suivre s'ils décident soudain d'émigrer.

— Fabuleux, mais pourquoi ton père ne prévient-il pas les autorités canadiennes ?

— La situation est délicate. La vallée en question se

trouve au centre d'un énorme territoire forestier destiné à l'exploitation. En Colombie-Britannique, les lobbies forestiers sont très influents. La découverte d'une nouvelle espèce protégée permettrait de classer la vallée en réserve naturelle, ce que les lobbies veulent à tout prix éviter. Si mon père prévient les autorités maintenant, il risque d'informer par la même occasion ceux qui feront tout pour éliminer les preuves de ce qu'il avance, quitte à massacrer les quelques exemplaires vivants. Mon père doit d'abord bâtir un dossier irréfutable et pour cela répertorier précisément le nombre des gloutons, les observer et, si possible, les baguer.

— Attends, attends, mais si cet anesthésiant n'est délivré qu'avec une autorisation, et que je n'en aie pas... Vous me demandez de faire quelque chose d'illégal, c'est ça ? C'est pour cela que vous vous montrez si généreux ?

Béatrice me répondit sèchement.

— Non, bien sûr que non. De toute façon cet argent est à toi et nous te payons le voyage. Il te faut cet antidote, Boris, pour l'anesthésiant les risques sont minimes. Même si on t'embête à la douane, mon père te fera immédiatement sortir. Il a de nombreuses relations et... Je ne peux malheureusement pas y aller moi-même, Boris, je dois participer à un cycle de conférences dès demain, sinon j'aurais tant aimé t'accompagner.

Béatrice me regardait avec une telle franchise, je n'avais pas le droit de douter de la pureté de ses intentions. Quitte à faire ce voyage pour l'antidote, je pouvais difficilement refuser de leur rendre ce service. Et puis, je n'étais pas un enfant de chœur, autrefois j'avais déjà traversé des frontières en transportant des substances prohibées.

— Et n'oublie pas, avant tout si je m'adresse à toi, c'est parce que Pripréfré t'a choisi, m'assena-t-elle tout à coup comme un fait irréfutable avec un drôle d'air.

— Pripréfré ? demandai-je.

Et à peine avais-je prononcé son nom, j'entendis un claquement mouillé, oh non, sifflai-je. Je me baissai lentement... Et oui, il était là, sous la table basse, me regardant de son œil minéral, et malgré notre communion précédente, pendant quelques secondes de terreur, je me retins de respirer. Puis la fascination reprit le dessus.

Bref... Je passai le reste de la discussion à jouer à cache-cache avec le tatzelwurm, tandis que Béatrice déployait tous ses arguments. Pripréfré était un maître dans l'art de se dissimuler, je fermai les yeux quelques instants, et il en profitait pour se glisser derrière des barreaux de chaise, sous des fauteuils, entre des bagages. Je devais le chercher et, pendant qu'il monopolisait ainsi mon attention, Béatrice multiplia ses charmes pour m'infléchir. Le tatzelwurm dut m'hypnotiser avec son temps paradoxal, bougeant avec une extrême lenteur mais disparaissant à toute vitesse lorsque je fermais les yeux. La voix rauque et sensuelle de Béatrice finit de m'envoûter, car finalement je me laissai convaincre.

Plus tard, elle me raccompagna chez moi, avec le corps d'Ulysse, me répétant combien elle se sentait responsable de tout ce qui m'était arrivé, combien elle était désolée pour mon chien ; et combien elle avait honte, car malgré tout elle était heureuse de notre rencontre.

— Boris, je ne voudrais pas que tu t'imagines, m'avait-elle dit. Je n'avais jamais rencontré quelqu'un... comme ça... C'est très fort, mais je... Il faut que nous attendions que tu reviennes. Et puis, tu dois te reposer, pour être en forme demain...

— Ah Béatrice, Béatrice, je ne sais pas qui de toi ou du tatzelwurm est mon pire supplice.

Elle sourit, flattée, et me laissa au portail de mon pavillon, avec à mes pieds le cadavre d'Ulysse dans son linceul de plastique. Et, dans mon pantalon, mon sexe gonflé de désir. Jusqu'à ce que les phares de sa voiture aient disparu, j'avais murmuré dans la nuit :

— Béatrice, Béatrice, comme pour conjurer un maléfice.

Mais mon sexe restait de bois. Alors profitant de mon overdose de testostérone, j'étais allé enterrer Ulysse au fond du jardin, dans une épaisse couche d'humus gelé, où ma bêche découpait des tranches de millefeuilles. En le recouvrant, je le remerciai encore d'avoir été un si bon guide quelle que soit l'étrangeté du chemin où m'avaient mené ses pas.

— Je suis triste, mon chien, et en même temps j'ai l'impression de commencer une vie nouvelle. Grâce à toi...

Exténué, j'étais enfin allé m'écrouler chez moi. Malgré ma fatigue, tiraillé entre la hantise du venin et l'envie de Béatrice, j'avais passé le reste de la nuit à me tourner et à me retourner, incapable de trouver le calme pour mon esprit et le bon angle pour mon pic à glace. Trop tendu pour dormir, et trop exténué pour un onanisme salutaire.

Au matin, j'avais réuni les quelques affaires que je souhaitais emmener, pas grand-chose à vrai dire, et j'avais laissé les clés de mon local de répétition et une longue lettre à un ami bassiste qui devait arriver le lendemain, lui expliquant mes mésaventures et les raisons de mon voyage soudain.

Je ne me faisais pas d'illusions, persuadé qu'il n'allait pas croire un mot de ce que j'avais écrit. D'ailleurs personne ne croyait jamais ce que j'écrivais. Pourtant s'il m'arrivait parfois de raconter des mensonges de vive voix, jamais ô grand jamais je n'en aurais raconté par écrit. Je savais que les mots n'avaient pas le même poids dans une bouche que sur une page, et jamais je n'aurais pris le risque d'écrire autre chose que la plus pure vérité.

Béatrice était passée me prendre, soucieuse de savoir si je n'avais pas eu une nouvelle crise pendant la nuit, et j'avais eu le plaisir de la réconforter à mon sujet. Elle avait apporté un sac à dos à mon intention, avec le matériel nécessaire, tente et sac de bivouac. En plein jour, elle était encore plus belle, et à sa façon de m'embrasser comme si mes lèvres allaient la brûler, j'avais su qu'elle non plus n'avait pas dû beaucoup dormir.

Elle m'avait cérémonieusement remis une trousse de toilette, contenant la brosse à dents enduite du venin de Pripréfré et le flacon d'anesthésiant destiné à son père. Un tout petit flacon, d'un produit extrêmement volatil, capable d'endormir un éléphant en pleine charge, me recommandant de ne surtout pas l'ouvrir, et de les ranger soigneusement au fond du sac à dos, avant d'y empiler mes affaires. Ensuite, elle m'avait emmené dans des magasins, pour acheter les vêtements qui me manquaient, puis m'avait accompagné à l'aéroport. Tout au long du trajet, elle avait multiplié envers moi les gestes tendres et familiers des amants de longue date, puis, au moment du départ, s'était juchée sur la pointe des pieds et m'avait glissé à l'oreille :

— Bon voyage, Boris, bonne chance, prends soin de toi, et reviens vite... Reviens-moi vite...

Je l'avais quittée le cœur gonflé, comme un héraut part en croisade. Quand je m'étais retourné sur elle après quelques mètres, j'avais surpris dans ses yeux une réelle inquiétude, qui avait fissuré soudain la bulle d'ivresse dans laquelle je planais, me rappelant que je ne partais pas en villégiature, mais parce que ma santé était en jeu.

5

Dans l'avion qui m'avait amené à Vancouver, j'avais ressassé les événements de la veille, incapable de démêler mes fantasmes de mes sentiments, mes craintes de mes désirs.

J'avais dans le sang un poison pernicieux, qui égrenait ma vie comme un compte à rebours, dans la menace d'une avalanche de douleur dont l'appréhension chargeait de retenue chacun de mes gestes. Mais les seules preuves tangibles de ma rencontre avec ce fichu ver à pattes, et cette fille merveilleuse, c'était une brosse à dents aux poils englués d'un neurotoxique inconnu, et un flacon d'une substance dont la possession, illicite au Canada, pouvait me valoir quelques années de pénitencier. Des produits prohibés que je transportais d'un pays à l'autre comme un vulgaire trafiquant.

Et Béatrice, était-ce réellement pour ma santé qu'elle se montrait soucieuse ? Ou pour ce que je transportais ? Ma vie s'était emballée, je me retrouvai là avec la fâcheuse impression de participer malgré moi à une affaire dans laquelle j'avais complètement perdu mon libre arbitre.

Pourtant, tout se passa comme prévu et je franchis la frontière sans encombre.

Je pris possession de la voiture que Béatrice avait

louée pour moi, y jetai mon sac, et partis en direction du Nord, espérant profiter au maximum des dernières heures de jour. J'avais presque mille kilomètres à faire et, malgré la beauté du paysage, pas la moindre envie de faire du tourisme. Pas le temps de découvrir Vancouver, à vrai dire je n'avais qu'une hâte, c'était de m'en éloigner au plus vite. De la ville je ne vis rien, cherchant ma voie jusqu'à l'autoroute, les yeux rivés sur les panneaux. Je devais suivre l'autoroute jusqu'à Kamloops, puis monter au nord-ouest en direction de William's Lake, et enfin repiquer droit sur le Pacifique, jusqu'à un bled nommé Bella Coola, l'extrémité du monde. C'était là que m'attendait Albert Kalao vom Hoffé. Tout ça sonnait comme un foutu conte de fées.

Je roulai toute la nuit et une bonne partie de la matinée, dans un état de somnolence avancé, sans pourtant sombrer dans le sommeil, ne m'arrêtant que pour refaire le plein d'essence et de café. Après Kamloops, la pluie se mit à tomber à verse, une vraie mousson tropicale, et je fus obligé de lever le pied. C'était fâcheux pour ma moyenne, mais quand j'avais demandé à Béatrice pourquoi je devais faire le trajet en voiture plutôt qu'en avion, elle avait insisté sur l'indispensable discrétion de mon arrivée, et sur le fait que son père pouvait avoir besoin du véhicule pour le retour. Pendant des heures, je ne croisai presque plus que des camions, et quand j'eus bifurqué vers l'ouest, après William's Lake, le temps se détériora encore.

Au lever du jour, épuisé, j'avais refait le plein à Kleena Kleene, où j'avais été servi par un Indien taciturne, mon premier Indien, et bien qu'il ne m'ait pas dit un mot, sa présence avait soudain éclairé mon aventure d'un jour nouveau. J'arrivais dans le territoire des tribus chasseuses de baleines, des ours, et des trappeurs, des chercheurs d'or, des saumons et des caribous et je devais tout ça à un vieux chien à l'odeur abominable, la vie pouvait paraître formidable. Je n'étais cependant pas d'humeur à l'apprécier. J'avais trop hâte de parvenir à l'antidote et de me débarrasser de ce que je transportais.

La route s'était transformée en piste de gadoue, les camions que je croisais, chargés de grumes immenses, aspergeaient mon pare-brise d'un écran gras et opaque. Du paysage, je ne voyais que la pluie et les arbres, la pluie et les arbres et la terre détrempée. Je tins bon, écarquillant les yeux pour ne pas m'endormir. En fin de matinée, la piste se mit à grimper une côte abrupte. Il pleuvait tant que j'avais l'impression de rouler dans un torrent. Je finis par me retrouver carrément dans les nuages et je n'avais jamais vu ça, autant d'eau et de brouillard à la fois. Soudain je franchis le col et sortis du mauvais temps d'un coup, comme si j'avais passé une porte et il faisait grand beau de l'autre côté. Le front d'est devait se heurter à des vents du Pacifique, et pas une goutte ne traversait les montagnes, le panorama était stupéfiant.

Au pied d'une pente vertigineuse, se dressait une petite ville blanche, aux maisons espacées, qui n'avait pas besoin d'être belle tant la nature alentour déployait de majesté. Elle était située au bord d'un estuaire où se mêlaient les eaux furieuses et troubles d'une rivière, et celles d'un vert émeraude glacé du Pacifique, frangé de crêtes blanches d'écume. La vallée s'ouvrait comme un fjord immense, au loin d'autres se découpaient, et des montagnes à la peau sombre de forêts qui plongeaient dans l'eau comme des îles.

Je m'arrêtai et mis pied à terre, titubant en marin ivre, pour mieux admirer le paysage. Quelques gros bateaux de pêche se trouvaient au large, et d'autres plus petits étaient disséminés comme autant de miniatures, vus de si haut. Là-bas une goélette tirait des bords, profitant des bourrasques pour chevaucher les vagues, tandis qu'un ferry-boat s'approchait du port. Nul ici ne se souciait du temps qu'il faisait de l'autre côté.

Je me sentis regonfler brusquement d'une bouffée d'allégresse. Je l'avais fait. J'étais exténué, mais j'étais arrivé à destination, où m'attendait le soulagement de mes maux. Je n'avais pas été arrêté en chemin, je n'avais pas eu de crise de venin, tout allait bien, hormis la fatigue. Je remontai dans la voiture plein d'une énergie nouvelle, enclenchai le crabot car la piste était à-pic, et plongeai droit sur Bella Coola.

J'avais rendez-vous avec le professeur Kalao vom Hoffé dans un hôtel nommé le Cedar Inn, et vu mon retard, je savais qu'il devait m'attendre avec impatience. Le bourg n'avait rien à voir avec la piste qui y descendait, et s'il n'y avait pas de route qui y accédait, c'était parce que toutes ses activités étaient tournées vers la mer. En bas, le goudron reprenait, et le village était agréable et aéré, avec ses pêcheries, et ses maisons blanches ou brunes, aux jardins agencés, qui malgré la saison regorgeaient de verdure. On aurait pu se croire en Norvège tant les rues étaient propres. Le bois était omniprésent et l'architecture curieuse. Certains bâtiments, surmontés de hauts frontispices de planches, décorées de motifs symboliques, rappelaient ce qu'avaient dû être les maisons des Indiens qui vivaient là autrefois. Ce maigre tribut payé à la culture indigène ne faisait pas oublier les outrages des Blancs, la plupart de ces maisons étaient des agences de voyages, des boutiques de souvenirs, des vendeurs de grandes aventures, et d'Indiens dans la rue, je n'en vis que deux, portant six packs de bière.

Par contre, je croisai un groupe de Japonais hilares suivant leur guide, des familles américaines, reconnaissables à leurs gros fessiers, des touristes de tout poil, en combinaisons fluo juchés sur des mountain-bikes, en tenue de pêche, avec des cannes toutes neuves, ou déguisés en indigènes dans leurs vestes à carreaux. Non, décidément, Bella Coola n'était pas le bout du monde.

C'était l'heure de la sortie des écoles et les enfants piaillaient sur les trottoirs. Les gens étaient tous souriants, avec un air de santé insolent, et la plupart en tenue plutôt légère. J'avais du mal à croire qu'on était en janvier. Moi qui m'attendais à trouver la banquise.

J'allais m'arrêter pour demander mon chemin quand je tombai sur un panneau indiquant très clairement la direction de l'hôtel. Réflexion faite, on se serait presque cru dans une Suisse un peu sauvage.

Trop content d'être enfin arrivé, je déchargeai mon sac et, en le soulevant, réalisai à quel point j'étais crevé. Je le hissai sur mon épaule et filai droit à la réception, où m'accueillit une dame sympathique qui d'emblée s'adressa à moi dans un français impeccable.

— Bonjour, monsieur, bienvenue au Cedar Inn, que puis-je pour votre service ? Je devais avoir un accent dans la démarche, moi qui m'étais toujours cru d'origine indécise. Je souris de sa perspicacité.

— Eh bien, je crois que j'ai une chambre réservée et... J'ai rendez-vous avec le professeur Kalao vom Hoffé.

— Oh le professeur bien sûr, dit-elle, il vous a attendu une bonne partie de la nuit. Il m'a demandé de vous conduire immédiatement à lui.

Elle fit le tour de son comptoir.

— Vous pouvez déposer votre sac ici, ajouta-t-elle.

— Non non, merci ça va, répondis-je.

Je voulais remettre au plus vite l'anesthésiant au professeur et en aucun cas le laisser là. Elle sourit de ma méfiance.

— Le professeur s'est fait mettre la main dessus par des membres du club, ils l'ont obligé à participer à leur conférence.

— Du club ? relevai-je en la suivant dehors en direction d'un autre bâtiment.

— Du club de cryptozoologie bien sûr ! Ils se réunissent ici tous les ans. Mais chhut, ça a dû commencer, entrez, me dit-elle en ouvrant la porte d'une sorte de hangar adjacent.

À l'intérieur, la salle était obscure. On se serait cru dans un pub cossu, si ce n'était çà et là des sculptures indiennes, masques ou totems représentant des animaux stylisés, incontestablement contemporains et pourtant empreints d'une beauté très ancienne. Au fond, sur une estrade éclairée d'un projecteur, parlait un géant débonnaire. Un type de deux mètres, à la carrure de boxeur, vêtu d'un chandail de marin, qui agitait la tête en parlant, et par la même occasion une paire d'oreilles démesurément décollées, faisant comme des rétroviseurs à ses lunettes à double foyer. Il avait la voix rauque, très basse, au timbre presque métallique, très aigu. Une voix quasiment diatonale, captivante, un drôle d'énergumène, qui s'exprimait en anglais avec un accent indéfinissable, un mélange de Brel et de Tournesol.

— C'est lui, c'est le professeur, installez-vous là, dit la dame en me désignant une chaise.

Le professeur, sans s'interrompre, nous fit un signe de la tête, et l'hôtelière me montra du doigt, avant de me tapoter l'épaule et de s'éclipser. Je tombai mon sac, et m'installai à une table.

C'était bien lui le père de Béatrice. Je l'avais trouvé mon antidote, mais voilà que sa proximité, au lieu de me soulager, ravivait soudain ma hantise du venin. L'assistance d'une quinzaine de personnes, principalement des hommes, était suspendue aux lèvres de l'orateur, et seules quelques têtes se tournèrent à mon arrivée. Et bien, moi qui était impatient d'obtenir ce que je voulais, de me débarrasser de l'anesthésiant, puis de plonger dans un bon bain, et un lit profond, voilà qui promettait, une conférence... Une serveuse vint poser d'office une bière sur ma table, et je la torchai d'un coup en guise de petit déjeuner.

L'estrade décorée de petites ampoules multicolores sur laquelle se tenait le professeur aurait tout aussi bien pu convenir à un strip-tease. Albert Kalao vom Hoffé parlait de l'indispensable rigueur scientifique dont les cryptozoologues devaient faire preuve dans leurs recherches et leurs analyses. Il citait des exemples d'enquêtes ruinées par des témoignages défaillants. Il parlait d'Ogopogo, de thylacine, d'Heuvelmans, de mégalodon. Autant de créatures dont je n'avais jamais entendu parler et je n'y comprenais rien mais ça avait l'air passionnant, en tout cas l'audience était fascinée.

Malgré mes appréhensions, rapidement je fus rattrapé par la fatigue. Et comme je me disais justement : une conférence, tiens, pourquoi ne pas piquer un petit roupillon, je fus tiré de ma torpeur par des applaudissements. Le professeur céda sa place à l'orateur suivant, un petit chauve aux longues moustaches, qu'il présenta d'un nom slave, puis il descendit dans la salle, serra quelques mains, et vint me rejoindre. Je me levai, lui tendant la mienne, il me la broya d'une poigne de fer.

— Ah vous voilà enfin ! J'espérais partir ce matin, mais maintenant on est coincés jusqu'à la fin de la conférence, me lança-t-il en me scrutant des pieds à la tête, pour une rapide évaluation.

— Je... Enchanté, Boris, Boris Genssiac. Je suis navré, professeur, j'ai été ralenti par le mauvais temps et... Et...

— Ça ne fait rien, ça ne fait rien, dit-il en baissant la voix, tout s'est bien passé ? Et appelez-moi Albert.

— Oui, oui, je... Albert...

— Bien, bien, nous parlerons plus tard, asseyez-vous, ajouta-t-il en me forçant à le faire et en prenant place à ma table.

Comme j'allais lui dire, attendez, non, il me faut tout de suite l'antidote, il me fit signe de me taire et d'écouter le moustachu qui avait commencé à parler, et moi, atterré par sa placidité, je dus bien me résigner. Maugréant, je me tus. La serveuse revint et posa quatre chopes sur la table en souriant au professeur, il en but deux avant que j'aie eu le temps d'en attaquer une et entama la troisième. Contrarié, je n'écoutai pas les propos de l'orateur, hésitant à me lever pour exiger de ce dadais à grandes oreilles qu'il me donne l'antidote sans délai, quitte à me montrer impoli, quand le type sur scène demanda qu'on éteigne les projecteurs pour visionner un document.

J'avais déjà vu le film à la télévision, dans une émission étrange, un de ces trucs pour insomniaque qu'on passe à 4 heures du matin. Il présentait une créature bipède et velue, qui s'éloignait du cameraman pour s'enfoncer dans la forêt. Il s'agissait d'un film très connu, tourné en 67 par un certain Patterson et qui était le seul document présentant un sasquatch, l'homme des bois, le célèbre Bigfoot américain, ou plutôt une sasquatch car c'était une femelle aux mamelles pendantes. Le moustachu expliquait que, depuis de nombreuses années, des scientifiques de tout poil s'étaient penchés sur le film, et qu'aucun n'avait pu infirmer sa véracité. Ayant lui-même rencontré autrefois un sasquatch dans la forêt, il ne doutait pas de leur existence, comme d'ailleurs aucun membre de l'assistance passionnée, mais en bon professionnel de l'image, il avait décidé de se pencher à nouveau sur le film, qu'il avait traité avec toutes sortes de filtres, puis numérisé pour obtenir de meilleurs gros plans de la créature.

Le professeur l'écoutait de toutes ses oreilles, autant de ferveur autour de moi me mettait mal à l'aise. Après tout on parlait là d'un grand primate inconnu, rôdant dans les forêts américaines, c'était hautement invraisemblable. Pour moi Bigfoot évoquait surtout des légendes hippies, et j'affichai un sourire goguenard, puis soudain je pensai à Pripréfré, à ce satané tatzelwurm, et à la réalité de ce putain de venin dans mes veines. J'en eus des frissons dans le dos. Le moustachu essuya son crâne luisant d'un mouchoir à carreaux et poursuivit.

L'une des questions posées par le document concernait la vitesse de la créature. Pourquoi s'éloignait-elle calmement au lieu de fuir ? Il avait projeté le film à un ami indien, un homme d'expérience, en lui demandant son avis sur la réalité du document. Le vieux sage avait ri, en disant que bien sûr les sasquatchs existaient, comment en douter quand on avait la preuve sous les yeux. Et à la question de la lenteur de sa fuite, il avait répondu que décidément les Blancs avaient l'art de regarder les choses sans les voir, bien sûr, si la sasquatch ne courait pas, c'est qu'elle voulait attirer les regards. Puis il était parti en riant.

Le moustachu avait tourné et retourné son énigme. Pourquoi la sasquatch ne fuyait-elle pas ? À quelle occasion un animal sauvage pouvait-il se comporter de la sorte ? Puis l'évidence lui avait sauté aux yeux. Si elle ne fuyait pas, c'était pour que les témoins de la scène ne regardent qu'elle, car il y avait d'autres sasquatchs dans les bois, peut-être des petits. Fébrile, il avait agrandi le champ, s'était mis à scruter la forêt derrière la sasquatch, s'intéressant à des portions du film que nul n'avait étudiées jusqu'alors. Il avait réuni quantité de photos de l'époque, de témoins ultérieurs qui étaient retournés sur le site de Buffle Creek, où s'était produite la rencontre avec Patterson, et avaient pris des clichés de l'endroit. En numérisant les photos et en les superposant au film, il avait fait apparaître clairement deux taches sombres dans la forêt, qui étaient sur le film de Patterson, pas sur les photos.

Il avait fait subir un nouveau traitement au film et était parvenu à des clichés dont il nous projeta les différentes phases. Les dernières photos représentaient indiscutablement deux autres créatures identiques à la femelle, un petit, perché dans un arbre, et un énorme dont on devinait la tête en forme d'obus et les puissants pectoraux dans la végétation. L'auditoire explosa d'applaudissements. Et moi, j'étais pris soudain d'un terrible doute. Je me penchai vers le professeur.

— Professeur... et les carcajous albinos alors ? lui glissai-je, inquiet.

— Les quoi ?

— Les carcajous albinos. Béatrice m'a dit que...

— Oh, dit-il en me regardant d'un air entendu, puis il reprit ses applaudissements.

Les participants se levèrent pour congratuler le moustachu, qui commanda une tournée et tout le monde se mit à parler en même temps. Le professeur alla rejoindre son confrère et lui donna l'accolade en le félicitant. Je me levai aussi, et me retrouvai avec une nouvelle chope de bière dans les mains, je la vidai pour m'en débarrasser, mais la serveuse m'en glissa une autre. Je n'osai pas m'éloigner de la table, à cause de mon sac, malgré cela plusieurs personnes vinrent me saluer, et je me présentai.

Je n'entendais parler que de sasquatchs, de succès inestimable, de preuves irréfutables, et chacun de citer ses propres témoignages. De voir ces hommes, ces femmes, qui paraissaient tous sains de corps et d'esprit, croire avec tant de conviction, affirmer avec tant de véhémence des hypothèses invérifiables, me mettait mal à l'aise. Après tout, nous n'avions vu qu'un film, et bien sûr, j'en étais encore tout remué, mais si le type avait pu faire apparaître des taches en forme de sasquatchs, en bidouillant l'image, il aurait tout aussi bien pu révéler des éléphants roses. Je n'osais faire part de mon scepticisme à mes interlocuteurs, d'un autre côté j'avais bien vu un ver à pattes. À vrai dire je ne savais plus que penser, et en terminant ma dernière bière je m'aperçus que j'étais fin saoul. Je me retrouvai finalement à côté du professeur qui prenait congé du moustachu.

— Encore bravo, Vlad, et merci pour ta ténacité dans tes recherches, lui dit-il en lui secouant la main.

L'autre fit la grimace.

— Merci à toi d'être resté, Albert. J'ai eu de la chance tu sais, et je dois tout à mon ami, Herbe Agile, c'est lui qui a su me forcer à me poser les bonnes questions.

— Ça n'enlève rien à la valeur de ton travail, tu nous stimules à aller de l'avant.

— Tu sais ce que c'est, nous sommes tous sur des chemins de vérité. Bonne chance à toi, et tiens-nous au courant.

— Bien sûr, répondit le professeur en me voyant. Tiens, laisse-moi te présenter le nouveau fiancé de Béatrice, Boris Genssiac, Vladimir Podrowsky.

Je rougis violemment, surpris, tandis que le moustachu attrapait ma main.

— Ah, le futur précédent, dit-il. Comment va cette chère Béatrice ?

Désemparé, je bafouillai.

— Bien, bien, elle... — Puis me tournant vers le professeur, j'attrapai sa manche, ou plutôt je m'y raccrochai, titubant. — Professeur, Albert, il faut que je vous parle, c'est urgent...

Le professeur m'interrompit et déclara très sérieusement :

— Boris détient des renseignements très intéressants sur l'existence d'une colonie de carcajous albinos.

Il me glissa : « Rejoignez-moi dehors », en se faufilant hors de la pièce.

— Des carcajous albinos, ça alors, s'écria Vladimir, les moustaches frémissantes, et autour de lui les exclamations fusèrent.

— T'entends ça, des carcajous albinos ! Vraiment ? C'est extraordinaire ! Et où donc ? Des quoi ? Des carcajous albinos, toute une colonie ! D'où tenez-vous vos sources ? Ça vous dirait de monter une expédition ? Oh oui bien sûr, j'en ai déjà entendu parler !

J'eus le plus grand mal à faire comprendre à mes interlocuteurs échauffés que ça n'était qu'une blague de Kalao vom Hoffé, et à m'enfuir de leur emprise, je récupérai mon sac et sortis rattraper le professeur. Il m'attendait devant la réception, souriant. Je commençais à avoir les boules.

— Bienvenue au club, me dit-il, alors vous l'avez ?

— Quoi ?

— L'anesthésiant.

— Oh... non. Non justement je ne l'ai plus, j'ai eu des problèmes à la frontière, on me l'a confisqué. — Le professeur pâlit d'un coup. — Bien sûr que je l'ai, repris-je, et vous, vous avez l'antidote ?

— Évidemment.

— Il faut que vous m'en donniez tout de suite.

— Béatrice m'a dit qu'elle vous en a donné dans de la vodka. C'est du pur gaspillage d'une substance très précieuse. Je vous en donnerai ce soir, en le préparant convenablement.

— Non, tout de suite. Écoutez, l'anesthésiant est au fond de mon sac, ce truc pèse une tonne, allons dans ma chambre et je vous le donnerai. Vous, vous me préparerez l'antidote, d'accord ?

Je me dirigeai déjà vers la réception.

— Vous n'avez pas de chambre, et nous n'avons pas le temps pour ça, mes bagages sont déjà dans le bateau, il faut partir tout de suite.

— Quoi ? Non mais attendez, écoutez, je viens de faire un très long voyage pour me soigner d'un truc abominable qui met ma vie en danger et dont vous portez la responsabilité ! C'est vous qui détenez Pripréfré en captivité que je sache ! Alors donnez-moi cet antidote maintenant ! — Comme j'avais haussé le ton, Albert vérifia par-dessus mon épaule que personne n'avait entendu. — Et je suis crevé, ajoutai-je, j'ai besoin d'un bon bain et d'un bon lit jusqu'à demain, et...

— Non, écoutez, vous avez déjà pris beaucoup de retard, si je vous donne de l'antidote vous ne saurez pas comment le préparer et il ne fera aucun effet. Béatrice m'avait dit que vous étiez prêt à m'accompagner. Et je crains, jeune homme, que vous n'ayez d'autre choix. Je sais ce que c'est, croyez-moi, je suis désolé de ce qui vous arrive, moi aussi j'ai été intoxiqué. Je peux vous soigner et vous apprendre à prévenir les crises, mais il faut pour ça que vous m'accompagniez, au moins quelques jours.

— Ah putain, c'est pas vrai, dis-je en secouant la tête.

— Si vous préférez rester, libre à vous, je vous donnerai suffisamment d'antidote et vous en ferez ce que vous voulez. Donnez-moi l'anesthésiant et décidez-vous, moi je dois m'en aller, ajouta-t-il en s'éloignant vers la voiture.

— Attendez, attendez bon sang !

Je lui emboîtai le pas en tirant mon sac, oh c'est pas vrai. Je le précédai, ouvris la voiture, et y jetai mon barda, vidai mon sac sur le siège et lui tendis le flacon et la brosse à dents enduite de venin. Il s'en empara d'un mouvement leste, étonnant de rapidité pour sa corpulence.

— Alors, vous venez ou vous restez ? Décidez-vous, dit-il, déterminé comme un roc.

Ah bon dieu il en avait de bonnes, il était comme sa fille, elle non plus ne m'avait pas laissé le choix. Je tapai rageusement du pied.

— Mais où bon dieu ?

— Une cabane en forêt, pas très loin d'ici.

Je soufflai bruyamment, excédé.

— J'ai faim ! Avant de partir, il faut au moins que je mange, j'ai l'estomac dans les talons !

Il me jaugea, se demandant si je valais la peine d'attendre, jeta un nouveau coup d'œil au flacon et à la brosse, qu'il scruta d'un drôle d'air, puis les glissa dans sa poche et me fit la concession d'un repas.

Nous allâmes nous taper la cloche dans une taverne proche. L'ambiance y était celle d'un vrai bar de port. Il y avait des marins de tous bords, et les conversations fusaient en langues multiples, déclinaisons diverses de l'anglais, mais aussi russe, japonais, et je perçus soudain des consonances inconnues, une musique linguale jamais entendue. Je me tournai. Toute une partie de la salle, une grande table de banquet, était occupée par des Indiens, des vrais, fêtant je ne sais quel heureux événement, et pour contredire les clichés rances que j'avais dans la tête, la plupart buvaient de la limonade. Une vieille femme, au visage ridé comme par trop de rires, vêtue de riches tissus rouges brodés, et d'autres membres de la tablée saluèrent le professeur, il me planta là pour aller leur parler.

Je m'installai à une table, maugréant ma frustration, je n'avais pas eu ma ration d'antidote, j'étais toujours à la merci d'une crise. Mais après tout, j'avais accepté ce voyage comme une mission, et c'était assez logique qu'on ne me paie pas pour aller dormir. Je m'aperçus soudain que la vieille Indienne m'observait et qu'elle avait perdu son sourire. Son regard était si intense qu'il me glaça les os. Elle se pencha vers le professeur et lui dit quelque chose, l'air grave. Il se tourna à son tour, me regarda longuement, puis lui répondit, et toute la table éclata de rire, me saluant de la main et de la tête. Je fis de même, mal à l'aise, d'autant que les yeux de la vieille femme, eux, ne riaient pas. Albert vint me rejoindre, et enfin elle se détourna.

— Qu'a-t-elle dit ? lui demandai-je alors que souriant il prenait une chaise.

Assis, il était encore plus grand.

— Qu'elle voyait derrière vous l'ombre du Grand Corbeau. C'est à la fois un bon et un mauvais augure. Le Corbeau est un fauteur de trouble, un transformateur, mais c'est aussi lui qui a placé la lune, le soleil et les étoiles dans le ciel. C'est plutôt flatteur.

— Vraiment, merci, je...

— Ce a quoi j'ai répondu que je ne voyais qu'un merle avec une veste aux épaules rembourrées. Ça ne donne rien en français mais c'est un calembour en langue salishan, ajouta-t-il, fier de lui.

Vexé, je serrai les mâchoires, mais Albert me dit encore :

— Ne le prenez pas mal, en tant que Blanc, c'est toujours un privilège de faire rire un Indien.

Il passa la commande, et le steak que je m'enfilai me fit réintégrer un peu mon centre de gravité. Albert, lui, en avala deux, et but encore des bières. Cet homme était un gouffre. Nous mangeâmes en silence, l'un en face de l'autre, concentrés sur nos assiettes. Nos regards s'évitaient consciencieusement, de temps en temps pourtant nos yeux s'accrochaient.

Albert ne souriait pas et j'avais alors la désagréable impression d'être un insecte, peut-être n'était-ce dû qu'à l'épaisseur de ses verres optiques. Ou bien se demandait-il vraiment ce que sa fille avait pu me trouver qui fasse penser à un coureur des bois, avec mon teint des villes, mes habits neufs tout frais achetés, et mes chaussures qui n'avaient jamais marché.

Et moi aussi je me demandais qui étaient ces gens, ce père et sa fille, suffisamment fous pour courir le risque d'avoir chez eux un animal aussi dangereux que Pripréfré, assez riches pour poursuivre des chimères, aller au bout du monde chasser des rêves insensés. Que cherchaient-ils, et pourquoi ? La confirmation de leurs certitudes ou la découverte de nouvelles vérités ? Et tous les autres, ceux du club, tous ces gens capables d'investir leurs forces et leurs énergies dans des quêtes aussi vaines. Pourquoi, la fortune, la gloire, la notoriété, ou bien avançaient-ils sur des chemins beaucoup plus mystiques ? Malgré le visionnement du film de Patterson, je ne pouvais m'empêcher de penser à Bigfoot comme à une créature sortie tout droit d'une bande dessinée de Crumb, passant son temps vautrée sur un canapé défoncé, devant la télévision, buvant des bières en pelotant des gonzesses callipyges. Un genre de fou rire me prit, que je refrénai, mais je levai les yeux sur la carrure d'Albert et soudain, sans le vouloir, en pensant tout haut, je lui dis, pince-sans-rire, de ma voix avinée :

— Professeur, dans votre quête du sasquatch, quelle est la part de recherche généalogique ?

Je pouffai de rire. Albert ne sourit même pas, il n'avait pas l'air fâché, non, simplement il me regarda jusqu'à ce que je me calme, puis m'assena trois syllabes.

— Pri... Pré... Fré..., me dit-il, me clouant le bec.

Je fus pris d'une vague d'angoisse terrible et regrettai d'avoir bu tant de bières et de ne pas être capable d'y voir plus clair dans mes réalités.

— Pourquoi ne me donnez-vous pas l'antidote maintenant ?

— Pour une question de discrétion, parce que jamais les crises ne se succèdent à moins de cinq jours d'intervalle, et parce qu'il est grand temps que nous partions, me répliqua-t-il en faisant signe à la serveuse.

— Béatrice m'avait dit que...

— Eh bien elle s'est trompée, m'interrompit-il, m'enjoignant de me taire tandis qu'il payait l'addition.

Nous saluâmes la tablée de fêtards, sortîmes et il me demanda de déplacer la voiture, pour la garer dans un hangar près du port. Je refis mon sac, et bon gré, mal gré, le suivis jusqu'à un débarcadère.

Son bateau n'était qu'une grande barque en aluminium, avec un moteur puissant, dedans étaient chargés son sac, une caisse en métal, et du matériel de camping et de pêche. Surpris de ne pas trouver une embarcation plus conséquente, j'espérai que le voyage n'allait pas être long, je montai à bord en chancelant et installai mon sac. Albert largua les amarres et sauta dans la barque avec l'habileté d'un vieux loup de mer, il fit vrombir le moulin et nous piquâmes droit sur le large.

— On va où ? lui criai-je alors que les premiers embruns me fouettaient le visage, réalisant qu'il ne faisait pas si chaud que ça. J'ouvris mon sac pour en sortir un ciré.

— On s'éloigne au maximum d'ici à la tombée de la nuit. D'abord à l'ouest ensuite au sud. Avant tout, on oblige les gens qui voudraient nous suivre à le faire en bateau.

— Les gens qui voudraient nous suivre ?

— Qu'est-ce que vous croyez, en ce moment même, la plupart des membres du club doivent être à l'affût en train de nous observer pour savoir la direction que nous allons prendre. Et malheureusement d'autres aussi.

— Quoi, mais pourquoi ?

Le professeur se remit à sourire, l'océan ravivait son enthousiasme, il fit appel à sa voix de stentor pour couvrir le moteur qui accélérait.

— Bigfoot n'est pas une légende, monsieur Genssiac. La découverte d'un sasquatch vivant serait une bombe qui révolutionnerait la paléontologie, l'anthropologie, et bien d'autres sciences. Les enjeux sont énormes. Certains pensent qu'il pourrait s'agir d'un chaînon manquant de notre évolution, moi je crois plutôt que c'est un cousin du giganthopitèque asiatique, un grand primate dont on a trouvé des ossements en Chine. Il est certain qu'aujourd'hui, l'espèce est presque éteinte. Ces dernières années, les témoignages de rencontres se font de plus en plus rares, c'est pourquoi chaque piste se transforme en course au trésor. Et je possède bien plus qu'une piste, monsieur Genssiac, Boris...

— Vous voulez dire qu'on va voir des sasquatchs, c'est ça, pour de vrai ?

J'étais effaré mais malgré moi gagné par l'excitation.

— Béatrice m'a dit que vous saviez faire montre d'un sang-froid exceptionnel. Vous aurez l'occasion de le prouver.

— Vraiment ? Je... — Je secouai la tête éberlué — ...alors à vous aussi elle a raconté des conneries, excusez-moi mais, tout ça est tellement..., dis-je en sortant de mon sac un ciré que je déroulai.

— Tiens mon poncho ! dit Albert en me voyant l'enfiler.

Confus, je l'enlevai immédiatement et le lui tendis.

— Je suis désolé, c'est Béatrice qui me l'a prêté, si vous le voulez je...

— Non non, gardez-le, Boris, je vous en prie, répondit-il. — Puis à nouveau dans un sourire un peu ironique. — Croyez-moi, vous allez en avoir besoin...

Ce dont j'aurais eu besoin, ç'aurait été d'un peu de simple quotidien, un peu d'ennui routinier, mais ce que je voyais autour de moi contribuait à me chavirer les sens. La mer était forte, Albert nous maintenait avec habilité aux flancs de la houle, et nous glissions comme de colline en colline. Loin au sud-est, de très hautes montagnes enneigées se découpaient sur le noir des nuages, semblant les retenir de leurs remparts. Puis plus près d'autres montagnes, moins hautes et couvertes de forêts, derrière lesquelles se compressait un ciel obscur et lourd, leur faisaient comme un filtre, et les quelques nuages qui passaient s'effilochaient en traînées fugaces dans les vents du Pacifique.

La forêt plongeait dans la mer, ou peut-être en sortait-elle ? Les arbres y prenaient racines, puis s'élançaient sur les pentes recouvrant tout d'une fourrure d'algues sombres. Les verts luttaient avec les verts, étincelants des rayons du soleil, ou profonds comme des sources intarissables d'ombres et de fraîcheurs. Et ce bleu limpide du demi-ciel, comme un écrin de transparence pour un grand soleil pâle, cerclé d'une auréole complète de lumière blanche, qui vous brûlait la peau sans pour autant la réchauffer. Le choc du beau temps et de l'orage, de l'océan et des rivages, du vent et des grands arbres me donna le vertige. Je m'installai plus confortablement.

Albert, lui, souriait de toutes ses dents, inhalant à plein poumons l'air du large. Pour maintenir ses lunettes, il faisait une grimace qui lui découvrait les gencives et ses oreilles se déployaient en ailes de papillon, pourtant il émanait de lui comme une aura de force sereine. J'aurais bien aimé partager un peu de sa foi et de ses certitudes. Accablé de fatigue, bercé par les vagues fabuleuses de l'aventure, rondes de promesses et aiguisées de menaces, je m'emmitouflai dans le poncho et m'endormis comme on éteint la lumière.

6

Plus tard, j'ouvris les yeux, frigorifié et nauséeux, et mes rêves s'évaporèrent immédiatement, ne me laissant qu'une immense nostalgie éphémère. J'avais dans la bouche un goût de bière rance et dans le nez une odeur de poisson. Le bateau avait brusquement ralenti, et quand je relevai la tête, je vis qu'une embarcation venait à notre rencontre. Nous étions à présent dans un fjord encaissé, dont les parois abruptes se transformaient en falaise, orienté plein sud, à voir la position du soleil qui disparaissait partiellement derrière un piton rocheux. J'avais dû dormir une paire d'heures et la température en avait profité pour chuter d'une dizaine de degrés.

— Alors est-ce que ça ne valait pas une bonne chambre d'hôtel ? me dit Albert qui s'était habillé d'une épaisse parka fourrée.

Je lui répondis d'une série terrible d'éternuements, qui résonnèrent dans mon cerveau avec un goût d'acier trop salé. Quand je me repris enfin, une longue pirogue noire nous avait abordée, manœuvrée par un Indien habile. Il coupa son moteur au dernier moment, me salua au passage et s'arrêta pile avec sa main dans celle du professeur. Nos embarcations tournèrent l'une autour de l'autre. Tandis que je m'empressais de fouiller mon sac et de m'habiller plus chaudement, les deux hommes se lancèrent dans une joute orale, où chacun laissait à l'autre juste le temps de sa repartie, sans doute un rituel de salutations. Puis le professeur montra la direction d'où nous provenions et demanda quelque chose au type, qui sourit en acquiesçant. Sa pirogue était à moitié pleine de grosses moules, et de sous une banquette émergeait la manche d'une combinaison de plongée. Ce type se baignait dans une eau si froide, brrr... Il saisit quelques coquillages et les jeta à nos pieds respectifs, puis nous salua de la main et relança son moteur pour s'éloigner. Albert fit de même.

— Vous parlez bien la langue locale ? questionnai-je.

— Je ne me débrouille pas trop mal. Cet homme était un Kwatiult que j'ai déjà rencontré. Je lui ai demandé de compter les embarcations qui nous suivent, il m'a dit qu'il le ferait, et nous nous sommes exprimés en wakashan. À la taverne, la vieille femme dont on fêtait les quatre-vingt-sept ans était une Bella Coola et nous avons parlé salishan, deux langues différentes qui pourtant appartiennent au même groupe algonquin.

— Ça fait longtemps que vous connaissez ce pays ?

— Je suis venu la première fois en 68, et dans trois jours ça fera trente ans exactement que, pour la première et unique fois de ma vie, j'ai rencontré un sasquatch vivant. Un grand mâle qui buvait à une source, avant de détaler à toute vitesse, et croyez-moi, ça a été un événement qui m'a bouleversé pour toujours.

— Oui j'imagine, moi déjà le tatzelwurm...

Albert se mit à rire, je ne trouvais pas vraiment ça drôle ; il se pencha en avant, ouvrit la caisse métallique, fouilla dedans et en sortit un poignard gainé de cuir, à la lame d'au moins trente-cinq centimètres, avec lequel il entreprit d'ouvrir avec dextérité des moules.

— Béatrice m'a raconté votre rencontre, une sacrée expérience hein ! Tenez, mangez donc quelques fruits de la mer, ça vous fera du bien dit-il, et d'un geste sec du bras il lança le couteau qui vint se planter dans la banquette devant moi.

Je sursautai de son adresse, pour un professeur il avait de drôles de manières de baroudeur. Je pris le couteau et entrepris, beaucoup plus précautionneusement, d'ouvrir une moule.

— Oui, j'ai bien cru crever, lui répondis-je. Depuis ça me hante.

Albert goba goulûment ses coquillages, et parla la bouche pleine.

— J'y ai eu droit quelquefois moi aussi. Je crois qu'on peut rapprocher ça de certaines descriptions de NDE.

— NDE ?

— Near Death Experiences, des expériences de mort approchée, des agonisants qui frôlent la mort et puis reviennent, et dont les témoignages sont souvent similaires, quitter son corps, voir la lumière, et tout ça. Une expérience presque mystique, n'est-ce pas ?

— Vous trouvez ? Moi pas, j'ai eu atrocement mal et j'ai cru que j'allais y passer de la manière la plus horrible qu'il soit. Je ne vois rien de mystique là-dedans.

Albert haussa des sourcils circonspects.

— Vraiment ?

Il avait l'air d'en douter. Il se saisit d'une grosse moule et l'ouvrit d'une simple torsion de ses deux mains, comme un robinet qu'on tourne. Moi je me débattis avec la mienne, et quand je vins à bout de la coquille et plongeai le couteau dans la chair du mollusque, je vis clairement celui-ci rétracter ses membranes et je l'entendis presque crier. Non, la mort pour moi n'avait rien de mystique.

J'avais perdu ma mère à l'âge de dix-sept ans, j'avais dû moi-même la vêtir avant que l'emmènent les employés des pompes funèbres et j'avais été bouleversé de sa transfiguration. Elle était toujours aussi belle, rien en elle n'avait changé, ni sa taille, ni son poids, ni la texture de sa peau, ni sa masse musculaire et pourtant quelque chose n'était irrémédiablement plus là. Ses chairs s'étaient relâchées, et son squelette semblait avoir pris du relief sous sa peau. Comme si l'énergie vitale avait réellement occupé un volume dans son corps. Comme si quelque chose avait disparu entre le dedans et le dehors. J'avais pleuré sans répit. J'en avais gardé une grande pudeur, presque une aversion à l'égard des cadavres. Quant à l'idée de la mort, j'étais sûr que le meilleur moyen de s'en accommoder, c'était de ne jamais y penser. Et ça m'avait plutôt bien réussi jusqu'à ces derniers jours.

Depuis ma rencontre avec Pripréfré, je me rendais bien compte que les choses avaient changé. La mort était omniprésente, à chaque instant, en chaque lieu, et c'était peut-être ça, cette promiscuité avec elle, qui éclairait ma vie de lumières si irréelles même si ça me heurtait de l'admettre. Je gobai la moule d'un coup, d'un mouvement volontaire. Son fort goût d'iode me surprit, je la mâchai trop longtemps, et eus bien du mal à l'avaler.

— Et l'antidote, repris-je, c'est vous qui le fabriquez ?

— Oui. Depuis trente-six ans que je suis le gardien de Pripréfré, j'ai été intoxiqué treize fois, et croyez-moi, certaines n'ont pas été des parties de plaisir...

— Oui merci, j'ai dégusté, lui dis-je, lugubre.

Je ne me sentais pas très bien.

— Les premières fois, j'ai eu recours à l'assistance d'un ami, un très bon médecin genevois, mais comme je ne voulais pas qu'il divulgue la provenance du venin, il était limité dans ses possibilités d'analyses, et n'a pas pu faire grand-chose pour moi. Heureusement les crises s'arrêtent d'elles-mêmes quand le venin se résorbe au bout de quelques mois. Et puis une fois, j'ai fait des crises alors que j'étais en expédition au Tibet, et là-bas, j'ai été soigné par un lama, un type extraordinaire, et il a vite compris qu'il ne s'agissait pas d'une intoxication ordinaire. Nous sommes devenus amis, et quand finalement je lui ai parlé de Pripréfré, il a insisté pour le voir. Je l'ai invité en Suisse, et non seulement il a rencontré le tatzelwurm mais il a aussi été intoxiqué. Puis nous sommes repartis, et nous avons passé plus de quatre mois ensemble dans l'Himalaya pour élaborer un remède.

— Vous m'en voyez fort aise, dis-je, la gorge nouée.

Je ne me sentais vraiment pas bien. J'avais l'impression que la moule n'était pas morte et qu'elle voulait ressortir de mon estomac. Tandis qu'il me parlait, Albert, cessant de manger des mollusques, s'était emparé d'une canne à pêche. Il y avait fixé un hameçon, l'avait appâté d'un gros bout de moule et jeté nonchalamment la ligne à la traîne, par-dessus son épaule, avant d'enfiler la canne dans son support sur le plat-bord.

— L'antidote est très efficace, il n'intervient pas sur la résorption du venin, mais annihile complètement les effets de la douleur. Vous verrez, vous ne sentirez plus qu'un léger malaise.

J'aurais dû en éprouver du soulagement, cependant il n'en était rien. Le fjord dans lequel nous naviguions devenait de plus en plus étroit et le soleil avait disparu, l'ombre rendait tout plus sombre, et la houle me chahutait. J'essayai vainement de fixer mon regard sur une ligne d'horizon, mais des hautes falaises qui nous dominaient aux langues de forêt plongeant dans la mer, tout semblait bouger dans l'espace, tout était mal arrimé. Non, je n'étais pas bien...

— L'antidote, poursuivait Albert, est composé de trente-sept extraits végétaux, et de cinq autres substances, d'origine organique et minérale, et chacun des composants a fait l'objet d'une préparation particulière. Certaines plantes sont très rares, leur recherche devient vite un genre de quête, et l'amalgame lui-même met plus d'un mois et demi pour être fabriqué. Il se présente sous la forme d'une... Enfin vous verrez bien tout à l'heure. Vous savez, depuis plus de trente ans, je suis obligé de me rendre au Tibet tous les trois ou quatre ans pour renouveler l'antidote. À la longue c'est devenu plus qu'une obligation, un rituel, et chaque fois c'est une expérience dont je sors enrichi. Il m'arrive parfois de penser que le venin de Pripréfré a déterminé pour moi une espèce de parcours initiatique.

Ce type était fou. J'en avais marre. J'étais malade, j'en avais marre de ces salades. Les choses étaient simples, sa bestiole m'avait contaminé et maintenant je voulais qu'il me soigne. J'en avais assez. Des neuro-toxiques, des mystiques, des initiatiques, j'en avais marre de tous ces iques... J'étais suisse. Moyen, blanc, occidental, j'avais des racines profondément plongées dans la culture européenne, j'étais cartésien, pragmatique, pas religieux et un peu marginal, mais somme toute, mon mode de vie répondait aux normes judéo-chrétiennes, j'étais un pauvre type normal quoi... J'aurais aimé que mon passé soit un livre, pour chercher dans les premières pages, comment et pourquoi avait commencé cette glissade de mon quotidien vers l'absurde. Et j'en avais marre de ces salades de babas déjantés, des Béatrices, des venins et des Pripréfrés, marre de ce foutu conte de fées, marre de ce bateau qui n'arrêtait pas de descendre et de remonter. Je devais bien l'admettre, j'étais malade, j'avais la nausée...

— Hé là ! cria soudain Albert, voilà notre dîner !

Il bloqua les gaz, attrapa la canne à pêche, moulina furieusement, et alors qu'il venait seulement de lancer, il ramena en quelques secondes un poisson long comme le bras, qu'il fit retomber dans une épuisette puis au fond du bateau. Et j'avais beau être profane, je reconnus là, un saumon. Un beau saumon, scintillant dans son costume arc-en-ciel, tout frais sorti de la mer... de la mer... de la mer... J'étais malade. J'avais eu beau tout faire pour la rejeter, la pensée du mal de mer avait fini par s'imposer.

— Magnifique, on va se régaler, dit Albert.

Il se saisit d'un gourdin, immobilisa le poisson et l'assomma d'un grand coup bien placé. Schtonk ! Et le bruit suffit à me faire déborder.

Je sentis mon estomac se retourner comme une chaussette, j'eus beau déglutir à toute vitesse pour tenter de le ravaler, je n'eus que le temps de me précipiter la tête par-dessus le bastingage avant de tout dégueuler. Des spasmes terribles me secouèrent et un instant j'eus la terreur d'une crise, non, l'évidence était claire, gerbes, vomis et glaires. Oh non, pas le mal de mer... Des bouffées de nausée me pinçaient le scrotum, puis remontaient tous mes viscères, brâââ et j'explosais par-dessus bord. Malade, j'étais malade, j'avais fini par capituler.

Après un moment, je retombai épuisé au fond du bateau, Albert me dit de ne pas m'en faire, ça arrivait à tout le monde, et de toute façon c'était mieux que je sois à jeun pour prendre l'antidote. J'allais lui répondre, mais mes mots se transformèrent.

— Blleueuaartch ! éructai-je en me ruant par-dessus bord, alors qu'un nouvel assaut de jeté épaulé, de vrilles et d'uppercuts me frappaient l'estomac.

Les nausées étaient encore plus fortes et me tordaient l'intérieur. Je me penchai hors du bateau, qui continuait de monter et descendre, la tête au ras de la mer, j'étais si mal que les embruns d'eau glacée rafraîchissaient à peine mon visage. Albert me parlait, je n'entendais plus que mes maux. Tout y passa. La moule, le steak, les frites, les bières et tout le reste aussi.

Je luttai pour rétablir un champ d'équilibre entre mon ventre et mon cerveau. J'eus beau essayer, je sentis de loin arriver un nouvel orage. Et alors que mon cœur battait à se rompre, alors que tous mes sens étaient focalisés sur mes nausées, le venin du tatzelwurm se rappela à ma mémoire.

La douleur fut innommable.

Je vis l'œil de Pripréfré s'allumer d'une blancheur éclatante, et je plongeai dans les laves incandescentes de sa pupille. La fusion fut immédiate, la crémation instantanée. Je sentis ma colonne vertébrale s'irradier de milliers de lasers, atteindre une température plus élevée qu'au cœur des brasiers de l'enfer. Mes vertèbres fondirent en écarlate, d'une chaleur si intense qu'elle calcina mes os de l'intérieur, gagnant lentement sur mes membres, grignotant la matière de sa soif ardente, me dévorant de flammes comme un feu de broussailles liquide au plus profond de mon corps. Quand le magma atteignit mes extrémités, doigts et orteils carbonisés, je le sentis refluer de toute sa vitesse, remonter et précipiter son flux à travers mon occiput.

Alors, une étoile, une géante gazeuse, grande

comme vingt mille soleils, avec ses anneaux mordorés, explosa dans mon cerveau.

Je hurlai comme un damné.

Et, comme ma vie suppliait qu'on lui donne délivrance, comme mon corps se désagrégeait chauffé à blanc dans l'incendie, comme au sein des foudres de la douleur rouge, je n'aspirai plus qu'à être fumée, le supplice cessa d'un coup, de la même manière que la première fois. D'un seul coup, la douleur s'éteignit, m'abandonnant sur un dernier râle. Commotionné, je mordis l'air pour tenter de reprendre souffle, mais mon cerveau était trop lourd, mon torse bascula lentement vers l'avant et je tombai au fond du bateau, brisé.

Ça c'était reproduit... J'avais fait une nouvelle crise. D'un coup ce putain de venin m'avait assailli. Ça c'était reproduit. Non ! La simple évocation du souvenir de ce que je venais de vivre m'étais insupportable, je chassai l'idée de la douleur comme on se débat contre un cauchemar. Et ce fumier d'Albert qui n'avait pas jugé bon de me donner l'antidote... J'étais cassé, rompu. J'étais foutu. Cette saleté de poison était dedans mon corps, dorénavant j'étais à sa merci. Béatrice et Albert s'étaient trompés, les crises étaient beaucoup plus rapprochées.

Coupant les gaz, il s'était précipité sur moi pour m'aider.

— Pripréfré, salopard de tatzelwurm. Je le revois, je le tue, vous m'entendez je le tue ! lui criai-je. Il faut que vous me donniez immédiatement l'antidote, vous voyez pas, maintenant !

— Je suis désolé, disait Albert. Vous avez eu une crise hein ? C'est toujours très impressionnant vu de l'extérieur, cette douleur terrible... Bon sang, vous m'avez fait peur. Vous êtes plus sérieusement intoxiqué que je l'aurais cru. C'est passé là non ? Heureusement, ça ne dure jamais... Vous êtes tranquille pour quelque temps et... Allons laissez-moi vous aider.

Je le repoussai, en frappant mollement ses mains. Me hissant péniblement, je parvins à me rasseoir, me recroquevillant, grelottant, commotionné.

— Donnez-moi ce putain d'antidote maintenant bon dieu, vous attendez quoi, que je crève ?

— Je ne peux pas, il ne faut pas l'exposer à l'humidité, je ne peux pas vous en donner ici, mais dès que nous serons arrivés. — Puis voyant que j'avais suffisamment de force pour le repousser, il se redressa. — Vous êtes sûr que ça va aller ?

Que voulait-il que je réponde ? C'était trop, j'en avais marre. Je voulais rentrer chez moi. J'émis un râle.

— Le mal de mer, il est passé ? demanda-t-il, très intéressé.

Je haussai les épaules, qu'est-ce que j'en avais à foutre... Je venais de manquer mourir.

— C'est incroyable hein, extraordinaire, disait encore Albert. Plus de mal de mer. Vous voyez, ça veut dire que vous aviez en vous les ressources pour le surmonter. Le venin n'aura été que le détonateur, et vous avez trouvé en vous les forces pour...

En moi, des ressources, oui, des forces, des énergies, c'est ça. Ce type était fou à lier, et moi j'en avais assez. Frissonnant, je tirai mon sac pour en sortir des habits supplémentaires. J'avais fait un nœud à la con en le refermant, et les doigts gourds, je n'arrivais pas à l'ouvrir. Énervé, je ramassai le couteau, coupai l'attache et évidemment je m'entaillai l'index. Oh, une petite coupure de rien du tout, mais quand je vis perler une goutte de mon sang, si rouge, je portai mon doigt à la bouche et toute la tristesse du monde me tomba sur les épaules.

D'un coup c'en était trop, j'en pouvais plus, fallait que ça cesse. Mes larmes se mirent à couler, sans même que je m'en aperçoive. La fatigue, et toutes ces misères que la vie m'assenait. Marre, plus que marre. Je rendais ma veste.

Allô, dieu ? Je renonce, je démissionne. Donne ma vie à quelqu'un d'autre, moi j'en veux plus, je peux plus avancer comme ça. Le coup du venin en bateau, y'a ko, vraiment là j'abandonne, tu charries, t'en fais trop. Tu déconnes. Je capitule, je baisse les bras, j'en peux plus de ce rôle à la noix.

Je m'effondrai dans un chagrin incommensurable. Si

profond que je sentis à peine Albert quand il me recouvrit d'une couverture. Je tentai bien de me débattre, mais il m'immobilisa, et m'enleva le couteau des mains pour pouvoir mieux m'envelopper dans la laine épaisse. Quand il retendit la main pour l'ajuster, j'eus un mouvement de recul.

— Ça va, ça va, ça suffit comme ça...

Albert me regarda en faisant une grimace, affligé de mon état.

— Je suis navré, dit-il, je comprends que vous ayez eu peur....

— Je veux que vous me donniez l'antidote, chevrotai-je menaçant, et puis, je veux rentrer chez moi...

Albert soutint mon regard, l'air las, puis il hocha la tête et baissa les yeux.

— Nous sommes presque arrivés, me répondit-il, et il regagna la barre.

Je me tournai face à la proue. Et je sombrai dans le désespoir le plus noir.

Mon truc à moi c'était la ville, le goudron, le bitume, les pavés. Les lumières, blanches, rouges, vertes dans le reflet des buildings, les voitures, les gaz, la cohue, les cris sourds des usines, le hurlement aigu et compressé des guitares, le martèlement des basses, celui du pas des gens, grosse-caisse, klaxon, danse parallèle des mouvements, boulot, gares, espace brisé d'angles droits, entrées, sorties, vitrines, frénésie de la foule, martelant chaos des cités.

Et pas ce silence qui régnait, fait de mer et de vent.

Du paysage grandiose qui m'environnait, je ne voyais plus que falaises déchiquetées d'à-pics imprenables, forêts hérissées d'épines, rochers aux arêtes de rasoirs, et cette eau, couleur de mercure noir, qui m'encerclait avec son lot de bêtes, dissimulées sous chaque vague, sous chaque crête. Et ces histoires de sasquatch aux grands pieds, de lézard venimeux, de femme fatale, de chien mort, de tout ça, je n'en voulais plus, non. Plus rien de tout ça.

Je pleurais et tout se dissolvait dans mes larmes. Je pleurai ma vie sans repères. Je touchais le fond de l'abîme. Je voulais rentrer chez moi.

7

Plus tard, nous avions accosté une petite péninsule, un endroit où la falaise s'était effondrée, laissant la forêt étirer un mince tentacule jusque dans la mer. Là, une petite maison était posée sur le promontoire, une simple cabane au Canada, devancée d'un débarcadère. Du fond du coma dépressif où m'avaient entraîné mes pensées nauséabondes, j'eus quand même un élan de gratitude en la voyant. À l'idée de ne pas avoir à passer la nuit sous la tente dans la forêt, il me revint presque une bouffée d'espoir.

Albert dut m'aider à descendre du bateau, le froid et le choc m'avaient tétanisé, mes dents claquaient, et j'avais dans le ventre un vide épouvantable, à effet de succion, mes genoux s'étaient figés dans la toile humide et je ne pleurais plus, faute de liquide, j'étais sec et cassant comme une momie.

— Vous êtes en état de choc, il faut vous réchauffer, me dit-il.

Ça, merci, je le savais... Il me soutint jusqu'à la maison, dont la porte n'était pas fermée à clé, et j'eus la surprise de trouver un intérieur moderne entièrement lambrissé, avec électricité, douche et kitchenette, alors que l'extérieur était de rondins rustiques.

— La maison est équipée à l'énergie solaire, il y a

un chauffage dans le sol mais je vais quand même faire du feu.

Albert m'assit sur une chaise et en un tour de main fit crépiter un brasier dans la cheminée. Je me baissai péniblement pour délacer mes chaussures trempées, et il m'aida à m'en débarrasser.

— Vous devriez me donner l'antidote, je suis crevé et si je refais une crise maintenant..., dis-je, lugubre.

— D'abord prenez une douche chaude, et changez-vous. Je vais chercher les affaires.

Tandis qu'il sortait, je fis comme il me dit de faire. Je luttai pour m'extraire de mes habits mouillés et, raide comme un glaçon, titubai sous la douche. L'eau chaude me picota l'épiderme et me redonna à moitié vie, pourtant lorsque je fermais les yeux, je revoyais l'œil de Pripréfré, la vision suffisait à me faire chanceler. Je me douchai les yeux grands ouverts.

Le temps que je sorte de là, me sèche et enfile maladroitement des habits chauds, Albert avait rapporté nos bagages, y compris la grande malle, fait bouillir de l'eau dans une casserole, y avait versé un sachet de soupe et fait pocher quelques belles tranches du saumon. Un agréable fumet flottait dans la pièce, j'étais encore trop mal pour en profiter.

— Venez, dit Albert, le temps que ça mijote.

Il alla s'asseoir devant la table, et entreprit d'enlever un pendentif en cuir qu'il portait autour du cou sous son pull-over, un genre d'étui plat avec de curieux revers qui devaient assurer une certaine étanchéité. Je le rejoignis en hâte et m'assis aussi. Il l'ouvrit par le haut, et en sortit un sachet de plastique hermétique contenant une plaquette grande comme la moitié d'une plaque de chocolat, qu'il saisit délicatement entre le pouce et l'index.

— Voilà, c'est l'antidote, voilà à quoi tient votre bonheur, ajouta-t-il en le tendant vers moi.

— Mon bonheur sûrement pas, ma santé peut-être, mentale en tout cas, répondis-je la voix rauque, sombre et circonspect en le lui prenant des doigts. Alors c'est ça ?

On aurait dit une plaquette de pierre ponce ou de vieux haschisch grumeleux. De couleur brune verte, rectangulaire avec un coin érodé. Sur une des faces, un symbole était gravé, une spirale avec des pattes. Je la portai sous mon nez, elle ne dégageait aucun parfum particulier, juste une odeur vaguement minérale.

— Ça ne sent rien, les plantes qui le composent ont subi une préparation longue et complexe, certaines ont presque été réduites à l'état charbonneux, d'autres ont été séchées, d'autres moisies. C'est leur judicieux mélange qui confère au produit son efficacité. L'antidote va stimuler votre organisme à fabriquer lui-même certaines substances, qui vont inhiber la douleur des crises.

— Et comment dois-je le préparer ? Et le venin que je vous ai apporté, il faut les mélanger ? demandai-je, anxieux.

Albert se leva, alla chercher un verre qu'il avait rempli d'eau chaude, y trempa le petit doigt, fit une grimace, en vida un peu et compléta avec de l'eau froide. Satisfait de la température, il le posa sur la table, puis alla fouiller dans son sac, en sortit la brosse à dents imbibée de venin, un cahier qu'il coinça sous son bras et le poignard du bateau.

L'antidote avait une étrange texture, évoquant la légèreté, pourtant la plaquette était lourde, dense dans ma paume. J'admirai la manière dont était gravée la spirale, la spirale avec des pattes. Elle symbolisait magnifiquement l'enfer dans lequel je venais de descendre. Alors c'était ça, cette concrétion verdâtre, pour laquelle j'avais fait des milliers de kilomètres, pour laquelle j'étais si crevé... J'avais du mal à réaliser. Posant l'étui de la brosse sur la table, Albert déchira une page blanche du cahier et la plia dans sa longueur, puis il me prit l'antidote des mains.

— Alors voilà, dit-il en saisissant son couteau par la lame, il faut que vous en preniez une pointe de couteau par vingt kilos de poids. Combien pesez-vous ?

— Je ne sais pas, quatre-vingts, quatre-vingt-cinq kilos.

— Alors on va dire quatre pointes.

— Et c'est quoi, une pointe ?

— Regardez.

Je m'avançai pour mieux voir. Tenant fermement la plaquette de la main gauche, Albert appuya l'extrémité de la lame sur le coin écorné, et en détacha délicatement quatre copeaux très fins, d'un demi-centimètre de longueur, qu'il fit tomber sur la feuille blanche.

— Ensuite vous les réduisez en poudre, la plus fine possible, reprit-il, en les hachant menu de la pointe du couteau.

— Comme de la cocaïne, répliquai-je.

Albert haussa les sourcils, et me jeta un regard d'affranchi.

— Exactement oui. Voilà, ceci sera votre dose, vous voyez, la poudre recouvre à peine un centimètre carré. N'en prenez pas trop, ce serait inutile et vous pourriez vous retrouver à court de substance avant que tout le venin se soit résorbé, ni pas assez, car vous ressentiriez quand même les douleurs des crises. Vous prendrez cette dose précise, de préférence le matin à jeun, tous les trois jours, pendant les quatre prochains mois, d'accord ?

— D'accord, mais comment ?

J'avais suivi attentivement sa démonstration, m'efforçant de mémoriser chacun de ses gestes. Je me rendais bien compte que même si j'avais attendu des explications plus scientifiques, plus médicales, malgré la rusticité des méthodes, cette petite poudre noire était mon seul espoir d'en finir avec cette tatzelwurmite qui m'empoisonnait la vie, cette peur de la douleur qui me corrodait le corps et l'esprit.

— L'absorption aussi est très importante, reprit Albert en secouant la feuille pour faire glisser la poudre dans le pli. L'antidote se dissout très bien dans la salive, ce qui accélère son assimilation ultérieure. Vous faites glisser la poudre sous votre langue, puis vous absorbez une petite gorgée d'eau tiède, qui soit si possible à la même température que votre corps, et vous gardez le tout dans la bouche, sans avaler, pendant au moins trois minutes. Quand vous sentez que tout est dissous, alors seulement vous avalez.

— C'est tout ?

— C'est long trois minutes...

— Non j'veux dire... — Je montrai la brosse à dents sur la table. — Le venin, le venin que vous m'avez fait apporter, à quel moment est-ce qu'il intervient ?

— Oh le venin ?

Saisissant l'étui de plastique, il le fit tourner dans ses doigts, me lançant un drôle de regard, quand d'un mouvement coulé et solennel, il l'envoya dans la cheminée, ajoutant :

— Le venin ne sert à rien.

Je sursautai, voyant la brosse fondre, puis crépiter dans les flammes.

— Quoi, mais vous êtes...

— Le venin ne sert à rien. En fait c'était un genre de test pour savoir si nous pouvions vous faire confiance. J'ose imaginer que ça a été une expérience enrichissante.

— Enrichissante... Vous m'avez obligé à affronter une deuxième fois votre saleté de tatzelwurm, pour rien ! Vous êtes fou, et Béatrice... — J'en eus des sueurs froides. — Juste pour m'éprouver, vous êtes cinglés ! ? Ce putain d'antidote, je le mets dans ma bouche et j'avale, c'est tout. Vous auriez très bien pu me le donner à Bella Coola, m'écriai-je soudain. Mais bon sang pour qui vous vous prenez pour jouer avec ma vie ! Vous m'avez fait venir jusqu'ici pour ça ? Si je ne me retenais pas, je vous flanquerais mon poing dans la figure.

— Vous essayeriez, répondit Albert pas du tout impressionné, et son calme était bien plus menaçant que ma colère. Ça n'aurait pas été très discret que je vous donne l'antidote dans le restaurant, et désolé, d'après ce que m'avait dit Béatrice, je pensais que vous auriez de l'intérêt à la suite du voyage. Il est vrai que je n'avais prévu ni la crise, ni le mal de mer. Écoutez, dit-il en se levant soudain, excédé, je vais vous donner de quoi vous soigner ces prochains mois, ensuite vous ferez ce que vous voudrez. Alors nous disions donc tous les trois jours, marmonna-t-il, donc dix fois par mois et quatre mois, ce qui nous fait... — Il se mit à quadriller la plaquette de portions régulières avec la lame du couteau, puis quand il eut défini la quantité à couper, il m'en adjugea un morceau supplémentaire. — Par précaution, ajouta-t-il, et j'eus l'impression de voir un dealer en train de couper une barrette de shit.

Il appuya sur la lame de ses deux mains et en trancha un morceau qu'il posa sèchement devant moi.

— C'est pour vous, monsieur Genssiac, je vous présente encore une fois mes excuses pour tous les désagréments occasionnés et vous souhaite une excellente rémission.

— Eh bien merci quand même, fulminai-je, et j'accepte vos excuses. — Je pris le bout d'antidote dans ma main, un parallélépipède de pierre végétale, pas plus grand qu'un briquet, ça avait l'air tellement dérisoire... — Dire que vous auriez pu me l'envoyer par la poste, et moi de même pour l'anesthésiant... Ç'aurait été quand même plus simple non ? Me faire venir pour ça...

— Vous voulez vraiment que je vous dise pourquoi je vous ai fait venir, monsieur Genssiac ? Je vais le faire, mais d'abord, prenez votre antidote, et rappelez-vous, trois minutes dans la bouche sans déglutir, dit-il en me montrant la feuille.

Et après tout j'étais là pour ça.

Je pris la feuille pliée, l'inclinai au-dessus de ma bouche et, en la tapotant du doigt, fis doucement glisser la poudre sous ma langue. Elle n'avait pas de goût et la texture du sable. Je pris un peu d'eau tiède, et attendis qu'elle se dissolve, sans avaler. Albert me regarda faire, les bras croisés sur la poitrine, son front plissé d'une intense réflexion. Son regard s'illumina, à la fois passionné et soucieux, il se mit ensuite à faire lentement les cent pas dans la pièce, comme s'il m'avait oublié. Je me concentrai pour ne pas déglutir, c'était long trois minutes, en tout cas, il m'avait cloué le bec. La poudre devint visqueuse, puis molle, et alors seulement je sentis un vague goût qui me rappela un dessert de mon enfance. À plusieurs reprises je faillis avaler par inadvertance, et me retins de justesse jusqu'à ce que, sur mes muqueuses, je ne sente plus que du liquide, eau et salive comme chargées de guimauve et d'argile. Enfin je laissai tout couler dans ma gorge.

— Alors ? dis-je et Albert sursauta.

— Alors quoi ?

— Pourquoi m'avez-vous fait venir ?

— Oh ! Pour l'anesthésiant que vous m'avez apporté bien sûr, dont j'avais tant besoin, et je vous en remercie. C'est aussi et avant tout pour vous soigner en vous éloignant de Genève et éviter tout risque de scandale impliquant le tatzelwurm. — Il me jaugea longuement, et à travers ses verres grossissants, ses yeux semblaient carrés, il inspira profondément comme pour se jeter à l'eau. — Monsieur Genssiac, Boris, je suis à la veille de révéler au monde une découverte extraordinaire, qui va bousculer bien des certitudes. J'ai besoin pour réussir que la plus grande confidentialité entoure mes recherches, des intérêts énormes sont en jeu, et je ne dois offrir aucune emprise à mes adversaires.

— Les lobbies forestiers ? Béatrice m'en a parlé.

— Oui, entre autres. Je milite aux côtés des tribus locales qui revendiquent leurs droits sur les territoires de leurs ancêtres et qui se battent pour la protection de leur forêt sacrée. La forêt pluviale de la bande côtière du Pacifique est la dernière forêt pluviale tempérée au monde, et elle leur appartient depuis toujours. Les Indiens en Colombie-Britannique n'ont jamais signé le moindre traité, la moindre cession de leurs terres, encore moins de la forêt, les Blancs se les sont tout simplement appropriées ; aujourd'hui plus que jamais, il leur faut lutter pour sauver ce qu'il en reste des dévastateurs. Je profite de mes nombreux colloques internationaux pour faire connaître leur cause et réunir des fonds de soutien. Malheureusement nous nous heurtons à forte partie. L'inertie de l'État tout d'abord, bien que les natifs aient déployé tout l'arsenal juridique nécessaire depuis des années, les choses n'avancent guère ; les lobbies bien sûr, et autres prospecteurs, avec leurs politiques de profit à court terme, qui n'ont de cesse de ravager de nouveaux territoires. Un scandale aujourd'hui à Genève, mêlant mon nom à la découverte d'une créature inconnue, aussi potentiellement dangereuse que Pripréfré aurait des incidences catastrophiques sur... Ce que je suis en train de faire. Alors j'ai pensé qu'il valait mieux vous mettre au vert...

Je me sentais un peu misérable, avec mes petits bobos, mon petit destin d'individualiste. J'avais plongé vraiment tout au fond de la déprime, et à présent que je me sentais remonter, j'avais un peu honte de moi.

— Si ce que j'ai prévu pour ces prochains jours se réalise, j'aurai en main un levier extraordinaire pour faire classer une immense zone en réserve intouchable. Vous comprenez bien pourquoi il ne faut à aucun prix que les lobbies forestiers soient au courant de mes faits et gestes.

— Vous avez vraiment localisé un sasquatch ? lui demandai-je tout de go.

Albert me lança un long regard soutenu. À nouveau son visage s'illumina, et ses yeux me disaient, comment oses-tu douter encore, ne viens-tu pas de prendre l'antidote à un venin terrible qui t'a été inoculé par un animal qui n'existe pas ? L'homme à qui tu t'adresses n'est-il pas le seul et unique propriétaire d'un tatzelwurm, le Maître du Pripréfré ? Crois-tu que je parle pour ne rien dire ? Et il se mit à sourire. Puis il vit le morceau d'antidote que je tripotais toujours.

— Il faut que vous emballiez ça, dit-il, c'est une substance rare et précieuse.

Comme sa fille, il avait l'art d'éluder les réponses. Il alla fouiller un placard de la kitchenette et en sortit un rouleau de cellophane qu'il posa devant moi, prit le reste de la plaquette, le rangea dans son étui, et replaça celui-ci autour de son cou. Puis il ajouta :

— Je ne vous dirai rien, je ne dirai rien à quiconque, avant d'être en mesure de le faire.

Je hochai la tête et, moi aussi, enveloppai soigneusement mon morceau dans la feuille de plastique. Je me levai et allai le ranger dans une poche de mon sac. Je me sentais un peu mieux physiquement, peut-être était-ce déjà l'effet de l'antidote, mais dans la tête, j'étais pitoyable. Béatrice m'avait menti. Elle n'avait fait que mentir.

— Boris, reprit Albert, je comprends très bien ce que vous pouvez ressentir. Je suis passé par là, et je respecte pleinement votre désir de rentrer chez vous. Si vous voulez repartir à Bella Coola demain, vous pouvez le faire avec le bateau. En fait, vous me rendriez un immense service en acceptant de rester ici quelques jours, une semaine tout au plus, le temps pour moi de faire ce que je dois faire.

— Des vacances forcées, en quelque sorte, répliquai-je, sarcastique.

— Des vacances tout court. Je vous laisse le bateau, vous pouvez repartir quand vous voulez. La maison est confortable, il y a des provisions en abondance, vous pourriez en profiter pour vous reposer.

— Et vous, vous continuez à pied avec la malle sur le dos ?

— On vient me chercher demain matin. Réfléchissez, Boris, ici vous seriez bien, vous pourriez vous ressourcer. Il y a une bonne bibliothèque, la pêche est excellente et, si vous montez jusqu'au sommet de la falaise, le panorama est magnifique.

— Ben voyons, rétorquai-je. Ah la famille Kalao vom Hoffé, il vaut mieux vous perdre que vous trouver...

Je secouai la tête, trop fatigué pour m'énerver et m'approchai d'une fenêtre. Dehors, la nuit était tombée et je dus mettre mes mains en œillères, m'appuyant à la vitre, pour percer l'obscurité. Très vite, je vis s'allumer des étoiles, et malgré l'absence de lune, le relief prit forme, eau, roc et forêt. Beauté majestueuse et glaciale, un havre de paix et de calme, voilà ce qui m'attendait.

Après tout, j'avais eu ce pourquoi j'étais venu. Avec l'antidote en ma possession, j'étais tranquille pour l'avenir, enfin, à peu près, et vu l'état dans lequel je me trouvais, quelques jours de repos ne pourraient pas me faire de mal. Je m'en voulais de mon manque de détermination, Béatrice m'avait menti. Elle m'avait complètement embobiné, et j'étais certain à présent qu'elle n'avait jamais rien éprouvé pour moi, hormis de l'intérêt. Par ailleurs, elle et son père payaient grassement ma discrétion, et même si les plans avaient changé, je pouvais bien leur accorder un peu de mon temps.

— Bon, d'accord, j'accepte, dis-je en me retournant. Mais si dans une semaine vous n'êtes pas là, je rentre à Bella Coola.

— Oh, je serai là bien avant ça, ne vous en faites pas, répondit Albert.

Quand je vis son visage s'illuminer, je lui demandai, effaré :

— Avec un sasquatch ? C'est ça, vous voulez capturer un sasquatch et le ramener ici ? — Albert éclata de rire, un doigt en l'air, semblant dire, je n'ajouterai pas un mot. — Vous pourriez me faire confiance, je n'ai rien dit à personne pour Pripréfré, et pourtant ma santé était en jeu.

— Ça n'est pas une question de confiance, Boris, même si vous veniez avec moi, je ne vous dirais rien avant d'y être. Les enjeux sont trop importants. Allez, il faut manger, ça doit être beaucoup trop cuit, vous vous sentez d'attaque ?

— Non, pas vraiment je...

J'avais encore l'estomac barbouillé. Albert insista, je pris donc place à table et, après quelques prudentes gorgées de sa soupe, je dus bien admettre que l'appétit me vint. À défaut de nouvelles forces, la nourriture me réchauffa et me fit retrouver un peu d'aplomb. Pendant le repas, je questionnai Albert sur la cryptozoologie et il se montra volubile, visiblement soulagé que je lui laisse les coudées franches dans les jours à venir.

Il me parla avec passion de cette drôle de discipline,

qui réunissait à la fois des scientifiques et des amateurs éclairés. Des zoologistes, des biologistes, des paléontologues, des historiens, et aussi toutes sortes d'aficionados allumés, qui n'aidaient pas toujours la cryptozoologie à s'affirmer comme une science sérieuse. Il me cita des exemples : les grands pandas bien sûr, l'okapi. Des animaux que le monde occidental avait longtemps considérés comme de simples légendes, avant qu'enfin on en capture des exemplaires vivants. Et puis le cœlacanthe, ce poisson antédiluvien redécouvert au début du siècle, dont un nouvel exemplaire avait été pêché l'année précédente, non pas au large de l'Afrique du Sud, mais dans le golfe du Mexique, alors qu'on croyait l'espèce disparue depuis deux cents millions d'années.

— Attendez, vous me parlez là d'exemples qui datent. Depuis le début du siècle, la population terrestre a quadruplé. Je veux bien croire qu'une partie des océans reste inexplorée, mais sur terre c'est une autre histoire.

— Bien sûr mais ce sont les villes qui augmentent leur population, pas les campagnes. Partout on assiste à un exode rural en faveur des agglomérations, s'enflamma Albert. Malgré les prouesses technologiques, malgré les satellites qui la cartographient sur toutes les coutures, la planète recèle encore des territoires immenses, quasiment inexplorés. Forêts inextricables, aux reliefs très accidentés, déserts de roc ou de glace, où les conditions de vie sont impossibles pour les hommes. Les seuls qui s'y aventurent le font pour en extraire les richesses au mépris de la nature qui les entoure, obnubilés par leurs objectifs ou leur appât du gain. Ne vient-on pas de découvrir une grande antilope inconnue au Vietnam, le saola, un mammifère de taille imposante, dans des forêts qui ont bien été parcourues par d'innombrables commandos d'hommes aguerris. Pourtant aucun d'eux ne l'avait jamais vue.

Albert parlait, parlait, moi, je sentais une douce chaleur irradier de mon estomac, et mes paupières devenir lourdes d'anecdotes cryptozoologiques. Il m'expliqua qu'Heuvelmans n'était pas le nom d'une créature, plutôt celui du pape fondateur de la discipline, un Belge auquel il vouait une grande admiration, et que la thylacine, le loup de Tasmanie, faisait toujours l'objet de nombreux témoignages de rencontre, malgré l'affirmation officielle de sa disparition. Tout cela était passionnant, j'étais cependant si fatigué que je faillis m'endormir à table. Je m'excusai, titubai jusqu'à mon lit, et m'enfilai avec délices dans mon sac de couchage. Albert débarrassa la table en continuant à discourir, je ne répondais plus que par vagues onomatopées, et finalement je choisis de me taire.

Entre mes paupières mi-closes, je vis Albert se pencher vers moi comme pour s'assurer de mon sommeil. Puis il ouvrit sa malle, en sortit une caisse oblongue, la même que j'avais vue chez Béatrice, qu'il posa sur la table. Le fusil à gaz comprimé aussi était du même genre. Albert prit le flacon d'anesthésiant, déballa les projectiles hypodermiques et quand je m'endormis, muni d'une seringue, il dosait judicieusement le produit dont il voulait les charger.

8

Au matin, je fus réveillé par le bruit de la porte qui se fermait. Albert venait de sortir, et le soleil entrant par les fenêtres illuminait la cabane. J'avais dormi comme un loir, et je me sentais étonnamment bien compte tenu de ce que j'avais enduré la veille. Bon dieu, mon orgueil en avait pris un coup. Jamais auparavant je ne m'étais effondré pareillement, mais j'avais eu ces derniers jours de quoi craquer nerveusement. Pourtant quand je repensai au tatzelwurm et à Béatrice, il me vint un sourire... Je n'étais vraiment pas fier de moi. J'avais aussi l'impression d'avoir vidé un chancre, d'avoir réglé avec le monde un vieux contentieux de rancœur et de chagrin. Je me sentais purgé, nettoyé, presque tout neuf.

Albert avait complètement rangé la pièce, il avait fait la vaisselle, ses bagages, son lit, et un agréable fumet me chatouilla les narines. La table était dressée pour le petit déjeuner, avec une seule assiette. Je m'habillai et, en soulevant le couvercle d'une poêle encore chaude, j'eus la bonne surprise de trouver des œufs au bacon dont il n'avait mangé qu'une portion raisonnable, je me régalai du reste. Décidément mon ventre allait beaucoup mieux, je me faisais deux grosses tartines d'un miel couleur d'ambre au goût de sirop d'érable, agrémenté d'un bol de thé noir, et n'étant pas rassasié, j'allais ouvrir le frigo. Comme Albert me l'avait dit, il regorgeait de boustifaille. Je me préparai encore un épais sandwich au jambon, avec moutarde et cornichons, et décidai d'aller le manger dehors.

Il n'avait pas menti. Le panorama était grandiose. Le fjord qui nous abritait devait faire quelques centaines de mètres de large, et les falaises le dominant, davantage. Pourtant je n'avais plus la sensation d'oppression que j'avais ressentie la veille, d'être au fond d'un précipice. Les rochers qui nous surplombaient avaient des reflets argentés au soleil, comme d'immenses blocs de granit curieusement juxtaposés, lisses malgré le relief, poncés par des millions d'années de pluie et de vent. Par endroits, des résurgences d'eau ruisselaient jusque dans la mer, barrant la falaise de stries noires. Plus loin sur ma gauche, une cascade jaillissait d'un surplomb et, là où elle frappait le roc, il avait des teintes sanguines, sans doute d'un affleurement ferrugineux. Par-delà les falaises, je voyais se découper d'innombrables collines, recouvertes d'une végétation incroyablement dense.

Les arbres étaient d'une dimension extraordinaire par rapport à la végétation alpestre, et je regrettai de ne savoir les différencier. Des sapins et des érables bien sûr, mais aussi toutes sortes de géants inconnus. Des troncs pleins d'épines ou bien glabres, tordus, droits, minces et ventrus, énormes. Des écorces de cactus ou de velours, lissées comme des tentures ou ridées comme des pattes d'éléphant. Les feuillus étaient dénudés, et laissaient par endroits entrevoir des trouées dans la densité végétale. Malgré cela, la forêt paraissait impénétrable. J'étais ébahi de sa variété, de texture, de teinte, de chaleur.

Je cherchai Albert des yeux. Il n'était nulle part, et j'allai jusqu'au bras de mer. L'eau y était d'une verdeur turquoise et transparente sur les bords, puis d'émeraude foncée, avec des reflets translucides et glacials, comme des traînées de sirop de sucre. La mer était d'huile, je fermai les yeux et inspirai profondément.

Je me sentais vraiment bien. Je ne savais pas pour

combien c'était dû aux effets de l'antidote ou au simple fait de l'avoir pris, en tout cas, je n'avais plus mal nulle part. Mes muscles étaient complètement détendus, comme si j'avais éliminé toutes mes toxines. Sans doute un miracle de la médecine tibétaine, que je savais vieille de plus de cinq mille ans — je ne doutais pas de son efficacité —, ou peut-être simplement une rédemption de la méthode Coué et j'en constatais d'ailleurs les résultats. Ma rencontre avec le tatzelwurm avait été une expérience extraordinaire, mais je l'avais payée très cher. Avant de les ressentir, jamais je n'aurais cru qu'un être humain puisse affronter des douleurs pareilles, et d'être passé au travers, avait comme redimensionné ma conception des autres et de moi-même. Sacré Pripréfré, je m'étais salement effondré la veille. Je respirai profondément l'air du Pacifique, à plein poumons, et soudain j'eus comme un éblouissement.

Quelque chose en moi avait radicalement changé depuis le début de cette histoire, de si surprenant que, par réflexe je fouillai mes poches. Mais non, je n'en avais pas. Je n'avais pas fumé la moindre cigarette depuis ma dernière entrevue avec Pripréfré. Béatrice m'avait pris un billet non-fumeur, je n'en avais pas acheté dans l'avion, et je... Je n'en revenais pas. J'avais arrêté de fumer. Je n'y avais même pas pensé. C'était tellement ahurissant que je m'en retrouvai d'un coup tout essoufflé, et plus incroyable, je n'en avais même pas envie, le grand air environnant me suffisait parfaitement. Je me mis à hoqueter de plaisir, juste au bord de l'eau, saoulé par tant de beauté déployée.

Quelque chose d'autre en moi avait changé. Pour la première fois de ma vie, je me retrouvais vraiment seul. J'avais toujours vécu en communauté, dans mon enfance, avec ma mère et toutes ses relations, puis dans les squats, différents partages, différentes tribus, et toutes mes formations musicales, mes groupes, mes copains, leurs femmes, mes femmes, leurs cousins et les amis de leurs amies. J'avais ensuite connu la solitude forcée, la répudiation, l'isolement, et jamais je n'avais goûté jusqu'alors cet incroyable bonheur de se sentir libre. J'avais décidé de ce voyage un peu comme un homme qui se noie attrape une bouée, et voilà que ma solitude s'était muée en disponibilité et mon errance en ouverture au monde.

Je portais dans les os le pire des supplices, ma peur, tapi au fond de précipices, prêt à jaillir en volcans, et pourtant comme jamais j'étais conscient d'être vivant. Intensément vivant.

C'était comme si, sans le savoir, j'avais immolé Ulysse à quelque déesse de hasard qui, en échange de ce sacrifice, me couvrait de son aile, alimentant des vents parfumés de son aisselle, ma faim d'aventures et ma soif de vivre. Je lançai un genre de prière, et criai dans le vent pour remercier Ulysse, le chaos et ses délices, le ver à pattes et Béatrice, et la nature d'être si belle.

J'étais fou. J'étais là, au fin fond de la Colombie-Britannique en train de vivre une aventure incroyable et je voulais abandonner à cause d'un soudain accès de blues, d'un simple épuisement physique et nerveux ? J'étais cinglé, à vouloir définir des paramètres de normalité, à décider de ce qui était rationnel ou pas. Des jours comme ceux que je venais de vivre, la vie n'aurait dû être faite que de ça. Je vis Albert sortir des bois, inquiet, et se diriger vers moi, portant sous son bras l'étui de son fusil.

— Vous avez crié ? me lança-t-il.

Bouleversé, je trottai pour le rejoindre.

— Je vous cherchais et... J'ai crié de plaisir, oui, je... Je viens de m'apercevoir que j'ai arrêté de fumer depuis ma rencontre avec Pripréfré. Et puis, de découvrir tout ça, lui dis-je en montrant les environs.

— Je vois, répondit-il en baissant les yeux sur moi, souriant.

Du haut de ses deux mètres, avec ses oreilles décollées et ses lunettes carrées, son regard profond me disait combien il appréciait ma soudaine rémission.

— Je dois dire qu'hier, je n'ai pas vraiment eu l'occasion de profiter du voyage...

— Vous vous sentez mieux on dirait.

— Oui. Merci, Albert, merci.

— Remerciez plutôt la forêt de sa beauté.

Albert regarda la nature tout autour de nous, semblant s'en régaler, et fit quelques profondes inspirations en dilatant ses narines. Il émanait de lui comme une aura de force sereine et contagieuse, d'inébranlable équilibre. Cet homme était le seul homme à avoir apprivoisé un tatzelwurm, je le savais, je l'avais vu. Si cet homme était sur la piste d'un sasquatch, d'un abominable homme poilu de la forêt, je ne pouvais pas manquer ça, oh non, pour rien au monde. Je me devais d'être à son côté.

— Professeur... Albert, j'aimerais beaucoup vous accompagner.

— Oh, vous avez changé d'avis ? Eh bien... — Il reprit son chemin en direction de la maison. — C'est qu'étant données vos dispositions au voyage, je ne sais si...

Je l'attrapai par le bras, l'obligeant à s'arrêter.

— Non, Albert, non, écoutez. Je suis vraiment navré pour hier, je ne sais pas ce qui m'a pris. Ça ne m'était jamais arrivé, j'avais quand même de bonnes raisons de péter les plombs croyez-moi. Trop de nuits sans sommeil, trop d'alcool, trop de douleurs, merci Pripréfré. Mais c'est fini, je suis sur pied. Je sais me débrouiller et je pourrai me rendre utile.

Albert me dévisagea longuement, je lâchai son bras.

— Eh bien d'accord, dit-il soudain. Cependant, attention, cette fois il n'y aura pas de retour possible avant que je vous le dise.

— Bien sûr, c'est compris.

— Dépêchez-vous d'aller boucler votre sac. Le taxi va arriver.

— Merci, Albert, merci.

Je serrai sa grande paluche et il me tapa sur l'épaule. Je ne me faisais pas d'illusion, me doutant qu'il préférait m'emmener plutôt que me laisser derrière lui. De toute façon, j'étais ravi de l'aubaine. Je me précipitai à l'intérieur pour ranger mes affaires, et les reliefs du déjeuner. Albert remit l'étui de son fusil dans la malle, et je voulus savoir s'il pensait l'utiliser pour anesthésier un sasquatch.

— Vous verrez ça plus tard. Je viens d'aller vérifier les derniers réglages. Tout marche à merveille.

— Vous êtes aussi tireur d'élite, comme Béatrice ?

— Oui, c'est moi qui lui ai enseigné ce qu'elle sait. Et vous, vous savez tenir une arme ?

— Je ne m'en sors pas trop mal, répondis-je en soutenant son regard inquisiteur. Je n'ai pas fait mon service militaire, mais j'ai eu une adolescence campagnarde et l'occasion de tirer assez régulièrement.

— De tirer ? Eh bien aidez-moi, lança-t-il en désignant ses bagages.

Je tirai la grande malle avec lui, jusque sur le ponton, puis nous allâmes prendre nos sacs et il ferma la maison. Alors que je me demandais si notre sortie n'était pas un peu prématurée, comme aucun bateau n'était en vue, j'entendis soudain un bruit de moteur.

— C'est Sherman et son Pigeon Vert, toujours pile pour les horaires.

Je vis apparaître au-dessus de la falaise un hydravion rouge, qui rasa la crête, coupa les gaz et plongea dans une manœuvre périlleuse, avant de remettre la gomme et de faire un virage parfait au ras de l'eau.

— Sherman est complètement daltonien, pour lui toute la forêt est rouge. Pourtant c'est un excellent pilote.

L'hydravion amerrit en douceur, puis vint directement accoster au ponton, et je compris pourquoi celui-ci était si bas sur l'eau. L'avion était un vieux Cessna, et si son moulin tournait comme une horloge, le fuselage et les ailes étaient rafistolés avec des bouts de tôles de différentes couleurs, et les flotteurs étaient tout cabossés. Le pilote nous ouvrit la porte arrière et j'aidai Albert à y porter la malle, puis tandis qu'ils la chargeaient, je courus prendre les sacs. À peine les avais-je posés à l'intérieur, que le pilote, un Indien, la quarantaine, en combinaison de mécanicien maculée, recouverte d'une doudoune rouge, au visage avenant mais soucieux, me tira dans l'habitacle en me désignant un siège, puis referma bruyamment la porte.

— C'est qui celui-là ? demanda-t-il à Albert, qui s'était installé dans le siège du copilote.

— Boris Genssiac, un ami de Béatrice. Boris, je vous présente Sherman Alexie, fils de Rising Smoke Alexie, amie de longue date, propriétaire, pilote et mécanicien du seul appareil d'Air Tshimshian, compagnie de la tribu du même nom.

— Enchanté.

Je lui serrai la main, il me regarda d'un drôle d'air dubitatif.

— Alors vous êtes au courant ?

— Oui, répliquai-je avec aplomb, je suis là pour ça.

Il me jaugea longuement, de mes chaussures neuves à mes joues mal rasées.

— Et vous êtes quoi, zoologiste, biologiste, journaliste ?

— Je suis musicien.

— Ne t'en fais pas, intervint Albert. Boris vient d'arriver, il est recommandé par Béatrice et n'a parlé à personne.

Sherman lâcha ma main et alla se sangler dans son siège.

— Ouais, et qu'est-ce qu'il vous a dit au juste ? me cria-t-il en désignant Albert, pour couvrir le bruit du moteur qu'il relançait.

— Que nous partions, hurlai-je en souriant, comme l'hydravion commençait à glisser sur l'eau, que nous partons à la rencontre d'un sasquatch !

Sherman ne répondit pas, il se contenta de regarder Albert, qui lui fit un signe du menton, puis il ouvrit les gaz pour prendre de la vitesse.

C'était mon premier décollage sur l'eau, en fait c'était la première fois que je grimpais dans un si petit avion, et la sensation était grisante. J'étais au bord de l'euphorie. Cette fois la vraie aventure débutait, et je me sentais d'attaque pour l'arpenter. Ma crise de la veille m'avait débarrassé des scories de mon passé, et à présent l'avion prenant de la hauteur, j'étais pleinement conscient de la chance que j'avais de me trouver là.

Sherman stabilisa l'avion à mi-hauteur des falaises, au milieu du fjord, le spectacle du défilement rocheux était impressionnant, je me penchai sur le hublot pour pouvoir mieux scruter les bords. Il faisait le même temps que la veille, nous étions en plein soleil. À l'est, de gros nuages étaient bloqués derrière les montagnes et n'attendaient qu'un signal pour déferler.

— Et les coups de feu qu'il a essuyés l'autre jour, il vous en a parlé ? cria Sherman.

Étonné, je m'avançai, m'accrochant au dossier du siège d'Albert pour demander :

— Non, quels coups de feu ?

Albert, à son tour, se mit à crier.

— Regardez, regardez, c'est Podrowsky, c'est ce vieux Vladimir, il va en faire une jaunisse !

Et il fit de grands signes à travers le hublot. En effet, là en bas, au bord de l'eau, à deux kilomètres à peine de la maison où nous avions passé la nuit, un bateau était amarré près d'un campement, deux tentes et un feu, autour duquel trois hommes levaient la tête, suivant l'avion des yeux et l'un d'eux était indiscutablement le moustachu de la conférence.

— Ils vous suivent vraiment ? lançai-je à Albert.

— Bien sûr, et il y en a sûrement d'autres, prends de l'altitude !

Sherman tira sur le manche et l'avion franchit les crêtes pour voler au-dessus de la forêt, minuscule insecte rouge au sein de la magnificence du paysage.

— D'après mon plan de vol, je vais à Prince Rupert. Je quitterai mon cap et volerai en rase-mottes avant de vous déposer, pour échapper au radar. Le temps que ceux-là retournent à Bella Coola, nous serons à destination, ils ne pourront pas nous retracer. Mais c'est ma licence que je risque...

— Merci, Sherman, valeureux pilote, sans toi...

— Ouais, ça va. Je maintiens que tu aurais mieux fait d'avertir les autorités.

— C'est toi qui dis ça ? Et qui donc, les flics ou les gardes forestiers ? Tu sais bien que pas un ne bougera pour savoir ce qui se passe. Il n'y a pas crime, ni disparition.

— Hé, intervins-je obséquieusement, professeur Albert Kalao vom Hoffé, valeureux pilote Sherman le Tshimshian, l'un de vous deux aurait-il l'obligeance de bien vouloir me mettre un peu plus au parfum ?

— Tu ne lui as rien dit hein ? demanda Sherman, et l'autre secoua ses grandes oreilles.

— Vas-y, tu lui raconteras mieux que moi, dit-il au pilote.

Sherman se retourna et me fit signe d'approcher, pour s'éviter un fâcheux torticolis. Je défis ma ceinture, et vins m'accroupir entre leurs sièges.

— La semaine dernière, commença Sherman, mon arrière-petit-cousin, Ho Letite Herbert, âgé de dix-sept ans, est venu voir ma mère, complètement affolé. Ho Letite est le fils de la sœur du mari de la fille du frère de ma mère et c'est un garçon très particulier. Il ne sait ni lire ni écrire, s'exprime comme un enfant de cinq ans. Selon vos critères ce serait un adolescent un peu retardé, pour nous, c'est un enfant béni des esprits, il a la simplicité du bonheur. Il sait courir les bois comme seuls savaient le faire certains de nos ancêtres, et il lui arrive souvent de disparaître pendant quelques jours. Nul ne se fait de soucis, Ho Letite est chez lui dans la forêt. Quand il a réapparu l'autre jour, et débarqué chez ma mère, il sanglotait comme un saumon dans la patte d'un ours. On a mis la soirée pour le consoler et comprendre ce qu'il voulait dire. Il a raconté qu'en suivant la piste d'un lynx, à trois jours de marche du village, il a entendu comme un éboulement derrière lui. Ho Letite est allé voir, et là, au milieu des rochers qui venaient de tomber, il a trouvé une femme, nue, aussi grande que lui, avec des poils recouvrant tout son corps, des bras très longs et des pieds très larges.

— Une sasquatch, l'interrompit Albert, une jeune femelle, c'est inespéré.

— Il a dit une femme avec des poils. Elle était sans connaissance, et avait une vilaine blessure derrière la tête. Malgré cela, a-t-il dit, elle était plus belle qu'Aglaé Dyukhade. Aglaé est une jeune trisomique que fréquente Ho Letite. Écoutant son bon cœur, il a fabriqué un travois, l'a installée dessus, enveloppée dans sa couverture et décidé de la ramener au village. Mais Ho Letite se trouvait sur des terres interdites, un immense domaine privé, appartenant à une famille d'origine norvégienne, les Morgensen. Le vieux Morgensen est arrivé ici dans les années 40 et a acheté quelques milliers d'hectares, dont une partie de ce qui est pour nous une forêt sacrée. Il s'est installé là avec sa famille et fait de l'élevage de visons. C'est un fou, alcoolique et violent, nous avons eu plusieurs fois maille à partir avec lui et ses fils. Mon clan est en procès contre lui depuis plus de vingt ans. Jusqu'ici ça a été peine perdue, bref... Ho Letite tirait son travois, prenant garde de ne pas trop secouer la femme poilue, qu'il entendait gémir, quand il s'est fait surprendre par les fils Morgensen. Ils l'ont rudoyé, bousculé et quand ils ont vu ce qu'il traînait derrière lui, ils l'ont chassé à coups de fusil, et sont partis en emmenant la femme à poils qu'Ho Letite trouvait si jolie. Il en a eu le cœur brisé.

— Vous êtes sûrs de son témoignage ? Je veux dire, s'il est un peu...

— Ho Letite ne connaît que des paroles de vérité, m'affirma Sherman.

— Les Morgensen ont pris la sasquatch, continua Albert. Nous ne savons pas si elle est toujours en vie, mais même si elle est morte, il faut que je voie la dépouille. Sherman m'a emmené là-bas il y a quatre jours, j'ai été accueilli par une meute de chiens féroces et le vieux Morgensen, ses fils n'étaient pas là. Quand je l'ai questionné, il m'a traité de suppôt de Satan et est allé chercher son fusil. J'ai insisté, lui proposant même de l'argent, il n'a pas hésité à tirer au-dessus de ma tête, et j'ai dû m'en aller. Plus loin dans la forêt, j'ai essuyé de nouveaux coups de feu, dont un a fait exploser ma gourde, sans doute ses fils, qu'il avait envoyés après moi. Il faut que nous intervenions rapidement. Le vieux Morgensen a sans doute l'intention de soigner la sasquatch pour pouvoir la vendre un meilleur prix. Il est en contact avec les pires trafiquants d'animaux et de fourrure. En cette saison la piste qui mène chez eux est impraticable, ils se font ravitailler une fois par mois par hélicoptère, c'est leur seul lien avec l'extérieur. Sherman connaît les pilotes et pour l'instant les Morgensen n'ont contacté personne. Il y a donc peu de chance qu'ils aient parlé de la sasquatch à quiconque.

— Qu'est-ce que vous voulez faire ? demandai-je, ahuri.

— La libérer bien sûr. Puis l'amener en lieu sûr, la remettre sur pied et la relâcher, en la munissant d'un patch émetteur. J'ai dans la malle du matériel médical, de quoi faire toutes sortes de prélèvements, et une caméra vidéo pour immortaliser tout ça. Nous n'en sommes pas là, avant tout, il faut l'arracher aux griffes des Morgensen.

— Ma mère a réuni le conseil de mon village, mais nous, les Tshimshians, ne pouvons intervenir. Plusieurs des Anciens ont été arrêtés après une manifestation alors qu'ils s'étaient enchaînés à des arbres pour qu'on ne les abatte pas, et ils sont actuellement en prison. Le conseil ne veut pas exposer Ho Letite seul, aux interrogatoires de l'administration, et tout repose sur son témoignage. En l'absence des Anciens, mon clan ne peut pas intervenir officiellement, nous sommes en froid avec les autorités. Ils ne prendront pas au sérieux le témoignage d'un enfant attardé.

— Si nous pouvons tourner des images, dis-je surexcité, prouvant la présence de la sasquatch chez les Morgensen, et leurs réactions belliqueuses, peut-être qu'on pourrait faire pression sur les flics et les forcer à intervenir.

— Nous n'avons pas le temps pour ça, reprit Albert.

La sasquatch est blessée, et ça m'étonnerait que les Morgensen s'y connaissent suffisamment pour la soigner. Les grands primates sont souvent plus délicats que les hommes, et si elle est encore en vie, chaque minute compte. Nous allons réessayer de négocier, et si cette fois le vieux refuse mon offre, nous passerons au plan B.

— Bon dieu le fusil, m'exclamai-je, ce n'est pas pour la sasquatch !

— Le fusil, quel fusil ? cria Sherman. Oh non, ne me dis pas que tu as fait ça !

Quand je vis Albert rentrer la tête dans les épaules, je crus avoir fait une gaffe.

— Un fusil hypodermique, je l'ai pris pour les chiens, mais s'il me faut l'utiliser sur les Morgensen, je n'hésiterai pas.

— Quoi ? Ça n'est plus une mission de sauvetage, c'est l'attaque en règle d'une propriété privée !

Sherman paraissait faussement outré.

— Oui, une razzia chez les visages pâles, répliqua Albert, ça te dérange ? De toute façon, tu ne seras pas là pour en profiter.

Sherman roula encore des yeux effarés de vieille Anglaise devant une paire de fesses nues, puis soudain il éclata d'un rire féroce et poussa un terrible hurlement guerrier qui fit résonner tout l'habitacle. Et les deux, souriant de concert, retournèrent leurs regards inquisiteurs sur moi.

— Vous en êtes ? dit Albert.

Je restai là, accroupi à hauteur des instruments de bord, éberlué, à mater ces deux fous, l'un après l'autre, en me mordillant nerveusement la lèvre. Le Peau-Rouge allumé qui voyait la forêt de la même couleur ; le savant fou, qui allait assaillir d'honnêtes citoyens chez eux avec un fusil à fléchettes anesthésiantes, pour libérer un grand primate femelle d'une espèce nord-américaine inconnue, sur la foi du témoignage d'un handicapé mental, et le plus surprenant, c'était qu'en l'état dans lequel je me trouvais, tout ça me paraissait aussi attrayant qu'un pique-nique à la campagne. Je hochai longuement la tête, puis dis :

— J'en suis. J'en suis et j'y reste.

— J'aime mieux ça, petit Blanc, dit Sherman, pince-sans-rire. Tu as entendu notre secret, si tu avais dit non, j'aurais dû te scalper et jeter ton corps aux poissons.

— J'espère juste que vous avez de bons avocats...

— Oh oui, ne t'en fais pas, ajouta-t-il, et puis, ils ont l'habitude. Ah, déjà l'année dernière, le coup de Béatrice...

— Qu'est-ce que Béatrice vient faire là-dedans ?

— Tu n'es pas au courant ? — Albert lui fit une petite moue, du genre, tu exagères, mais Sherman continua sur sa lancée. — L'année dernière, elle a participé à une opération avec GreenPeace, ils ont occupé des grands arbres, en territoire kwatiutl, pour empêcher une coupe rase. Quand les flics sont arrivés avec les bûcherons pour les expulser, Béatrice a fait un carton avec son fusil hypodermique, elle en a endormi six avant qu'ils la dégomment, et l'un d'eux a bousillé son bulldozer à quatre cent mille dollars contre des rochers. Ça a fait un foin du tonnerre dans les médias, Béa a été expulsée, mais la cause a été gagnée, et les Kwatiutls ont pu protéger leur forêt.

— C'est pour cela qu'elle n'est pas venue, ajouta distraitement Albert. Elle est interdite de séjour en Colombie-Britannique.

— Nous allons fonder Green War, cria Sherman exalté, et le fusil anesthésiant sera la nouvelle arme des commandos écologiques !

— Une sasquatch, une jeune femelle, j'espère de tout cœur qu'elle est encore en vie, dit Albert avec emphase, les yeux dans le vague. Sa découverte va faire l'effet d'une bombe et révolutionner tout ce que nous savons de nos origines. Grâce à elle, nous saurons peut-être enfin qui nous sommes.

L'hydravion s'était approché des nuages, et comme il commençait à secouer, je regagnai prudemment mon siège. Je n'avais jamais milité pour la moindre cause, ne m'étais jamais battu que pour moi-même, et j'allais participer à cette croisade insensée pour sauver une guenon mystérieuse au fin fond du Canada. Pourtant, je me sentais comme investi d'une mission importante.

C'était peut-être un chimpanzé, un orang-outang échappé d'un zoo ou d'un bateau ayant fait naufrage, ou peut-être même Ho Letite avait-il tout inventé ? J'allais replonger dans la plus complète illégalité en me rendant complice d'une agression caractérisée, mais qu'importe. Ma dépression de la veille m'avait fait comprendre combien la solitude m'avait marqué, m'avait refermé sur moi-même. J'avais appris à mâcher longuement la racine amère de la résignation, celle dont le jus chasse les rêves. Les événements de ces derniers jours avaient fissuré ma coquille, et j'avais une furieuse envie de m'en affranchir, de la briser pour de bon.

Ça pouvait être la plus grosse connerie de ma vie, j'allais mettre le pied dans un engrenage infernal, je le savais. Je n'en doutais pas le moins du monde et, pourtant, j'étais empli d'une ineffable certitude. J'avais trouvé un combat à ma mesure. J'allais accompagner Albert, libérer la sasquatch des écorcheurs de visons.

— Accrochez-vous, dit Sherman, tout content. Ça va danser !

Et nous plongeâmes droit dans les nuages.

9

Comment Sherman trouva-t-il l'endroit où nous allions ? Comment fit-il pour deviner sa route dans le brouillard, la pluie, la neige ? Cela resta un mystère pour moi. À plusieurs reprises nous frôlâmes la cime des arbres. Chaque fois il anticipait les surprises du paysage, et lorsqu'un obstacle surgissait, il n'était jamais imprévu. J'eus beau me pencher pour scruter les instruments de bord, je ne comprenais pas comment il s'y prenait pour voler si bas sans rien y voir, et finis par me convaincre qu'il avait un genre de sixième sens.

Lorsque je le questionnai, il me répondit d'abord que c'était l'apanage des daltoniens d'y voir plus clair dans le brouillard, un genre de vision infrarouge. Puis il me dit que non, en fait je ne pouvais pas le voir, mais un esprit faucon se tenait juste à côté de son hublot et lui montrait la route. Et encore non, la vérité c'était qu'il chantait sans cesse des chants sacrés, qui lui permettaient d'émettre des ultrasons pour se guider comme une chauve-souris. Sur ce, il se mit à scander un chant guttural et nasillard, alors que l'avion valsait comme un yo-yo, et je ne pus que m'accrocher à mon siège, en tapant le rythme sur l'accoudoir pour me donner du courage. Albert, lui, impassible, était plongé dans des réflexions scientifiques, aussi à l'aise que dans un fauteuil au coin de la cheminée.

Nous reprîmes de l'altitude, longeant la pente d'une montagne. La brume s'éclaircit, la canopée devint blanche de givre, puis de neige. Nous franchîmes un col et débouchâmes sur un petit lac encaissé entièrement gelé. Sherman fit un premier passage, au cours duquel il cabra l'avion au ras de l'eau, et rebondissant en ricochets, brisa la fine couche de glace avec ses flotteurs et, cramponné des deux mains, je compris pourquoi ils étaient si cabossés. Il fit un virage serré et amerrit avec une dextérité incroyable, traversant le lac à toute vitesse, accostant pourtant la rive, aussi doucement que s'il y avait posé le pied.

— Voilà, c'est l'endroit le plus proche où je puisse vous laisser. Vous êtes à trois heures de marche de chez les Morgensen, là-bas, derrière cette montagne, annonça Sherman en désignant la brume.

— Merci, c'est bien mieux que la dernière fois, lui dit Albert en détachant sa ceinture et en se levant. On fait comme prévu, Sherman, tu reviens nous prendre après-demain matin, et préviens Rising Smoke de préparer notre réception le plus discrètement possible.

— Ne t'en fais pas, ma mère sait toujours mieux que personne ce qu'elle a à faire, et moi je serai là. J'espère vraiment que tu pourras négocier. Sois prudent, Albert, le vieux Morgensen est chez lui, prends-le avec des pincettes.

— J'ai vingt mille dollars en cash sur moi, ça devrait suffire à convaincre un type comme lui.

— Eh bien s'il n'en veut pas tu pourras toujours me les donner. Pour ce prix-là, je te trouverais même une sasquatch à deux têtes.

Il lui serra longuement la main, solennel. Albert se tourna vers moi.

— Boris ? C'est le dernier moment pour changer d'avis.

— Non, non. Je vous accompagne. — Je serrai également la main du pilote. — Et merci encore pour la séance de montagnes russes.

— Oui, eh bien bon courage, maintenant c'est le train fantôme qui commence. Surveille Albert, empêche-le de faire des bêtises.

— Je crois que ça va être difficile, répondis-je en souriant, alors que le grand homme descendait lestement sur le flotteur.

Nous déchargeâmes la caisse et les sacs, et mîmes pied à terre. Sherman sortit de la soute une espèce de luge civière, sur laquelle nous arrimâmes nos affaires, et des raquettes. La forêt alentour était recouverte d'un mince tapis de neige, l'air était plus froid qu'au bord de la mer, il avait perdu la tempérance du Pacifique. Sherman nous fit ses adieux, puis nous l'aidâmes à tourner l'avion, et il redécolla, dans un fracas de glace pilée, rasa les cimes, provoquant une avalanche qui dénuda un pan de forêt, puis disparut, avalé par la brume.

Nous restâmes un moment immobiles, laissant le temps au silence de s'installer, puis nous sanglâmes les raquettes et nous mîmes en marche, Albert tirant le traîneau derrière lui. Par chance, j'avais déjà eu l'occasion de faire des randonnées en raquettes, parce qu'avec ses longues jambes, et sans le handicap de la caisse, il m'aurait certainement semé. La végétation avait changé, il n'y avait presque plus que des conifères et leurs silhouettes blanchies étaient rassurantes à travers le brouillard. Certains étaient gigantesques, d'autres petits et pelucheux, Albert me dit qu'il s'agissait de pruches, et de sapins de Douglas, et puis là des tsugas de Patton, et ces troncs serrés que nous venions de traverser, c'étaient des jeunes épinettes de Sitka. Il me montra des thuyas géants et des cyprès jaunes, me nomma chaque espèce, les identifiant à leur simple silhouette, alors que la neige recouvrait tout. Cet homme était chez lui au milieu des arbres.

Après un kilomètre déjà, j'avais dû enlever un pullover, le froid me piquait les joues, mais je sentais la sueur couler dans mon dos. J'avais assez rapidement trouvé un bon rythme et je prenais plaisir à me concentrer sur la marche. J'étais dans une forme physique étonnante. L'antidote tibétain avait dû provoquer chez moi une éruption d'hormones et de globules rouges. Je me sentais dopé comme un cycliste au Tour de France, mon cœur pulsait dans ma tête avec la régularité d'une horloge helvétique, et je me régalais de la chaleur de l'effort. Nous avancions en silence, et lorsque Albert voulait me parler, il ralentissait pour que je le rejoigne et chuchotait comme dans une cathédrale.

Il avait des yeux partout, décryptait la moindre empreinte sur la neige, là la course d'une belette, ici les marques profondes d'un cerf. Sur la blancheur d'une clairière, il me montra les traces infimes d'un mulot, comment il était sorti de sous une vieille souche, avait fait quelques mètres hors de son terrier. Puis là-bas, il me désigna l'endroit où les ailes d'une chouette avaient frappé la neige, au moment où elle l'avait attrapé.

— Vous voyez ce bouquet de grands arbres, ce sont des épinettes d'Engelmann, on les reconnaît à leurs épines plus courtes, c'est rare d'en trouver à cette altitude. Derrière, ce sont de petits ifs, ils sont touffus, nous sommes contre le vent, on va peut-être débusquer quelque chose.

Il repartait comme un Sioux, infatigable.

Après une heure de marche, nous gravîmes un talus abrupt, la brume se déchira en haillons de ciel bleu et, quelques mètres plus haut, nous crevâmes le plafond et fîmes irruption en plein soleil. Je grimpai sur un éperon rocheux. Le panorama était à couper le souffle. Nous étions sur le flanc d'une montagne d'une blancheur immaculée, et devant nous s'étendait un océan de brume troué çà et là d'îles de forêt. Albert avait même encore les pieds dedans. Plus loin, l'ondulation des nuages cédait place à des collines qui continuaient leur mouvement de vagues jusqu'à la ligne tranchée du Pacifique. Blanc, vert, vert sombre, bleu d'acier, soleil. Au-delà de la montagne que nous gravissions, plus haut dans le ciel, de gros cumulus noirs attendaient de pouvoir se précipiter, et déversaient cette brume qui coulait insidieusement vers l'océan, profitant de l'interstice de la moindre vallée. Nous étions encerclés par les nuages, dessous, dessus, mais pour nous le ciel était clair. J'inhalai profondément la beauté environnante et me lançai dans la foulée d'Albert qui déjà replongeait sous le couvert des arbres.

Mes habits fumaient littéralement, et j'hésitai à sortir mes lunettes de soleil, les contrastes étaient trop marqués entre l'ombre et la lumière, et je ne voulais rien manquer. De temps en temps, Albert s'arrêtait net en levant une main en l'air. Je me figeais, comprimant ma langue à mon palais pour ne plus entendre battre mon cœur, tous les sens aux aguets, nous écoutions attentivement et immanquablement, juste après, nous croisions des traces fraîches.

Une fois, il se mit à renifler en dilatant ses narines, puis d'un mouvement furtif, défit la sangle du traîneau, me fit signe de poser mon sac et de le suivre en silence. Nous nous glissâmes entre les arbres et, sur la pointe des raquettes, nous faufilâmes jusqu'à l'orée d'une clairière. Là, accroupi, je vis le visage d'Albert s'illuminer alors qu'il découvrait quelque chose. Je scrutai les bois en cherchant le meilleur angle, mais je ne vis que des troncs et de la neige. Albert se retourna vers moi pour partager son enthousiasme, et, devant mon air frustré, m'indiqua précisément un endroit. Non vraiment, je ne voyais rien. Il fit alors une boule de neige dans sa paume, la lança avec précision, et je vis, ébahi, des troncs se mettre en mouvements. Des orignaux, c'étaient trois orignaux, une femelle et deux jeunes, qui s'enfuirent en trottant avec des borborygmes de peur et d'indignation. Albert éclata de rire, puis tourna sur lui-même et reprit son chemin, me laissant là, stupéfait. Bon sang, ces bestioles étaient presque aussi grosses que des chevaux, et je n'avais rien vu, il fallait que j'apprenne à ouvrir les yeux.

Nous marchâmes encore une bonne heure, franchîmes une crête et je me rendis compte que la montagne sur laquelle nous nous trouvions était beaucoup plus vallonnée que ce que j'avais cru de prime abord. Albert ménageait son silence de courtes leçons d'histoire naturelle, qui rendaient l'avance palpitante et l'effort attractif. Plus loin, il tomba sur une nouvelle piste qui croisait la nôtre et me fit remarquer comme elle était erratique.

— C'est une biche, et elle fuit quelque chose, me dit-il. — Traînant la luge avec une facilité déconcertante, il remonta un peu les traces et s'accroupit sur les talons, comme un Indien. — Regardez, elle est blessée, elle court en zigzag, et quels que soient ses mouvements, elle ne prend pas appui sur sa patte arrière gauche, la trace est nettement moins marquée. Je me demande ce qui est après elle.

— Comment est-ce que vous avez appris tout ça, Albert ?

— Dans les bois bien sûr, qu'est-ce que vous croyez. Il n'y a que dans la nature qu'on puisse apprendre à l'aimer, et j'ai eu la chance d'y passer la majeure partie de mon existence. Mon père était guide de chasse, vous savez. — Le ton d'Albert changea, à l'évocation de son passé, il devint plus posé, solennel. — À vingt ans, je l'ai accompagné en safari en Mongolie, et là j'ai tiré un tigre blanc, une femelle, je l'ai touchée en plein cœur. Frappée d'un coup mortel, elle est tombée, puis s'est relevée, s'est tournée vers moi, m'a regardé, et... — Sa voix s'était brisée, derrière ses lunettes, je vis ses yeux s'embuer. — ...et, au moment de sa mort, j'ai vu son âme quitter son corps... — Il se racla la gorge, se reprit. — Je n'ai plus jamais tué un animal de ma vie. Vous y croyez, vous, à l'âme des tigres ?

J'avais plongé mon doigt dans les traces de la biche pour en mesurer la différence de profondeur, troublé, je m'essuyai à mon pantalon et me relevai.

— Non. Enfin, je ne crois pas au concept d'âme, ni pour les humains d'ailleurs, mais je vois ce que vous voulez dire.

— Esprit, âme, énergie... Peu importe la terminologie. Chaque être vivant émet ses propres vibrations, et malheureusement, nous avons oublié comment utiliser les sens qui les perçoivent... Depuis cette expérience, la vie est devenue ma religion et la forêt son église.

Ce que disait Albert éveillait en moi des échos de ce que j'avais ressenti pendant ma rencontre avec le tatzelwurm. Je fermai les yeux, écartai les bras en une pose extatique et proclamai :

— Saint Pripréfré, priez pour nous !

Albert éclata de rire et se releva à son tour.

— Marchons, mon frère..., dit-il.

Je me lançai dans ses pas, heureux, regrettant de ne pas avoir mis plus souvent à profit mon temps libre, ces dernières années, pour aller me perdre dans la forêt. Plus loin nous rencontrâmes successivement les traces de trois coyotes, et à la manière dont ils couraient, Albert me dit que c'étaient eux qui poursuivaient la biche. Il décida que nous installerions le campement là, dans une petite combe, à l'abri d'un sapin immense au tronc tordu, qui poussait contre un rocher, et ménageait sous ses branches un espace presque sec.

En un tour de main, Albert déchargea le traîneau et monta une tente, puis voyant que je me débattais avec la mienne, luttant contre un tuteur à élastique emmêlé comme un nunchaku à manches multiples, il m'aida à l'installer.

— C'est juste pour cette nuit, déclara-t-il. Demain soir, si la chance est avec nous, nous camperons au bord du lac, avec la sasquatch...

— Vous ne voulez pas contacter les Morgensen aujourd'hui ?

— Non, il est déjà trop tard, dans deux heures il fera nuit, nous allons juste observer les lieux, avant d'intervenir il faut que nous sachions exactement où ils la détiennent. Mangeons quelque chose et allons-y.

Il sortit de la caisse un réchaud à pétrole et une casserole, qu'il remplit en faisant glisser la neige d'une branche, et nous concocta un genre de thé épicé au gingembre et au clou de girofle, copieusement arrosé de lait condensé sucré, que nous bûmes en mangeant des barres de céréales. Comme je faisais tomber des miettes, Albert me pria de les ramasser.

— Autant éviter de laisser traîner quoi que ce soit qui puisse attirer les animaux, me dit-il.

— Les ours hibernent non, en cette saison ?

— Oui, mais il arrive qu'une sérieuse fringale les tire de leur tanière, sans compter les coyotes, les loups, les pumas, les gloutons, les ratons laveurs, et toutes les autres petites bêtes voraces qui vivent dans les environs.

— Il y a vraiment tout ça par ici ?

— Oh et bien davantage. L'été dernier, je me suis endormi en mangeant des biscuits et je me suis réveillé avec un skunk sur le ventre.

— Un de ces machins qui puent ?

— Comme vous dites. Depuis j'ai changé de sac de couchage...

Je ris de son air dégoûté et ramassai scrupuleusement chaque miette que je versai dans mon quart pour les boire avec le tshaï. Puis nous rangeâmes le tout dans la caisse et je l'aidai à la porter sous sa tente. Il en sortit l'étui de son fusil, des jumelles qu'il me tendit, et une puissante lampe de poche.

— Habillez-vous chaudement, nous ne reviendrons qu'à la nuit, ajouta-t-il, et j'allai dans ma tente pour enfiler des couches supplémentaires.

Laissant là la luge et nos sacs, nous repartîmes, attaquant cette fois la côte de front. Albert ne parlait plus, il marchait à grandes enjambées, jetant ses raquettes en avant comme des bottes de sept lieues, et moi je m'accrochai pour le suivre. À nouveau je compris que j'avais mal estimé les distances et qu'une autre vallée nous séparait encore des sommets. Nous conservâmes le même rythme pendant presque trois quarts d'heure puis soudain, atteignant une crête, Albert ralentit et je faillis lui rentrer dans le dos, me cognant le genou à l'étui du fusil. Il me fit signe de faire silence, mouilla son doigt, qu'il brandit pour bien s'assurer de la direction du vent, et se remit à avancer précautionneusement. La forêt était beaucoup plus touffue, et nous nous heurtâmes bientôt à un fouillis inextricable, d'aulnes, de ronces, et de cornouillers, à travers lequel il nous fallut trouver un passage. Les taillis étaient si épais qu'on ne voyait pas à travers et c'est avec une surprise totale que je débouchai de l'autre côté, m'accroupissant en même temps qu'Albert.

La vision était dantesque.

Devant nous s'ouvrait une vallée d'au moins deux kilomètres de large, qui s'évasait vers le sud. Sur un des versants, des petits sapins avaient été plantés, tous de la même taille, et leur alignement brisait l'harmonie du paysage, comme si la montagne avait été sarclée par un râteau géant. Et sur le bord où nous étions, à perte de vue, il n'y avait plus un arbre. C'était un chaos de vieilles souches arrachées, de boue, de rochers et de cratères comme si la terre avait explosé sous la pression de la folie des hommes. Çà et là subsistait un tronc brisé au bout noirci, et malgré la neige, le paysage semblait calciné.

— Bon dieu, quel carnage, chuchotai-je, la voix sourde.

— Oui, répondit Albert, très sombre, c'est comme ça que se comportent la plupart des exploitants forestiers dans ce pays, et ailleurs aussi. Des ravageurs...

Et, pour la première fois, j'entendis dans sa voix quelque chose qui ressemblait à de la colère. En dessous de nous, à côté du torrent qui coulait au fond de la vallée, se trouvait l'exploitation des Morgensen. Une maison de deux étages, en bois blanc avec un toit à trois pans très inclinés, flanquée d'une étable, et d'une grange adjacente ; en face un hangar en tôle, devant lequel était garé un camion bâché, et plusieurs carcasses à moitié démontées. À côté, se trouvaient les enclos des chiens, des huskies pour la plupart, et je pouvais en voir sept, sans compter ceux qui devaient être dans leurs abris. Plus bas, un long bâtiment en préfabriqué, avec de multiples ouvertures grillagées, était entouré d'une haute barrière aux mailles très serrées, surmontée de fil de fer barbelé.

— C'est là qu'ils élèvent leurs visons. Rien n'a bougé depuis la dernière fois que je suis venu. En camion, en cette saison, ils en auraient pour plus de trois jours avant d'atteindre une route carrossable, il n'y a pas la moindre trace de véhicule, ça veut dire que la sasquatch est encore là, mais où ?

— Vous ne voulez pas qu'on y aille tout de suite, il vaut peut-être mieux si elle est blessée ?

Albert hésita avant de me répondre.

— Non, j'aimerais bien mais, si les choses tournaient mal, nous nous ferions piéger par la nuit. Mieux vaut attendre demain matin. Si la sasquatch a survécu jusque-là, il faut espérer qu'elle vivra jusqu'à ce qu'on la libère, et si elle est morte, quelques heures de plus n'y changeront rien. J'irai voir les Morgensen à la première heure. Vous, vous resterez ici, et vous démarrerez un feu d'enfer quand je les contacterai, qu'ils comprennent bien que je ne suis pas seul. Venez, aidez-moi.

Il souleva des branches mortes de sous la neige, pour dégager un espace sec, amassa de la mousse et du lichen, puis des brindilles et enfin, le bois sec que je lui rapportai le plus discrètement possible des environs. Il eut tôt fait d'en assembler un gros tas, et même s'il neigeait pendant la nuit, je n'aurais qu'à y craquer une allumette pour l'embraser.

— Regardez, lui glissai-je, il y a quelqu'un.

Là-bas un homme sortait de la maison. Je pris les jumelles et, comme je les levai, je vis qu'Albert avait ouvert l'étui de son arme et assemblait à toute vitesse un viseur compliqué. Le fusil était encore plus impressionnant que celui que j'avais vu chez Béatrice, avec une crosse ergonomique, une poignée de visée qui pouvait se déplier en trépied, une cartouche de gaz deux fois plus longue, et un chargeur qui devait bien contenir une dizaine de projectiles. Puis il épaula, visa la silhouette.

— Vous, vous n'allez pas... ?

— Non, juste regarder. C'est le vieux Morgensen, siffla Albert, la voix dure.

Soulagé, je réglai les jumelles, et plongeai sur la maison.

10

Le type, un sexagénaire vigoureux, chauve, avec une couronne de longs cheveux filasse, avait le teint rougeaud et de grosses rouflaquettes, qui ne parvenaient pas à adoucir la dureté de ses traits. Il portait un costume de velours noir élimé, sur une chemise à carreaux et des grosses bottes de caoutchouc. Quand il sortit, les chiens se précipitèrent contre la grille de leur enclos, j'en comptai onze, plus un en liberté dans la cour, qui s'approcha en battant de la queue et que Morgensen chassa d'un coup de pied. Il se dirigea vers le bâtiment des visons, ouvrit la porte grillagée, puis l'autre et y entra, pour en ressortir immédiatement, et se mettre à appeler. J'étais trop loin pour entendre, il avait l'air fâché. Il retraversa la cour, piétinant la boue glacée, et pénétra dans la grange.

Un autre type sortit du hangar et contourna le camion bâché. Les cheveux roux, trapu, la quarantaine, en salopette bleue, avec la même veste de velours noir, il s'approcha de la grange, tenant dans sa main une clé anglaise. La porte fut poussée de l'intérieur, et un troisième type en jaillit, un grand échalas blond, plus jeune, d'une maigreur affolante. Il tituba en rajustant la ceinture de son pantalon, suivi du père Morgensen, qui le rattrapa et lui donna une nouvelle bourrade dans le dos.

Lui aussi était vêtu du même costume noir, et avait l'air furieux.

— Le deuxième fils, me dit Albert.

Il s'engueulait avec son père, et chaque fois que celui-ci levait la main, il reculait de quelques pas. Son frère les rejoignit, se mit aussi à hurler, le bouscula, et le maigre résistant rageusement, il leva son outil comme pour le frapper. Le père le lui arracha des mains, et lui envoya un uppercut dans le ventre qui fit se plier le rouquin en deux, d'un revers de main, il gifla son autre fils, le faisant tomber dans la boue, alla le relever par le col et le poussa en direction de la maison. La mère apparut sur le seuil. Une femme, qui avait dû être belle, dans sa longue robe noire, recouverte d'un châle brodé, mais que l'aigreur avait asséchée comme un cep de vigne. Elle accueillit son fils les bras ouverts, celui-ci la repoussa méchamment et rentra dans la maison en claquant la porte. Le père engueula encore le rouquin, le chassa vers le hangar en lui lançant son outil. Les deux fils hors de vue, le vieux et sa femme se regardèrent un instant, puis le père tourna les talons et retourna dans la grange. La femme resta là. J'étais un peu loin, cependant j'aurais juré voir des larmes sur son visage lorsqu'elle rentra à son tour.

— La grange, siffla Albert, c'est sûrement là qu'ils gardent la sasquatch. Le père ne doit pas vouloir que ses fils s'en occupent. Je suis sûr qu'elle est encore vivante.

— Charmante famille en tout cas. Ça doit être délicieux de passer un séjour chez eux.

— Oui, la dernière fois, j'ai vu le père Morgensen dépecer des visons. Il les assomme avec une espèce de matraque électrique, les écorche, et ne les égorge qu'après avoir enlevé toute la peau. J'en ai vu se débattre sur le sol, un long moment avant de mourir, comme des crevettes ensanglantées.

— Et l'on dit que la vie au grand air adoucit les mœurs...

Nous restâmes là à observer, et au bout d'un long moment Morgensen réapparut à la porte de la grange et s'arrêta sur le seuil, refermant soigneusement derrière lui. Il jeta un coup d'œil hautain et satisfait alentour. Certains des chiens regardaient dans notre direction, ils ne pouvaient pas nous avoir sentis, le vent était en notre faveur, mais leur instinct leur faisait deviner notre présence. Le vieux les vit, lui aussi leva les yeux vers nous, et nous nous tapîmes sur la neige. Il se dirigea ensuite vers l'élevage de visons.

— Vous croyez que vous sauriez atteindre votre cible depuis ici, avec le fusil ? me demanda Albert. Nous sommes largement à portée.

— Je ne sais pas, peut-être.

— Tenez, essayez, me dit-il en me passant son arme, tout en prenant les jumelles. Ne vous en faites pas, le cran de sûreté est mis.

Je pris l'arme en main, elle était lourde mais très bien équilibrée.

— Servez-vous de cette bague pour régler la netteté et de celle-ci pour zoomer. C'est un viseur à infrarouge.

J'épaulai, et ajustai mon œil au drôle d'instrument qui surmontait le fusil. Après quelques bidouillages, l'image devint nette, le grossissement était au moins le double de celui des jumelles. Je visai les chiens, chacun d'eux m'apparaissait tout proche dans l'objectif et je pouvais zoomer, pour les voir en gros plan.

— Oui, ça devrait aller, marmonnai-je, c'est incroyable. Je n'ai jamais tenu que des carabines ou des fusils de chasse, pas ce genre de joujou.

— Ça n'est pas un joujou. Demain quand j'irai leur rendre visite, je passerai par là, dit-il en me montrant le haut de la vallée, j'aimerais que vous allumiez le feu et me couvriez d'ici. Sachant qu'on les observe, ça m'étonnerait qu'ils s'amusent à tirer, comme la dernière fois, pourtant on ne sait jamais. Si les choses se gâtent, ne vous occupez pas de moi, essayez de les atteindre l'un après l'autre le plus rapidement possible. Le fusil est presque silencieux, si vous agissez vite, ils n'auront même pas le temps de comprendre ce qui leur arrive avant de sombrer dans les bras de Morphée. Regardez, continua-t-il en me montrant les compartiments dans l'étui du fusil, les chargeurs contiennent cinq projectiles. Ce sont des espèces de fléchettes seringues. Il y en a deux types : les chargeurs en aluminium contiennent des fléchettes dosées pour des mammifères de quatre-vingts kilos, et conviendront très bien pour les hommes. Celles qui sont dans les chargeurs en plastique sont dosées à quarante kilos, et je les ai préparées pour les chiens. Je n'en ai pas prévu assez, j'en ferai d'autres tout à l'heure. Les chargeurs s'enfilent comme ça, dit-il en éjectant et remettant celui du fusil.

— Et vous êtes sûr qu'il ne peut pas y avoir d'accident, genre arrêt cardiaque ou je ne sais...

— Non, c'est impossible, au pire ils dormiront vingt-quatre heures, il faudra juste que nous les mettions au chaud. J'espère bien que nous n'aurons pas à nous en servir, mais mieux vaut être prudents. S'ils me chassent et se lancent derrière moi, endormez-les, et foncez vers la maison, je vous y rejoindrai. S'ils acceptent la négociation, j'irai charger la sasquatch sur le traîneau, après je grimperai directement jusqu'ici et vous couvrirez mes arrières. S'ils me suivent, vous les endormez. Le temps qu'ils émergent il fera nuit, ils ne pourront pas nous tracer, et au matin, Sherman et son Pigeon vert seront là pour nous embarquer. Ça vous paraît clair ?

— En bref, vous voulez que de toute façon, je les endorme ?

— Non, sincèrement non. Je préférerais que vous attendiez sagement mon retour avec la sasquatch. Et comme ça, c'est moi qui aurais le plaisir de leur tirer dessus.

Soudain il avait l'air presque féroce.

Les Morgensen continuèrent leurs allées et venues, inconscients de nos regards. Le maigre ressortit de la maison et alla rejoindre son père dans l'élevage de visons, et aucun d'eux ne s'approcha de la grange. La nuit tomba, et avec elle un froid beaucoup plus vif, et de temps en temps, je piétinai pour me réchauffer. Le bruit sourd d'un générateur nous atteignit, juste avant que s'allument les lampes, découpant les bâtiments d'ombres et de lumières. Dans le viseur, les choses étaient toujours claires. Nous nous relayâmes pour tenir le fusil.

Plus tard, les trois hommes retournèrent dans la maison, et nous les vîmes prier debout avant de se mettre à table. Albert me donna deux barres de céréales que je mangeai sans quitter les Morgensen des yeux. Nul ne parla pendant le repas, sauf le vieux pour engueuler sa femme, qu'il ne devait pas trouver assez servile, alors qu'elle n'osait même pas lever la tête. Je regrettai de ne pas entendre le silence masticatoire qui les réunissait. Dès qu'il eut fini de manger, le père se leva de table et sortit dans la cour. Il se mit à faire les cent pas, agitant les bras comme s'il se parlait à lui-même avec véhémence, et se dirigea vers la grange, de plus en plus agité, se planta devant en serrant les poings, puis il y entra, refermant la porte derrière lui.

Les deux fils sortirent à leur tour, et le rouquin repoussa la mère à l'intérieur, qui voulait les retenir. Ils restèrent un moment dans la véranda, complotant en se repassant une bouteille de gnôle pour se donner du courage, et se poussant l'un l'autre, ils s'avancèrent vers la grange. Ils restèrent un moment devant, semblant tendre l'oreille, finalement le rouquin frappa quelques coups discrets. Il se passa un bon moment avant que le vieux ouvre la porte, franchisse le seuil en refermant derrière lui. Les deux fils gardaient la tête baissée, le vieux les foudroyait du regard en leur parlant. À nouveau il se mit à faire de grands gestes véhéments. Il arracha la bouteille de la main du maigre, en but une rasade, et soudain obligea ses fils à s'agenouiller, priant lui-même debout, en prenant le ciel à témoin.

— Mais c'est qui, c'est quoi ces gens ? Pourquoi ils sont tous habillés comme au siècle passé ?

J'avais commenté l'action au fur et à mesure, car Albert ne voyait plus grand-chose dans les jumelles.

— Quelle que soit leur religion, s'ils prient pour la sasquatch, ça veut dire qu'elle est vivante. C'est une excellente nouvelle pour nous, et ça ne peut pas lui faire de mal... Même si visiblement ils se trompent de dieu, celui-ci n'a l'air de leur apporter ni amour, ni sérénité.

Dans mon viseur, les trois hommes se décidèrent à entrer dans la grange, et quand la porte se referma sur eux, je ne vis plus que les rais de lumières qui passaient autour du chambranle. Malgré mes vêtements imperméables, le froid commençait à vraiment me gagner. Albert voulait attendre, je lui donnai le fusil et me mis à courir sur place pour me réchauffer.

Autour de nous une nuit dense s'étalait, je ne voyais qu'une portion de ciel étoilé, sans pour autant distinguer les nuages. Malgré la faim et le froid, je jubilai de me trouver là, la nuit, en pleine forêt canadienne. Le temps que les Morgensen se décident à ressortir, la lune s'était levée, et je distinguais bien mieux le paysage alentour.

— Ils ont l'air content les trois, me commentait Albert. Tiens, c'est la première fois que je vois le blond sourire, les autres aussi d'ailleurs, ils doivent faire des plans sur la comète... Perdent rien pour attendre... Ah non, ils reprennent leur sérieux avant d'entrer dans la maison, le rouquin planque un peu la bouteille... Pleins de componction... Faux culs !

— Châtiez votre langage, professeur, les sapins ont des oreilles.

— J'en ai de bien plus grandes qu'eux. Vivement demain. Allons-y, me dit Albert.

Avec des gestes précis, dans l'obscurité, il démonta le fusil et le rangea dans son étui. Comme je brandissais la lampe de poche, il me recommanda de ne pas l'allumer.

— Mieux vaut que nos yeux s'habituent à l'obscurité. Suivez-moi.

Et c'était vrai qu'avec la lune presque pleine et la neige nous y voyions à peu près. Il s'élança de son pas immense, et je me collai à lui. Nous repartîmes sur nos traces, et j'admirai la facilité avec laquelle Albert les suivait. Nous fîmes une bonne partie du trajet en silence, quand soudain j'entendis un bruit de branches brisées, juste à côté de nous, et une fuite pesante.

— Qu'est-ce que c'est, qu'est-ce que c'est ! m'exclamai-je en fouillant mes poches à la recherche de la lampe.

Albert retint mon bras.

— Ne vous en faites pas, quoi que ce soit, ça a eu encore plus peur que nous. Ce n'est pas souvent que des humains se promènent la nuit dans la forêt, par ici.

Il repartit de plus belle, et moi sur ses talons, emmêlant de temps en temps mes raquettes. Je commençai à me sentir fatigué de suivre son allure, quand je réalisai tout à coup, effaré, que nous marchions dans la neige vierge, qu'il avait perdu nos traces.

— Hé, attendez, attendez on va où là ?

— Je prends un raccourci, me répliqua-t-il imperturbable.

— Un raccourci ! Non, mais... Attendez, ralentissez bon sang, vous êtes sûr de ce que vous faites ? En pleine nuit ?

Albert se retourna vers moi, adoptant la même pose extatique que j'avais prise plus tôt.

— Aie confiance, mon frère, et épouse mes pas.

J'eus beau insister, il se remit en marche, et je m'évertuai à rester derrière lui. Je regardai les étoiles. J'étais sans doute capable de définir une vague direction, mais comment pouvait-il trouver une localisation précise ? À nouveau je l'appelai, il refusa de répondre et je me tus pour conserver mon souffle. J'écarquillai les yeux tout grands dans le noir, figé sur la silhouette sombre d'Albert, et par moments j'avais l'impression que la nuit s'illuminait d'une fluorescence verdâtre. Nous marchâmes ainsi dix bonnes minutes, et alors que le découragement s'abattait sur moi, nous débouchâmes soudain juste entre les deux tentes.

— Ça alors ! Comment, comment avez-vous pu... ? Je veux dire... C'est pas croyable...

Albert se retourna, ouvrit la poche ventrale de sa veste, et brandit un appareil rectangulaire. Quand il appuya sur un bouton, je vis un écran s'allumer et je compris d'où venait la lumière verte que j'avais cru apercevoir.

— GPS. Positionnement par satellite, je l'ai réglé avant notre départ.

— Ah bon, j'aime mieux ça !

— Pourquoi, vous n'auriez pas préféré que je vous guide à l'instinct ?

— J'ai peut-être un peu plus confiance en la technologie.

— Vous avez tort, et d'ailleurs, je ne l'ai pas allumé.

Je secouai la tête en souriant, presque porté à le croire. Comme nous étions hors de vue des Morgensen, Albert nous prépara une énorme flambée, et le feu, réchauffant douloureusement mes joues et mon nez, me fit réaliser combien j'étais glacé. Nous mangeâmes copieusement un repas miracle sorti de la malle à artifices, arrosé de rasades de whisky, et j'écoutai le grand bonhomme, dont les oreilles décollées soulevaient le bonnet, me parler avec passion de la forêt.

— L'exploitation forestière telle que la pratiquent les Morgensen est une hérésie. On connaît aujourd'hui des méthodes de culture sélective, qui considèrent vraiment la forêt dans son intégralité, en tenant compte de toutes les interactions de ses habitants, végétaux, ou animaux, et de l'importance de chacun sur sa globalité. En termes de rendement, on sait que, sur des années, une forêt bien entretenue peut fournir beaucoup plus de bois, en pratiquant une taille sélective, qu'en faisant une coupe rase, et en étant obligé d'attendre vingt ans avant de pouvoir recommencer, en obtenant de toute façon un résultat inférieur. Pour cela, il faudrait changer radicalement les mentalités, faire comprendre aux gens, qui en dépendent économiquement, que la forêt est une entité vivante, et que pour en obtenir des grâces, mieux vaut l'apprivoiser plutôt que l'agresser.

Albert s'interrompait de temps à autre pour boire un peu, je voyais son ombre projetée par le feu sur la neige et les arbres, et emmitouflé sous mon capuchon, je l'écoutais attentivement.

— J'ai connu autrefois un type extraordinaire, un véritable sculpteur de forêt. Il a prouvé qu'il pouvait obtenir sur vingt ans six fois plus de volume de bois que les rendements prévisionnels faits par les Eaux et Forêts, en recommandant une coupe rase de ses parcelles, puis le reboisement. Un jour que je l'accompagnais, un de ses bûcherons lui a montré un chêne, dont le tronc majestueux commençait à se fendre, lui demandant s'il devait l'abattre. Mon ami lui dit de n'en rien faire. Il alla prendre une botte de foin, qu'il posa au pied de l'arbre, devant son employé interloqué, et lui recommanda de la renouveler tous les deux mois. Lorsque je repassai là-bas, deux ans plus tard, l'arbre était toujours là, toujours plus grand, et en excellente santé, et j'eus l'explication. Dans la botte de foin, vinrent habiter des mulots qui y creusèrent leurs galeries. Sous l'aubaine, une chouette vint s'installer dans le trou du chêne, qui menaçait le tronc. Et mon ami savait que les déjections de la chouette contenaient les sels minéraux qu'il fallait pour aider l'arbre à cicatriser. Les mulots eurent un abri, la chouette un garde-manger, le chêne son médicament, et mon ami, en taillant certaines de ses branches, du bois pour se chauffer au long des années. Il nous a quitté, malheureusement, mais l'arbre est toujours là, et il ne fait aucun doute que sa technique, que dis-je, sa passion, était la bonne. Depuis je pense à lui chaque fois que je suis dans les bois, et aux liens qui relient tout ça, ajouta-t-il, en montrant le feu, les arbres, et le ciel. Et ça bien sûr, en me désignant et se montrant lui-même.

Il but une lampée de whisky, remit quelques branches dans le feu, fit les cent pas, en arc de cercle devant le foyer, concentré, brandissant ses bras au-dessus des flammes.

— On mesure la qualité d'une forêt, sa dynamique, à la multiplicité de ses essences, sa richesse à sa diversité. Lorsqu'on pratique les coupes rases et le reboisement extensif, non seulement on appauvrit la forêt, mais on modifie radicalement le sol et le sous-sol, et à terme, on prépare une érosion catastrophique. Il en est de même pour l'humanité. L'intelligence naît de la complexité. L'émergence des grandes religions monothéistes, le déferlement de la pensée unique et dogmatique, ont brisé les liens sacrés qui nous reliaient à la nature. L'uniformisation des valeurs du grand commerce libéral ne peut, à terme, que provoquer une érosion en profondeur de l'intelligence humaine, au sens physique, relationnel, et spirituel.

— Vous êtes plutôt pessimiste, non ?

— Non, pas du tout. Aujourd'hui de plus en plus d'individus, hommes et femmes, ont la volonté de faire évoluer les choses, les moyens d'échanger leurs connaissances, et l'envie de renouer ces attaches invisibles avec leur environnement. Les recherches les plus poussées en physique sub-quantique confirment qu'on ne peut dissocier la matière du vibratoire, la particule de l'onde. Par conséquent ces études trouvent des résonances dans certaines croyances chamaniques, ou d'anciennes traditions, qui vénèrent l'unicité de l'homme et de l'univers, et respectent les liens entre la réalité perçue et l'invisible. Non, je ne suis pas pessimiste, je crois cependant qu'il est grand temps que l'humanité entreprenne sa métamorphose.

Nous avions déjà bu plus de la moitié de la bouteille, Albert avait d'indéniables talents d'orateur, et le whisky lui avait allumé deux ronds rouges sur les joues. J'avais l'impression de l'entendre exprimer une compréhension de la vie que j'avais depuis longtemps pressentie, sans jamais pouvoir l'expliciter.

— Ha, m'esclaffai-je en un sourire. Ça me rappelle une chanson que j'avais écrite.

— Oh oui ? Chantez-la-moi.

— Oh non non, je...

— Allez quoi !

— Bon ben, je... Ça... Ça allait comme ça...

Mal à l'aise, je me raclai la gorge et me mis à taper sur ma veste, y trouvant cinq différentes sonorités. Je définis une séquence rythmique et, puisant dans l'alcool un peu d'assurance, je chantai, d'une voix rauque, avec des inflexions soul :

À voir le nombre exponentiel d'homo sapiens,
qui répètent inlassablement les mêmes fautes de l'histoire,
on pourrait se mettre à désespérer du genre humain,
incapable, hun, hun, de mûrir les graines de sa
mémoire.

Alors de la moque gluante et blême les mêmes certitudes,
je ferai des boulettes,
je douterai toujours des idées toutes faites,
des vérités sous cellophane, des convictions
universelles,
conformes aux besoins d'un système,
aux nécessités artificielles,
et je cultiverai en rituel, des tentatives de
métamorphose.
comme un chaman accomplit les rites de
la danse de la pluie, la danse de la pluie,
la danse de l'espoir et de l'oubli.

Albert était hilare, il s'était mis à taper dans ses mains, avait commencé à faire un genre de danse apache, et quand je finis mon texte, il se mit à brailler lui aussi et nous improvisâmes une cérémonie autour du feu, déchaînés comme des gamins, et finîmes par nous écrouler de rire tous les deux.

— Ah, ah, merci Boris, merci, c'était une chanson magnifique !

— Merci à vous, Albert, de me permettre d'être ici, merci à Béatrice et merci au Pripréfré !

— Ah Béatrice, Béatrice, vous savez qu'elle m'a dit le plus grand bien de vous, releva Albert, un peu égrillard, c'est plutôt rare.

— Pourtant, répondis-je rougissant, on se connaît à peine...

— Vous savez, la plupart des hommes tombent amoureux d'elle à cause de sa beauté, et elle ne veut être aimée que pour son intelligence.

— Oh, vraiment, eh bien merci du tuyau. Mais je...

— Je ris, sincèrement surpris qu'il joue ainsi les entremetteurs — ... mais, je ne sais pas si je serais à la hauteur.

— Allons, allons, sachant chanter comme vous le faites ! — Il me considéra un instant, d'un regard résolument chaleureux. — Tenez, Boris, reprit-il, il y a quelque chose que j'aimerais vous donner. — Il alla fouiller sous sa tente et en sortit en me tendant le poignard, dans sa gaine de cuir. — Voilà, prenez-le, c'est un cadeau. J'ai vu que vous vous êtes coupé avec hier, alors, je peux vous l'offrir sans porter atteinte à notre amitié. Vous l'utiliserez pour l'antidote. Allez, prenez-le, vraiment ça me fait plaisir, me dit-il en insistant et j'en saisis le manche.

— Eh bien, moi aussi ça me fait plaisir, bon dieu, vraiment je suis touché, dis-je stupéfait. Merci, Albert, merci pour tout.

Je soulevai ma veste, défis mon ceinturon et y accrochai le poignard, puis rabattant par-dessus mes habits, je regardai le long fourreau qui en dépassait.

— Pffiiut, sifflai-je admiratif, on dirait Davy Crockett !

Albert acquiesça en souriant et nous nous serrâmes longuement la main.

— Allons nous coucher, Boris, demain sera une journée extraordinaire...

— Oui, vous avez raison, bonne nuit, Albert, bonne nuit.

Et nous nous retirâmes sous nos tentes.

J'enlevai mes vestes successives, à l'intérieur il faisait vraiment froid, je m'enfilai dans mon sac de couchage, et j'attendis de l'avoir réchauffé pour m'extraire de mes pulls et de mon pantalon. J'étais bien content d'avoir tout l'équipement que Béatrice m'avait fourni, et bien content que son père me trouve sympathique. Je pensai à ses yeux bleus à l'amande asiatique, à ses longs cheveux blonds, à la grâce de ses gestes. Je l'imaginai perchée dans un arbre, le fusil à la main, en train de défendre des géants millénaires contre les exactions des hommes. Une walkyrie.

Une amazone. J'étais si heureux que, malgré tous ses mensonges, je me sentais presque amoureux.

Mes rêveries m'entraînèrent et mon sexe devint dur. Je m'empoignai à deux mains au souvenir des courbes de son corps et du goût de sa langue, je renonçai à me masturber pour me concentrer plutôt sur le bonheur que je découvrais, à être ici, au plus profond de la nature.

Pour la première fois de ma vie.

Les plans étaient tirés. Le lendemain serait un jour d'exception, j'avais pleinement confiance en Albert, il saurait convaincre les Morgensen, nous libérerions la sasquatch, et je participerais à l'une des plus importantes découvertes de ce nouveau millénaire. Je me détendis, ouvrant tous mes sens sur le silence de la forêt et la paix de l'obscurité, et plongeai dans le sommeil.

Mais rien. Non, rien ne se déroula comme prévu.

11

Albert m'appela avant l'aube en secouant ma tente. J'avais un peu la tête dans les choux, mais quand j'émergeai de mon sac de couchage, le froid se chargea de me stimuler. Je me hâtai d'enfiler des sous-vêtements chauds et des habits secs, bouclant avec plaisir mon ceinturon sur l'étui du poignard et lorsque je sortis, j'étais paré pour la grande aventure, et parfaitement réveillé. Albert démontait sa tente à la lueur d'une lampe de poche, il me salua d'un sourire et je compris à son air concentré qu'il n'avait pas envie de parler. Il avait mis une casserole sur les braises de la veille. Je l'imitai, rangeai mes affaires, hésitant un instant à prendre l'antidote avec moi. Je me ravisai, bouclai mon sac, puis parvins non sans mal à replier les tuteurs et la tente pour leur faire réintégrer un étui qui paraissait minuscule.

Nous déjeunâmes en silence et dans le noir, échangeant des mimiques de satisfaction par-dessus les braises. J'utilisai le poignard pour nous couper des tranches d'un pain noir, dense comme du pain russe, et nous confectionner des sandwichs au jambon, ensuite nous mangeâmes du porridge, fîmes chauffer du tschaï dans la casserole, que nous bûmes et dont nous emplîmes nos gourdes. Albert me donna des barres de céréales et des tablettes de sucre en réserve, que je mis dans mes poches. Puis il récapitula les plans de la veille. En bref, j'étais là pour tout regarder et surtout ne pas intervenir, juste marquer ma présence. Il me fit ses dernières recommandations, sortit de la malle la caisse oblongue du fusil, qu'il me tendit. Je la passai en bandoulière, et lui sangla le coffret de la caméra sur la luge. Nous rangeâmes le matériel dans la malle, et hissâmes celle-ci sur la branche d'un cèdre, hors de portée du premier coyote venu, et fîmes de même pour nos sacs.

La lune n'était pas encore couchée, et après ces quelques heures de sommeil, et ce déjeuner dans le noir, j'avais l'impression d'y voir plus clair. Nous suivîmes les traces du raccourci, et ce fut beaucoup plus court que la nuit précédente, malgré la côte. Je volai sur mes raquettes, calme, plein d'une énergie que je n'avais pas ressentie depuis longtemps. Je l'appréciai, je m'en régalai, je la connaissais bien, c'était celle qui précède les actes irrémédiables.

Nous nous glissâmes à travers les fourrés, à l'endroit où nous avions préparé le brasier, en surplomb de la vallée des Morgensen, sur le pan dévasté. Le générateur était coupé, la seule pièce illuminée de la maison était la salle à manger, où deux lampes à pétrole étaient posées sur la table. Albert assembla le viseur au fusil, et visa la maison.

— Il sont en train de petit-déjeuner, la mère et un fils, le maigre. La table est mise pour quatre, les autres doivent dormir encore. — Il se retourna et me donna le fusil. — Je vais aller les réveiller, chuchota-t-il en me faisant un sourire féroce.

— Soyez cool, Albert, hein, pas de bêtises. S'ils ne veulent rien entendre, ne les fâchez pas.

Ému, j'arrachai mon gant et lui tendis ma main. Il tapota sa poche intérieure.

— J'ai là de quoi convaincre les plus récalcitrants. Ne vous en faites pas. — Il secoua ma main dans sa grande pogne comme pour m'enlever un bras. — Et surtout, n'intervenez qu'en tout dernier recours, d'accord ?

— Oui, Albert, oui. Je vous dis merde, merde, merde.

Cette fois il rit tout bas. Avec ses grandes oreilles qui distendaient son bonnet, ses lunettes carrées, sa grande bouche pleine de dents de cheval, il avait l'air heureux d'un môme qui se prépare à aller découvrir ce que contient la hotte du Père Noël. Plié en deux, il esquissa trois pas de danse en fredonnant :

— *La danse de la pluie, la danse de la pluie...* Je glisserai quelques mots en votre faveur à la sasquatch.

Il s'éloigna en fredonnant et je le regardai disparaître entre les arbres et se fondre dans l'obscurité.

J'étais seul, dans la nuit, au milieu de la forêt, j'étais seul et fier de l'être, complètement incarné dans l'enthousiasme de l'instant. J'étais seul, au Canada, j'avais une arme redoutable, et un couteau long comme le bras. Venez à moi, loups, gloutons, pumas ! J'étais courageux, fou et déterminé comme un petit soldat.

— Sasquatch, lançai-je doucement dans la nuit. Tiens bon, nous voilà !

Je mis un chargeur en plastique, un pour les chiens, épaulai le fusil et plongeai dans la vision infrarouge. Je fis le tour de la propriété des Morgensen, scrutant chaque recoin. Rien ne bougeait. Il n'y avait que trois chiens dans l'enclos, les autres devaient dormir, entassés dans la chaleur de l'abri. En zoomant à travers les grilles des cages des visons, j'en vis s'agiter certains, tournant sur eux-mêmes comme des toupies, dans la folie de la claustration. Je me fixai un moment sur la grange, revins sur la salle à manger. La mère brodait à présent, à petits gestes précis, et son fils dévorait toujours. Je le vis se resservir plusieurs fois, il mâchait consciencieusement chaque bouchée, et c'était surprenant de voir tout ce qu'il avalait, compte tenu de sa maigreur.

Je relevai la tête, le jour pointait à peine. Le soleil était derrière les gros nuages, et la lumière était diffuse, entre loup et loup, et semblait sourdre des nuages eux-mêmes. Je changeai de position. Trouvai une souche confortable que je déblayai de sa neige, pour y installer la caisse allongée du fusil et je dépliai le trépied télescopique, le calant profondément dans le sol et m'assis sur la caisse. Voilà, c'était parfait. J'étais au sec, et j'avais une vue encore meilleure de la situation. Je m'installai et affinai les réglages du viseur. La vieille brodait toujours, et le maigre bâfrait, bâfrait. Et pas la moindre trace des autres. Quelque chose me chicanait.

Je jetais de fréquents coups d'œil hors du viseur, pour avoir une vision globale de la scène. Albert devait faire le tour du promontoire sur le flanc duquel je me trouvais, pour aborder par le haut la vallée des Morgensen. Il était parti depuis une dizaine de minutes, et il n'y avait pas eu le moindre mouvement du côté de la maison. Et soudain, alors que j'observais la salle à manger, je vis le fils prendre le plat dans lequel il avait puisé jusque-là, et le retourner sur son assiette.

Ça ne tournait pas rond...

Quand la mère se leva et se mit à débarrasser la table, je compris enfin que le père et le rouquin ne dormaient pas... Ils avaient déjà déjeuné ! Ils étaient sortis de chez eux avant notre arrivée !

— Oh putain, c'est pas vrai ! Merde, Albert...

Je me mis à scruter fébrilement tout autour de la maison. Non, pas la moindre trace ne maculait la neige sur le chemin qui donnait sur la cour. Je cherchai, sautant par-dessus les bâtiments, et là, oui là-bas, derrière la grange, je vis des marques sur la neige qui se dirigeaient tout droit sur l'autre versant pour se perdre dans la sapinière. Deux hommes, deux hommes et plein de traces de chiens. Le père Morgensen et son fils rouquin étaient sortis. Avec leurs chiens. Sans doute partis à la chasse.

Et Albert qui ne se doutait de rien. Il risquait de les rencontrer dans la forêt ou bien d'être pris en tenaille. Merde, que faire ? J'hésitai à me lancer sur ses traces pour tenter de le rattraper. Je me convainquis qu'il valait mieux rester là, d'où je pouvais couvrir tout le haut de la vallée. Oui, c'était plus sage malgré tout. Je parcourus du viseur le versant boisé, revins sur la maison, et vis tout à coup les chiens se dresser dans l'enclos, face à la montagne. Avant même que je relève la lunette du fusil, j'entendis des hurlements terribles retentir sur la crête d'en face. Des chiens oui, qui hurlaient de colère, mais aussi de douleur, et un autre cri, énorme comme un brame. Puis deux coups de feu, très rapprochés, et les hurlements qui redoublent de fureur.

Je relevai des yeux affolés, plissant les paupières pour mieux voir la forêt, cherchant la provenance des cris. Soudain, sur ma gauche, plus haut sur la crête opposée, comme un sillage en mouvement agita les sapins. Je réépaulai le fusil et, dans le viseur, vis des arbres bouger, d'autres disparaître comme soudain arrachés. Quelque chose d'énorme et de furieux courait entre les arbres et tout autour d'autres remuaient de mouvements plus discrets, sans doute effleurés par les chiens. Retenant mon souffle, je suivis le courant des arbres, glissant sur le feuillage en un travelling vertigineux et stabilisai le fusil sur l'orée d'une clairière. Les hurlements continuaient de plus belle, et, malgré la distance, me glaçaient les os. D'un coup je vis apparaître un chien, qui creva le rideau de sapins à trois mètres de hauteur, projeté dans les airs, traînant derrière lui comme une guirlande, ses intestins répandus hors de son ventre ouvert. Avant même qu'il ait touché le sol, la forêt explosa derrière lui.

Un ours gigantesque, un grizzli, en jaillit. Déchaîné de colère, le museau plein de bave sur ses babines retroussées, courant à perdre haleine, le poil badigeonné de sang d'une longue blessure sur son épaule, et derrière lui trois chiens. L'ours boula sur la pente, fit une roulade, se retourna et repartit à la même vitesse à la rencontre des chiens, ses cris de haine déchirant l'aube de la montagne. Il en cueillit un à la gorge, secoua la tête et le chien était mort. Il se dressa sur ses postérieurs pour affronter les deux autres. Ils attaquèrent en même temps, l'ours les balaya de ses pattes, et quand l'un d'eux referma ses mâchoires sur sa cuisse, il l'attrapa entre ses pattes avant et je vis ses griffes se croiser et le déchirer comme un sécateur. Le troisième chien le mordit au ventre mais le grizzli, avec une souplesse incroyable, se courba en deux, lui broya la nuque de ses crocs, puis retombant, le piétina de ses griffes le déchiquetant sur le sol.

Un nouveau coup de feu retentit, d'autres aboiements, et une seconde je crus l'ours touché tant il pirouetta rapidement sur lui-même, mais ça n'était que pour reprendre sa course folle à travers la forêt. Il disparut à ma vue, les arbres recommencèrent à remuer comme sous l'effet d'un coup de vent brutal, et le mouvement changea d'un coup de trajectoire, pour grimper vers le haut de la vallée, juste dans la direction dans laquelle devait arriver...

— Non, Albert, non...

Frénétique, j'ouvris l'étui du fusil et remplis mes poches de chargeurs, prenant par la même occasion le flacon d'anesthésiant. Je repliai le trépied, me jetai le fusil en bandoulière et, serrant la sangle, je me précipitai pour rattraper Albert. Il fallait que je le rejoigne, que je le prévienne. Il pouvait n'avoir rien entendu car il était sur l'autre versant du mont sur lequel je me trouvai. Je courus comme un fou sur la crête, Albert avait pris une trajectoire assez large pour contourner la montagne. En grimpant et en redescendant tout droit, je devais pouvoir l'intercepter avant que le grizzli atteigne le col.

Je courus comme un damné, balançant mes raquettes comme des skis de fond, mon cœur battant à se rompre. Sans plus craindre de trahir ma présence, je fonçai comme l'ours, droit à travers la végétation, les branches me fouettant le visage. Très vite je fus inondé de sueur, mais je ne lâchai pas mon rythme, maudissant mes kilos superflus et le poids du porridge qui me ralentissait. J'arrachai mes raquettes au sol pour les lancer plus loin, progressant par bonds successifs, j'avais des années de patins à roulettes derrière moi et mes cuisses s'en souvenaient. Je poussai l'effort d'une traite, gravissant la côte sans m'arrêter. Malgré le martèlement de mon cœur et mes halètements, j'entendais toujours des rugissements et des aboiements furieux provenir de l'autre côté de la vallée.

Quand je parvins finalement au sommet, un silence abrupt se fit. Luttant pour maîtriser mon vacarme intérieur, je profitai d'un endroit dégagé pour grimper sur une souche, fouillant désespérément des yeux la forêt en face. Peut-être l'ours était-il mort ? Peut-être que le dernier coup de feu l'avait atteint ? Peut-être... Tournant mon regard vers la maison des Morgensen, je vis le jeune fils en sortir avec son fusil et les trois derniers chiens. Le silence se déchira soudain des atroces hurlements de douleur d'un husky, et du tonnerre de la voix du grizzli, hurlant de rage. Et la tempête dans les arbres reprit, plus bas, beaucoup plus bas que là où j'avais cherché, beaucoup plus près du col. J'accélérai de plus belle.

Les raquettes que m'avait prêtées Albert étaient faites de bois et de lanières de cuir. Très légères, dans la descente, quand la neige était assez dure, je parvenais par instants à glisser comme sur des patinettes. Soudain lorsque je sautai d'un petit talus, mon pied droit creva les lanières, et je culbutai cul par-dessus tête, me cognant le fusil dans le dos. Jurant, je dégainai le poignard et tranchai les courroies de cuir, libérant un pied, puis l'autre, rengainai le couteau et courus. Ce que j'aurais dû faire bien plus tôt. Il n'y avait pas plus de trente centimètres de neige, et je fonçai à toute vitesse, dévalant la crête en direction du col.

Quand je pris en biais le versant extérieur, pour tenter de couper la route à Albert, je mis la montagne entre les cris et moi, et très vite n'entendis plus que le chahut de ma course. Par bonds de trois ou quatre mètres, je descendis la pente, franchissant les fourrés, me faufilant entre les arbres en courant, sautant, volant, soudain je dus freiner des quatre fers, me laisser tomber sur le cul, quand malgré mes gants plantés dans la neige, je glissai encore et, m'arrêtant finalement juste au bord d'une paroi rocheuse, haute d'une dizaine de mètres. Je me relevai et en cherchant un goulet pour descendre je vis soudain apparaître Albert, dans la trouée de l'ancien effondrement, une centaine de mètres plus bas.

— Albert, Albert, attention ! criai-je en lui faisant de grands gestes.

Surpris et furieux de ma présence et de mon manque de discrétion, il me fit immédiatement signe de me taire, se frappant la tête de la main, la secouant l'air de dire : « Non mais c'est pas vrai, qu'est-ce que vous foutez ici, fermez-la bon dieu, taisez-vous ! »

Gesticulant comme un forcené je lui faisais signe de s'écarter en grimpant sur la gauche, mais il restait planté là, fulminant. À nouveau j'hurlai :

— Fuyez, fuyez il y a un ours !

Il me fit encore une fois le geste de me taire, et planta ses poings sur ses hanches, excédé, l'air de dire : « Et c'est pour ça que vous faites tout foirer ? »

Il se mit à grimper dans ma direction, furax, pour me sonner les cloches. Je courus au bord de la falaise, trouvai un passage et descendis, face contre la paroi, m'agrippant à des racines. Mais d'un coup, un de mes pieds glissa, et ôôôôô, je dévalai sur le ventre avant qu'une racine s'enfile sous ma veste et m'arrête net, suspendu. Ahanant, je me hissai pour me décrocher, et sautai les deux derniers mètres parvenant à atterrir tant bien que mal sur les pieds et le cul. Albert avait fait la moitié du chemin et brandissait un doigt menaçant dans ma direction.

J'arrachai mes gants, passai la courroie du fusil pardessus ma tête, l'enroulai autour de mon poignet et de mon coude, chassai en soufflant la neige du viseur, et épaulai, faisant le point sur la forêt proche. Albert stupéfait s'était arrêté.

— Foncez, foncez, criai-je encore.

Les hurlements éclatèrent soudain, tout proches.

La meute avait franchi le col et arrivait tout droit sur nous. Albert comprit et se mit à courir sur ses raquettes. Je pensai trop tard à changer le chargeur, j'en avais un à doses légères.

Une branche remua d'un jaillissement de fourrure.

Je tirai deux fois, très vite, faisant mouche. Mais c'était un chien. Blessé à la patte arrière, la queue arrachée, il fuyait et fit encore quelques bonds avant de rouler sur la neige. Le tronc de l'arbre dont la branche avait bougé fut littéralement déchiqueté et le grizzli, plus fâché que jamais, fit irruption hors de la végétation. Il se rua sur le chien et l'éparpilla de ses griffes et de ses dents, maculant la neige tout alentour. Je visai, tirai et deux projectiles s'enfoncèrent dans sa cuisse, qu'il arracha d'un coup de patte, le troisième se perdit. J'éjectai le chargeur, fouillant mes poches, en sortis un en aluminium, et comme je le mettais en place, l'ours déchaîné vit Albert.

Tout se passa très vite.

Le grizzli chargea. À plus de cinquante kilomètres/heure avec une puissance hallucinante, il franchit la distance qui le séparait d'Albert. Je tirai, tirai encore, fis mouche, mais un chien surgi des bois coupa ma ligne de mire en attaquant l'ours, et reçut mon troisième projectile. Le grizzli le tua d'un coup de patte, lui brisant l'échine, et ne dévia même pas sa trajectoire. Il se mit debout, j'eus sa tête dans le viseur, ses yeux rouges comme sous l'effet d'un flash, fous de fureur, ses mâchoires béantes et pleines de sang, retroussées sur ses canines acérées. Je vis un projectile frapper son cou, un autre son épaule. Il tressaillit à chaque impact et à nouveau il les enleva d'un coup de patte, continuant d'avancer debout, immense, hurlant sa soif de vengeance.

Albert avait commencé à grimper dans un arbre, il avait ses raquettes aux pieds et l'une d'elles s'accrocha à une branche. Je le vis furieusement tenter de la détacher, j'éjectai le chargeur, me trompai, en plaçai un léger. Trop tard pour en changer...

Le grizzli était sur Albert. Je tirai encore et encore, mais l'ours chassait les fléchettes comme des guêpes. Debout de toute sa hauteur, il cogna Albert de sa patte, et je vis ses griffes déchiqueter sa cuisse, l'arrachant au tronc et le projetant à cinq mètres de là. Albert roula sur lui-même en criant, plutôt de rage que de peur, se releva malgré sa blessure et se remit à courir, une de ses raquettes à moitié détachée. L'ours râla, retomba à quatre pattes balançant la tête de droite et de gauche, étourdi, puis se secouant, se rua sur Albert.

Éjecter. Un nouveau chargeur. Fébrile, je plongeai ma main dans ma poche...

Et alors que mon cœur était sur le point d'exploser, alors que mon sang en crue dévastait mes veines d'un raz de marée d'adrénaline, que mes poumons en feu ronflaient d'un bruit de forge. Comme dans la barque à mon arrivée...

Le venin du tatzelwurm me frappe.

La douleur déferle, terrible. La douleur ? Non. J'ai pris l'antidote... L'impression est atroce. Comme les fois précédentes je sens ma colonne vertébrale s'allumer d'un feu ardent, une incandescence de lave furieuse se déverse dans mes os, qui se calcinent de l'intérieur. Comme avant, je sens le flot me ravager les membres et remonter dans ma tête, fusion de douleur nucléaire. Non. Je ne ressens rien... Pourtant mes veines éclatent, mes muscles se crispent, ma peau brûle et mes viscères implosent. Mais mon cerveau détourne les impulsions de mes nerfs quelque part dans le vide de l'espace. Je ressens tout. Et je ne sens rien... Dissociation schizophrénique, je chancelle au bord d'un abîme vertigineux de douleur indolore. Paralysé, je tombe lentement à genoux, laissant choir le fusil sur le sol.

Je vois le grizzli tuer Albert...

Je suis la proie d'une éruption volcanique intérieure d'une douleur inqualifiable. Je suis le spectateur indifférent de ma propre consomption, et ce qui reste de ma volonté propre supplie mes membres de réagir, en vain, en vain... Je vois l'ours frapper Albert.

Volent, les lunettes et le bonnet. Et la chair... Le grand homme se débat, hurlant comme un samouraï, des pieds, des mains. Le grizzli arrache un bras, comme on cueille une pomme. Le sang gicle. Neige rouge. Albert crie encore. Le grizzli le mord à la naissance de la clavicule, broyant la cage thoracique et le cou, sectionnant presque la tête d'un coup de dents. Puis le projette en l'air, l'éventre avec sa patte, retombe sur lui, enfouit son museau jusqu'à la colonne vertébrale, secoue le cadavre, comme un pantin désarticulé, l'abandonne et se tourne vers moi.

Tétanisé par l'horreur, je sens la crise refluer avec la même instantanéité qu'elle est venue. Albert est mort. Mon sang charrie un mélange explosif, adrénaline, endorphines, venin, peur, antidote et beaucoup, beaucoup de haine. Et pas de douleurs physiques, non, plus la moindre douleur... Je réintègre l'instant et mon corps. Le grizzli immense gravit la pente à toute vitesse.

Je bondis sur mes pieds, je n'ai pas rechargé le fusil. Il est trop près ! Je le balance de toutes mes forces au bout de sa sangle et le projette à la tête de l'ours. Il le reçoit en pleine gueule, je vois un de ses crocs se briser. Il s'arrête sous le choc, titube, recommence à balancer sa tête. Je sens un cri immense arriver du fin fond de son ventre. De rage pure. Je fuis éperdument. Cours, saute, franchis un taillis épais que j'entends craquer, déchiqueté, pulvérisé derrière moi. Le grizzli s'est mis debout, pour clamer plus haut sa fureur.

Je cours vers un jeune cèdre. Plonge à travers ses ramures, saute en l'air, attrape une branche, me hisse. Vite mes jambes ! Ramener, debout, là l'autre branche, trop haute, non, pas le choix, je bondis, l'accroche des deux bras, le corps suspendu dans le vide, me démène pour monter encore en me criant que les grizzlis ne grimpent pas aux arbres. Hisser, tirer, les bras, les épaules. Les jambes, vite les jambes. Les grizzlis ne grimp... Mais celui-ci oui ! Il grimpe et je sens sa griffe se planter dans l'écorce juste sous ma semelle. Je monte. Comme un singe, fouetté par la terreur. Et le grizzli aussi, avec des grondements hystériques. Je grimpe et me retrouve bientôt au sommet de l'arbre, vacillant avec lui. Je me cramponne et j'essaie même de lui donner de la gîte, pour désarçonner l'ours, mais il plante ses griffes dans le bois et tient bon.

Je suis coincé. Je n'ai plus de choix. Albert est mort à cause de moi. Alors, mû par un instinct de bête, assoiffé de vengeance, de peur et de haine, shooté par la chimie explosive de l'instant, je pousse un rugissement à mon tour. Je dégaine le poignard d'Albert, je n'ai pas d'autre choix. Le grizzli grimpe encore. Je saute, fais demi-tour en vol, suspendu une seconde, et je lui tombe droit sur le dos. Je me plaque et m'agrippe à sa fourrure, et d'un grand arc de cercle, je lui plante le couteau dans l'œsophage et lui tranche la gorge.

L'ours lâche prise, nous tombons tous les deux à travers un fracas de branches brisées et, par chance, je tombe sur lui, roule sur moi-même, sonné.

Le grizzli n'est pas mort. Il se relève et à quatre pattes fonce sur moi. Je fais face, brandissant le poignard, et parviens à piquer son premier coup de patte, mais je sais qu'il est trop amok pour se retenir de me tuer. Il devrait s'écrouler mort... Tout l'anesthésiant, de quoi endormir un cheval, la balle, et tout ce sang ! Il est groggy, secoue encore la tête... Il n'émet plus un son, j'ai tranché sa gorge bon dieu ! D'un coup il se remet debout. Immense. Le poil épais complètement englué de sang. Il balaie l'air de ses griffes en tendant sa gueule grimaçante vers moi, je recule, la lame scintillante dans ma main. Et soudain...

Il shoote le poignard d'un revers, mon talon s'accroche à une racine et je trébuche en arrière. Le grizzli retombe sur ses pattes, frappe et me manque de justesse. Je roule sur moi-même, roule, roule encore, encore et lui me suit et rate ses coups, trois fois, quatre. Je heurte une branche de la tête, roule sur mes genoux, debout.

Fais face !

Le grizzli agonise mais son dernier coup m'atteint.

Je sens sa griffe la plus longue s'enfoncer dans mon cuir chevelu, déchirer mon front, mon arcade sourcilière, ma paupière, mon œil, ma pommette et ma joue. Je crie, porte les mains à mon visage, un œil s'éteint, l'autre se teinte de sang. Trop peur pour la douleur, je titube, me redresse, cours encore quelque pas. Je sens le sol trembler quand le grizzli derrière moi s'effondre.

Je cours, la douleur me rattrape. Comme une locomotive qui me frappe le dos. Pendant que je tombe évanoui, je vois Morgensen et son fils, surgir hors des bois, effarés du spectacle. Albert est déchiqueté. Le grizzli est mort. Les derniers chiens se précipitent sur lui pour se le disputer.

Sherman a raison. La forêt est rouge.

Rouge sang...

12

La mort crisse. Glisse. Vibre sans mouvement.

Formes géométriques en deux dimensions, figées dans le temps immobile, qui sifflent du bruit de la vitesse. S'animent. Prennent du relief et des couleurs artificielles. Volent, virevoltent, s'assemblent. Perdent leurs angles. Courbes, volumes, sphères. S'imbriquent, se collent, se fondent. Galbe, rondeurs, hanches, seins. Corps de femme. Vêtu d'un voile de brume luminescente, agitée comme un ouragan.

La mort. La mort file dans le vide. Passe, repasse. Comme un rêve fugace. S'éloigne, silhouette, ombre, trait, point. Disparaît et revient. Envahit tout l'espace.

La mort s'approche et se penche. Souffle de l'intérieur pour dissiper la brume, et je vois son visage.

Ma mère. Maman et son sourire amer. Se mélange. Séverine ! Ma petite voisine de cinq ans, emportée par une automobile...

Tous les morts de ma vie.

En quinconce, en vrac et au singulier. Sans hiérarchie chronologique. Même prestation, même timing. Même intensité d'émotions diverses. Le motard, ce jour-là, sur la route, et l'amie la plus chère. La femme la plus parfaite, celle que je perdis sans l'avoir jamais eue. Pour qui chacun hurlait prends-moi, prends-moi plutôt qu'elle ! Celle d'entre nous que la mort méritait le moins et qui m'appartenait, sans qu'elle en sache rien. Même elle. Même séquence. Morphing. Même dosage d'amour et d'indifférence. Et hop, et hop... Diaporama des sens. Non-sens. La mort qui s'éloigne.

Revient. Des arcades sourcilières qui se transforment en montant de lunettes. Une paire d'oreilles déployées qui transperce la brume. Et Albert me sourit de ses dents équines, désabusé. Je vois ses bras qui s'écartent sous le voile de brume. Il fait une petite moue, navré de ces imprévus. Je n'y peux plus rien désormais. C'est comme ça... Et hop. Les oreilles s'arrondissent. Les dents se transforment, immenses, mâchoires hérissées, crocs béants, les babines révulsées au-delà des gencives. Le grizzli. La gueule de l'ours qui se penche sur moi. Et sa langue qui se colle à ma joue.

Je hurle.

Je hurlai comme un damné en revenant à moi. Et le chien qui me léchait la joue s'enfuit. Je hurlai de douleur, plaquant mes mains sur les lambeaux de ma paupière et de mon œil déchiré. La sensation était abominable. Comme si un clou s'enfonçait dans ma pupille d'un mouvement perpétuel. De mes doigts, je rassemblai mes chairs, tentant de couvrir mon orbite en geignant.

Des voix derrière moi. J'essuyai le sang qui croûtait sur mon œil valide et tentai de lever la tête. Mon corps était sanglé sur la luge civière, j'étais devant la maison des Morgensen. Le fils maigre et la mère se précipitaient vers moi. L'ours, le grizzli ! Albert était mort et j'avais perdu un œil. Perdu un œil !

Je criai de plus belle. Au secours, non, pas ça ! À l'évocation de la mort d'Albert, je revivais le massacre, et chaque coup de griffe, chaque morsure, était inscrite dans ma mémoire en lettres de sang, et le souvenir atroce répercutait sa douleur dans ma propre blessure. Non, pas ça. Pas ça ! J'enviais Albert de sa chance d'être mort. Délivré de l'horreur...

Le fils Morgensen, très agité, parlait à sa mère dans

une langue que je ne comprenais pas, en lui désignant la montagne. La vieille femme se pencha sur moi.

— *Oh Lord, oh Lord have mercy on this boy. Poor boy.* Terrible, terrible accident. *No, no, no, don't touch your wounds, no don't,* dit-elle en me saisissant les bras pour tenter de les écarter de ma blessure.

Puis elle donna un ordre à son fils, celui-ci lui répondit à nouveau en montrant la direction d'où allait venir son père. Elle insista, d'un ton sans réplique, et je perçus qu'elle invoquait encore l'urgence, et le ciel. Elle aida son fils à tirer la luge. Ils me hissèrent en haut de l'escalier, le soubresaut de chaque marche était une nouvelle torture, et me rentrèrent dans la maison. Je râlai, me débattant dans le chaos de mes sens pour réfuter cette réalité immonde, et parvins à hoqueter :

— *A doctor. Call... Call for medical assistance. Helicopter...* Oh non... Non !

La vieille femme me saisit à nouveau les poignets.

— *Don't worry, young man, don't worry, it's over. You will be allright, don't touch your wound, no, don't touch it. The doctor will come. Such an awfull accident, good Lord help us.*

Elle écarta mes bras et je vis, à son expression horrifiée, la gravité de ma blessure. Elle se remit à parler à son fils, qui vint l'aider, et je luttai, luttai dans ma douleur, sans forces et sans comprendre. Ils me maîtrisèrent et m'attachèrent les poignets au traîneau. La femme, avec un sang-froid incroyable, examina ma blessure, donnant des ordres à son fils qui s'agita dans la pièce. Je la voyais à travers le voile rouge de mon œil valide, et je faisais tout, tout pour qu'elle se dissolve, s'évanouisse. Tout pour que ça cesse. Il fallait à tout prix que je m'endorme très fort. Il fallait que je meure très fort. Ou que je me réveille. Que je m'envole, que je m'efface de cette réalité-là... Mais la douleur me clouait en moi.

La mère Morgensen s'activa comme une abeille, prit des linges propres, qu'elle trempa dans la bassine d'eau chaude qu'apporta son fils, et elle entreprit de nettoyer ma blessure de ses caillots de sang. Je hurlai au premier contact, m'obligeant à fermer mon œil valide pour immobiliser l'autre, dont chaque mouvement m'était intolérable. En fait la douleur était déjà telle, que je ne sentis que le frottement du tissu sur la chair.

Et je n'arrivais pas à garder mon œil fermé, derrière ma paupière tout était rouge. Je ne pouvais pas ne pas voir, je n'arrivais pas à plonger dans le noir...

Le fils apporta encore des flacons et des tampons de gaze. La mère, penchée sur moi, avait un air de grande bonté, de grande souffrance, de grande résignation. Elle fit agenouiller son fils à côté de moi, et tandis qu'elle lavait soigneusement ma blessure, ils se mirent à prier dans leur langue, psalmodiant de concert. Norvégiens, ils étaient norvégiens, c'était ce que m'avait dit Albert. Oh non, Albert, non ! Je me débattais, impuissant, et la femme tentait de me calmer de ses prières. Elle désinfecta délicatement ma plaie, je m'immobilisai. Quand elle en vint à ma paupière, je me remis à supplier.

— *Call now, a doctor. Now, get an helicopter, assistance, please, please. Now, use the radio, please.*

De mon œil affolé, je voyais qu'ils avaient un poste émetteur dans un coin de la pièce

— *I'm sorry, I'm so sorry, only my husband is allowed to use it. Calm yourself, don't move, he will call for help as soon as he arrives. Don't move, let me help you, my son. Praise with me, praise the Lord, praise Him for salvation and mercy. Praise my child...*

Et, derrière elle, je voyais son fils prier machinalement, en jetant de fréquents coups d'œil inquiets en direction de la vallée. Puis la vieille se leva, sortit de mon champ de vision, le fils s'interrompit pour me glisser d'un air admiratif en guise de réconfort.

— *You killed the bear, man. You killed the damned bear, with this knife, I can't believe it ! Whooo !*

Il souleva sa veste pour me montrer mon poignard qu'il portait à la ceinture, s'empressa de la rabattre dès que sa mère revint, et se remit à marmonner sa prière. Elle portait une boîte arrondie qu'elle posa du côté de mon œil en lambeaux, elle se redressa au-dessus de moi et ce n'est qu'en la voyant glisser un fil dans le chas d'une longue aiguille recourbée, que je compris qu'il s'agissait de son nécessaire à broder.

— Soyez courageux, mon fils, me dit-elle en anglais avec son accent guttural, aux inflexions germaniques, soyez courageux. Vous êtes entre les mains du Seigneur. Priez avec moi, il faut que je recouse votre blessure au plus vite.

Elle se pencha sur mon œil aveugle et je voulus hurler, non, attendez, au secours un médecin, non, il y a de l'anesthésiant, mais, quand elle piqua mon front de son aiguille, je sombrai enfin dans l'inconscience.

Je revins à moi de très loin. Mettant un long moment à comprendre qui j'étais, où j'étais, et pourquoi mon être tout entier résonnait d'une tension métallique. La mémoire me revint presque avant la conscience. De neige, de glace. Je revis un amas scintillant, entrecoupé de flashs de neige rouge. Je vis des couloirs de glace, la forêt blanche, Pripréfré pendu au plafond, et les griffes du grizzli ouvrant les chairs. Albert était mort à cause du tatzelwurm. Tout avait foiré bien au-delà des mots. Béatrice, oh non, et son père, et moi honteusement en vie. Et ce goût de métal, je l'identifiai finalement, c'était la douleur qui faisait vibrer mon corps.

Je me réveillai d'un coup quand s'interrompit la litanie de prières qui me berçait. Le grand maigre se précipita dehors, j'entendis des voix et des aboiements de chiens. J'étais toujours sur la civière, mais je n'étais plus attaché. Quand je levai une main et tâtai doucement ma figure, je compris que j'avais l'œil et la tête recouverte d'un bandage. La mère était debout à côté de moi, l'air effrayé, elle me dit :

— *My husband is back*...

Elle se détourna et resta là, devant moi, comme pour faire barrage de son corps.

Dehors, les voix s'animèrent, colériques. Soudain le vieux Morgensen fit irruption dans la pièce, portant le fusil hypodermique au canon tordu dans sa main, qu'il jeta rageusement sur le sol, vociférant en norvégien. Sa femme se mit à lui parler, très vite, implorante. Il l'écarta du bras, me vit sous mon bandage, et rugit de plus belle. La mère lui tint tête, élevant également la voix. Je compris qu'il était question de radio, de docteur, d'hélicoptère, mais le vieux gueulait en me désignant, et leva la main sur elle. Elle ne fléchit pas, joignant ses mains dans la prière, prenant le ciel à témoin de la nécessité de me venir en aide.

Le rouquin entra lui aussi, brandissant la liasse de billets, les vingt mille dollars qu'il avait trouvés dans la veste d'Albert. Un silence abrupt se fit.

Gémissant, je me hissai péniblement sur un coude pour m'asseoir. La douleur était toujours aussi terrible, mais plus aussi localisée, et sa répartition la rendait moins insupportable. Le vieux Morgensen prit la liasse de billets, la regardant comme une vermine abominable, d'un geste dégoûté la jeta sur la table et vint droit sur moi, vomissant la haine et les postillons de son anglais haché.

— Je sais qui vous êtes. Je sais qui vous envoie, vous et votre ami mort. C'est le Seigneur qui a jeté l'ours sur votre chemin pour contrer vos plans diaboliques. Vous êtes là pour elle, hein, c'est ça. Des suppôts de Satan. Kalao vom Hoffé savait très bien ce qu'il en était. Le soi-disant professeur, à la recherche d'une sasquatch. Et il croyait que j'allais gober ses mensonges ? Tu parles d'une sasquatch ! Une créature du diable, oui, un monstrueux avatar, fille d'une Indienne et d'un ours. Ces sauvages s'accouplent avec des animaux, vous ne le saviez pas ?

Il se penchait sur moi, plongeant ses yeux chassieux dans le mien. Il avait le nez couperosé, et le visage entièrement marbré de veinules rouges. De la salive perlait aux commissures de ses lèvres. Avec ses favoris ébouriffés, il avait l'air de ce qu'il était. Un fou furieux.

— Bien sûr que vous le savez... Vous aussi vous en faites partie. Vous aussi vous copulez avec des boucs et des porcs. La preuve en est que le Seigneur a jeté sur vous le grizzli, pour que vous portiez à jamais la marque de la bête.

Je parvins à m'asseoir en soutenant ma tête à deux mains, commotionné par la peur et la douleur.

— Appelez la police... Mon ami est mort. Appelez... La police, un hélicoptère. Il faut...

— Silence ! hurla-t-il, si fort que je faillis retomber en arrière. Et vous osez venir ici avec votre argent maudit, pour tenter de nous corrompre. Ah ah, mais c'est Dieu tout-puissant qui m'a dit de dompter cette fille du diable. Chaque jour nous prions, prions pour qu'enfin elle reconnaisse la bonté du Seigneur. Vous croyiez peut-être que j'allais vous laisser l'emmener, pour accomplir avec elle vos complots maléfiques ! C'est Dieu lui-même qui guide ma voie. La diablesse est déjà sur le chemin de la rédemption, et Dieu me donnera la force de la soumettre à Sa loi.

— Appelez la police, parvins-je encore à dire, je ne comprends rien à ce que vous dites. Vous êtes cinglé... La police...

Je n'aurais pas dû dire ça. Le vieux Morgensen me frappa sur ma pommette valide, je tombai en arrière, cognai ma tête à la civière en criant de douleur. La mère intervint. Suppliante, elle attrapa le bras de son mari, et il détourna sa colère contre elle. Il la gifla jusqu'à ce qu'elle tombe par terre, le nez en sang, et se traîne hors d'atteinte sous la table, sans que ses fils apeurés osent intervenir. Le vieux revint sur moi.

— Vous êtes un braconnier dans une propriété privée. Vous avez tué un grizzli, une espèce protégée. À cause de vous, un homme est mort, et j'ai perdu huit de mes chiens. Vous êtes un criminel. Dans quelques jours, un hélicoptère viendra nous ravitailler. Si vous êtes encore en vie, je vous remettrai aux autorités. Le Seigneur, dans son immense mansuétude, m'oblige à vous donner abri et nourriture. En aucune façon à vous aider plus que l'a déjà fait ma stupide femme. Il ne sera pas dit que j'aurai prêté assistance au Prince des ténèbres. Oh non. D'ailleurs, rendez-moi ça, dit-il en se ruant sur moi pour arracher mon bandage.

Je parvins à lui attraper les poignets, mais il me donna un coup de pied sur ma plaie, et à nouveau je tournai de l'œil.

Le froid glacial sur ma blessure à vif me réveilla d'un coup. Les fils Morgensen, me soutenant chacun sous un bras, tiraient mon corps inerte à travers la cour, mes pieds traînant dans la boue. De mon œil valide, je vis le vieux entrer dans l'enclos des chiens survivants, qui aboyaient hystériques, et il eut du mal à les empêcher de sortir. Là, au milieu de la cour, ficelé sur un travois, gisait le cadavre du grizzli. Et, sous son corps, je vis dépasser une jambe et un bras d'Albert, dans une position impossible.

— Nooon, Albert, non. Attendez, attendez, dis-je aux fils, n'écoutez pas votre père, appelez des secours, vite, je vous en supplie. Il y a eu mort d'homme, bon dieu, vous...

— Ferme-la, saleté de blasphémateur, me cria le rouquin. T'as d'la chance que l'vieux soit un homme charitable, si ça tenait qu'à moi, j't'écraserais la gueule à coups de godasse jusqu'à ce que t'en crèves.

Et comme j'allais parler encore, il me donna un grand coup de coude dans le sternum, qui me coupa le souffle.

Ils me traînèrent à l'intérieur de l'étable. Elle était divisée en six stalles, occupée par deux vaches, un mulet, et une truie avec ses petits. Ils me jetèrent tout au fond, sur la paille souillée d'un box vide et je roulai sur le sol en tentant d'éviter de me cogner la tête. Je la tâtai du dos de mes mains sales. Morgensen m'avait arraché la bande, pourtant des gazes recouvraient toujours ma blessure. Je hurlai.

— Vous êtes fous, vous n'avez pas le droit. C'est de la séquestration. Des gens nous attendent à... Bella Coola. Je vous dénoncerai à la police !

— Quand la police viendra, c'est moi qui vous dénoncerai, m'interrompit en tonnant le père Morgensen qui venait de nous rejoindre. Vous avez tué un grizzli, mes fils peuvent en témoigner et, par ici, on n'aime pas les braconniers. — Ses deux fils acquiescèrent. — Vous feriez sans doute mieux de mourir tout de suite... Si vous préférez souffrir, alors nous attendrons, nous respectons les voies du Seigneur. Nous ne tuons pas notre prochain.

Je m'écrasai. Ça dépassait tout. J'avais si mal, si mal et ces gens étaient complètement tarés. Le vieux me balança des couvertures. À sentir leur odeur, il venait de les prendre dans l'abri des chiens.

— Tenez, voilà de quoi vous couvrir. Puis il donna des ordres à ses deux fils en norvégien, en désignant la montagne et ils me laissèrent là.

Quel cauchemar ! Ça ne se pouvait pas... Non, tout ça était bien trop pour moi. Je parvins à me remettre debout, en collant mon dos au mur, et titubai jusqu'à la porte. Ma tête était une plaie ouverte. J'avais l'impression que mon cerveau était mis à nu, et une brûlure lancinante pulsait dans mon nerf optique. Un œil, bon dieu, j'avais perdu un œil. Je heurtai la porte de tout mon poids. Elle était fermée de l'extérieur, et lorsque je criai, seuls les chiens me répondirent. Grelottant, exténué, je m'évanouis une nouvelle fois.

Quand je revins à moi, j'étais complètement transi. Ma veste trempée de sang avait gelé, et j'avais si froid que même ma douleur semblait endormie. Je me recroquevillai sur moi-même, comme un fœtus, puis parvins à me mettre à genoux. J'étais juste devant les courants d'air qui passaient autour de la porte disjointe. Je luttai vaillamment pour déplier mes membres, si froids que j'avais l'impression qu'ils allaient se rompre. Debout, appuyé à la cloison, je marchai à tout petits pas jusqu'à la stalle où se trouvaient les vaches. Elles s'agitèrent, inquiétées par l'odeur du sang, mais frissonnant je les calmai de la voix, en touchai une, la caressai, et finalement, ouvrant ma veste, j'arrivai à me blottir contre sa panse, me collant de mon mieux contre sa chaleur. Haletant, en équilibre précaire, je restai là, et me mis à pleurer, pleurer, malgré le sel de mes larmes qui brûlaient mon œil blessé. Je pleurai de tristesse et de rage.

Ces salopards allaient me laisser crever là, de douleur et de froid. Même si je restais en vie, l'infection allait venir rapidement à bout de moi. J'étais foutu, j'allais crever. J'étais souillé de merde de vache et de cochon, les germes devaient déjà grouiller sur ma blessure. Oh non,

non ! Je sentis la chaleur lentement revenir dans mes membres et, au bout d'un moment, j'eus le courage d'abandonner la vache. Je titubai jusqu'au box du fond, et me blottis sous les couvertures puantes. J'allais crever là. J'aurais dû le savoir. Et Albert et ces histoires éblouissantes. Ah merde, Albert... déchiqueté. J'aurais dû le prévoir.

Comme je m'effondrai en moi-même, j'eus soudain un flash, une vision.

La contemplation d'un paysage d'une beauté primordiale s'imposa à moi. Une forêt à perte de vue, recouvrant des montagnes vallonnées, vierges de toute présence humaine, et au loin, l'horizon bleu acier de l'océan. Une vision d'amour pur porté sur la nature, une vision d'une complétude divine. Ce fut d'une intensité telle que, quand elle s'estompa, je frappai par mégarde ma blessure de ma main et, encore une fois, je tournai de l'œil.

Je passai les heures qui suivirent en plein coltard. Oscillant entre éveil et inconscience, passant de cauchemars épouvantables à une réalité plus terrible encore. Puis je rêvai du tatzelwurm, des effets de son venin. Quand j'émergeai, sentant ma blessure pulser dans mon orbite comme un tambour géant hérissé d'hameçons, battant au rythme de mon cœur, je m'efforçai de me rappeler ma dernière crise, et comment mon cerveau avait su détourner la douleur. Simplement la mettre ailleurs. Oui, c'était ça qu'il fallait que je fasse. Me concentrer, arriver à juguler ce mal. Il fallait que je sauve ma peau. Que je me tire de là.

Réunissant mes forces, les couvertures enroulées autour de moi, je me levai et, marchant comme un homme ivre, je m'approchai de l'abreuvoir des vaches. Je me rinçai les mains dans l'eau glacée, m'installant le dos au mur, pour ne pas me faire surprendre par la douleur, précautionneusement, j'inspectai de mes doigts ma blessure. Sur mon front, sous la gaze qui adhérait à ma plaie, je sentis un curieux relief de fils entrecroisés. Sur ma pommette et ma joue également.

Elle m'avait recousu...

La mère Morgensen avait entièrement recousu ma plaie. Ahuri, je parcourus légèrement ma blessure. Mon œil était recouvert d'un tampon plus épais. Tâtant tout doucement, je sentis là aussi une couture. Sur tout l'œil ! Je touchai une croix qui barrait ma paupière, longitudinalement, mais aussi sur toute sa largeur. Elle avait cousu mes deux paupières ensemble ! D'abord horrifié, je fus pris d'un élan de nausée, je compris ensuite que c'était pour que je ne puisse pas ouvrir mon œil avant la cicatrisation. Ah, merci, heureusement que cette brave femme avait été là. Elle était aussi une victime de son taré de mari. À défaut de pansement stérile, j'avais au moins mon œil déchiré à l'abri de ma paupière, et non plus au contact de l'air. Merci petite mère...

Écartant les couvertures, j'ouvris ma veste, soulevai mes pulls, exposant mon ventre au froid. Je tirai sur mon t-shirt en thermolactyl et, me servant de mes dents, j'en déchirai une bande tout autour de ma taille. L'effort m'épuisa, mais quand je fus rhabillé, j'avais de quoi me faire un pansement. Luttant contre la douleur, m'efforçant de me la mettre ailleurs, j'enroulai le tissu autour de ma tête, couvrant mon œil blessé, d'un bandage élastique acceptable.

J'entendis à nouveau du vacarme dehors. M'accrochant à la barrière des stalles, j'avançai jusqu'à la porte, et appliquai mon œil à un interstice. L'après-midi devait être passablement avancé. L'ours et le corps d'Albert n'étaient plus là. Le fils maigre revenait tout juste de la montagne. Traînant la luge derrière lui, il ramenait la grande caisse d'Albert et nos deux sacs. Oh non, il n'avait eu qu'à suivre nos traces. Son père apparut, en provenance de la maison, tenant une bouteille dans sa main, qu'il tétait de rasades régulières, me rappelant ma soif. Il accueillit son fils en lui passant la bouteille, et se mit immédiatement à inspecter nos affaires, ouvrant la caisse, vidant son contenu et celui de nos sacs sur le sol, pendant que son fils lui faisait un topo.

Le rouquin avait allumé un grand feu, à côté de l'enclos des chiens, sur lequel il jeta des vieux pneus qui se brûlèrent d'une fumée d'encre. Le maigre dégaina mon poignard et lacéra une tente, je faillis crier pour l'interrompre. Quand il la jeta dans le feu, je compris soudain.

Ils n'avaient aucune intention de me laisser repartir vivant de chez eux, ils détruisaient les traces de notre passage...

Tétanisé, je les vis brûler toutes nos affaires, y compris mon sac, avec dans sa pochette la plaquette d'antidote. Là aussi je faillis intervenir. En entendant les voix mauvaises des trois hommes, je me contentai de pleurer de découragement derrière la porte. Tout y passa, les sacs de couchage, la caméra, les vêtements, les provisions. Le rouquin partit et revint avec une bouteille pleine, le GPS et le fusil, qu'il jeta dans le brasier. Quand la cartouche de gaz explosa, ils éclatèrent d'un rire gras. Je vis le rouquin entrer dans le hangar, en ressortir avec les habits que portait Albert et les jeter dans le feu. Albert, bon dieu, qu'avaient-ils fait de son corps ? Le vieux, arrachant la bouteille à la main de son fils, se tourna soudain dans ma direction. Choqué par ce que je venais de voir, je me précipitai de mon mieux pour aller m'affaler dans le box du fond.

Il entra et marcha directement sur moi, les yeux exorbités, précédé de vapeur d'alcool rance.

— C'est Sherman Alexie qui vous a amené ici, m'affirma-t-il. Lui seul peut amerrir sur un lac si encaissé. Ce chien rouge sait qu'il n'a aucun droit de se poser sur mes terres. C'est demain qu'il vient vous chercher ? Nous irons l'accueillir. Un câble malencontreusement tendu et paf ! C'est la culbute. L'eau est si froide en cette saison, et le lac si profond...

— Salopard, explosai-je, vous ne pouvez pas faire ça, c'est un meurtre prémédité !

— Ça s'appelle une mesure radicale contre les braconniers de votre espèce, et un malheureux accident.

— Vous êtes complètement cinglé ! Vous... Vous ne l'emporterez pas au paradis...

— Tu es ici sur mes terres, fils de Satan. Depuis longtemps les Tlingits l'ont compris, les Tshimshians aussi. La police l'a compris. Le gouvernement l'a compris. Et toi, minable engeance du démon, tu ne vas pas tarder à le comprendre. C'est un beau bandage que tu t'es fait là. J'espère que les mailles en sont assez serrées pour filtrer les germes. Parce qu'ici, ça grouille comme au cul de l'enfer, tu vas bientôt sentir la gangrène te dévorer de l'intérieur. C'est ainsi, je n'y peux rien. Tu t'es heurté à la volonté du Seigneur.

Sa femme apparut soudain derrière lui. Avant qu'il se rende compte de sa présence, elle me montra un morceau de pain et une petite boîte, qu'elle cacha derrière une poutre. Elle portait dans sa main un bol de soupe fumante. Sa joue était bleuie des coups reçus. Quand le vieux la vit, il lui arracha le récipient des mains, en renversant la moitié et la chassa d'une bourrade en l'insultant. La pauvre femme fuit, sans un regard. Morgensen cracha encore quelques obscénités dans sa direction, puis renifla goulûment la soupe.

— Tu en as de la chance. Dieu, dans son infinie miséricorde, pourvoit à ta nourriture.

— C'est vous dieu, c'est ça ? crachai-je entre mes dents.

— Tais-toi, chien impie, comment oses-tu parler de ce que tu ne connais pas ? Mais tu as raison, le Seigneur voudrait sans doute qu'aussi tu partages ta nourriture.

Il s'éloigna de quelques pas, franchit la barrière et vida le bol dans l'abreuvoir de la truie.

— Alors mange-la donc avec les cochons.

Il rit, fier de son pouvoir, et partit, refermant soigneusement la porte derrière lui.

C'était pour de vrai. Cette horreur qui m'arrivait. Il fallait que je cesse de tergiverser. Ça n'était pas un cauchemar. C'était ma vraie vie à moi qui tournait à la fiction hardcore, et j'avais intérêt à me tirer de là. Je trouvai dans la haine la force de me relever, et allai prendre derrière la poutre ce qu'avait caché Mme Morgensen. C'était un épais sandwich au fromage, et une petite boîte de cicatrisant en poudre. Je mâchai consciencieusement chaque bouchée, malgré les douleurs qui crispaient mon visage. Il fallait que je trouve quelque part un peu d'énergie, et la nourriture me fit du bien. J'étais plein de gratitude envers la pauvre femme, et les risques qu'elle avait pris pour moi. Je retournai ensuite au fond, et entrepris de défaire mon pansement. Ce fut beaucoup plus douloureux qu'auparavant, mais je parvins à répandre la poudre sur ma plaie, et à remettre le bandage. Quand j'eus fini, épuisé, j'eus beau lutter, je tombai sur le côté et m'endormis.

J'émergeai en pleine obscurité. Seuls les rougeoiements du feu traversaient par endroits les planches disjointes. La douleur s'était modifiée pour n'être plus que celle d'une plaie, mon œil et mon nerf optique étaient restés endormis. Sous l'abri des couvertures, j'avais chaud, sans doute la fièvre. Quand je me levai, les animaux inquiets se mirent à faire du bruit, je les calmai de la voix, et vacillant, m'approchai de la porte. La nuit était avancée. Dehors le feu brûlait toujours, et je vis les carcasses métalliques de nos sacs calcinés. La grande malle attendait à côté du foyer, ouverte. Sans doute allait-elle recueillir les débris et les cendres de nos affaires avant d'être enterrée quelque part dans la forêt.

J'entendis soudain des bruits en provenance de la maison, je m'immobilisai, m'appuyant au mur de planches. Les animaux aussi avaient entendu et tendaient l'oreille. C'étaient les voix des Morgensen, priant en norvégien, avec des inflexions baveuses d'alcooliques. Ils passèrent devant l'étable, portant des lampes à pétrole, une curieuse procession d'ombre et de lumière, s'arrêtèrent devant la porte de la grange adjacente. Le vieux éleva la voix.

J'entendis distinctement un gémissement déchirant retentir derrière la paroi contre laquelle je me trouvais. Un gémissement rauque et si incroyablement sauvage, que tous mes poils se hérissèrent, un cri de bête fauve, mais aussi...

Un gémissement de femme...

13

Le gémissement s'interrompit quand les Morgensen entrèrent dans la grange. Figé dans l'obscurité de l'étable, je suivis de l'œil leur progression dans la salle à côté, les lueurs de leurs lampes perçant çà et là entre les planches de la cloison. Ils s'arrêtèrent et trois rais de lumière se stabilisèrent au fond de la pièce. À tâtons, une main protégeant ma blessure, j'avançai prudemment dans leur direction.

Je n'entendais plus le moindre bruit, le moindre mouvement qui aurait pu trahir une présence autre que celles des trois hommes. Ils priaient avec véhémence, et la mélopée de leurs trois voix à l'unisson était effrayante et hypnotique. Une langue saccadée, pleine de consonnes et d'U, dont le débit m'évoquait des cris de gibbons affolés et furieux. La voix du père menait le bal, plus forte, plus profonde, c'était lui qui dirigeait le rythme de la diction. Leurs prières semblaient tournées vers une tierce personne, leur transe était plus proche de l'exorcisme que du prêche.

Ils criaient, parlaient, chantaient, vociféraient de leurs trois voix des mots uniques, chargées de plus en plus d'émotion hystérique, et je me disais : Non, non, assez, assez d'horreur et de folie, j'ai eu mon content. Pourtant, je ne pouvais pas m'empêcher de m'approcher derrière la paroi. Le ton monta encore et encore, la folie suintant de plus en plus sous le texte, quand soudain la voix du père se brisa.

Je ne comprenais pas son langage, en percevais cependant l'intensité dramatique, l'urgence et la colère. Il insulta quelqu'un ou quelque chose, avec des mots pleins de haine et de désir. Sa voix s'étrangla comme de consternation, et appela ses fils à s'occuper de lui, à constater son impuissance et son désarroi face à la chose terrible qui lui arrivait. Puis il éclata d'un rire gras et vulgaire, obscène et sexuel, pleura, pria à nouveau quelques mots et recommença son délire.

Les animaux autour de moi s'agitaient, alarmés par le vacarme, et je profitai du bruit pour enjamber la barrière du box où perçaient les lumières. Le mouvement me fut difficile, et l'ayant franchie, je dus m'y appuyer quelques instants pour résister à une vague de douleur dans ma plaie. Les trous de lumière étaient situés un peu haut sur le mur, il me fallait grimper sur l'abreuvoir pour les atteindre, aussi je me débarrassai des couvertures, les roulant en boule pour qu'elles conservent leur chaleur. Et en les déposant par terre, je sentis soudain quelque chose dans la doublure de ma veste.

Le grizzli l'avait lacérée de ses griffes, et les Morgensen avaient vidé mes poches, mais pourtant, là, je sentais quelque chose. Mon cœur se mit à battre la chamade. Je tâtai de mes doigts gourds, faisant précautionneusement glisser l'objet vers un orifice. Oui, c'était ça. Je n'osais pas y croire.

Je venais de trouver le flacon, contenant le reste de l'anesthésiant. Le flacon... Une arme. Un moyen de peut-être me tirer de là. Il me suffirait d'asperger les Morgensen et de retenir mon souffle. Oui, peut-être, c'était jouable, si je trouvais la force de m'agiter. Je m'empressai de le glisser dans une poche intacte, de peur de le laisser tomber dans le noir et de ne pas le retrouver. Une esquive, une échappatoire, une sortie à ce cauchemar...

Derrière la paroi, les voix résonnaient de plus en plus folles. Le fils maigre quittait aussi la prière, pour des dérives vocales schizoïdes où il alternait l'auto-apitoiement, le vice le plus obscène, et la fureur d'une guenon. Le rouquin, lui, priait toujours en criant, comme un Napolitain en plein constat d'adultère. J'avais l'impression d'entendre la bande-son d'un film d'horreur. Ça n'était pas le moment pour moi de les affronter. Il me faudrait agir en étant vraiment sûr de mon coup, mais j'avais une arme, une arme pour de bon. Tâtant la cloison, je cherchai une prise, serrant les dents, je grimpai sur l'abreuvoir, en équilibre précaire, trouvai une position plus ou moins stable, et plaquai mon œil valide à un trou dans la cloison.

Une vision d'enfer. J'étranglai de justesse un grand cri d'effarement, et faillis sous le coup dégringoler de mon perchoir...

Le vieux Morgensen avançait nu, les yeux exorbités, vociférant des mots pleins de salive qui coulait à ses commissures, le pantalon entravant ses chevilles, ses chaussures aux pieds, exhibant son dos velu, ses fesses plates, son ventre rougeaud et son sexe brandi. Je le voyais de profil. J'entendais ses fils derrière lui, geindre, hurler, affolés et envieux, concupiscents et terrifiés. Il avançait, semblant lutter de ses mots contre lui-même, comme possédé, et je le vis soudain s'agenouiller, attrapant son sexe comme pour pénétrer quelqu'un ou quelque chose.

Il était juste à la limite de mon champ de vision, je le vis écarter ce qui me parut être du bois. Puis... Non, non... Ç'aurait pu être une jambe. Une jambe de femme...

Une jambe de femme habillée d'un fuseau de fourrure...

À nouveau le gémissement retentit, déchirant de douleur, affolant complètement les vaches, la truie et ses gorets. Mes sens en révolte me hurlèrent de changer de poste d'observation. Tâtonnant autour de moi, je trouvai une autre prise, me hissai vaillamment sur les bras, puis, prenant appui dans l'encoignure, je calai mon dos, et plaquai mon œil larmoyant à une autre fissure.

Oh non... C'était une femme, je la voyais de profil.

Elle était couchée sur le dos, les genoux et les cuisses remontés par les mains de Morgensen. C'était une femme, incroyablement laide, recouverte de poils de la tête aux pieds. Non, non c'était plutôt un grand singe, plus grande qu'un chimpanzé, ou un orang... Non, non, une femme. Quelle horreur. Un monstre, une pauvre créature affublée d'une terrible dégénérescence. Elle avait le front fuyant et des arcades sourcilières très prononcées, son nez, que je voyais de profil était presque inexistant à hauteur des cavités oculaires, il prenait naissance sous les pommettes et s'évasait en narines dilatées. Ses mâchoires proéminentes étaient entrouvertes, je voyais sa lèvre supérieure se relever un peu dans une grimace simiesque. C'était elle qui venait de pousser le gémissement. Mis à part ses sons, elle était complètement inerte, et le vieux Morgensen sauvagement la pénétrait.

C'était un clone, une hybride, un monstre, une erreur de la génétique, ou peut-être quand même une primate ? Retenant mon souffle, je voyais sa poitrine qui, à part les poils, était tout à fait humaine. Rien à voir avec la sasquatch que m'avait décrite Albert, ou celle que j'avais vue dans le film de Patterson, ou les photos du moustachu de la conférence. Non. Ça n'était pas une sasquatch. Elle était humaine. C'était peut-être une enfant sauvage, née avec cette malformation, que ses parents immondes avaient abandonnée dans la forêt, qui avait survécu élevée par des bêtes ? Ou bien le résultat de quelques bidouillages de savants fous ?

Je voyais sa tête basculer, bousculée par les élans du vieux et derrière, dans ses longs poils épais, ses cheveux, un gros amas de croûtes sanglantes. Elle avait une grave blessure crânienne. Ses épaules étaient tombantes, très musculeuses ; son bras mince, long, et malgré la fourrure, j'en voyais saillir les tendons. Un bras si long, une main si forte, au dos velu mais à la paume nue. Un singe, un primate femelle d'une espèce inconnue ? Un nouveau mouvement la bouscula, sa tête tourna, et je plongeai droit dans ses yeux.

Dans un abîme de détresse insondable. Je plongeai, je m'y noyai, m'y engloutis. Elle me voyait. Elle savait que j'étais là.

Cette douleur, cette humiliation, cette déchirure, cette peine. Elle était humaine. Incontestablement humaine...

Et je compris instantanément que, si je devais me sauver d'ici, si je devais me tirer de là, qui qu'elle soit, quoi qu'elle soit, je devais l'emmener avec moi. Accomplir les volontés d'Albert, sasquatch ou pas, l'arracher des griffes de ses tortionnaires, de la folie de ces déments.

À présent, le maigre hurlait après son père, qui la besognait en vociférant ses prières entrecoupées de rugissements. Il apparut dans mon champ de vision, brandissant son sexe raide. Il voulait la place du vieux, et le rouquin aussi, qui le frappa et commença à défaire sa braguette.

Je m'arrachai de là. Je détournai la tête, fermant mon œil, essayant d'obstruer aussi mes oreilles pour ne plus entendre ces chants damnés de la folie. Je vibrais tout entier de révolte, de répulsion. Salopards ! Fumiers. Monstres, c'est vous qui l'êtes ! Je me retins très fort de ne pas hurler ma haine. Non. Du sang-froid, de la méthode. J'avais bien trop peu de forces pour les gaspiller. Me maîtrisant avec peine, je descendis de l'abreuvoir. Je n'avais pas de temps à perdre.

Je récupérai les couvertures, repassai la barrière en serrant les dents, et me dirigeai précautionneusement vers le box qu'ils m'avaient assigné. Là, je les remplis de paille, m'efforçant ensuite de les enrouler pour leur donner une forme humaine. C'était difficile de me rendre compte de mes efforts dans le noir, j'espérai avoir suffisamment de temps pour surprendre ces fils de pute. Je calai mon mannequin dans le coin le plus reculé, dans la position d'un corps endormi, puis tâtonnant autour de moi, je parcourus presque toute l'étable à la recherche d'un outil, d'un bout de bois, qui puisse me servir d'arme. Mais je ne trouvai rien, qu'un tabouret cassé, trop lourd pour être manipulé efficacement.

Tant pis, il me faudrait miser uniquement sur l'anesthésiant. Heureusement je savais ses effets foudroyants. Je revins me poster près de la porte de l'étable. J'espérais attirer les Morgensen et pouvoir les arroser d'anesthésiant dans le dos, peut-être même sans qu'ils s'en aperçoivent. Dans la grange, le sabbat orgiaque continuait et j'avais mal de révolte et d'injustice. Pendant deux ou trois minutes, je m'efforçai de me concentrer sur mon souffle, et je m'hyper-oxygénai un maximum. Je sortis le flacon d'anesthésiant, j'enlevai le capuchon à bout de bras, sans respirer, m'empressant de le reboucher de mon pouce. Voilà, les dés étaient jetés.

De mon autre bras, malgré la douleur de la tension, je soulevai le tabouret, et d'un grand mouvement le balançai contre la cloison.

Un silence brutal s'ensuivit, puis des exclamations chuchotées et honteuses et enfin des braillements de colère, cette fois hurlés à mon encontre. J'entendis les trois hommes se rhabiller rageusement, me promettant que j'allais me repentir de mon intervention, s'engueulant en norvégien.

Ils sortirent de la grange et je les entendis ouvrir la porte de l'étable derrière laquelle j'étais plaqué. Ils firent comme je l'avais prévu, se ruant le père en tête, en direction du box du fond. Décollant du mur sur leurs pas, discret comme un courant d'air, je retins mon souffle, débouchai le flacon et arrosai leur dos. Ils ne s'aperçurent de rien, je remis mon pouce sur le flacon, et reculai lentement ne respirant que vers la porte. Ils n'avaient pris qu'une lampe, ils foncèrent sur le tas de couvertures, le bousculèrent et, comprenant ma ruse, se retournèrent, le père levant sa lampe pour mieux y voir. Ils me découvrirent et marchèrent sur moi.

Le maigre fut le premier à s'écrouler d'un coup, comme une souche. Comme les deux autres avançaient, je fis face et, soudain débouchant le flacon, les aspergeai en croix, en criant.

— *In nomine Patris e Figli e Spiritu Sancti.* Je vous bénis, le Seigneur est mon berger, je vous bénis !

Je criai tout ça sans respirer, et les deux secondes de stupeur qui les arrêtèrent me sauvèrent la vie. Le vieux tomba la face contre terre, le rouquin qui n'avait pas vu s'évanouir son frère eut le réflexe de ramasser la lampe, il se pencha, ne se releva pas, dormant avant même de toucher le sol. Retenant toujours ma respiration, ce fut mon tour de récupérer la lampe pour la remettre sur pied. Puis je titubai jusqu'à la porte, et en franchis le pas, aspirant l'air glacé comme une pompe.

Bon dieu, bon dieu, je l'avais fait ! J'avais endormi ces trois salopards, ils mériteraient que je les tue, que je les massacre, que... Je me calmai un peu, repris une grande goulée d'air et replongeai dans l'étable. J'allai droit au box du fond, récupérai les couvertures, je luttai ensuite au bord de l'asphyxie pour défaire le ceinturon du fils Morgensen, et reprendre mon poignard.

Dehors, la pleine lune éclairait la cour. Il n'y avait pas de lumières dans la maison. Le plus discrètement possible, j'allai récupérer la luge d'Albert quand un chien m'entendit et se mit à aboyer. Tant pis. Je fonçai dans la grange, dont les Morgensen avaient laissé la porte entrouverte. J'entrai et, avec une appréhension terrible, je m'approchai du fond de la pièce, où, étalée sur des couvertures au milieu d'un tas de paille, se trouvait la créature, la chose, la femme.

Elle n'avait pas bougé. Son corps était totalement inerte. Elle gisait, les cuisses écartées, le visage tourné vers le mur d'où je l'avais guettée. Elle était poilue sur tout le corps, mais sur son torse et sa poitrine, elle n'était recouverte que d'un léger duvet. Tout doucement j'avançai la main et touchai son épaule. Elle ne tressaillit pas, comme insensible. Alors, je tournai doucement sa tête, et quand elle me vit, elle poussa un petit gémissement. Oh, la souffrance de ses yeux me tordit le cœur. Malgré son absence de réaction, j'eus l'impression qu'elle était heureuse de ma présence. Je me secouai, il fallait que je l'emmène, je n'avais pas le temps des présentations. Je m'aperçus soudain qu'elle était attachée. Un bracelet de métal relié à une chaîne entravait sa cheville.

— Oh non, c'est pas vrai, m'exclamai-je.

Le son de ma voix me catapulta à la recherche d'un outil, brandissant la lampe pour fouiller la pièce. Je ne trouvai rien qui puisse me servir. Alors, je ressortis, traversai la cour en portant la lampe, et allai fouiller le hangar. Il y régnait un capharnaüm épouvantable de pièces mécaniques et d'objets hétéroclites, pièges, cages, moteurs à moitié démontés. Visiblement les Morgensen devaient récupérer tout ce qui leur tombait sous la main. Une odeur âcre me prit la gorge, je fis le tour de la salle et découvris un étal, couvert de sang, et sur le sol, le reste de la carcasse de l'ours qui avait été écorché. Sa peau trempait dans un tonneau, recouverte d'une solution nauséabonde. Dans un coin une broyeuse était fixée sur un socle de bois et dessous plusieurs seaux remplis de viande hachée. Et là sur le sol, je vis soudain la manche d'Albert, celle qui recouvrait son bras que le grizzli avait arraché. Les déchirures du tissu en témoignaient. Je cherchai partout, nulle part je ne vis trace de son corps. Un froid terrible m'envahit. Fonce...

Je trouvai finalement une grande pince-monseigneur sur un établi et revins en trottant dans la grange. Les lumières de la maison étaient toujours éteintes, mais les chiens, tous réveillés, aboyaient furieusement et se ruaient contre la porte de leur enclos. Ahanant, luttant comme un fou contre la douleur, je m'agenouillai à côté de la créature. Elle avait le mollet très fort et des pieds énormes, aux gros orteils très écartés, encore élargis par une épaisse couche de corne. Pourtant sa cheville était fine, et je fus surpris de la texture de ses longs poils bruns, plus fins que des cheveux. Je parvins à sectionner l'entrave qui l'attachait sans la blesser.

Me hâtant autant que possible, j'enveloppai la femme poilue dans les couvertures. Je dus la faire rouler sur elle-même, tant son corps était relâché, mou. Elle avait une blessure derrière la tête, le cuir chevelu profondément décollé. Elle devait peser presque autant que moi, et quand je l'eus enroulée dans les couvertures, je la fis glisser sur la luge civière, la sanglai, bloquant sa tête dans la bonne position avec de la paille. Je bouillais littéralement, la sueur imbibait mes sous-vêtements. Avisant des raquettes, je les chaussai puis, bandant mes muscles malgré la tension dans mon œil blessé, je sortis de la grange, traînant la luge.

Le générateur vrombit, les lampes alentour s'allumèrent comme je franchissais la porte. Les chiens fous furieux s'excitaient de plus belle, je fis quelques pas, et soudain, le grillage de leur enclos céda. Un énorme husky, les babines retroussées, me fonça dessus. Je soulevai ma veste pour dégainer le poignard, mais le chien courait trop vite. Il bondit en l'air à trois mètres de moi, et alors que j'attendais l'impact, son corps sembla soudain intercepté en plein vol par quelque chose. Je l'évitai en me baissant, l'écartant du bras gauche, le poignard dans la main droite, prêt à frapper à la prochaine attaque, mais il roula inerte sur le sol. Avant que j'aie eu le temps de comprendre, les deux chiens qui suivirent s'écroulèrent à leur tour, et le quatrième fit demi-tour, s'enfuyant peureusement en entendant les hurlements de ses frères. Je me figeai. Du flanc du husky à mes pieds, sortait une longue flèche à l'empennage noir et blanc.

Un jeune Indien apparut au coin du hangar, l'arc bandé dans ma direction. Je criai, brandissant ma main devant moi.

— Non, non. Je suis... Pas moi, non !

C'était un garçon au visage lunaire, encadré de sa longue chevelure noire, un adolescent à l'expression infantile, malgré sa carrure, il avait l'air d'avoir aussi peur que moi. Il portait des vêtements taillés dans des peaux de bêtes, et son arc ne tremblait pas.

— Ho Letite ? criai-je encore, la voix chevrotante et pleine d'espoir. — Il sursauta, affolé que je l'appelle par son nom. — Tu, tu es Ho Letite, n'est-ce pas ? — Oui, oui c'était lui, ça devait être lui. — Non, n'aie pas peur. Je suis un ami de Sherman. Sherman Alexie, le pilote. Avion, Sherman, ami, lui m'a amené ici. Le professeur, Albert Kalao vom Hoffé est mort. Ami de Sherman. Viens, aide-moi. — Je me retournai, montrant la civière. — Elle est là, la femme, la femme avec des poils que tu as trouvée. Aide-moi à la sauver.

Ho Letite visiblement ne voulait pas me croire, et son arc se tendait encore. D'un coup, Mme Morgensen apparut sur le seuil de sa maison, elle aussi tremblante, tenant dans ses mains un shotgun qu'elle pointait sur le jeune Indien qui tourna son arc contre elle. Laissant tomber les courroies de la civière, je me précipitai entre leurs trajectoires, les mains levées.

— Non, assez, assez de folie et de sang, arrêtez, arrêtez. Madame, vos hommes sont endormis, là-bas dans l'étable. S'il vous plaît, je vous en prie, je vous le jure, ils dorment, ils ne sont qu'endormis. Je m'en vais, je m'en vais avec elle. Non, ne tirez pas. C'est lui, c'est ce garçon qui a trouvé la... Cette... Cette femme. Et je l'emmène, je l'emmène avec lui.

Lentement, ses yeux me détaillant à travers ses larmes, la mère Morgensen abaissa son fusil. Je restai là, les bras tendus, et Ho Letite aussi baissa son arc. Filant silencieusement sur ses raquettes, il s'approcha de la femme poilue, et se baissa pour voir son visage. Le sien fondit dans une expression d'amour absolu.

— Ho Letite, repris-je, aide-moi, aide-moi, à la porter jusqu'à Sherman. Sherman et son avion, s'il te plaît. Aide-moi. Je suis blessé... Ho Letite ?

Le jeune Indien me regarda longuement, comme s'il voulait voir à travers mon bandage. Soudain, il passa son arc autour de sa tête, et se sangla dans les courroies du traîneau. La mère Morgensen était tombée à genoux dans la véranda, et sanglotait devant le fusil inutile. Nous fîmes quelques pas quand, soudain, la porte de l'étable explosa.

Le père Morgensen en jaillit, aussi furieux que le grizzli. Il chargea droit sur Ho Letite entravé dans les courroies, le bouscula comme un rugbyman, culbutant sur le sol avec lui, en le martelant de ses poings, entraînant la civière secouée, emmêlée dans leurs corps. Le jeune Indien se débattit, il ne pouvait rien contre le poids de la brute. Je vis le vieux frapper, les yeux fous de haine, frapper pour tuer.

Alors, sans même penser à ce que je faisais, je saisis une pelle, posée contre un mur, la levai en me précipitant sur eux et, avec une rage terrible, je l'abattis sur Morgensen.

Je visai du plat, mais le manche tourna. Je frappai de la tranche, et le coin de la pelle s'enfonça dans sa tête comme dans un fruit mûr, se fichant dans son crâne, et quand j'arrêtai mon élan, il était mort. Complètement mort.

J'avais tué un homme...

Lâchant la pelle, je tombai lentement à genoux. Ho Letite roula sur lui-même, pour se dépêtrer du corps. De mon œil valide, je voyais la mère Morgensen qui sanglotait à fendre l'âme, ayant assisté à la scène sans intervenir. J'avais tué un homme. J'étais consterné de mes actes. J'avais agi dans un moment de démence, j'avais... Non, ce fumier méritait bien pire que ça. Quoi ! Non, nul, nul ne peut mériter un sort pareil. J'étais aussi fou que lui, plus même. J'avais tué un homme. C'en était fait de ma vie. J'avais franchi une frontière innommable. Je restai là, pétrifié. Tout ce sang, tous ces morts, toute cette haine. Pourquoi, pourquoi ? Si, pour la sauver, pour la sauver, elle. Cette...

Ce fut Ho Letite qui me secoua, il vérifia l'état de la femme poilue et reprit sa marche en tirant la civière, épongeant le sang de sa lèvre éclatée. Il fallait fuir, fuir. Les autres pouvaient émerger. Lentement je me relevai et, le suivant, passai devant la maison. La mère Morgensen pleurait toujours. Je la regardai intensément, en serrant mes poings criminels.

— Allez-vous-en, allez-vous-en, disparaissez, vous et cette créature du diable, me cria-t-elle.

Elle ramassa soudain le fusil, se redressa, et n'eut pas le courage de me mettre en joue. Se tournant vers le corps de son mari, elle jeta l'arme dans la boue glacée et resta là à sangloter, et sous le fatalisme de ses larmes, j'espérai voir une expression de soulagement, de triste délivrance.

Je me lançai de mon mieux sur les traces d'Ho Letite, ma douleur parvenant à peine à surmonter les blessures de mon âme. Et nous nous fondîmes dans la nuit.

14

Soulever, arracher, lancer, poser, soulever, arracher, lancer, poser. Je marchais comme un automate, commotionné, hagard, m'appliquant à concentrer mes forces dans le mouvement de mes raquettes. Avancer, encore, encore. Mon œil valide rivé à la silhouette sombre d'Ho Letite, loin devant moi, seule tache mouvante parmi les ombres de la forêt, j'avançais, hypnotisé par le glissement du traîneau, par la glissade de ma vie.

J'étais foutu. J'étouffais. J'étais fou. La fièvre me faisait ruisseler de sueur, mes sous-vêtements étaient trempés. Malgré ma température, le froid saisissait ma douleur. J'étais foutu. J'avais perdu mes gants. Trop mal. Tué un homme. Mes mains gelées résonnaient encore des vibrations de la hampe de la pelle. Fréquences basses, longues oscillant dans le bois, et trop aiguës du choc de la torsion métallique et des os, puis d'un coup, étouffées dans la mollesse du cerveau. J'avais beau bouger mes doigts au fond de mes manches, mes mains se pétrifiaient, d'un froid de glace, d'un froid de mort.

Oh non, j'avais tué un homme. Albert était mort, j'étais borgne et défiguré. Si mal. Non, tais-toi, tais-toi, ne pense pas ! J'aurais voulu faire le vide dans ma tête, mais en guise de mantra, le cycle infernal des horreurs que j'avais vécues, que je vivais, revenait encore et encore. Fuir, avancer dans la nuit. Quand les fils Morgensen allaient revenir à eux, ils se lanceraient à notre poursuite, et alors... Ma vie avait basculé dans une peur abjecte. Et Albert, qu'avaient-ils fait de son corps ? Les flics. Il fallait que je prévienne les flics au plus vite. Que je me mette sous leur protection. Oh... Et l'antidote, ces fumiers avaient brûlé l'antidote.

La douleur...

— Ho Letite ! criai-je à la forêt. Attends, attends-moi.

Là-bas, l'ombre ne se retourna même pas. Plus tôt, j'avais essayé de lui expliquer où se trouvait le lac où Sherman devait venir nous chercher. Je ne savais pas s'il m'avait compris. Au peu que j'avais vu de son visage sous la lune, il m'avait paru encore plus affolé que moi. J'étais un assassin, mon œil déchiré, et tout ça pour...

Si, elle, elle était là. Cette tache sombre derrière l'ombre d'Ho Letite, sous l'amas de couvertures, cette femme, cette créature. Elle était là, la cause de tous ces malheurs, la femme poilue qui glissait sur la luge avec un mouvement reptilien, tache d'encre dans les pas de l'Indien. Elle était la preuve que je n'étais pas complètement fou. J'allais avoir un procès, la police, la prison. Et tout ça pour... Mais tais-toi, tais-toi et marche ! Foutues raquettes. Mon œil valide larmoyait, et la vapeur que je dégageais se condensait au bout de mon nez.

Mes forces m'abandonnaient. Si froid, si mal. Ho Letite et son traîneau s'enfonçaient entre les arbres et je n'avais même plus la force d'appeler, mon cœur battait à tout rompre. Je m'arrêtai pour souffler. La lune se réverbérait sur la neige, allumant des cristaux comme autant de lucioles. Malgré le froid qui me saisissait, il ne devait pas faire moins de zéro degré, tout autour de moi la forêt gouttait comme d'autant de larmes. Je levai la tête, fus pris de vertiges en plongeant dans la voûte étoilée.

Tout à l'heure quand Ho Letite avait réajusté les couvertures autour de la femme à poils, je m'étais avancé. Elle était complètement recouverte, comme une babouchka russe, mais quand je m'étais penché sur l'entrebâillement des couvertures, j'avais vu des éclats du ciel se refléter dans le noir de ses yeux et là aussi, j'avais été pris de vertiges.

Avance, avance, il faut fuir... La douleur dans ma tête, dans tout mon corps, rendait la nuit opaque. J'avais vaguement conscience de la direction que suivait Ho Letite. Nous étions remontés au fond de la vallée, alors qu'il aurait dû prendre sur la gauche, il avait continué en zigzaguant, et à présent, seul dans la nuit, j'étais complètement désorienté. Je repris la marche, sur les traces fraîches de la luge. Nous ne devions pas être loin de l'endroit où le grizzli avait... Oh non. Et moi, seul dans la forêt, foutu, estropié, condamné pour meurtre, même pas de légitime défense. Non, monsieur le juge, et ça pour...

Je repensai à l'éclat de ses yeux, à la noirceur sans fond du regard de cette chose, cette sasquatch qui n'en était pas une, de cette femme, avec des poils, à cette noirceur d'où pourtant émanait une lumière si vive que, quand je l'évoquai, la nuit entière s'illumina. Je titubai, m'emmêlant les raquettes, tombai en avant, m'affalant sur le ventre, le choc résonnant dans ma tête comme le bruit d'un iceberg qui se brise. Mon œil écarquillé ne voyait plus que du blanc. Ébloui, le souffle coupé, je le fermai, le plissant fort, le rouvris, la nuit fugitivement fut de retour.

La forêt, les étoiles, la lune. Je roulai doucement sur moi-même pour me relever, plongeant mes mains glacées dans la neige crissante. Quand je m'accroupis, la douleur dans mon œil... Trop forte.

D'un coup, la neige devint noire, et je m'évanouis.

Dans mon rêve, le bruissement du vent dans les arbres attirait mon attention. Des feuilles d'érable d'un carmin flamboyant s'agitaient en une danse gracieuse, miroitant dans la lumière du soleil. Le sentiment qui sous-tendait le rêve était d'ampleur, d'immensité, d'infini. Je traversais les feuilles ajoutant leurs frôlements à la musique du vent, plongeant dans les tons pastel des herbes folles, des graminées floconneuses aux teintes argentées et le gris des rochers, constellés de napperons ovales jaunes fluorescents, brodés par les lichens. J'emplissais mes poumons d'un air prodigieusement limpide et pur, qui m'enivrait de bonheur. L'immensité du sentiment était contredite par la proximité végétale, minérale, animale, l'intimité de cette combe, où grâce et vie s'étaient entremêlées, mais y ouvrait comme un écho d'amour sans fin, avec des résonances de cathédrale. Je devais être nu, car chacun de mes poils frémissait dans le vent, effleuré par les exhalaisons des fleurs, des écorces, des graines, des tiges, des pollens. Je gravissais la pente et en haut, si soudainement que je faillis y plonger en déployant mes ailes, s'ouvrait un panorama d'une beauté si parfaite, si étendue, que l'immensité du sentiment suffisait à peine à l'englober. Des vallées profondes, des cimes enneigées, au loin, les éclats métalliques de l'océan, et partout ces reflets multicolores de l'automne, le camaïeu des verts soutenant les exubérances des jaunes et des rouges, canopée agitée dans une folle sarabande de mouvements ondulatoires, nature embrasée par les flammes de la beauté.

Et cet amour. Très loin, très loin au-dessus de l'amour des hommes. Cette contemplation si intense, si complète, vierge à perte de vue de toute interférence indésirable. Cette vision, d'une complétude presque...

Je l'avais déjà rêvé ce rêve !

Une complétude presque divine... Je l'avais déjà ressenti, cet amour pur, mais oui, quand j'étais enfermé dans l'étable... Chuuut, n'y pense pas, tu vas te réveiller. Non, l'amour, l'amour de la nature. Je replongeai dans la vision grandiose, tout entière en osmose avec mon cœur épanoui, épousant les mouvements du feuillage. Mais le doute avait déjà instillé son venin. L'horizon indigo se couvrait de fumerolles. Oui, dans l'étable... Non, non, encore, n'y pense pas, accroche-toi au rêve ! Des fumées noires... Je retenais mon souffle.

Trop tard. Elles se rapprochaient. La forêt tout

entière se dissolvait, se désagrégeait, comme rongée par l'acide. De très loin, tout alentour, elle fondait, en se tordant sur elle-même ravagée par une consomption intérieure dont j'étais l'épicentre. Les ballets des frondaisons perdaient leur cohérence, crépitaient, se déchiraient en multitudes d'incendies et le bruissement du vent devenait plus furieux qu'une tornade. La planète tout entière brûlait et je hurlais au bord de l'abîme, dans le souffle dévastateur qui ravageait la forêt de ses flammes.

Ce bruit, ce crissement. Comme si le ciel devait s'ouvrir en deux. Qui cessa abruptement. Et cette chaleur qui me consumait, je sentais les brûlures sur mon visage, et la puanteur, chien mouillé, poils brûlés, charogne. Mes membres étaient paralysés. Et, soudain, j'étouffai.

Je revins à moi en me débattant comme un fou, couché sur le côté, les bras coincés le long du corps. Quelqu'un me bâillonnait, une main gantée s'écrasait sur mon visage, pour m'empêcher de crier, sans égards pour ma blessure. Je parvins à tourner un peu la tête et de mon œil valide découvris Ho Letite, qui courroucé me faisait signe de me taire. Je m'immobilisai, ahuri, tentant de freiner le flot déchaîné de mes pensées. Je me tus, il se releva lentement, tous les sens aux aguets pour écouter la forêt, épier la nuit, les mains tendues au-dessus de moi en injonction au silence. L'aube était en train de se lever, je ne pouvais pas bouger.

Bon sang, la sasquatch, j'étais ligoté sur la sasquatch ! Cette chaleur, cette odeur terrible. Ho Letite avait dû me ramasser, me hisser sur le traîneau pour m'envelopper dans les couvertures avec elle... Comme il se remettait en mouvement, rasséréné, je luttai pour dégager mes bras, mais le jeune Indien me frappa sèchement sur l'épaule.

— Pas bouger, m'ordonna-t-il.

Il en avait de bonnes. Je réussis à extraire un bras, et m'appuyai à ce qui devait être le ventre de la sasquatch, enfin, la femme poilue, la... Sous les couvertures, pour m'en tenir écarté. À l'est, la nuit se teintait de lumière, le froid était glacial, mais je transpirais toujours. Ho Letite m'avait sauvé la vie, cela devait faire des heures qu'il me tirait. Je me hissai sur un coude. Et que faisait-il ? Au lieu de tirer la luge, il la poussait et...

Il me fit à nouveau signe de ne pas bouger. Quelques mètres derrière lui se trouvait un torrent, et ses traces et celles du traîneau y menaient. À présent, il avait renoué ses raquettes à l'envers et entreprenait de nous faire remonter nos propres traces, jusqu'à un affleurement rocheux dégagé sous un arbre. Il brouillait les pistes. Il bifurqua soudain, nous tira encore sur une cinquantaine de mètres, puis coupant une branche de sapin, il fit marche arrière pour aller effacer nos dernières empreintes. Je le hélai :

— Ho Letite, attends, c'est pas la peine. Les Morgensen savent sur quel lac Sherman doit amerrir.

Le jeune homme, contrarié, secoua la tête.

— Suivre quand même traces. En bas, par la rivière. Nous va grimper ici tout droit. L'autre côté, luge. Tu peux marcher ? cria-t-il en me désignant la montagne, alors cours ! Lac. Pigeon Vert, l'autre côté.

Puis il repartit sur ses pas.

Je me démenai pour sortir mon autre bras des couvertures sans trop bousculer la créature, toujours inerte. Et dire que cela faisait des heures que j'étais contre elle... Je m'attaquai aux sangles qui nous liaient à la luge, et, non sans mal, je réussis à les détacher. J'avais toujours mes raquettes aux pieds, Ho Letite m'avait sanglé tel quel. Écartant les couvertures, je roulai sur moi-même, tombant du traîneau dans la neige, et finalement me relevai, chancelant sur mes jambes.

Le froid pénétra immédiatement mes vêtements trempés. Tant pis, il faudrait que la fièvre suffise à me réchauffer. J'étais revenu à moi pleinement conscient du merdier dans lequel je me trouvais, de la précarité de la situation. Ma douleur était très franche, mais seulement localisée dans ma plaie. Mon coma m'avait fait du bien. Je me secouai, ressanglai précautionneusement la sasquatch, enfin la femme étrange, mis le harnachement de la luge, et entrepris de gravir la pente.

Ho Letite eut tôt fait de me rattraper. Je ne l'entendis pas venir, concentré dans l'effort, quand soudain il fut là, à côté du traîneau, je m'arrêtai, hors d'haleine. Il s'accroupit immédiatement, les genoux sur la luge, pour vérifier le confort de la... D'elle... Rassemblant les couvertures avec des gestes attentionnés, il se pencha audessus d'elle pour plonger au fond de ses yeux, avec une telle intensité, que j'en fus presque gêné, je balbutiai haletant :

— Elle, elle va bien ?

— Non, répondit doucement Ho Letite, mais elle contente que moi là.

— Ho, et comment tu le sais, qu'elle est contente ?

— Elle me l'a dit.

— Quoi ? Elle peut parler ?

Il secoua la tête dans un geste de négation et pourtant affirma :

— Elle me l'a dit.

— Vraiment ? Et quoi d'autre, elle, elle t'a dit comment elle s'appelle ?

— Qâ. Elle s'appelle Qâ...

— Mais alors elle...

Ho Letite m'interrompit soudain d'un geste en se redressant pour écouter les alentours. Je ravalai mes questions, m'efforçant de ne plus faire de bruit. Si elle lui avait parlé, alors, c'était vrai, cette créature, cette femme à poils, elle était humaine, indiscutablement humaine. Albert avait eu tort, et ce salopard de vieux Morgensen... C'était un criminel, c'était un criminel que j'avais tué. Et elle, c'était une femme, une femme un peu contrefaite, une pauvre handicapée. Elle avait subi les pires sévices. Elle était humaine.

Ho Letite, concentré, fronçait les sourcils pour mieux entendre. Je m'exhortai à faire taire mon vacarme intérieur, et parvins enfin au silence. La forêt, le bruit des gouttes, les craquements de la neige et soudain, oui, là-bas, très loin.

— Un moteur, chuchotai-je, Sherman, c'est Sherman, le Pigeon Vert !

— Non, répliqua Ho Letite, glacial. Un scooter... Un scooter des neiges. Morgensen...

Il m'arracha littéralement le harnais, le passa et tirant la luge se mit à gravir la pente à toute vitesse, je m'élançai derrière lui. Nous n'avions qu'une centaine de mètres de dénivellation à franchir, et bien vite je dus m'aider des deux mains. Ho Letite, lui, filait comme un chamois. À mi-pente, la douleur me rattrapa, et je sentis pulser dans mon visage comme un cœur de taureau écorché aux veines trop gonflées sur le point d'éclater. Tais-toi, grimpe, grimpe ! Je grimpai... Sauver le reste de ma peau.

J'arrivai au sommet, au bord de l'évanouissement, et trouvai Ho Letite affairé. Il avait changé la position de la sasquatch, de la... De Qâ. L'installant les pieds vers l'avant, presque assise. Nous étions au sommet d'une gorge très raide d'une blancheur immaculée, qui s'évasait en forêt éparse, juste au-dessus du lac où Sherman s'était posé. Nous y étions presque, et là-bas, ce nouveau son que j'entendais par-dessus tous les cris de mon corps.

— Oui, c'est lui, là-bas, là-bas, c'est Sherman, Sherman Alexie !

À l'ouest à quelques kilomètres, je vis le petit avion rouge survoler la forêt dans notre direction. Ho Letite me fit signe de me hâter d'enlever mes raquettes et de m'asseoir sur la luge, derrière la... Qâ, j'obtempérai, à bout de forces, m'installai, m'agrippant de mon mieux, et il la laissa lentement s'affaisser en arrière, jusqu'à ce qu'elle repose sa tête contre mon thorax. J'enveloppai les couvertures de mes bras, et croisai mes raquettes devant elle pour mieux la retenir, calant mes pieds sur les arceaux de la luge. Elle était lourde. Ho s'installa devant, et avant que j'aie bien eu le temps de comprendre, il nous lança dans la pente. C'était presque un à-pic...

La luge fila, chargée du poids de notre peur, si vite

que je fermai les yeux, l'œil. Un bref instant, avant de le rouvrir, encore plus paniqué dans le noir. Ho Letite renonça rapidement à laisser traîner ses pieds de chaque côté, je n'entendis plus que le frottement d'une descente ahurissante, tout le paysage réduit à des traînées blanches, secouées, saccadées, d'un impressionnisme tranchant et agressif, amplifiée du bruit métallique de l'aluminium. Nous filâmes, je me cramponnais d'une main à la luge et de l'autre autour de Qâ, la maintenant fermement devant moi, et par je ne sais quelle putain de hasard, nous passâmes entre les premiers arbres, frôlant des branches à plusieurs reprises à une vitesse insensée, dévalant droit devant nous. Puis la pente se radoucit, je posai mes pieds au sol en même temps qu'Ho Letite, et dans des gerbes de neige, nous reprîmes possession de la luge, parvenant à la guider à travers la forêt, presque jusqu'au bord du lac.

Sherman était là. Le Pigeon Vert était en train d'amerrir, le lac n'avait pas regelé depuis l'avant-veille. Le bruit de son moteur résonnait alentour. Ho Letite se releva d'un bond, complètement recouvert de neige, époussetant ses oreilles, pour écouter, inquiet.

— Vite, vite. Ils viennent.

Je n'entendais pas les Morgensen, mais m'empressai de me lever, allongeant précautionneusement Qâ sur le dos. Nous tirâmes la luge à deux, courant vers le lac.

Sherman nous avait vus. Il traversait le plan d'eau dans notre direction pour accoster au même endroit que l'autre fois. Le temps pour nous de rejoindre la rive, il avait abordé, fait pivoter l'avion et ouvert la porte latérale. Il sauta au sol et s'avança vers nous en souriant, mais reconnut soudain Ho Letite et fronça les sourcils en voyant mon bandage.

— Qu'est-ce que tu fais là, dit-il au jeune homme dès que nous le rejoignîmes, qu'est-ce qui se passe ? — Puis, montrant la civière, il pâlit. — C'est Albert ?

— Non, Albert est mort, criai-je sans m'arrêter, fonçant vers l'avion. Et les fils Morgensen sont après nous !

Il se mit à courir à côté de nous.

— Quoi ? Non, non c'est pas possible !

— Un grizzli l'a tué ! Un grizzli blessé par les Morgensen. L'horreur, et moi, j'ai tué le père, le vieux Morgensen, un... accident, mais j'ai... Il faut faire vite !

— Tu déconnes, musicien ! ?

Le regard de Sherman croisa mon œil valide et lui fit ravaler toutes ses questions. Estomaqué, il s'arrêta, nous laissant continuer jusqu'au bord de l'eau et nous rejoignit à petits pas, sous le choc. Comme Ho Letite et moi soulevions la civière, il se pencha soudain pour écarter les couvertures, révélant le visage de la créature.

— Alors c'était vrai, dit-il effaré en regardant Ho Letite, elle existe, et Albert...

Il se mit à questionner le jeune homme dans sa langue, tout en nous aidant à porter la civière pour la glisser dans l'avion, et celui-ci confirma en deux mots mes propos. Sherman, bouleversé, était au bord des larmes quand soudain retentit le hurlement aigu d'un scooter des neiges s'approchant à toute vitesse.

Sherman sauta sur un flotteur, grimpa dans l'appareil pour hisser la civière. Ho Letite la lâcha, et j'avançai les pieds dans l'eau glacée, la soutenant pour la pousser à l'intérieur, quand le premier coup de feu éclata, frappant l'eau à quelques mètres de nous. Je me retournai. Là-bas, à l'orée du bois, le scooter venait d'apparaître. Le grand maigre le pilotait, le rouquin était derrière lui, le fusil braqué. Ho Letite se mit à courir dans leur direction, faisant passer son arc par-dessus sa tête. Je criai :

— Ho Letite non ! Reviens !

Déjà il encochait une flèche, courant en zigzag, à toute vitesse.

— Ho Letite, Ho Letite ! hurla Sherman à son tour, lui ordonnant de revenir.

Le jeune guerrier innocent n'écoutait plus que son cœur. Il décocha une première flèche, le scooter s'arrêta en dérapant, le rouquin épaula, le grand maigre dégaina un autre fusil de son étui. La flèche se planta dans la neige devant eux. Ho Letite, courant comme un lièvre, filant aussi vite que le vent, d'un geste en fit glisser une autre de son carquois, la mit en place, banda son arc...

— Non, non...

Les fils Morgensen ouvrirent le feu en même temps. Je vis Ho Letite se faire soulever de terre, projeter en arrière tandis que sa dernière flèche allait se perdre dans le ciel, retomber, rouler sur lui-même alors que d'autres projectiles frappaient son corps, le poussant comme un pantin désarticulé. Je hurlai un terrible cri de rage et d'impuissance. Sherman à l'intérieur s'était rué dans la cabine, et soudain son bras apparut, juste à côté de moi, armé d'un énorme automatique dont il vida le chargeur dans leur direction. Les fils Morgensen plongèrent à l'abri du scooter.

— Grimpe, grimpe, me cria Sherman en laissant tomber l'arme vide pour se mettre aux commandes

— Ho Letite ?...

— On ne peut plus rien pour lui. Vite ! — Je bondis dans l'appareil, claquai la porte, alors que Sherman faisait rugir le moulin. Fouillant dans sa poche, il me jeta des chargeurs. — Recharge le flingue et tire par la fenêtre, il faut qu'on prenne de la vitesse !

À genoux j'attrapai l'arme, rechargeai, puis m'agrippant de mon mieux alors que l'avion accélérait de toute sa puissance, je me hissai jusqu'au siège du copilote. Un projectile frappa la carlingue à l'endroit que je venais de quitter, traversant l'avion de part en part, d'autres fusèrent de tous côtés. J'ouvris le hublot, sortis mon bras et, sans vraiment viser, tirai en direction des Morgensen, espaçant mes coups pour les obliger à se remettre à l'abri.

Le Pigeon Vert vibrait comme s'il allait se disloquer, et filait à la surface du lac, qui me paraissait si court, si court. Sherman, livide, en larmes, jurait de toute son âme.

— Assassins d'enfant, charognards, salopards, chiens blancs de la mort !

Continuant dans sa langue, les maudissant eux et toutes leurs futures générations. Voyant la rive opposée se rapprocher à toute vitesse, je posai le flingue et m'empressai de sangler ma ceinture.

— Tu sais chanter, musicien, cria Sherman, la voix brisée, tu sais chanter, alors chante, chante pour Albert et Ho Letite, et toi, arrache-toi, ajouta-t-il à son avion.

Tirant sur le manche, il se mit à pousser un chant profond et guttural, avec une véhémence désespérée. Les projectiles pleuvaient autour de nous, trouant la carlingue et les ailes. J'avais bien trop peur pour chanter. Ho Letite, Ho Letite, tout s'était passé si vite... Les arbres en face de nous étaient beaucoup trop proches, nous n'avions pas la place, nous... Je fermai mon œil. Le fracas des flotteurs sur la glace brisée était terrible, une balle fit éclater un hublot latéral, un courant d'air gelé me frappa et d'un coup, le Pigeon Vert décolla.

Sherman cabra l'appareil, le fit monter en flèche, à l'arrière la civière glissa et alla cogner une paroi. Je me retournai, plaqué à mon siège et, sur la rive, je vis le corps d'Ho Letite, gisant comme démembré, dans ses peaux de bêtes maculées de sang. À quelques mètres de lui, les fils Morgensen continuaient à tirer sur nous. J'entendis encore des balles frapper l'avion, mais Sherman, pivotant sur une aile, plongea derrière un rideau d'arbres, chantant son chant plein de hoquets et de larmes, et nous mit hors de portée. J'étais terrassé de chagrin. Ho Letite était mort d'une façon si absurde. Et Albert. Absurde. C'était la mort qui l'était, ou plutôt... C'était ma vie...

Sherman était complètement absorbé par sa peine, et le pilotage de l'avion. Il chantait plus fort que les ronflements du moteur. Nous prenions de l'altitude. J'avais si mal de perte et d'injustice qu'en ressentant ma blessure, j'eus l'impression qu'elle était amplement méritée, pour toutes les horreurs de ma vie.

Je voulais que Sherman nous amène au plus vite à la police pour dénoncer ces salauds et tant pis pour ma liberté. Mais Qâ ? Je ne savais pas ce qu'Albert avait prévu pour elle, je ne savais pas si j'allais être en mesure de la protéger. J'avais dans mon ventre une énorme boule de culpabilité. Je revoyais sans cesse Ho Letite, propulsé dans les airs comme une poupée de chiffon, une séquence en boucle, qui me broyait les entrailles avec la force d'une main de géant. Je lançai un long râle.

Le chagrin me submergea. Je laissai déferler mes larmes. Je me mis à pleurer de tout mon cœur, hululant dans l'habitacle comme un chien hurlant à la mort. Toutes mes peines, mes déchirures, mes blessures, mes haines et mes souffrances. Les vies perdues de mes amis. Pleurai à chaudes larmes, braillant comme un nouveau-né, sentant le liquide gonfler sous mes paupières cousues. Rejoignant le chant de Sherman dans son intensité. Volant sur ma détresse, abandonné au milieu du ciel. Très loin dans la tristesse, survolant montagnes et forêts sans les voir, mon œil brouillé par les pleurs, fixé à l'horizon sur la ligne du Pacifique.

Nous volâmes ainsi pendant un long moment en direction de l'océan, jusqu'à ce que mes larmes se tarissent. J'étais en état de choc, proche de l'inconscience, ravagé par un flux de pensées atroces, où le sang se mêlait à la neige, explorant ma détresse dans ses moindres recoins. Je ressassais dans le désordre toutes les menaces judiciaires qui m'attendaient. J'étais un meurtrier, même si j'avais des circonstances atténuantes, je venais de perdre mes amis, les seuls qui auraient pu témoigner en ma faveur. Une telle succession de saloperies ne pouvait pas être fortuite. J'avais beau me foutre de la morale cul-bénite et ne pas croire au karma, je ne pouvais m'empêcher de me demander ce que j'avais pu faire pour mériter tout ça.

Soudain Qâ se rappela à moi en poussant un long gémissement, et je frémis à l'idée qu'elle ait pu être atteinte par une balle perdue. Sherman chantait toujours, il était très pâle pour un Indien. Son chant s'était transformé en longue complainte et je n'osais l'interrompre, comprenant très bien qu'il préfère exprimer sa douleur plutôt que me parler. Nous n'avions que des horreurs et de la tristesse à partager. L'avion était de plus en plus secoué et je voyais qu'il se cramponnait aux commandes, pourtant le temps n'avait pas changé, devant nous le ciel était dégagé, sans doute une zone de turbulences.

Rassemblant mon courage, je défis ma ceinture, me levai et, cramponné à la cloison, je retournai à l'arrière pour me pencher sur la civière. Qâ paraissait intacte, ses yeux étaient clos. Je m'agenouillai pour m'assurer qu'elle respirait encore, écartant les couvertures pour l'examiner, détailler son corps velu, chacun de ses membres, son torse et son abdomen, m'attendant au pire, mais non, à part sa blessure à la tête, elle était indemne. Je déplaçai la civière vaille que vaille et la sanglai de mon mieux à la carlingue, pour l'immobiliser. Je mettais dans mes mouvements l'énergie du désespoir, luttant contre moi-même pour ravaler mes larmes, m'agitant pour m'empêcher de penser. J'arrangeai de mon mieux les couvertures sous la tête de Qâ, et c'est en me relevant que je vis...

Le dossier du siège de Sherman était déchiqueté, et dessous, son sang avait formé une grande flaque... C'était lui qui avait été blessé. Sans doute touché par une des dernières balles qui avaient frappé l'avion, et je ne m'étais rendu compte de rien... Je ressentis comme une décharge électrique. Glaciale. Le Pigeon Vert fonçait toujours, et Sherman Alexie, valeureux pilote Tshimshian, chantait son chant de mort en cinglant dans l'azur. Je m'approchai, tout doucement posai une main sur son épaule.

— Sherman, Sherman, ça va ? lui glissai-je.

Il continua de chanter, les larmes roulant sur ses joues. Je m'avançai dans l'habitacle, me rassis sur mon siège sans le quitter des yeux, bouclant ma ceinture. Il tourna alors lentement la tête vers moi, j'entendis plusieurs fois dans son chant les noms d'Albert et d'Ho Letite. Ma gorge était nouée d'un nœud sanglant. Il laissa sa chanson décroître en volume, s'évaporer en un murmure, vite dilué dans le vacarme ambiant, stabilisa le Pigeon Vert, parcourant des yeux les instruments de bord et dit :

— Tu n'as pas chanté avec moi, musicien. Pourtant à côtoyer ainsi la mort, tu dois être plutôt bon pour le blues, non ?

— Sherman...

— Je n'aurais pas la force de vous amener à bon port, toi et ton amie. Je vais aller rejoindre Ho Letite et Albert. Peut-être est-ce mieux ainsi. J'aurais eu trop honte de rentrer sans eux, et sans les scalps des Morgensen.

— Non... Dis pas de bêtises, Sherman, bon dieu. Elle, Qâ, la sasquatch, elle existe, elle est vivante. Ho Letite et Albert avaient raison, il faut qu'on la ramène. Et qu'on prévienne les flics. Ces salopards de Morgensen, on ne peut pas les laisser s'en tirer comme ça !

Il tourna vers moi ses grands yeux tristes, fut pris d'un spasme qui le fit grimacer et trouva encore la force de sourire.

— Est-ce que tu sais piloter, musicien ?

Les mots sortaient de sa bouche avec de plus en plus de difficulté.

— Non, oh non je sais pas ! répondis-je effaré, et montrant mon œil, je ne suis pas en état bon sang...

— Alors il faut qu'on se pose au plus vite, aide-moi à tenir le manche.

— Mais comment, je...

— Prends-le, là devant toi, fais comme moi. Voilà, doucement, pousse un peu vers l'avant... Il faut qu'on atteigne la côte.

Je pris ma première et seule leçon de pilotage. Je voyais Sherman perdre peu à peu ses forces, et je l'aidai de mon mieux en suivant ses indications. Il m'encourageait alors que j'avais l'impression que ma maladresse ne faisait que compliquer les choses. L'avion était brinquebalé de droite et de gauche et, à chaque secousse, il semblait souffrir davantage. Sous son siège, la flaque de sang ne cessait de s'agrandir.

— Et la radio, faut qu'on lance un SOS, qu'on vienne nous aider !

— Je l'ai sabotée moi-même pour ne pas être atteignable, me dit-il avec un petit rire amer et douloureux. Sacré Albert... À gauche, incline un peu le manche à gauche. Aaah merde, mon bras, je ne sens plus mon bras, le levier là, près de ta main ce sont les gaz, réduis un peu, pas tant, voilà. Comme ça...

J'agissais sur des commandes sans connaître leurs effets. Sherman, dont la respiration devenait sifflante, m'assurait que je m'en sortais bien.

Nous descendîmes jusqu'à enfin survoler la côte, à quelques centaines de mètres de hauteur, et nous dirigeâmes vers le sud. Je scrutai désespérément les environs, espérant voir une agglomération. Ici il n'y avait pas de neige. Le littoral était très découpé, bordé de quantité de petites îles aux rivages déchiquetés d'où débordait une végétation exubérante et l'océan était très agité. Des vagues beaucoup trop grosses pour amerrir.

— Tu sais, musicien, ajouta Sherman en m'indiquant l'arrière d'un signe du menton, malgré tout je n'y croyais pas trop à l'histoire d'Ho Letite. — Puis déglutissant avec difficulté. — Alors c'était vrai. Parle, parle-moi d'elle...

Et dans son regard serein se reflétaient la profondeur paisible du ciel et de la mer mais aussi la rudesse et la sauvagerie du paysage. Je ne trouvai pas mes mots.

— Elle est... comme le disait Ho Letite. Une femme avec des poils... Pas une sasquatch, non, en tout cas pas une grande primate comme Albert l'imaginait. Elle est blessée à la tête, mais elle vit. Bon dieu, Sherman, il faut que tu tiennes le coup, on va se poser et trouver des secours, j'arrêterai ton hémorragie et...

— Il n'y a rien ni personne autour de nous, musicien. Seulement la forêt, la forêt rouge où reposent les esprits des ancêtres. Ho Letite s'y sentait si bien. Lui savait, il savait toutes ces choses que mon peuple a oubliées. C'est pour ça qu'il l'a trouvée, il savait toutes ces choses de l'instinct, que les enseignements des Blancs nous ont fait perdre. Oui... — Il s'étrangla soudain, se mit à tousser et j'eus peur qu'il n'arrive pas à se reprendre. Il le fit pourtant. — Tu sais, musicien, c'est presque un honneur pour moi de mourir pour cette femme poilue, elle est une créature sacrée, en mourant pour elle, c'est un peu comme si j'entrais dans la légende.

— Arrête, Sherman, arrête, il n'est pas question que tu meures, ni pour elle ni pour personne. Albert, Ho Letite, ça suffit, ça suffit comme ça. On va se poser, je te soignerai, on trouvera des secours, et... — Sherman fit une nouvelle grimace en poussant un long râle et ferma les yeux. Je criai : — Sherman, Sherman non !

Péniblement il tourna la tête pour me regarder et parvint à dire :

— J'aime ton optimisme, musicien, mais tu as ouvert une porte interdite, toi seul peux la refermer. — Puis me désignant soudain un fjord encaissé : — Là, il faut amerrir là, aide-moi, donne-moi ta force...

M'indiquant les manœuvres à suivre, Sherman fit tourner l'avion pour le survoler. Au fond les vagues étaient presque inexistantes, le vent venant d'ouest, il fallait pourtant que nous le remontions, pour nous y poser en volant en direction de la mer. Le fjord était profond et large d'environ deux cents mètres. Nous fîmes un demi-tour penché sur l'aile, puis l'avion chaloupant de droite et de gauche, Sherman nous aligna dans le bon axe et entama la descente.

— Voilà, vas-y doucement, tout doucement, ralentis, raaah, coupe encore les gaz.

Je n'avais pas la moindre idée de la vitesse de décrochage d'un avion, je ralentissais et j'accélérais sans cesse, sentant le Pigeon Vert descendre par paliers brutaux, avec l'impression de donner autant de coups dans la blessure de Sherman.

— Tiens bon, Sherman, je t'en prie, tiens bon...

— Voilà tu y es, balbutia-t-il. — Je vis de chaque côté les parois des falaises. Et l'eau se rapprocher. — Encore, descends, voilà. Du calme, attention, les arbres, tu es à la hauteur des arbres, ralentis, non pas tant, remets la gomme. Doucement, pas trop vite au moment de toucher l'eau. Attention !

Je voyais défiler les berges, je ralentis encore. L'avion se mit à dandiner de la queue, comme en dérapage, droite gauche, droite gauche. La proximité de la surface affola mon sang-froid et alors que j'étais certain que les flotteurs allaient toucher l'eau, je remis les gaz un poil trop fort. L'avion se cabra, puis retomba violemment, frappant l'eau comme une pierre, ricochant à la surface, se penchant dangereusement d'un côté puis de l'autre. Sherman s'étrangla soudain, vomissant des bulles de sang par la bouche et s'affaissa en avant, lâchant les commandes, seulement retenu par son harnais de sécurité. Je vis son dos déchiré. La balle avait dû éclater sur l'armature du siège et les fragments avaient pénétré à hauteur des reins et lacéré ses organes. Je coupai les gaz, sentis les flotteurs s'enfoncer trop profondément, réaccélérai. Redressai.

— Non, Sherman, non ! Tiens bon ! C'est pas vrai, mais c'est pas vrai ! On a réussi, on a réussi !

L'hydravion fila à la surface, les flotteurs fendant l'eau comme des pirogues avec des gerbes immenses. Je coupai tout.

— On y est, Sherman, on l'a fait ! — L'avion filait, bien aligné entre les berges, quand soudain un tronc à moitié immergé apparut, là-bas, loin devant moi. — Merde ! — Et l'avion allait encore vite. — Sherman, Sherman ! — Sherman ne répondait plus. — C'est comment qu'on freine ! Plus de moteur, les volets, actionne les volets ! Je tirai, poussai, rien à faire, le Pigeon Vert continuait tout droit, tout droit sur le... Ne ralentissait pas assez...

Un des flotteurs frappa le tronc, s'arrachant avec un bruit industriel. L'avion bascula lentement, il avait déjà perdu presque toute sa vitesse, le bout d'une aile frappa une vague, la prenant comme point d'appui, il fit un demi-tour complet, se leva...

Je sentis le Pigeon Vert partir en pirouette, de mes deux bras je protégeai ma tête. L'aile fut arrachée, l'avion se souleva sur son axe d'un mouvement gracieux et s'enfonça droit dans l'eau glacée. Les vitres du cockpit implosèrent devant moi. J'eus juste le temps de retenir mon souffle avant de me retrouver immergé. J'étais déjà tellement frigorifié que l'eau froide ne me choqua pas trop, au contraire elle fouetta mes sens, d'un incroyable sursaut d'énergie.

Sous l'eau, je me débattis comme un fou pour défaire ma ceinture de sécurité, m'accrochai au dossier de mon siège pour me hisser où l'air prisonnier de la carlingue faisait bulle. Avec un grand cri, je sortis ma tête de l'eau, pris une profonde inspiration et replongeai pour libérer Sherman. Je luttai pour le tirer et atteindre la boucle de son harnais, mais il s'était avachi sur le manche à balai, et j'eus beau faire je ne parvins pas à en déclencher l'ouverture. Autour de nous l'eau bouillonnante se teintait de son sang, je le secouai encore et encore, ses bras mous s'agitant comme des algues. Il ne réagissait plus aux assauts répétés de mon désespoir, il était sans connaissance. Je m'acharnai de plus belle, glissant un bras autour de son cou pour le redresser, criant dans ma tête pour qu'il m'aide, qu'il bouge, qu'il revienne. Finalement à bout de souffle, je dus bien me rendre à l'évidence. Sherman, mon dernier ami, ne respirait plus, la mer avait pris le dessus. Sherman mon ami Tshimshian. Je l'avais connu si peu, pourtant des liens de sang nous liaient, Sherman Alexie était mort... L'instinct de conservation de ma colère fut le plus fort. Je me propulsai en arrière pour reprendre ma respiration.

Derrière, Qâ, ligotée sur la civière, pendait la tête en bas. Je ramenai mes jambes sur le dossier, grimpant vers elle alors que l'avion s'enfonçait, détachai les sangles qui la maintenaient sur la civière, la dépêtrant des couvertures. Quand je réussis enfin à la libérer, l'eau m'arrivait à la taille. Je fis glisser son corps, l'attrapant sous les bras, me retournai et ouvris la porte, qui bascula vers le bas. L'eau tout de suite s'y engouffra. Je pris appui sur le battant et plongeai le plus loin possible, crevant la surface, m'arrachant aux remous. La rive n'était qu'à une vingtaine de mètres. Je nageai sur le dos, toussant, suffoquant, incapable d'autre chose que d'agir, un bras passé sous l'aisselle de Qâ, lui soutenant le menton. L'eau froide et salée brûlait ma blessure comme si chacune de mes cellules éclatait sous l'effet du gel. Je nageai, tirant Qâ inerte, lourde comme un poids mort. Exténué, je parvins à atteindre la rive.

Je la tirai encore, fis quelques pas plié en deux pour sortir son corps de l'eau, la hissant sur la terre ferme, puis me retournai bien décidé à aller chercher Sherman. Alors que je redescendais dans l'eau, je vis le Pigeon Vert s'enfoncer d'un seul coup avec un bruit de cataracte et disparaître sous la surface.

— Sherman, Sherman non ! Mais pourquoi, pourquoi ! ? hurlai-je et ma voix résonna contre l'autre bord du fjord. Je tombai à genoux.

Le froid alors me saisit, me pétrifiant d'un engourdissement agréable et létal. La mer se referma sur l'avion avec le drapé d'un linceul. Dans un effort démesuré, je m'arrachai au liquide et rampai jusqu'à la terre ferme. Me recroquevillant sur moi-même sur le sol glacé, grelottant. Sentant mes sens se figer, congelés par la mort blanche, je pensai à cette nouvelle de London, où un homme meurt de froid, faute d'avoir pu construire un feu. Moi je n'avais même pas de quoi en allumer un...

J'avais perdu tous mes amis.

Qâ...

Me traînant à la force des bras, je la rejoignis et me lovai contre elle. Morte ou vivante, elle dégageait un peu de chaleur. Je l'enlaçai, me collant contre son corps. Puis alors que je me disais, mais où, où donc ai-je trouvé la force ? Je sombrai enfin dans l'inconscience, accueillant la mort comme une délivrance...

15

Le vide. Infini, sidéral.

Vide de matières, d'ondes et de conscience. Vacuum. Irréalité...

Néant.

Juste rien. Même pas d'ennui.

Ni temps, ni lieu, ni espace.

Et tout à coup...

Apparition d'une particule. Surgie de... soudain elle est là... Point, trait, ligne. Bien plus véloce que la lumière... et pourtant immobile. Et, simultanément, une bribe de conscience. La particule ? Non, elle s'y reflète, de façon si parfaite... File à la même vitesse. Indissociablement dissociées, additionnées elles ne sont qu'une. Qui de l'une ou de l'autre détermine le réel ?

La conscience n'a conscience que d'elle-même, pourtant la matière s'y reflète, fait de ce reflet consistance.

La particule file. Tout droit, sur sa trajectoire sinueuse. Précédée et suivie de ses ondes vibratoires. Devant, derrière, tout autour, en cercles concentriques dans le vide, sans commencement ni fin.

La conscience n'a conscience que d'un point. Mais elle pressent que l'influence de sa présence, au présent, est instantanément perçue, partout depuis toujours à jamais. Elle tend, la conscience, vers ces dimensions absolues où temps et espace ne sont plus...

Mais, dans sa volonté d'être, la conscience se perçoit comme trop insubstantielle. Manque un peu de matière. Autour d'elle, d'autres particules fusent à travers le vacuum, trajectoires parallèles, perpendiculaires et obliques, elliptiques. Vibrant chacune de sa fréquence, reliant d'un bout à l'autre le néant, tissant des réseaux d'ondes lumineuses dans l'absence de lumière.

De leurs entrecroisements naissent des formes géométriques : dodécaèdre, cône, pyramide, pentagone, et à chaque intersection les vibrations deviennent iridescentes, formant comme une toile infinie et mouvante, évolutive et omniprésente.

Autant de particules, autant de bribes de conscience.

Qui, un peu jalouses de leur manque d'effet, s'amalgament, font une bulle. Leurs clairvoyances se fondent, se mélangent, s'accumulent, leur multiplicité devient une.

Dans sa soif d'être, conscience appréhende le manque de substance... Des formes, elle définit un piège à particules, une trappe où celles-ci, sans échappatoire, s'agglomèrent, s'affolent, se heurtent, se fondent. Deviennent quelque chose.

Et ce faisant, conscience jubile, se félicite de son importance, lourde d'exubérance, gonfle, enfle, par peur de la légèreté, s'alourdit. Et les particules prisonnières continuent à vibrer la nuit, d'entrelacs, de vrilles et de sphères, de liaisons avec l'infini.

Et la bulle. Sans cesse plus complexe, sans cesse plus dense, aveugle dans sa soif d'exister, se charge encore, se remplit et dans sa quête d'intelligence, néglige le message formulé clairement dans la nuit :

« Qu'importe conscience et matière, l'être est d'invisible lumière. »

La conscience se gave encore et déborde. Se démesure, s'appesantit, beaucoup trop lourde, et d'un coup, comme prise d'une gravité induite, elle tombe. Se décroche. Choit. Chute vertigineusement à travers le néant.

AAAaaâââââaaa...

Boris Genssiac est mort...

La conscience dégringole, si vite que le vide devient tunnel, au bout duquel la lumière s'amenuise, disparaît. La bulle au sein de laquelle bouillonnent formes et particules ne sait plus ce qu'elle est.

Elle tombe, et sans jamais qu'elle s'arrête, elle ne tombe plus. Engluée comme dans la mélasse. Elle végète tel un neurone sans synapse, croupit, se lasse. Par un coup de fortune, une dernière particule folle la frappe. Une errante égarée.

Quelque chose se passe. Ça bouillonne dans la calebasse.

Se compose, s'articule. Un atome ! Se structure. Une molécule ! Dix molécules qui se forment, se construisent, s'assemblent.

Se dupliquent, s'empilent. Et la pile, de plus en plus haute, se vrille, grandit, se démultiplie, devient une longue chaîne, qui s'étire, s'étire, doubles hélices enroulées sur elles-mêmes.

ADN ! Chromosomes, noyau, cytoplasme !

La conscience est cellule, milliers, milliards de cellules. Elle est la conscience d'une cellule, de toutes et de chacune. Elle est le chef d'état-major d'une guerre sans merci lancée contre une invasion de staphylocoques, dont elle distingue les grappes, à un jet d'anticorps, dans la béance d'une déchirure de tissu.

D'une blessure.

— À moi, leucocytes polynucléaires, resserrez sur le flanc droit, et vous les monocytes, qu'est-ce que vous attendez pour intervenir ! Allez, en position à l'angle de la paupière !

Une blessure ? La paupière ?

Mais alors... ?

Boris Genssiac est mort...

Ce jour-là, quand son corps gît dans la boue glacée de la berge, enlacé avec la femme velue, il ne le sait pas encore, mais il est déjà mort.

Il ne voit pas l'étrange silhouette qui dévale un sentier de la falaise avec la grâce d'un bouquetin, grognant, ahanant, dans un vacarme d'avalanche, de griffes et d'os entrechoqués. Qui court dans leur direction, saute les pierres, trébuche, s'élance, s'arrête à quelques pas d'eux.

Il ne voit pas les derniers remous s'échappant du Pigeon Vert, engloutissant le corps de Sherman Alexie dans les eaux glaciales du fjord.

Il n'entend pas l'homme qui s'avance, les mots qu'il jette, siffle, crache, psalmodiant de façon hachée comme des incantations désinfectantes. Il ne voit pas ses habits de peaux, auxquels sont accrochés autant de colifichets, d'os d'animaux, de bois, de corne, colliers de griffes, bouts de miroir, pièces de bronze, de fer et d'argent, lanières de fibres. Ni ses bourses d'écorces, sa cape bariolée aux motifs d'animaux stylisés, ni son couvre-chef en castor, enturbanné d'un ruban de rémiges noires et de plumes de geai d'un bleu métallique.

Et encore moins il ne voit l'expression de son visage quand il découvre Qâ. Son visage... Il bouge son corps comme celui d'un enfant, pourtant son masque de rides est celui d'un vieillard. Sauf les yeux, plissés de rire, pétillants de malice. Mais là, ils sont écarquillés les yeux, abasourdis, stupéfaits. Quand il découvre Qâ, il interrompt sa litanie et pousse un cri qui pourrait sonner comme :

— Enfin !

Il s'avance, la regardant comme s'il devait à tout jamais graver dans sa mémoire l'instant de cette rencontre. Elle est sans connaissance et ses yeux sont fermés. Il s'avance, s'agenouille et doucement saisit sa main dans les siennes.

Il se penche. Écoute ses pouls...

Le flux de l'énergie vitale s'active encore. Pour Boris Genssiac, il n'a qu'un regard embarrassé. Il s'agite, trouve de l'écorce sèche, des brindilles, des branches, qu'il entasse sur un espace sablonneux à proximité. Construit un feu. Frotte un briquet d'amadou et démarre un brasier d'enfer.

Il retourne vers Qâ, à qui il s'adresse avec beaucoup de déférence, il semble s'excuser de devoir poser les mains sur elle, il s'accroupit, passe ses bras sous ses aisselles, et quand il la soulève, découvre sa blessure à la tête. Il pousse des petits cris qui font penser aux gémissements d'un chiot. Très précautionneusement, il la déplace près du foyer et l'installe sur le côté, le dos au feu, pour pouvoir examiner sa plaie. Il recommence à psalmodier, enlève sa cape. Dessous il porte un sac à dos, fait d'une armature de bois léger et de lanières de cuir, sur laquelle sont tendues des peaux de daim. Il en sort un bol d'osier au tissage serré qu'il va plusieurs fois remplir de l'eau du fjord, pour ensuite la verser lentement sur la chevelure de Qâ, tentant de diluer les caillots qui emmêlent son épaisse chevelure. Par endroits, Qâ porte des dreads qui feraient la fierté d'un rasta.

Quand il a bien dégagé sa blessure, il soulève une autre couche de ses habits et en sort une gourde faite d'une vessie sèche de caribou, et une longue bourse en queue de castor. Il en extrait de petits paquets recouverts de fibre végétale, en choisit un, range les autres, l'ouvre, il contient des feuilles et des baies écrasées, il attrape la boulette, la met dans sa bouche et commence à mâcher. Il débouche la gourde, la porte à ses lèvres et prend une grosse gorgée d'un liquide ambré. Il mâche encore pour bien mélanger les substances, et recrache la mixture sur la blessure de Qâ, l'étale.

Il sort de sa bourse un rouleau de plaques de lichen pressées, séchées, aussi fines que du papier, il les déroule et les colle soigneusement sur la plaie, avant de recouvrir celle-ci d'un tampon de fibres d'écorce de saule, qu'il ceint autour du front de Qâ, avec un bandeau de peau de daim, s'excusant comme s'il commettait un acte sacrilège. Ayant confectionné un petit coussin de mousse, il la fait précautionneusement pivoter sur le dos pour la mettre face au feu.

Qâ a ouvert les yeux. Elle ne peut les bouger, mais l'homme y plonge. Il est pris d'un sourire d'illuminé. Elle est vivante ; elle vit. Il se redresse et pousse des cris craintifs et farouches comme des jappements de coyote. Il ramasse sa cape, la fait voltiger dans les airs, l'étend sur Qâ, et la borde avec douceur, sans cesser de lui dire des paroles de respect et d'amitié. Elle referme les yeux. Alors seulement il se souvient de l'autre.

Boris Genssiac est très froid. Son pouls à peine perceptible. L'homme observe sa blessure à l'œil qui a saigné sous les bandages. Il soulève un peu le tissu, et découvre la couture sur la joue, qui l'étonne. Il tire le corps vers le feu, avec beaucoup moins de ménagement que celui de Qâ. Bien qu'il soit plutôt petit, il fait preuve d'une force surprenante. Maugréant il l'installe sur le côté, à nouveau fouille dans sa bourse, en sort les petits paquets. Il a beau les touiller du doigt, il ne trouve pas ce qu'il cherche. Il les range, débouche sa gourde et tente de le faire boire, mais Boris n'avale pas et le liquide s'écoule sur son menton. Pestant, l'homme croise les bras et réfléchit.

Puis il s'affaire à toute vitesse. Court tout alentour, ramasse du bois, de grosses bûches, charge le feu d'un tas immense. Il plante d'autres branches autour du foyer pour éviter que des troncs ne roulent, s'assurant bien de la distance des deux corps inanimés.

Il retourne vers Boris, le domine en le fusillant du regard et, débitant une longue liste de reproches et de griefs, s'agenouille, et se met à le déshabiller. Il lui enlève tous ses vêtements trempés, rapproche le corps nu des flammes, accroche les habits à des branches pour les mettre à sécher. Puis, jurant de plus belle, le vieil homme décroche ses colliers de griffes, ses gourdes, et ses multiples bourses, et avec un dernier soupir, se met lui aussi à se déshabiller. Il enlève toutes ses couches, de peaux, de fibres et de tissu, se met nu et s'acharne immédiatement à passer ses habits secs à Boris. Celui-ci mérite ses injures par sa complète inertie. Le vieux lutte pour lui faire enfiler chemises, tuniques et vestes, se débat pour le pantalon, l'abreuvant de considérations malveillantes quant à sa mollesse.

Dès qu'il l'a vêtu, le vieil homme remet tous ses colliers, récipients, ustensiles, et son sac en bandoulière, retourne se pencher au-dessus de Qâ, s'assure qu'elle est entièrement couverte dans sa cape, et poussant au ciel des injures et des cris de joie, il part en courant, en direction de la falaise, trottant nu dans la forêt, son corps fumant dans le soleil, alors qu'il ne fait pas plus de cinq degrés.

Boris ne voit rien de tout ça. Il erre dans les limbes de dimensions étranges. Il ne dort pas, il ne rêve pas, ne pense pas.

En fait, il est, à peine...

Sa conscience est comme une mare stagnante recouverte de glace. Tout y est pour que la vie foisonne, mais tout est figé. La mémoire, les sens, l'intelligence du corps et de l'esprit. Il croupit entre des souvenirs trop fugaces qu'il n'a pas le temps d'évoquer, et des rêves, des songes, des fantasmes, si lents qu'immobile, chaque fois il les dépasse, sans pouvoir les attraper.

Il est comme... suspendu, à une nanoseconde d'éternité entre la vie et la mort, un pont fin comme un fil d'araignée tendu entre pôle Sud et pôle Nord.

Il ignore les oscillations que son simple souffle provoque...

Il ne voit pas revenir le vieil homme, quelques heures plus tard, suivi d'une mule à la robe tachetée comme un appaloosa, qui tire un long travois. Ni ne voit son visage anxieux quand il s'avance pour vérifier l'état de Qâ, ni n'entend son bonheur quand il voit ses yeux ouverts.

Le vieil homme a revêtu son costume d'apparat, en peau de caribou blanc, brodé de perles multicolores. Sa nouvelle cape est immense, il la porte comme un poncho. De forme triangulaire, elle est tissée de poils de chèvre des montagnes et de fibres de thuya, brodée d'oiseaux stylisés, en noir et en rouge, dans lesquels on reconnaît des silhouettes de corbeaux. Sur son pourtour sont cousues des peaux d'hermine, frangées en alternance de becs d'oiseaux et de grelots. Par-dessus, pendent ses gourdes et ses talismans. Quand il bouge, il émet un bruit de sonnailles. Sur sa tête est posé un curieux chapeau de bois, presque un chapeau chinois ; de forme conique, lui aussi surmonté d'une effigie en forme de bec, d'un empilement de plots ronds, ceints de plumes d'aigles et de corbeau.

Le vieil homme se penche sur Boris, grimace en le découvrant toujours vivant, à croire que sa persévérance l'embête. Néanmoins, il prend son pouls, en grommelant des onomatopées rauques. Il grimace de plus belle, fouille dans une bourse, en sort une fiole et, soulevant délicatement son pansement, il la vide sur sa blessure, puis il prend une gourde et essaie à nouveau de le faire boire, sans succès. Il se relève pensif. Va fouiller les habits qui ont séché sur les branches, n'y trouve rien concernant leur propriétaire.

Boris Genssiac est mort au monde. Il n'a plus ni papier ni argent, toutes ses affaires ont brûlé, et avec elles les liens de son passé. Mais la mort n'a pas encore décidé du moment de l'emmener.

Le vieil homme va chercher sur le travois un gros tas de fourrures et de couvertures. Il en étend sur le sol, tire Boris inerte par les bras, y fait glisser son corps, l'emmaillote avant de nouer les extrémités comme un hamac. Il le tire et le fixe au travois, suspendu, une corde passée sous les aisselles.

Il retourne ensuite se pencher sur Qâ.

Boris ne voit pas avec quelle humilité il s'adresse à elle, ni l'éblouissement de gratitude quand il plonge son regard dans ses yeux d'abîme. Encore une fois il s'excuse d'oser porter les mains sur elle, comme il le doit. Il farfouille à nouveau sous sa cape, et en sort un genre de hochet, un oiseau de bois aux ailes déployées, au bec grand ouvert, à la forme stylisée, il le secoue, et les perles qui s'y entrechoquent font un « Crâa » de corvidé. Il définit un rythme, le suit en agitant les grelots de sa cape, danse immobile et se met à chanter.

Il braille un chant nasal et flûté qui pourtant résonne dans le fjord comme un hymne de joie, rebondit jusqu'au ciel, entre ses parois. Puis il se tait et, continuant sa danse, range son hochet et s'active, sans jamais rompre le rythme de ses sonnailles. Doucement il déplace Qâ, l'installe confortablement sur le travois, enveloppée dans des couvertures, la tête soutenue par d'épaisses fourrures. Il la sangle, saisit les rênes et, agitant ses grelots, entraîne l'équipage derrière lui.

Il gravit la falaise par un goulet pierreux, s'enfonce dans la forêt, à l'ombre des arbres immenses. Par endroits il se fraye une voie avec une espèce de machette à lame triangulaire inversée, tant la végétation est dense. Boris ne le voit pas, quand il soutient un des pieux du travois au bout d'une corde dans le vide, pour franchir un sentier trop étroit. Ni quand il traverse des torrents, une lanière tendue sur les épaules pour soutenir leur poids, mouillant ses mocassins brodés plutôt que les pieds de Qâ.

Boris ne sait rien de tout ça. Le fil ténu sur lequel il dort en funambule est agité d'oscillations arythmiques et contradictoires. Il n'y a plus qu'une fréquence qui le soutienne, fixe son attention sur la vie. Malgré les couvertures et la fièvre qui bouillonne, il est froid, si froid... Les battements de son cœur ralentissent encore. Au gré des secousses et des chocs du travois, il est pourtant de plus en plus immobile.

Le vieil homme sort de la forêt juste avant la tombée de la nuit, devant une paroi rocheuse d'une dizaine de mètres de hauteur, au pied d'une montagne taillée comme des escaliers de géant. Il la longe et s'enfile dans une brèche, si raide qu'il la gravit en tirant la mule pas à pas. Il trébuche, glisse parfois, tombe sur le derrière, se relève, mais jamais, jamais n'interrompt la danse de sa cape, le rythme des grelots. Il a traversé des fourrés, couru dans des descentes, même chevauché la mule, il a porté, poussé, hissé, sans jamais perdre le tempo. Il agite les grelots d'un mouvement d'épaules, indépendant de celui de ses pas, comme si sa cape était reliée par des filaments invisibles, à quelque marionnettiste de l'au-delà.

Ces vibrations de crécelles, ce son métallique et narquois, qui irrite et tintinnabule, ces fréquences énervantes, certaines si aiguës, presque inaudibles, ce sont elles qui effleurent Boris dans son inconscience, elles qui le maintiennent entre vie et trépas.

Le vieil homme franchit en haletant les derniers mètres, et débouche sur une esplanade, surplombant à perte de vue la canopée. Bordée de séquoias millénaires, trois d'un côté, un de l'autre, adossée à une falaise dont les strates évoquent la crête d'un dragon, elle forme comme une terrasse. En son centre s'ouvre une brèche, une fracture dans le plateau, un trou, un aven bordé d'un saule immense, où s'engouffre un ruisseau qui sourd du pied des rochers, ruisselle entre les arbres et d'un coup disparaît. Tout autour, d'abord un cercle de joncs, d'aconits et de symplocarpes, effilochés par l'hiver, puis une forêt clairsemée aux multiples essences.

Le vieux danseur y faufile la mule et son travois, slalomant entre les arbres comme parmi ses meubles, tintant de ses notes cristallines, il se dirige derrière l'énorme thuya solitaire, c'est là qu'est sa maison. À moitié troglodyte, adossée à la falaise, elle est construite sous un surplomb, et épouse si bien la paroi derrière elle, qu'elle fait aux rochers comme une excroissance, un gigantesque champignon. Construite d'un assemblage de pieux et de planches de thuya, elle est recouverte de larges bandes d'écorce de bouleaux, luisantes comme des écailles de velours, dans la lumière du couchant.

Boris ne voit rien de tout ça. Il ne voit pas le mal que se donne le vieil homme pour le détacher du travois et le tirer à l'intérieur, sans lui donner de secousse et sans ralentir son tempo. Et là l'installer sur une couchette de fibres tressées, à côté d'un grand foyer où luisent encore des braises. Il plane Boris, en mourant doucement, seulement fixé par cette vrille qui fait vibrer ses tympans.

Son cœur fait quelques extrasystoles.

Il n'entend pas le vieil homme ressortir, cliquetant pour aller chercher Qâ, et la ramener très précautionneusement. Puis déployer les couvertures, de l'autre côté du foyer, retirer la cape qui l'entoure, dévoilant le corps de la femme poilue dans la pénombre. Il ne le voit pas sortir son hochet, épouser le rythme des grelots, se mettre à chanter, avec une gravité appliquée. Il n'entend pas sa voix s'immiscer dans les harmoniques des sonnailles, les gonfler d'espoirs comme des sanglots de violons, ni le hochet croasser comme des nuées de corbeaux.

Boris ne sait rien du vieux épuisé, qui enfle son chant avec passion jusqu'à son paroxysme et d'un coup se tait, se met à sauter de plus en plus vite, de plus en plus fort, accélérant le rythme, puis à trembler, se secouer, transformant son hochet en un objet flou, et sa cape en cascade scintillante, jusqu'à produire des cataractes sonores, un bruissement cristallin d'un incroyable volume, dense, ininterrompu et soudain...

Il saute en l'air et retombe immobile.

Les dernières notes des grelots se diluent dans le silence.

Tout ça Boris Genssiac l'ignore. Il ne sent même pas quand sa vie cesse.

Quand son cœur s'arrête.

Le fil ténu se brise...

Boris Genssiac ne voit pas le vieil homme sursauter, se retourner vers lui.

Il l'ignore, mais il plonge dans la mort.

Il ne sait pas que c'est là que commence mon histoire.

Boris Genssiac est mort.

Et je suis l'homme qu'il est devenu...

Deuxième partie

L'ÉVEIL

1

C'est le venin du tatzelwurm qui me fait revenir à moi.

Alors qu'ébloui, béat, mes derniers lambeaux de conscience plongent dans la lumière d'un bonheur incommensurable, quelque chose soudain me rattrape...

Avant même d'être revenu du coma, avant même de me rappeler mon nom, je me hurle déjà que je n'ai plus d'antidote. Le venin de Pripréfré déferle sur moi, secoue mes nerfs d'une douleur immense, qui brûlent comme des mèches de dynamite. Tétanisé par la crémation intérieure et malgré tout secoué de spasmes qui brisent mon corps en morceaux, je suis la proie d'un courant bien plus qu'électrique. Je veux ouvrir les yeux mais un seul fonctionne.

Tout me revient, le grizzli, les morts, le fjord...

Un hurluberlu carnavalesque entre dans mon champ de vision. Affublé d'un chapeau pointu et d'un costume à grelots. Je ne le vois pas bien dans la pénombre. Il se précipite sur moi pour me maintenir fermement sur la banquette où je suis couché. La douleur me dévore, je me débats.

— Ggghh... Gggghheueu ! profère-je en bavant.

Je me crispe, il me tient les bras, je m'agite, il ne bouge pas, et d'un coup la crise s'évapore, d'un coup la douleur m'abandonne, comme autrefois. Je retombe, haletant. Le type me lâche, il frotte un briquet à amadou, saisit une lampe à huile et l'allume. Je découvre son visage. C'est un vieil Indien dans un costume traditionnel, surchargé de quincaillerie. Il me regarde, complètement effaré.

— Où suis-je ? Qui êtes-vous ? lui dis-je, la voix rauque.

Il ne me répond pas. Il me parcourt de la tête aux pieds, regarde même autour de moi, et je comprends que ce n'est pas ma présence qui l'inquiète, ni ma blessure, mais bien la crise qui vient de me saisir, de me faire revenir. Le mal atroce du venin de Pripréfré.

Le type recule, sans cesser de me détailler. Je me hisse sur un coude et m'aperçois que je porte des habits de daim, des vêtements qui ne sont pas les miens.

— Bon dieu, vous m'avez sauvé, c'est ça ? Au fjord... Ça alors, merci... Sans vous, je... Je ne sais comment... Et Sherman, le pilote, dans l'avion ? — Il ne réagit pas. — Et, et Qâ ? — Je la vois derrière lui, de l'autre côté des braises. — Oh, elle va bien ? — Il fait un vague hochement de tête, se détourne et allume trois autres lampes à huile qui éclairent la salle où nous nous trouvons.

Elle est assez vaste, de forme circulaire et conique, comme une grande hutte, séparée en deux hémisphères ; l'un fait d'une grotte naturelle qui s'étage sur deux niveaux, l'autre d'une construction de bois, panneaux et planches disparates, mais parfaitement agencés. Au sol, le plancher de thuya est au même niveau que celui de la grotte, sauf au centre où le rocher s'élève en plate-forme triangulaire, sur laquelle rougeoient les braises du foyer. Qâ est de l'autre côté. Couchée, comme moi, sur une espèce de buffet banquette, au milieu des couvertures.

— Vous pas parler anglais ? je demande au vieil homme, ses yeux se plissent, il ne répond pas. Ni français non plus, bien sûr, j'ajoute suppliant et fataliste. Oh non, et merde ! Écoutez, c'est très grave. Moi, avion, braaaam, tombé dans lac, lui dis-je encore en mimant de mes mains, pour mieux lui faire comprendre. Sherman, pilote avion, Sherman Alexie, Indien comme vous, mort, tué par balle, tombé dans lac, et aussi, Ho Letite, jeune Indien, oh merde, jeune Indien, tué par méchants Blancs. Et moi, moi tué aussi, méchant Blanc. Poum, avec pelle. Et blessé, et maintenant. Vite, chercher police, hôpital. Vite, s'il vous plaît, chercher secours. Shérif, marshall, police montée ! Moi, devoir partir police ! Vous comprenez, devoir partir avec Qâ !

Devant ma véhémence, il hoche gravement la tête. Je fais glisser mes jambes au sol et m'assois, soutenant ma tête de ma main.

— Des secours, vous comprenez ? Je dois partir, avec elle, lui dis-je encore en désignant Qâ.

Le vieil homme fronce les sourcils, il hoche encore la tête et d'un mouvement du bras me désigne la porte. Si je veux m'en aller, c'est par là. Puis il désigne Qâ, et son expression devient féroce, il fait un grand geste devant elle, comme pour la faire disparaître, l'effacer des yeux du monde, le ponctuant d'un signe du menton à mon intention signifiant : « Quant à elle, oublie-la ! »

— Quoi, oh non, attendez, vous ne comprenez pas, il y a eu mort d'hommes, c'est très grave. Elle, Qâ, elle en est la cause, la preuve que... Il faut que je l'emmène avec moi. La police, il faut prévenir la police. Je dois la prendre avec moi !

Titubant je me mets debout, fais un pas dans sa direction. Je ne vois pas son geste, il va trop vite pour moi. Sa main est tendue dans l'air, là où il a figé son mouvement devant Qâ, sa main est au même endroit, mais armée d'une grande machette triangulaire. Entre les deux je ne l'ai pas vu bouger, juste entendu cliqueter sa cape. Il a dégainé sa lame à une vitesse ahurissante, comme un sabreur japonais, et maintenant il glisse sur le sol pour se mettre entre Qâ et moi.

— Oh non, non, non, dis-je, en réponse à l'éloquence de son geste. C'est pas vrai... Arrêtez, je... — Je me saisis la tête, ma blessure soudain fait si mal, et je me laisse retomber assis sur la banquette. — Écoutez, je ne lui veux pas de mal. Elle amie moi. Moi sauvé elle des méchants Blancs. Moi besoin elle pour convaincre police, pour arrêter ces salopards, vous ne comprenez pas ? Oh non, non, à quoi bon...

Maintenant que la douleur du venin du tatzelwurm s'est évaporée, c'est la douleur de ma plaie qui se réveille intolérablement. Je la sens pulser sur le rythme de mon cœur, du sale tempo de l'infection. Mon œil blessé est aussi dense et lourd qu'un œuf de marbre chaud.

Je me sens si mal que j'ai l'impression d'avoir été mort.

Autour de moi, les parois de planches sont couvertes de masques à l'effigie d'animaux, de peaux de bêtes, de crânes, d'os de baleines, et des récipients d'argile, des coffres de cèdres, des paniers de fibres tressées, des plantes qui sèchent, des outres, et des sacs d'écorces. Du côté de la grotte, en revanche, les murs sont nus. Je me retourne, crispant ma main sur ma plaie, et découvre derrière moi, sur la paroi du fond de la grotte, un grand panneau de bois d'une seule pièce sur lequel sont sculptés des oiseaux stylisés, encadrant une énorme figure de corbeau, yeux et bec menaçants, qui me fait face. Je chancelle.

Le vieux rengaine sa lame et me rattrape juste avant que je tombe. Il m'aide à m'installer, je saisis ses poignets, mais il se libère, d'une main tient mes bras. Je me calme, avec des hoquets de dépit. Il se met à soulever doucement mes bandages sanguinolents, pour dévoiler ma plaie. De mon œil unique exorbité, je le fixe, il reste complètement impassible.

— Je suis foutu hein ?

Il ne réagit pas. Continue à décoller mes pansements. Je le laisse faire.

— Vous êtes chaman ? je lui dis.

Il répète.

— Chaman ?

Sans cesser d'œuvrer de ses doigts habiles, séparant la gaze de ma plaie, découvrant les coutures.

— Oui, docteur feuille ?

— Docteur feuille ?

— Non, je veux dire, vous êtes, comment dit-on, homme médecine, homme médecine, c'est ça ?

Impassible il répète :

— Homme médecine ?

Puis il arrache le pansement de mon front. Il fait la grimace en découvrant les coutures sur mon œil, moi aussi, en gémissant.

— C'est grave, hein ?

Je le dévisage. À nouveau il me regarde impassible. Alors je hoche la tête et dis :

— Je vois...

Il traverse la pièce, va prendre des fibres sèches et différents produits dans divers récipients, puis revient au-dessus de moi. Il me jauge un instant comme si je pouvais cacher quelque chose, et soudain affirme :

— Non. Tu ne vois rien du tout. Enfin, pas grand-chose...

— Quoi, je sursaute, vous parlez anglais ?

Il me maintient d'une main plaqué sur la couchette.

— Tu ne vois pas. Tu n'as plus qu'un œil. Vilaine blessure. Tu as perdu beaucoup de sang. L'ours qui t'a fait ça aussi était presque mort. C'est toi qui l'as blessé ?

— Non, je l'ai tué après qu'il a tué mon ami. Ce sont ces salopards, les Morgensen, et moi j'ai dû... mais comment savez-vous que... ?

— Un ours pas blessé ne t'aurait pas raté. Ce n'est pas tout. Ta blessure. Tu es aussi mort et revenu. Tu as une mauvaise maladie, mais elle t'a sauvé la vie.

— Oh oui, du venin, j'ai été intoxiqué par un... Et j'ai même plus d'antidote, ces fumiers ont brûlé mes affaires et...

Je m'excite, mais le vieux me calme en faisant comme un mouvement de vague dans l'air avec sa main.

— Chhut. Je vais te soigner. Quand tu seras guéri, tu partiras.

— On est à quelle distance du village le plus proche ?

Le type présente quatre doigts devant mon œil.

— Quatre heures de marche ? je lui demande.

— Quatre jours. Très difficiles. C'est plus court par la mer, mais elle est très mauvaise. Tu dois rester jusqu'à ta guérison. — Il se tourne lentement vers Qâ, solennel, et ajoute : — Elle aussi, je vais tenter de la soigner. Quand elle sera guérie, elle partira. Mère de nos mères appartient à la forêt. Toi, tu ne l'emporteras nulle part...

— Facile à dire, je rétorque. Je, oh...

À quoi bon, j'aimerais bien argumenter, mais je n'en ai plus la force. Alors je me laisse aller. Je suis perdu au trou du cul de la brousse, à la merci de cet illuminé à qui je dois la vie. Et, malgré son costume carnavalesque, je n'ai pas d'autre choix que de lui faire confiance. Il ne se rend pas compte de la situation. Plus le temps passe, moins j'ai de chance de prouver mon innocence. Les Morgensen auront eu tout le loisir de faire disparaître les corps d'Ho Letite et d'Albert, et de m'accuser. Ma seule chance serait de pouvoir emmener Qâ, seule son existence pourrait prouver mon innocence au monde. Mais je n'ai même pas la force de me porter moi-même.

Et le venin, plus d'antidote, je suis à la merci d'une crise n'importe quand. Les pronostics d'Albert étaient complètement erronés, et ceux de Béatrice... Albert, bon dieu, si je n'avais pas eu cette crise face au grizzli, il serait peut-être encore vivant. J'en viens presque à regretter de ne pas être mort.

Le vieil homme me fait boire une tisane. Il me soigne. Je sombre dans l'apathie, entre douleur et désespoir.

Qâ, elle est humaine, ça n'est même pas une foutue sasquatch. Qu'une pauvre fille, affublée d'un terrible handicap. Bien sûr je ne regrette pas de l'avoir arrachée aux Morgensen, enfin pour elle j'ai tué un homme, et ça n'est qu'une malheureuse aux multiples infirmités. D'accord, c'est peut-être une enfant sauvage, abandonnée par dieu sait quels parents alcooliques et dégénérés. Elle aura été recueillie, élevée par des bêtes, et alors ? Si je la ramène un jour vers le monde civilisé, elle sera bien incapable de prouver mon innocence ; elle fera quelque temps la une des feuilles de chou, puis finira sa vie dans une institution spécialisée, et moi la mienne dans un pénitencier. Au fond, je me rends bien compte que le vieil Indien a raison, c'est à la forêt qu'elle appartient, vivante ou morte, je n'aurais jamais ni la force ni le courage de l'emmener. Ma seule chance, mon seul espoir, serait que les flics lancent des recherches poussées et me trouvent. Tu parles d'une sinécure...

Pourquoi est-ce dans ma vie à moi que tout cela arrive ? Pourquoi ne suis-je pas plutôt un jeune et brillant agent d'assurances, avec une chouette bagnole décapotable, qui tomberait fou amoureux de sa chef de service et, pour la conquérir, ferait si bien, qu'il se retrouverait directeur d'entreprise... et à nous deux nous fonderions un empire. Non. À moi les beignes et les pépins, à moi les plaies et les chagrins, à moi les morts, et les situations inextricables. Ma vie est une impasse, un rébus sans solution. Quand on triera les pages de ma biographie, sûr que la part de la douleur sera la plus épaisse.

La nuit passe, et des jours, et d'autres nuits...

J'erre dans un état de semi-inconscience. La fièvre me dévore. Une infection a gagné ma pommette, enflée comme un demi-melon. Le vieil homme s'occupe de moi, sans acrimonie, ni sympathie. Plusieurs fois par jour, il lave ma blessure et me fait des compresses avec des plantes. Il me nourrit, m'abreuve de tisanes.

De temps en temps je sors de la cabane, la première fois le vieux me soutient, après j'y vais seul. Dehors, il pleut à verse presque depuis notre arrivée, le ruisseau est devenu torrent et là-bas, l'aven déborde en tourbillonnant, comme un évier gigantesque. La cabane est complètement sèche, pas une goutte ne franchit le surplomb. La pluie tombe en rideau devant la grotte, dense comme une cascade. Je fais mes besoins en hâte comme un animal. Malgré l'absence de neige, le taux d'humidité est tel que le froid est saisissant, je suis dans un état d'épuisement avancé. J'aimerais bien partir, mais je ne suis pas en état. Autour de moi, tout n'est que forêt et eau, à perte de vue, alors chaque fois, je m'empresse de retourner me réfugier sous l'abri des couvertures. À l'intérieur, il fait une quinzaine de degrés, le feu brûle en permanence. La fumée s'échappe par une fissure au plafond de la grotte, une cheminée naturelle que le vieux a à moitié colmatée, et qui doit faire comme un siphon, car jamais la moindre goutte d'eau n'y suinte.

Le vieil homme ne dort pas. Chaque fois que je me réveille, il est au chevet de Qâ. Inquiet, il surveille de très près l'évolution de sa blessure. Il prend soin d'elle avec une déférence extrême, ne la touchant que quand il y est obligé. Il a rasé sa chevelure autour de sa plaie, lui applique également toutes sortes de baumes et de compresses. Chaque préparation donne lieu à des rituels compliqués : le vieux se costume, s'habille, officie avec toutes sortes d'accessoires, hochets, plumes, coquillages, cristaux, figurines animales sculptées dans des os.

Une fois, il revêt un masque de corbeau et une cape de plumes, danse autour de Qâ en jouant d'un grand tambour plat qui résonne comme le tonnerre. Une autre, il répand du pollen sur elle, et sur son propre bras tendu. Assis à son côté, il chante pendant des heures, immobile, jusqu'à ce que son bras tremble, puis lit dans les dessins de la poudre qui s'écoule les indications des esprits. Parfois, l'aspect sacré de certains rituels, et la concentration du vieil homme, me font sentir que je dérange, alors je tourne la tête de l'autre côté. Moi je n'ai droit qu'aux thérapies usuelles.

Le troisième jour, mon abcès éclate, le pus sourd d'entre mes coutures. Le vieil Indien me concocte une mixture d'argile et de plantes charbonnées qu'il réduit en poudre en les broyant entre deux pierres, avant de chauffer le tout. Quand il l'applique, encore fumante sur ma blessure, j'ai un peu d'appréhension. Finalement la douleur est plutôt bénigne par rapport à tout ce que j'ai enduré jusque-là. Il me fait un genre de cataplasme qui recouvre mon front et la moitié de mon visage. J'endure le tout en serrant les dents. Le vieux s'étonne de mon stoïcisme et me questionne sur les douleurs que je ressens pendant les crises du venin. J'ai bien du mal à m'expliquer.

Il est très intéressé par ma description du tatzelwurm, mais comme il ne semble pas vraiment comprendre, dès que la mixture a suffisamment refroidi pour se figer, me faisant comme un demi-masque de terre, je me lève et, enveloppé dans des couvertures, je vais lui dessiner Pripréfré de mon mieux, sur le sol sablonneux de la grotte. Il est stupéfait. D'abord incrédule, surtout lorsque je lui dis que l'animal vit dans la glace, il se laisse convaincre quand je lui explique de quelle façon le tatzelwurm peut projeter son venin. Son regard sur moi change. Il faut dire que, sur le sable, mon croquis ressemble plutôt à un dragon crachant des flammes. Pour la première fois, le vieil Indien me sourit, comme s'il comprenait soudain les raisons de ma présence auprès de la femme velue, comme si mon empoisonnement par une créature inconnue justifiait que je sois arrivé jusque-là.

Il reste quand même sceptique et, tandis qu'il me soutient pour me ramener à la couchette, j'éprouve soudain la nécessité de le convaincre. Je lui dis tout, je raconte tout depuis le début. Je lui raconte toute l'horreur de ma vie, d'Ulysse au Pigeon Vert. Et tandis que l'argile en séchant draine le pus de ma blessure, je m'épanche, je vide mon sac. Plus mon ton se fait geignard, plus le vieil homme sourit.

— Tout ça pour elle, Qâ, qui n'est même pas une sasquatch..., finis-je de me lamenter.

— Non, elle n'est pas une sasquatch, mais une femme poilue de la forêt.

— Oui, humaine, comme vous et moi. Avec juste, sans doute, un problème hormonal et...

Le vieil homme reprend son sérieux.

— Non, ni comme toi, ni comme moi. Elle est Mère de nos mères, une femme poilue de la forêt. C'est très rare.

— Oui, sans doute, sans doute, dis-je en abdiquant.

Je ravale mon : Et tout ce qui m'arrive c'est à cause d'elle. Je pousse un profond soupir, vidé.

— Je, je ne vous ai jamais remercié de m'avoir sauvé, et pour tout ça, ces soins, et... Alors merci, merci. — Je lui tends la main. — Je m'appelle Boris, Boris Genssiac.

Il prend ma main dans la sienne et répond :

— Non.

— Oui, mon nom, Boris, Boris Genssiac.

— Non, reprend-il. Ça, c'était ton vieux nom. Tu as changé. N'as plus qu'un œil. Tu es mort et revenu. Et sorti de l'eau avec elle. Tu mérites un nouveau nom pour ça. Tu es un criminel, un fugitif !

— Non, je ne fuis pas ! Je vais aller trouver la police, dès que je serai sur pieds, et...

Le vieil homme m'interrompt d'un geste solennel.

— Je t'appellerai : Loup Mouillé N'a qu'un œil. Et je soignerai Loup Mouillé N'a qu'un œil. Guéri, tu partiras. Mais pas avec elle.

— Oui, ça j'avais compris. Loup Mouillé hein ? Pourquoi pas. — Je n'ai pas la force d'argumenter, et s'il veut m'appeler Tartempion, qu'il le fasse. — Et vous, c'est quoi votre nom ?

— Tek'ic Johnson Standing Crow. De père Tlingit, et de mère Cherokee, je suis entre deux.

— Tek'ic du milieu ? dis-je. Le vieux éclate de rire.

— Oui, Tek'ic du milieu. C'est un beau nom pour aujourd'hui. — Son rire me fait du bien, sans parvenir à aérer mon marasme. — Maintenant repose-toi, ajoute-t-il en m'aidant à me recoucher. Il retourne voir le dessin du tatzelwurm sur le sol de la grotte et rit encore. — Loup Mouillé N'a qu'un œil, tu es un grand menteur, ou un très mauvais peintre. Ça, ça n'existe pas.

Et il le balaie de son pied.

— Et ça ? je réponds en désignant Qâ du doigt.

Tek'ic cesse de rire et s'avance vers elle.

— Elle n'existait pas hier. Elle est là aujourd'hui. Peut-être demain. — Il tend ses mains au-dessus du corps de Qâ comme s'il en palpait l'aura, la regardant avec vénération. — Et chaque instant passé avec elle est le plus grand bonheur de la vie...

Il sourit, serein, et se penche sur elle pour l'examiner. Comme moi, depuis notre arrivée, elle oscille entre éveil et inconscience, mais seules ses paupières s'ouvrent ou se ferment, ses membres restent inertes. Le vieux la nourrit d'une bouillie de baies et de céréales crues, qu'il lui administre avec une paille directement dans la bouche, en surveillant sa déglutition.

Régulièrement il la manipule pour lui éviter l'ankylose, changeant la position de ses membres, ou bien il la lave avec une peau de daim mouillée. Il le fait avec une très grande pudeur, la touchant sous les couvertures, en regardant ailleurs, psalmodiant un chant, qui ressemble à une berceuse.

Tout à coup, je lui vois l'air très préoccupé, il se penche sur elle, et inhale longuement son haleine, plissant le nez comme un parfumeur. Ensuite il se relève, et se hâte de se préparer pour une nouvelle cérémonie thérapeutique.

Le cataplasme de Tek'ic me fait du bien, je sens diminuer la pulsion douloureuse de ma pommette, comme si l'argile aspirait l'infection, et les plantes qu'il y a mélangées m'apaisent. Au moins, ça n'est pas un charlatan.

Loup Mouillé N'a qu'un œil... Je suis un criminel borgne, intoxiqué et en fuite. Quand je pense qu'il y a une semaine, je mourais de spleen et d'ennui dans la grisaille genevoise...

Si dieu existe ça doit être un sacré tordu.

Je vais faire quoi de ma vie... ?

2

Cette nuit-là, pour la première fois depuis longtemps je dors d'un profond sommeil. Tek'ic a trouvé le temps de renouveler mon pansement à plusieurs reprises, mais il ne m'adresse plus la parole. Quelque chose le tracasse à propos de Qâ, et j'ai bien trop de soucis moi-même pour le questionner. Pourtant, je m'endors comme un bébé.

Et quand un drôle de son me réveille, mon pansement est devenu une gangue, j'ai la tête à demi transformée en poterie. Précautionneusement je me tourne. La porte de la cabane est ouverte. C'est l'aube, il ne pleut plus. Le soleil frappe le tronc argenté du gros thuya devant la grotte qui renvoie un couloir de lumière pour éclairer la pièce.

Le son. Il est là, partout et nulle part. Je pivote. Tek'ic, c'est de lui qu'il émane, une espèce de ruissellement métallique, à la fois sourd et éolien, qu'il doit produire la bouche fermée, comme un chant de ventriloque, utilisant son ventre en sac de cornemuse pour respirer sans jamais l'interrompre. Le spectacle est ahurissant.

Le vieil homme est nu, le corps entièrement peint de bandes transversales noires et blanches, d'une parfaite régularité. Comment a-t-il fait pour se peindre dans le dos ? Il a la tête recouverte d'un masque blanc, un capuchon de fibres tissées peint d'une ombre de visage lunaire, et surmonté de ce qui pourrait être un os de dinosaure posé latéralement, d'une incroyable légèreté, qui lui fait des cornes démesurées. Il danse en oscillant de la tête, l'envergure de son couvre-chef amplifiant chacun de ses mouvements. On dirait que son corps oscille et tourbillonne autour de la vibration linéaire que son propre ventre émet.

Il tient dans ses mains un objet étrange, un genre de petit arc de bois, dont la ficelle s'enroule autour de la flèche, elle-même prolongée d'une pointe métallique acérée, qui traverse une rondelle de pierre. Il danse autour de Qâ avec des gestes qui évoquent un rituel d'invisibilité. Il l'a installée dans une drôle de position. Presque à genoux, l'abdomen et le thorax soutenus par des couvertures, sa tête pend, visage vers le bas, ses cheveux bien dégagés autour de sa blessure. Tek'ic danse tout autour de son chant. Je retiens mon souffle. Il agite son objet avec des gestes aussi précis qu'une araignée tissant sa toile. Il tourne autour de Qâ, en tournant sur lui-même, tourne et soudain saute par-dessus à plusieurs reprises, avec une telle légèreté qu'il semble suspendu dans les airs et, quand il touche le sol, je n'entends pas grincer le plancher. Il tourbillonne et d'un coup s'assied, juste au-dessus de la tête de la femme poilue.

Il applique les plantes de ses pieds peints de chaque côté de sa nuque, soulève la tête de Qâ, la cale en posant son front sur son bas-ventre. Son chant continu tisse comme un cocon de concentration autour de leurs deux corps. D'un mouvement extrêmement lent et gracieux, il lève son instrument et, avec une précision chirurgicale, plante la pointe acérée dans son crâne, juste au centre de sa blessure mal cicatrisée.

Quand il se met à l'actionner, je comprends, l'arc est une perceuse, un foret manuel. D'une main, il maintient la pointe en place, fichée dans l'os, de l'autre, il tient la flèche, l'axe, entre l'index et le majeur, et l'arc lui-même perpendiculairement dans sa main. Lorsqu'il l'abaisse, la ficelle enroulée autour de l'axe se déroule, l'entraîne en rotation, et l'inertie de la rondelle de pierre suffit à prolonger le mouvement, pour qu'il remonte et l'enroule à nouveau. Il procède avec les gestes suspendus d'un joueur de yo-yo.

Tek'ic est en train de trépaner Qâ...

Ce n'est plus mon souffle que je retiens, c'est ma vie tout entière. Soit le type est complètement fou, soit c'est un magicien de la chirurgie élémentaire. Il fore sa boîte crânienne. D'une main il pompe avec une telle délicatesse qu'on dirait qu'il ressent la densité de l'air, et de l'autre il maintient fermement la pointe. Sous les harmoniques de son chant, j'entends crisser le métal et l'os, et je ne peux pas y croire, non, pourtant je suis bien réveillé. Le temps se suspend, fait une boucle où tout se répète, le même son, le même mouvement, pendant ce qui me semble être des heures et, d'un coup, tout s'arrête. Le chant et les gestes.

Tek'ic s'immobilise, j'entends soudain sa respiration profonde et calme. Il retire la pointe de fer du crâne de Qâ, bouchant le trou circulaire qu'il a fait avec son doigt, il pose le foret et arrache son masque. Dessous, sa tête trempée de sueur n'est pas peinte, le contraste est saisissant, et ses longs cheveux noirs dégoulinent. C'est la première fois qu'il m'apparaît sans couvre-chef, et j'ai l'impression qu'il n'est pas aussi vieux que je l'avais cru. Seul son visage est ridé, son corps musculeux est celui d'un jeune homme. Il me jette un bref coup d'œil, mais son impassibilité ne me rassure pas.

Il change de position, s'agenouille, fait pivoter la tête de Qâ latéralement, approchant son visage tout près du sien. Il la bâillonne d'une main, ferme sa bouche, saisit son nez entre deux doigts, se penche appliquant sa propre bouche autour du nez de Qâ, il se gonfle les joues, comme Dizzy Gillespie avant un solo et souffle.

De l'autre côté, je vois du liquide sortir du trou qu'il vient de forer. Et je me dis, impossible, il devrait gonfler ses poumons et pourtant, quand il souffle, comme s'il pressait un tube de dentifrice, du liquide s'écoule de l'orifice derrière la tête de Qâ. Une quantité impressionnante de pus mêlé de caillots de sang. Il répète l'opération plusieurs fois, puis s'active pour nettoyer la blessure, à l'aide de tampon de fibres et reboucher le trou avec une mixture de sa préparation.

Moi, soudain, j'ai besoin d'air...

Je sors en titubant de la cabane. Dehors le soleil éblouissant me fait cligner de l'œil, et là-bas, au-dessus des montagnes scintillent les mille feux d'un arc-en-ciel. J'éprouve un vertigineux sentiment d'irréalité. Des images grotesques et sanguinolentes des horreurs que j'ai vécues ces derniers jours se bousculent dans ma tête, diaporama grand-guignolesque. Tout ça ne se peut pas. C'est peut-être moi qui suis complètement taré, c'est peut-être moi qui l'invente, cette fichue réalité. Je marche en zigzaguant jusqu'au bord de l'aven, fais deux pas sur le rocher qui surplombe le gouffre.

Le ruisseau, toujours gonflé de pluie, s'y précipite avec un fracas de tremblement de terre. Je m'avance encore, les pieds à la limite du vide.

L'eau jaillit en trombe et se brise sur la paroi d'en face en colonnes de vapeurs dans lesquelles les rayons du soleil se diffractent. L'effet d'aspiration est extraordinaire.

Je me penche un peu plus.

Et si j'y plonge ? Est-ce que je descends en flottant jusqu'au ventre du monde pour y rencontrer des esprits indiens ? Non, tout ça est vrai. Les rochers, l'eau, le vent, le soleil, les éléments déchaînés dans la tourmente. Si j'y plonge, je meurs. J'en finis pour de bon avec l'irréalité de ma vie. Je me penche encore... Et soudain il est là, sans que je l'aie vu approcher, de l'autre côté du ruisseau, comme moi juste au bord de l'abîme. Tek'ic Standing Crow, le chaman, son corps nu bariolé, lisse et musclé, les bandes blanches et noires à moitié diluées par sa sueur, son cou et sa tête nus et ses longs cheveux noirs balayés par les bourrasques. Dans ses mains tendues au-dessus du vide, il présente un paquet de fibres souillées du sang de Qâ, des humeurs malignes qu'il a extirpées de sa tête. Il se met à parler.

Il ne prie pas, il ne chante pas, il ne crie pas. Il parle comme un orateur et sa voix résonne dans l'aven. Je ne comprends pas ses mots, mais… Du fond de son cœur, il s'adresse aux esprits qu'il vénère. Sa sincérité est telle que je perds l'équilibre.

Je chancelle, me cambre, trébuche en arrière et tombe assis sur le cul, le cœur battant la chamade. Tek'ic lève plus haut ses bras et jette le mal de Qâ dans l'eau furieuse qui l'engloutit. Quand le tourbillon l'aspire jusqu'aux entrailles de la terre, une déflagration tellurique retentit, dont l'onde de choc fait vibrer le rocher sur lequel je suis assis.

Tek'ic se retourne, il est épuisé mais serein, convaincu de ses valeurs. Son regard m'effleure, passe, revient sur moi. Il me sourit, et reprend le chemin de la cabane. Et moi, ébranlé, je comprends l'arrogance de mes incertitudes. Je suis là, et tant que je n'ai pas la force de partir, il faut que je cesse de juger, de jauger, de comparer, de chercher des références. À défaut de comprendre, il faut que j'accepte.

Que j'accepte l'invraisemblable réalité des choses.

Les jours suivants, Qâ ne sort pas du coma. Elle n'ouvre même pas les yeux. Tek'ic, qui passe son temps à son chevet, l'auscultant régulièrement, me dit qu'elle va mieux. J'ai du mal à le croire. Pourtant ses cataplasmes ont fait merveille sur ma blessure. Je ne sens plus la douleur sourde de l'infection, et ma pommette a considérablement désenflé, je dois presque avoir l'apparence humaine. Depuis peu, il a remplacé l'argile par un onguent épais, de couleur noire, qui colle comme de la poix, puis fond, m'obligeant à m'essuyer sans cesse le menton avec des tampons d'écorce sèche, mais son effet est très apaisant. J'ai reconnu dans son odeur les parfums de la sauge et du propolis, et Tek'ic s'en est étonné. Il m'assure que mon globe oculaire est toujours là, sous les coutures, je le sais bien. Je sais aussi que mon œil a été atteint. J'attends avec anxiété la prochaine attaque de douleur de ce venin qui court dans mes veines, et évidemment elle ne vient pas, ça fait bien une semaine que je suis là. Tek'ic m'assure qu'il m'assistera et pourra ensuite me dire comment me soigner. Je ne me fais pas d'illusions. J'espère qu'après, je reprendrai suffisamment de force pour rejoindre la civilisation. Pour l'instant, l'idée de passer quelques nuits à la belle étoile dans le froid suffit à me décourager.

J'ai tout le loisir d'observer Qâ. Elle est vraiment étrange, pour une humaine. Le vieil homme n'aime pas trop que je l'approche, alors je profite de ses moments d'absence. Il la change régulièrement de position, l'installant sur le côté ou sur le ventre. Elle mesure presque un mètre quatre-vingts, sa taille est étroite et ses hanches sont larges. Elle a des fesses rebondies de callipyge africaine, entièrement recouvertes de poils châtains, ainsi que ses jambes. Ses cuisses sont longues et musclées, le bas de sa jambe est plutôt court, le mollet très fort et la cheville fine. Les pieds, comme les mains, ne sont poilus que sur le dessus. Les plantes sont recouvertes d'une couche de corne épaisse et crevassée, qui déborde d'un bon centimètre tout autour, lui faisant comme des raquettes et son gros orteil est très écarté. Les doigts de ses mains sont incroyablement longs, ses pouces parfaitement opposables et ses ongles cassés durs comme de la pierre. Ses épaules et sa nuque sont poilues, mais sa poitrine n'est recouverte que de duvet, sauf entre les seins, où une coulée de longs poils bruns rejoint ceux de son ventre. Et son visage...

Elle n'a presque pas de menton, ses mâchoires sont puissantes, son front court, fuyant. Ses arcades sourcilières très prononcées cachent ses paupières closes, et ses pommettes proéminentes sont aussi recouvertes de duvet, du même ton que sa peau sous les poils, un brun cuivré, presque polynésien. À plusieurs reprises je lui caresse le bras, ou le front. Ses poils ont la texture de cheveux d'enfant.

Lorsque, à l'occasion, je demande à Tek'ic s'il croit que ses parents sont des Blancs ou des Indiens, il me répond catégorique :

— Son père et sa mère sont comme elle. Des hommes poilus de la forêt.

— Quoi ? Vous voulez dire qu'elle n'est pas seule ? Qu'il y en a d'autres comme elle ? Non non, c'est impossible, bon dieu ça se saurait !

— Les Natifs le savent. Les Blancs préfèrent l'ignorer...

— Non enfin, elle est humaine, elle est juste un peu malformée, un peu ratée, comme...

— Non, elle est comme elle doit être. Regarde.

Il se dirige vers un long coffre qui fait une banquette contre la cloison, l'ouvre et commence à en sortir différents costumes de cérémonie, en lourds tissus brodés et les masques qui vont avec, plus magnifiques les uns que les autres, faits de bois ouvragé, d'os ou de cuir.

— Regarde, me dit Tek'ic en me montrant un masque aux crocs proéminents, un masque d'ours, un masque puissant. L'ours est un bon esprit. Un messager entre le monde du dessous et le monde du dessus. C'est triste que tu en aies tué un. Enfin tu as payé par ta blessure. Et ça, ajoute-t-il en sortant un autre masque, ça c'est un masque de Corbeau, tu l'as vu danser l'autre jour. Le corbeau est mon esprit totem. Et ça, un masque de loup, très bon pour la chasse. — Il fouille plus profondément dans le coffre. — Et ça, c'est un masque très ancien, porté pour des cérémonies sacrées, c'est un masque d'homme poilu de la forêt.

Il me tend une espèce de grande tête de bois, aux allures de gorille qui, bien que stylisée, a le même genre de faciès que Qâ.

— Quoi ? Elle serait comme... D'une autre espèce, d'une autre race et qui... Non, non, je vous assure que c'est pas ça, c'est pas possible, c'est juste une erreur de la nature, une... Non, je ne peux pas y croire...

— La vérité n'a pas besoin que tu y crois pour être, dit-il en remettant le tout dans le coffre, un peu heurté de mon incompréhension. Elle est peut-être la dernière aujourd'hui. Les Anciens parlaient souvent des hommes poilus de la forêt. Ils sont comme les hommes, d'il y a très longtemps. Ils vivent toujours cachés.

— Vous voulez dire qu'elle serait comme... une femme préhistorique, c'est ça ? Une néandertalienne, une pithécanthrope ou je ne sais quoi, qui aurait survécu jusque-là ? Non, non, c'est pas ça. Elle est comme handicapée, une femme ratée et...

— Tu ne sais rien, dit-il en me plantant là, ébahi, à ruminer mes questions sans réponse.

Je ne peux pas y croire. Pourtant, je me dis bien qu'Albert poursuivait des sasquatchs, et que j'ai été intoxiqué par une saleté de ver à pattes, mais ça... Non, éventuellement, un yéti, bigfoot, un grand primate inconnu, mais des hommes, des femmes des cavernes, vivant en plein XXe siècle sur le sol américain, non, ça me dépasse. Je suis sûr qu'il se trompe. Qâ est une enfant sauvage, portant les traces d'une terrible dégénérescence. Pourtant, les masques... Une fois de plus, j'en reste incapable de décider quoi penser.

Un après-midi, Tek'ic sort pour cueillir des racines. Il pleut à nouveau et moi, j'erre dans la cabane. J'ai un putain de blues. Je pense à Béatrice qui doit se faire un mouron d'enfer, aux flics qui doivent me rechercher. Et je suis là, prisonnier de ma propre faiblesse. Je tourne dans la pièce, effleure des objets de la main, et tombe sur le tambour.

Je m'agenouille, le soulève. Il est taillé d'une pièce, une tranche d'arbre que je ne reconnais pas, au bois incroyablement léger et dur. D'une soixantaine de centimètres de diamètre, sur une quinzaine de profondeur, il est recouvert d'une peau translucide qui pourrait être de poisson, peinte d'un visage grimaçant, à la bouche béante, qui tire une langue d'un bleu pourpre de myrtille. Je l'effleure. Il sonne comme un djembé, tintant sur les bords, très grave au centre, mais le son n'est pas compressé dans un fût et dégage d'incroyables harmoniques. Ma gorge se serre, je me mets à tapoter. Le son enfle dans la cabane. Énorme. Je réveille un rythme. Une chanson me revient, d'une époque à laquelle je pense avec amertume, où je rêvais d'horizons lointains. Elle est de circonstance, à croire que j'avais la prémonition de mon odyssée. Emmené par le blues, je ferme les yeux, transporté par un élan que je n'ai plus ressenti depuis bien longtemps, mon plaisir prend forme à travers mes mains, le tambour vibre tout entier et les harmoniques qui s'en dégagent ressemblent à des nappes de synthé. Je commence à chanter, bouche fermée, soulignant simplement une pulsation rythmique, comme pour inscrire mon corps dans la musique, puis je vais chercher en voix de tête les notes qui me correspondent, je les suis, m'en imprègne, et soudain donne ma pleine voix. Elle a pris des racines, de la profondeur et de l'expérience, elle est rauque, cassée et pourtant pleine de joie. Et les mots coulent, comme autrefois :

They dé fly, they dé fly said the bush wizard
ZFly ZFly I've seen their shadows in the dark
ZFly ZFly Z are like vanishing ghosts
ZFly ZFly but Z're as real as the stars

How could they, did I answer, they are boys and girls like me
how would they emancipate from the laws of gravity ?

they dé fly, they dé fly replied the old sorcerer
ZFly ZFly I've seen them passing thru the clouds
ZFly ZFly sometimes faster than lightnings
ZFly ZFly sometimes floating in the sky

How would they, it's a nonsense, they are made of flesh and blood
and their material complexion, from the ground would'nt take off

You is blind, you is blind, said the old medecine-man
ZFly, it's no lie, but you're watching with wrong eyes
ZFly Zfly, they don't need no wings to do it
ZFly, cause their minds are lighter than reality

How could a physical person, with a weight and density
suddenly set oneself free from the rules of the universe ?

ZFly, Zfly insisted firmly the chaman
ZFly Zfly, Z no need your understanding

to fly high up in the sky, Z have pure souls and clear hearts
ZFly, you could try if you weren't so heavy

How could I, did I reply, don't play a fool out of me
your metaphorical language confuses truth and poetry

ZFly, ZFly, answered quietly the chaman
ZFly Zfly, truth no need your consent to be
ZFly and everytime, you is looking on the wrong side
you is right, not to try, considering your willing
it would take you a lifetime to understand how to do it

He walked away laughing, vanishing in the night
and his voice spred around saying :
Zfly Zfly, when you is dead, you will try
but ZFly, Zfly, and Z can do it when alive.

Tandis que mon corps vibre sur le tempo, je ne suis plus que le son de mes mots, je pense à Sherman, mon chant lui aurait fait plaisir. Je pense en même temps à la mort et à la peur d'Ulysse, au venin du tatzelwurm, aux yeux de Béatrice, aux origines de Qâ, aux mystères insondables qui élèvent ma vie. Je ne reconnais pas ma voix, elle est brisée, fendue, avec des accents déchirants dans les aigus. Je chante, je donne tout dans l'instant. Et mes mots jaillissent, s'envolent, s'épanouissent ou se heurtent comme des vols d'engoulevents. Je tiens le tambour de la main gauche, tout son cadre résonne. Quand j'applique deux doigts sous la peau, pour la tendre, j'arrive à en tirer des modulations étonnantes. Je frappe de la droite, mes doigts crépitent sur les bords, et je déclenche les énormes basses du centre, sous ma paume. Le rythme fait vibrer la cabane. Ma voix lance des cris de fauve, je martèle des rythmiques guerrières, la musique jaillit, s'échappe, se compose, sauvage et sensuelle, et devient quelque chose, que je porte et qui pourtant me soulève, que je fabrique et qui pourtant me bâtit, je la construis et c'est elle qui m'achève. Et soudain...

La porte s'ouvre en claquant, Tek'ic furieux fait irruption à l'intérieur et se précipite sur moi. Il attrape le tambour et veut me l'arracher des mains. Stupéfait, je résiste, nous luttons un instant, titubant comme deux hommes ivres, et d'un coup, en même temps, nous nous figeons.

Qâ.

Qâ vient de bouger...

Elle est couchée sur le côté. Elle bouge d'abord un bras, pose une main sur le sol. Elle pivote, se tourne sur le ventre, et relève doucement la tête pour nous regarder. Tek'ic et moi retenons nos souffles. Elle a l'air terrorisé, et je vois ses poils se hérisser. Tout doucement, prenant appui sur ses mains, elle se met à quatre pattes et recule, sans nous quitter des yeux. Elle recule jusqu'à la cloison de bois, glisse latéralement en direction de la grotte, soudain se retourne et d'un bond, en s'aidant de ses bras, elle grimpe sur le surplomb, chancelle et tombe assise. Je fais un pas en avant, mais Tek'ic m'intime d'un geste de ne pas bouger. Qâ recule encore, et reste là, acculée au rocher, tapie sur elle-même.

Tek'ic pose le tambour aussi précautionneusement qu'un flacon de nitroglycérine. Il se met à chanter, commençant en un murmure, et je reconnais l'espèce de berceuse qu'il chantait en la lavant. Qâ ne réagit pas, ses yeux affolés font le tour de la salle. Le vieil homme très lentement va vers la porte qui s'est refermée après son entrée, et l'ouvre à nouveau, tentant avec d'amples et gracieux signes des bras de faire comprendre à Qâ qu'elle est libre. Pourtant elle ne bouge pas, tendue, sur ses gardes. Tek'ic s'écarte de la porte ouverte, chantant toujours, s'approche du grand coffre et l'ouvre. Qâ est suspendue à ses moindres gestes. Elle se ramasse sur elle-même, et j'ai l'impression qu'elle va bondir, mais les forces lui manquent, à nouveau elle chancelle, semble sur le point de tomber.

Tek'ic sans la quitter des yeux se déshabille, et enfile un genre de pelisse de fourrure dont la couleur rappelle celle de Qâ. Cérémonieusement, il sort le masque d'Homme poilu de la forêt, le tient à bout de bras, s'en recouvre la tête et arrête de chanter. Le silence est tel que j'entends nos trois respirations, la mienne suspendue, celle de Tek'ic, profonde et régulière, et celle de Qâ, haletante. Le vieil Indien se met à danser, avec la grâce d'un maître de Taï-Chi, et s'avance un peu vers Qâ. Il déploie des mouvements aériens et légers, qui disent l'amour et le respect, dans le plus parfait silence, et je sais qu'il le fait pour tenter de la rasséréner, pourtant je la vois de plus en plus effrayée.

Bon sang, elle est réveillée. Elle est là, je la vois, je vois frémir ses muscles sous sa peau. Malgré sa faiblesse, elle dégage une impression de force peu commune. Elle tressaille. Avec la peur, elle écarquille ses yeux noirs, et par moments, ses lèvres se retroussent, comme si elle montrait les dents en un rictus presque simiesque. Je repense à ce qu'a dit le vieil homme, et soudain, ça me saute aux yeux. À la voir maintenant, c'est l'évidence même. Qâ n'est pas une humaine un peu monstrueuse, ni une enfant sauvage souffrant d'une infirmité hormonale. Non. Qâ n'est pas ce que je croyais.

C'est autre chose, quelqu'un d'autre.

Si Qâ est humaine, c'est sûr, elle n'est pas une Sapiens sapiens... J'en suis complètement bouleversé.

Tek'ic danse. Il ne se rend pas compte qu'elle a de plus en plus peur. Je sais que sous son masque sa vision n'est pas bonne, moi je vois bien qu'elle semble sur le point de s'évanouir. Elle a une série de hoquets et se met à déglutir de plus en plus rapidement. Lui danse sans se rendre compte de rien. Elle a soif, elle meurt de soif. Mais ne voit-il pas qu'elle est terrorisée ? D'un coup, je n'y tiens plus.

Je me lève et, sans gestes brusques, je m'empare d'un bol, le trempe dans la jarre qui sert de réserve d'eau, et je m'avance vers elle. Tek'ic danse. Sous son masque, il me tourne le dos et ne me voit que lorsque j'apparais dans son champ de vision, je sens sa bouffée de colère, mais il ne fait rien pour me retenir. Il s'immobilise.

J'avance, les bras tendus devant moi, présentant le bol en offrande. Qâ retient son souffle et se plaque contre le mur, accroupie sur ses jambes. De mon œil unique, je la regarde droit dans les yeux, j'avance encore, pénètre dans la grotte, ralentis en m'approchant, et, tout doucement, je pose le récipient d'eau sur le bord du surplomb. Je baisse la tête avec déférence, pour que mon insistance ne la dérange pas, et recule lentement. Au passage, j'attrape le bras de Tek'ic, je sens sa fureur et sa résistance. Il cède et me suit pas à pas. Nous allons jusqu'au fond de la pièce et nous asseyons sur le sol. Tek'ic enlève son masque et me fusille du regard, il ne dit rien ; d'un long souffle, je le sens vider sa colère.

Qâ nous observe, immobile. Pendant une minute d'éternité, aucun de nous ne bouge. Puis Qâ se décolle de la paroi, elle avance à quatre pattes, très lentement en direction du bol, sans nous quitter des yeux. Tek'ic tend sa main, la pose sur mon poignet et me serre, fort. Qâ s'avance, fléchit les bras, se penche et, sans que son regard noir nous lâche d'un cil, elle lape l'eau, comme un loup. Une fois, deux, trois, attrape le bol et le porte à sa bouche. Elle boit avec avidité, le liquide coulant sur son menton et sa gorge, la tête penchée de côté pour ne pas nous perdre de vue. Puis elle laisse tomber le bol, pirouette et reprend sa place contre la paroi de la grotte.

C'est à ce moment-là que cette saleté de venin de ver à pattes me tombe dessus.

Paf ! D'un grand coup impromptu. La douleur d'une crise déferle dans mon corps.

J'ai juste le temps de pousser un cri rauque, et je tombe, le corps tendu, secoué de spasmes. Tek'ic me retient par le bras et immédiatement me maîtrise, se jetant sur moi pour m'immobiliser, de crainte que j'affole Qâ. Je me débats en éructant des borborygmes, la douleur incendiaire qui me ravage est abominable. Et, soudain, il se passe quelque chose...

Dans ma tête.

Comme si on m'insérait d'un coup le logiciel de l'antidote. La méthode à suivre pour mes neurones, afin de se déconnecter de mes nerfs en fusion. Comme avec l'antidote, je perçois la douleur, je sais qu'elle est là, mais je ne la ressens pas. Comme avec l'antidote, mon corps sait comment faire pour se dissocier du mal qui me dévaste. Je n'en ai cependant pas la maîtrise. Quelqu'un s'est introduit dans mon disque dur, et manipule les programmes de l'usine chimique de mon corps, de l'intérieur. J'ai à peine le temps de m'en ahurir, que ça cesse, qu'on me le retire, ce putain de logiciel. On me l'insère, on me dit : c'est comme ça qu'il faut faire, et vlan ! Avant que j'aie eu le temps de comprendre, on l'enlève et la douleur est de nouveau là, encore plus terrible, avec en prime une frustration d'amnésique ayant égaré la clé du bonheur ! Et brûle jusqu'à mon âme.

Le temps de réussir à crier vraiment, la crise s'évanouit. Comme les autres fois, elle s'évapore d'un coup. Je m'affaisse. Tout ça n'a pas duré plus de quelques secondes, mais je suis commotionné. Tek'ic tient mes bras et a un genou posé sur ma poitrine. La douleur fait encore résonner mes mâchoires avec un goût salé et métallique. J'ai l'impression d'être le punching-ball d'un Tyson de mauvaise humeur. Je suis vidé.

Tek'ic, inquiet, se retourne, enlevant son genou. Je gémis en reprenant mon souffle et fais pivoter ma tête.

Là-bas, Qâ est debout. Juste au bord du surplomb, les mains suspendues dans les airs, comme sur le point de sauter pour nous rejoindre.

Debout sur ses jambes.

Comme une femme.

Et j'ai soudain l'impression absurde qu'elle a ressenti ce qui vient de m'arriver, l'impression que c'est elle...

C'est elle qui a fait irruption dans ma tête.

Qâ est debout et elle me regarde...

3

Tek'ic remet son masque, encore plus gracieusement qu'avant reprend sa gestuelle. Qâ l'observe, elle a toujours peur, mais n'est plus aussi affolée. Le vieil homme danse avec une lenteur végétale et la drôle de femme poilue se tapit, se laisse à nouveau glisser sur ses talons, enlace ses genoux de ses bras, y dissimulant à moitié sa tête, ne laissant dépasser que ses yeux de nuit.

Tek'ic danse et de ses mouvements sculpte le silence. Il fait d'amples gestes des bras qui disent l'unicité du monde. Il lève une main, la vrille, la tord en spirale comme un escargot, sa parabole émousse les angles et les craintes ; il tend une jambe aérienne devant lui, la fait pivoter latéralement sur sa hanche jusqu'à poser son pied derrière sa tête, et de sa boucle arrondit les différences. Il exécute des figures complexes aussi souplement qu'une algue, s'enroule sur lui-même comme une double hélice ; la ferveur rituelle de sa lenteur est telle qu'il semble échapper aux lois de la pesanteur. Il se penche en arrière, en roseau élastique, pose une main au sol et tout son corps s'élève, se déploie en corolle comme au ralenti. Le chant muet de sa danse parle d'infini, évoque la pérennité des astres, la vastitude de l'esprit. Il dit le respect et l'humilité des êtres, la majesté subtile des énergies. Ses mouvements ronds incarnent dans l'espace le fragile équilibre entre conscience et réel, l'alchimie essentielle entre l'amour et la vie.

Je me redresse. Malgré les ondes de douleur qui résonnent encore dans mon corps, je suis complètement subjugué.

Qâ me regarde, apeurée.

J'ai cette certitude irrationnelle que c'était elle, à l'instant, dans ma tête. Non, impossible, sans doute une réminiscence de l'antidote. En tout cas, elle a réagi à ma crise d'une drôle de façon. L'émotion de l'expérience est si intense que j'en oublie mes supplices, suspendu à l'instant de cette rencontre. Tek'ic bouge, sa danse est de bonté, pourtant Qâ ne lui jette que des coups d'œil furtifs. C'est moi qu'elle regarde, c'est dans ma direction que ses yeux cherchent refuge.

Si elle était un chien, je ferais quelques bruits de bouche, et elle viendrait se blottir dans mes jambes pour que je lui gratte les oreilles. Mais elle n'est pas un chien.

Mais une...

J'ai eu dans ma vie toutes sortes de bestioles, apprivoisé plein d'animaux, des mammifères, des oiseaux, des reptiles, sans parler du tatzelwurm. J'ai toujours eu avec eux plutôt un bon feeling, mais là... Là, ce que je vois briller dans les yeux de Qâ, sous sa peur, va bien au-delà d'une panique animale. L'instinct y fait la part belle à l'esprit d'analyse. Quand son regard parcourt la pièce, malgré la peur, c'est avec une intelligence d'une acuité extraordinaire, j'ai l'impression qu'elle mémorise tout, répertorie tout, évalue les stratagèmes, de façon tout à fait humaine. Alors que faire ?

— Bonjour, madame, n'ayez aucune crainte, nous sommes vos amis... ?

Je sais bien que mes mots seraient superflus. Par-delà son humanité, je vois jouer ses muscles sous sa peau. Et son corps dégage une impression de puissance bestiale, de force sauvage, malgré sa faiblesse. Je n'ai jamais connu de primate, mais ne dit-on pas qu'un chimpanzé peut d'une main vous arracher le bras. C'est un fauve.

Un fauve et, pourtant, une femme...

Dans le silence rituel qu'il a établi, Tek'ic virevolte au ralenti, semblant décomposer la grâce d'une hirondelle. Il s'approche du surplomb. Qâ se blottit encore sur elle-même. J'aimerais crier au chaman qu'il s'arrête, quelque bonnes soient ses intentions, ce n'est pas l'heure de les soumettre. C'est comme si sa danse avait banni ma voix.

Et Qâ, elle a si peur. Elle sort à peine d'un coma cauchemardesque. Elle a subi les pires horreurs. Ne sait ni qui nous sommes, ni où elle est. Je t'en supplie, Tek'ic, arrête ! Mes mots sont bloqués dans ma gorge. Elle me regarde. Sa détresse... J'ai pour elle un immense élan de réconfort. Presque malgré moi, je lève une main, tends mon bras.

Elle se recroqueville davantage, se cache derrière ses genoux, tourne les yeux vers Tek'ic. D'un coup elle bondit sur ses jambes, traverse le surplomb à une vitesse hallucinante, le franchit d'un saut de léopard à travers la pièce, droit dans ma direction. Elle atterrit souplement à quelques mètres de moi. Quand elle se redresse, elle chancelle, tourne la tête pour guetter le chaman, tout son corps se vrille. Elle lève les bras comme pour une incantation, trébuche, ses jambes se dérobent sous elle.

Je plonge, la heurte, parviens à soutenir sa tête pendant qu'elle me tombe dessus. Et en tombant je me fige, me hurlant : « Taré, tu viens d'attraper au vol une bête féroce en pleine panique ! » Elle s'effondre sur moi, sa tête repose sur mon biceps, du côté de mon œil cousu, et de l'autre par-dessus mon nez, je vois ses mâchoires puissantes, à portée de ma gorge offerte. Je me tétanise, retiens mon souffle. Et la fraction de seconde avant qu'elle s'évanouisse dans mes bras, je sens l'énergie incroyable de son corps animal.

Tek'ic se précipite arrachant masque et pelisse. Il tombe à genoux à côté d'elle, plaque son oreille sur sa poitrine, haletant, moi, je n'ose toujours pas respirer. Il écoute, se redresse, soulève sa paupière, anxieusement prend son pouls.

— Elle dort, dit-il, puis courroucé, tu as encore gâché ma cérémonie !

— Mais, mais, mais, je, je, je... J'aimerais bien bouger, Qâ est lourde et elle m'écrase.

— Tu lui fais ça, dit-il encore tendant les bras devant lui de façon grotesque, en faisant des bruits mouillés de la bouche. Tu oses l'appeler comme ça...

— Non, j'ai juste... Bon dieu, aide-moi, aide-moi à me relever.

Tek'ic, buté, croise les bras sur sa poitrine.

— Non. Tu as brisé le rituel. Si tu es si malin, dis-moi ce qu'on va faire maintenant.

— Mais bon dieu, Tek'ic, j'y suis pour rien, j'ai eu une putain de crise et... Bon sang, ça a été comme si... Dans ma tête... J'ai eu l'impression que...

— Tu ne finis jamais tes phrases, ni tes pensées. Impression ? Pfuiitt ! Tu n'as même pas confiance en tes sens. Aide-moi à la porter.

La surprise a été telle que mes douleurs se sont complètement évaporées. J'aide le chaman à transporter Qâ inerte jusqu'à sa couchette et à l'y installer. Il se met à examiner sa blessure. Je vois bien qu'il est surtout vexé que Qâ m'ait porté son attention.

— Quand j'ai eu ma crise, en pleine douleur, ç'a été comme si quelqu'un venait dans ma tête, lui dis-je, comme si quelqu'un me montrait comment faire pour ne plus avoir mal. Je suis sûr que c'était elle. Bon dieu, Tek'ic, t'as vu comment elle a réagi ? Tu crois, tu crois qu'elle est télépathe ?

Le chaman ne me répond pas. J'insiste.

— Bon dieu, ç'a été comme si...

— Arrête de dire que ton dieu est bon, ton dieu massacreur de peuples. Et arrête de parler. Les paroles sont pour elle comme des insultes. Les mots sont toujours trop petits pour exprimer sa compréhension de la vie. Maintenant tais-toi et attends. Que Mère de nos mères se réveille. Tu vas t'asseoir là et te taire.

— Mais...

— Te taire, m'ordonne-t-il en me désignant le sol.

Alors je m'assieds là et ravale les questions qui se bousculent dans ma cervelle.

Le chaman procède à de longues ablutions, enfile une tenue de caribou tanné, dont le manteau évasé est brodé d'épines de porcs-épics disposées en damier, ceint autour de son front un bandeau assorti et revêt ses amulettes. Il s'empare de différentes bourses et récipients contenant des ingrédients thérapeutiques, va s'agenouiller près de Qâ, et, les brandissant au-dessus de sa tête, il se met à chanter. Une seule note, très basse et continue, qui ressemble à un Om de tibétain. Puis il entreprend de renouveler le pansement et les onguents sur sa blessure.

Je lutte pour museler mon vacarme intérieur, je trépigne, m'impatiente. Je suis Boris Genssiac, innocent criminel borgne et en fuite, ma vie n'est qu'une succession de catastrophes inextricables, pourtant au-delà des horreurs et des douleurs que j'ai subies, que je ressens encore, je jubile, je me réjouis, mon cœur déborde d'espoir et d'envie. J'aimerais tant qu'Albert, Ho Letite et Sherman soient là avec moi. Tek'ic Standing Crow, le chaman, a réussi sa trépanation, il a guéri la femme poilue de la forêt. Et, pendant le peu de temps qu'elle a passé réveillée, ce que j'ai ressenti a été si intense. Je sais par avance que j'assiste à un moment unique, un instant magique qui va déterminer le reste de mon existence. Alors je lutte pour rester assis et attendre avec patience, lutte pour me calmer.

Quand Tek'ic a terminé ses soins, il s'assied en tailleur, émettant toujours sa note grave. Les fréquences en sont si basses que j'entends presque ses « Rô » se détacher les uns les autres, comme s'il avait avalé un gros monocylindre à quatre temps. Il dispose les ingrédients qu'il a utilisés devant lui, sortant un peu de chaque substance des différents récipients. Ici quelques pétales d'une bourse, là, une poudre grise d'une fiole d'écaille, quelques feuilles de lichen d'un étui de fibres tissées, ou un peu de miel d'une gourde en écorce de bouleau.

J'entends soudain résonner un son aérien et flûté, si proche et si lointain que je cherche des yeux autour de moi, avant de comprendre que c'est le chaman qui le produit. Son torse vrombit toujours dans les basses, mais il fait vibrer ses cloisons nasales, tout là-haut, d'harmoniques incroyablement aigus, qui font penser au chant d'une scie musicale et qui transportent dans leur modulation comme un souffle de vent des steppes. Le vieil homme n'a pas fini de me surprendre.

Je m'efforce au calme, ferme mon œil. Quand je réalise soudain le silence, je ne saurais dire s'il règne depuis des heures ou si le chaman vient de s'arrêter de chanter.

Je suis Loup Mouillé N'a qu'un œil, le témoin privilégié, et j'attends patiemment, aux côtés de Tek'ic Standing Crow, que la Mère de nos mères se réveille.

Je me concentre sur nos souffles, seuls bruits sous la hutte hormis le rougeoiement des braises, et m'aperçois que le chaman calque le sien sur celui de Qâ. Malgré moi, je l'imite. Tek'ic me lance un long regard, concentré. Il n'a plus l'air fâché. Nous respirons ensemble. Tek'ic accélère, je le suis, et de nos souffles, nous emmenons Qâ. Parfois elle nous perd, mais toujours nous reprenons le rythme, augmentons la cadence et pour finir, d'un coup je le sais, Qâ se réveille.

Elle n'a pas frissonné, sa peau n'a pas frémi, ni le moindre de ses poils, mais je sais qu'elle est réveillée. Le chaman aussi, qui a repris l'individualité de sa respiration. Nos regards à nouveau se croisent, inquiets, émerveillés.

Qâ bouge avant même d'ouvrir ses paupières. Nous sommes installés à trois mètres d'elle de part et d'autre de sa tête. Quand elle s'assied d'un mouvement incroyablement vif, elle nous tourne le dos ; sans émettre le moindre son, elle bascule, court à quatre pattes pour s'éloigner, fonce en direction de la porte, à une telle vitesse que son déplacement semble instantané et soudain pivote sur ses bras en acrobate et tombe assise, nous faisant face. Derrière elle, la porte est grande ouverte sur l'obscurité du dehors.

Pendant quelques secondes le silence est absolu, Tek'ic le rompt, haletant. Je perçois sa tension, son inquiétude à l'idée qu'elle s'enfuie. Puis j'entends Qâ, une respiration vive et suspendue. Son corps et son visage immobiles, elle nous observe, les yeux un peu écarquillés par la crainte. Qu'est-elle ? Qui est-elle ? D'où vient-elle ? Je jugule ma curiosité. Non ! Je suis Loup Mouillé, et je ne dois ressentir qu'amour et respect.

Alors je m'accapare le silence et pousse une longue expiration, inspire profondément, encore et encore, pour bien souligner ma volonté de détente.

Tek'ic se reprend et s'aligne sur moi. À nouveau nous respirons ensemble. Le souffle de Qâ se calme. Quand un instant plus tard nous essayons de la rejoindre dans son rythme, à plusieurs reprises elle s'arrête de respirer. Nous aussi. Puis reprenons en même temps. Elle émet un claquement de langue désapprobateur, oscille un peu en appui sur ses mains. Puis finit par nous laisser l'accompagner pour quelques souffles. Ses paupières se relâchent, laissant apparaître des ridules au coin de ses yeux, comme de rire. Nous nous séparons, pour inhaler chacun à sa manière la paix de l'oxygène.

Tek'ic tourne la tête vers moi, et j'ai l'impression qu'il me regarde pour la toute première fois. Le calme vient, nous nous installons plus confortablement dans nos positions respectives.

Qâ lentement lève un bras, passe le coude par-dessus la tête, pour tâter précautionneusement sa blessure. Son geste gracieux est d'une incroyable féminité. Dans la pénombre de la pièce, qu'éclairent une dizaine de lampes à huile, son torse et son visage paraissent presque glabres. Qu'est-elle ? Une femme à la laideur pitoyable et animale, ou une primate d'une insoutenable humanité ? Elle nous dévisage à tour de rôle, impassible, et de ses doigts parcourt les contours de sa blessure.

Soudain elle arrache son pansement. Tek'ic sursaute. Qâ, le tenant du bout de ses longs doigts, le ramène sous son nez et longuement le renifle, n'y jetant qu'un coup d'œil pour ne pas nous quitter des yeux. Elle entrouvre la bouche, pointe le bout de sa langue et l'effleure pour goûter les onguents, fait une petite moue et jette le pansement sur le sol. Puis elle recommence à palper derrière sa tête, et découvre sous ses doigts les contours de l'orifice que Tek'ic a foré dans son crâne, ses sourcils se soulèvent de surprise.

Le chaman saisit devant lui quelques pétales et, élevant le bras, les froisse dans les airs. À distance, je vois Qâ dilater ses narines et lever un peu la tête pour en sentir les fragrances. Tek'ic la laisse faire, pose la main sur la bourse qui contient les fleurs séchées, et d'un geste coulé, la fait glisser sur le sol dans sa direction. Les poils se hérissent sur les bras de Qâ, et ses muscles se gonflent. Le vieil homme, placide, recule, reprend sa position initiale, les jambes croisées et respire. Qâ, le nez toujours en l'air, s'immobilise. Elle le jauge, l'examine, et pendant une interminable minute, j'ai l'impression qu'ils m'oublient.

Qâ est une créature extraordinaire. Tandis qu'elle détaille le chaman, son regard n'est ni curieux, ni inquisiteur. Simplement l'intelligence qui brille dans ses yeux noirs est telle, qu'elle semble lire le livre ouvert de son cœur. Pourtant tout chez elle exsude l'instinct animal.

À son tour, elle avance, en appui sur une main, se penche. Son bras se détend comme un serpent qui frappe, elle s'empare de la bourse, s'assied sur ses talons et, enfin, daigne nous quitter des yeux pour mieux voir sa trouvaille, non sans nous épier de sous ses sourcils broussailleux. Elle porte la bourse à ses narines, sent le cuir, renverse un peu du contenu pour en renifler le cul. Un cordon en serre l'ouverture. Elle en palpe brièvement le nœud, le rompt du bout des doigts, sans effort apparent, puise quelques pétales qu'elle chiffonne sous son nez, les goûte. Elle ne recrache pas, pose délicatement la bourse sur le sol, à côté du pansement. Je sens Tek'ic se réjouir.

Le chaman recommence. Une à une il égrène dans les airs les substances qu'il a utilisées pour la soigner, pour que Qâ en perçoive les fragrances, puis lui fait parvenir chacun des récipients. Qâ inspecte tout méticuleusement.

Je l'observe. Je suis si ébloui que j'en oublie de m'ahurir de vivre cette rencontre à l'aube du XXIe siècle entre un vieux chaman amérindien et une femme sauvage et poilue, d'une espèce inconnue, pourtant indéniablement humaine. Je suis bien trop ému pour me questionner sur l'irréalité de l'expérience. Je la vis de façon bien trop charnelle, et rien n'est assez extraordinaire pour Loup Mouillé N'a qu'un œil. Je suis serein au-delà du plaisir. Mère de nos mères est réveillée. Je ne suis plus qu'une éponge avide du bonheur de l'instant.

Quand Qâ a fini d'éparpiller autour d'elle les précieux ingrédients, elle scrute les recoins de pénombre de la hutte. Elle s'attarde sur les objets hétéroclites suspendus sur les murs, masques, outils, plantes séchées, couvertures. Elle glisse des yeux le long des coffres de cèdres, dont les bas-reliefs luisent, ombrés par les lanternes.

Tek'ic montre ses mains vides et innocentes et tente d'attirer son attention. Il commence à mimer les gestes de fabrication de l'onguent. La sensualité de ses gestes dit tous les bienfaits qu'il compte tirer de chacun des ingrédients. Mais Qâ continue son examen de la pièce, elle ne lui jette que des coups d'œil distraits, pourtant je sais qu'elle ne perd pas une miette de ses explications. Elle m'ignore avec superbe. Quand elle regarde dans ma direction, c'est comme si elle ne me voyait pas, et son dédain me flatte, c'est la preuve de sa confiance.

Tek'ic s'agenouille, décroche lentement un petit pilon d'entre ses amulettes, le tourne dans son autre main, dans les gestes du broyage, il mime le liquide qu'on ajoute, la pâte qui s'agglomère. Rangeant son pilon, il plonge les doigts dans le bol de sa main, y prélève de l'onguent invisible, et le tendant vers Qâ, en mime avec douceur l'application sur sa blessure. Sa main caresse les airs, effleure l'arrière de sa propre tête et, régulièrement, se pose sur son cœur. Lorsqu'il en a terminé avec sa démonstration, il allonge les bras, pose ses mains au sol et hisse son corps pour glisser plus près d'elle.

Qâ s'immobilise. Tek'ic aussi. Soudain elle tourne complètement la tête pour scruter les ténèbres du dehors à travers la porte ouverte. Je croise le regard du chaman, y lis les mêmes suppliques que dans le mien. Si elle s'enfuit dans la nuit, si elle bondit maintenant, disparaît dans le noir, je sais qu'à tout jamais ma vie aura un goût de rêve inachevé.

Mais non, elle se retourne et nous fait face, prend même le temps de me regarder. Le chaman recommence son mime, s'avance à nouveau. Mais, cette fois, Qâ fait comme lui et glisse aussi sur le sol, pour maintenir entre eux la même distance. Tek'ic met dans sa gestuelle un peu plus de véhémence, davantage de persuasion, plus encore de bonté. Cependant quand il avance, elle recule. Elle recule latéralement, se décalant de la porte ouverte. Elle recule dans ma direction.

Quand Tek'ic atteint l'endroit où elle a dispersé ses ingrédients, il les rassemble et semble imiter son mime, avec les vrais produits. Il les dose, les mélange, utilise son pilon pour les broyer dans un bol de cèdre poli par les années, ajoute du liquide, touille la pâte onctueuse, puis réunissant trois doigts en cuillère, en prélève, et élève sa main dans les airs.

Qâ renifle longuement. Quand il bouge, elle s'éloigne à nouveau, et comme il continue, elle s'approche carrément de moi. Elle vient du côté de mes paupières cousues et par réflexe je ne cesse d'essayer de les ouvrir. Je n'ose pas trop tourner la tête de crainte de l'effrayer. L'ankylose me guette, pourtant j'ai beau être Loup mouillé, vu sa proximité, je n'ose pas bouger.

Et d'un coup, Qâ est là, contre moi.

Elle me pousse de l'épaule. De façon un peu bourrue, son coude me heurte, se faufile entre mon bras et mes côtes. Je me pétrifie, retiens tout. Si ça continue, je vais finir par devenir maître dans la suspension de ma vie. Tek'ic aussi d'un coup s'arrête. Il doit être à nouveau fâché que je fasse office de tampon. Plus aucun de nous ne bouge. Je me répète que Loup Mouillé ne doit être qu'amour, que Mère de nos mères m'honore de sa considération. J'ai beau tenter de contrôler ma respiration, je sens tout mon corps qui tremble. C'est la toute première fois que je m'adosse à un genre de singe presque aussi grand que moi.

Dans mon dos, les muscles de son dos sont durs comme du bois. Devant moi, Tek'ic s'assied en tailleur, pose sa main avec l'onguent paume en l'air sur ses genoux. Il lutte pour afficher son flegme, n'arrive pas à masquer son ahurissement. Qâ pivote et laisse tomber sa main sur ma cuisse. Je refrène de justesse un ricanement nerveux. Elle pointe son index dans mes chairs et pousse, comme pour vérifier ma densité, commence à tâter la matière de mon pantalon de ses longs doigts agiles, d'abord précautionneusement, puis plus fort. Je porte mon jean doublé kevlar que le chaman a lavé, qui reste pourtant auréolé de taches de sang. Elle en pince la couture, tire dessus, en éprouve la solidité, et juste en écartant ses doigts, elle la déchire d'un coup sec.

Ha... Je ne vois que son bras posé sur ma jambe, et l'inquiétude qui brille dans les yeux de Tek'ic, assis à quelques pas. La main de Qâ se met à rassembler le tissu, une grosse poignée, me garrottant la cuisse avec une force inimaginable, puis tire. Ma jambe croisée se détend d'un coup. Qâ sursaute, me lâche, disparaît derrière mon épaule gauche. Si seulement j'avais mes deux yeux ! Le chaman aussi sursaute, se redresse prêt à se lever. J'ai beau avoir les chocottes, j'agite deux doigts pour lui dire que tout va bien. Pendant quelques secondes, je n'entends plus rien, comme si Qâ avait disparu, et je l'entends renifler, juste derrière moi. J'essaie de lire ce qui se passe dans les yeux de Tek'ic, il a juste l'air d'un chaman effaré. Je n'y tiens plus. Lentement je pivote, et me retrouve nez à nez avec Qâ, à moins de quinze centimètres de moi.

— Oh merde, retins-je en me raclant vaguement la gorge.

Qâ émet un nouveau claquement de langue. Elle me dévisage, reniflant comme pour ausculter mon haleine. Je plonge dans ses yeux noirs où ma crainte se reflète. Était-ce elle tout à l'heure dans ma tête ? Je m'efforce de n'être que calme et sérénité, un plein Loup mouillé d'amour. Son regard s'adoucit, à vrai dire, il en émane surtout une féroce curiosité, une immense volonté d'échange, que je partage. Elle est si proche que je distingue des points noirs sur ses narines. Elle aussi scrute en détail mon visage.

Deux rides verticales barrent son front court et se séparent sous ses arcades sourcilières proéminentes. Une multitude de ridules soulignent ses paupières, étirent le coin de ses yeux et barrent transversalement la naissance de son nez. Il est camus. Les narines sont si dilatées que je vois frémir les poils à l'intérieur. Ses pommettes saillantes ombrent ses joues de deux triangles où je distingue à peine un duvet brun et floconneux, dont le reste de son visage est exempt. Sa longue lèvre supérieure se retrousse de façon simiesque. Elle ouvre sa bouche aux mâchoires puissantes, ses dents sont étonnamment blanches et saines. Sa dentition semble être la même que la mienne, avec des canines plus pointues et les caries en moins. À mon tour je renifle son haleine.

Tek'ic présente sa main et l'onguent. Qâ attrape soudain mon bras, glisse derrière moi et le serre, je bande mon biceps. Tek'ic avance. Je pose ma main sur la sienne, sens sa chaleur sous son duvet et le cuir tanné de sa peau. Tek'ic s'immobilise, il est à peine à un mètre de nous, Qâ ne bouge plus. Je caresse légèrement sa main en signe de réconfort. Elle relâche sa pression, vient se coller contre moi, je sens la fermeté de sa poitrine dans mon dos. Le chaman, incrédule, approche encore. Qâ pose son autre main sur ma nuque, pince légèrement ma peau, le souffle de ses narines m'effleure l'oreille, le cou, le crâne, et ses doigts fouissent mes cheveux. Ma parole, elle m'épouille ! Tek'ic l'atteint, Qâ lâche mon bras. Le chaman tend le baume derrière moi, hors de mon champ de vision. Je sais à son air béat d'émerveillement, qu'il la touche, qu'il pose la main sur elle, et qu'elle le laisse soigner précautionneusement sa blessure.

Les doigts de Qâ sur ma tête se font plus insistants, à présent elle y met les deux mains. Elle gratouille mon cuir chevelu, en détache quelque chose, marque un temps d'observation, puis le porte à sa bouche et le fait craquer entre ses dents.

Alors d'un coup, mon calme se fissure, je perds la maîtrise, je lutte pour contrôler ma surprise, pouffe, n'arrive plus à me retenir et j'explose d'un grand fou rire de bonheur.

Je passe les jours qui suivent comme en apnée.

Lorsque Qâ est réveillée, il règne sous la hutte un silence presque religieux, meublé de craquements de jointures et d'onomatopées rauques. Le chaman est aux anges, Qâ se montre d'une curiosité insatiable et il a entrepris de lui faire inventorier le contenu de ses coffres. Le vieil homme possède une collection inestimable d'objets sacrés, de costumes et de masques, de quoi faire pâlir bien des directeurs de musées. Je commence à comprendre qu'il n'a pas pu les réunir en une seule vie, que sous cette hutte, dans cette grotte, ont dû se succéder des générations de chamanes, depuis la nuit des temps. Pour Qâ, il utilise ou revêt chacun d'eux et exécute les gestes rituels ou les danses qui leur correspondent. Il chante aussi parfois, usant de toutes sortes de techniques vocales, mais toujours des mélopées exemptes de paroles. La femme poilue et moi sommes au spectacle, et je ne sais qui de lui ou d'elle me rend le plus heureux.

Qâ est loin d'être une spectatrice passive. Elle goûte, sent, tripote tout. À plusieurs reprises, elle brise ou déchire des objets, pour voir de quoi est fait l'intérieur. Tek'ic ne lui en tient pas rigueur, au contraire, à chaque fois il semble apprécier les choix de ses excès, comme si ce qu'elle casse était de mauvaise facture. Depuis le premier épouillage, Qâ laisse le chaman l'approcher régulièrement pour lui prodiguer ses soins, sans plus avoir à se réconforter par ma présence. Quand il met un costume ou manie un outil un peu menaçant, elle se rapproche, vient se cacher derrière moi. Elle continue aussi à me chercher des bestioles, et à en trouver. La seule fois où j'ai moi-même essayé de lui rendre la pareille, je devais manquer de conviction, elle n'a pas apprécié de me sentir dans son dos et m'a repoussé. Oh rien de méchant, un simple revers de bras, qui m'a propulsé à trois mètres de là.

Lorsque Qâ est sortie pour la toute première fois, nous venions de prendre avec elle un repas de baies séchées et de tubercules, au vague goût de châtaigne, dont j'ignore le nom, mais qui rappelle des topinambours. Tek'ic avait ouvert pour elle tous ses garde-manger, révélant des quantités de nourriture impressionnantes, à croire qu'il se fait ravitailler par hélicoptère. Sa réserve occupe un appentis du côté gauche de la hutte, qui suit un décrochement dans le rocher, faisant un genre de cagibi qui doit rester frais même en plein été. Une épaisse couverture de fibres de cèdre brutes en obstrue l'entrée, et je m'étais étonné de ne pas y avoir prêté attention jusque-là.

L'endroit regorge de paniers de tout genre, pleins de racines, de tubercules, de fruits secs, que j'ai depuis tenté d'identifier. Myrtilles, airelles, mûres, cassis, cynorrhodon, et des pots, des bocaux de grès, noix, noisettes, amandes, marrons, pommes, des guirlandes de poissons fumés qui pendent au plafond, saumons bien sûr, et d'autres espèces aux reflets argentés que je ne reconnais pas, et puis des jarres d'huile de flétan, du miel, du sirop d'érable, deux cuissots de cerf, qui fleurent le bois d'aulne, et des sacs de céréales, froment, orge, avoine, aussi du riz sauvage, et des bottes d'herbes aromatiques, des lanières de viande de caribou, et plusieurs dames-jeannes d'hydromel. De quoi tenir un siège.

Quand Tek'ic avait écarté le rideau, la confiance ne régnait pas encore pleinement entre nous, et bien que je l'y aie précédé, Qâ avait un peu rechigné à pénétrer dans l'espace clos, mais les fumets multiples l'avaient rapidement convaincue. Elle avait eu tôt fait de tout mettre sens dessus dessous, me permettant ainsi de faire un inventaire. Jusqu'alors je n'avais mangé que les repas servis par le vieil homme, généralement des brouets aussi nutritifs qu'insipides. Soudain devant les quantités de boustifaille, je m'étais demandé si le chaman ne prenait pas ses repas en cachette.

Qâ avait tout ouvert, tout déballé, tout reniflé, mais sans goûter, comme si elle identifiait parfaitement chaque aliment. Son choix s'était porté sur les myrtilles séchées, dont elle avait pris une grosse poignée, coincé quelques tubercules sous son bras, puisé une autre poignée de noix et de noisettes, et elle était sortie pour aller se jucher sur le surplomb de la grotte. Tek'ic et moi l'avions imitée dans ses choix, par solidarité, bien que l'abondance de bonnes choses m'ait fait saliver, et nous l'avions rejointe.

Qâ peut broyer la plus dure des amandes d'une simple pression de ses doigts, et ç'avait été comique de voir comment l'homo sapiens peut se montrer maladroit. Quand je m'étais pincé les doigts en écrasant des noisettes et que le chaman avait fait la grimace en croquant trop fort dans un tubercule, j'avais eu l'impression que Qâ se retenait de sourire. En mâchant, je pensais au jambon de cerf, et me réconfortais en voyant le mal que Tek'ic avait à avaler la chair crue et farineuse.

Qâ grignote les noix à toute vitesse, comme un écureuil, elle fait éclater les tubercules entre ses molaires, puis en croque bruyamment l'intérieur, par contre, elle gobe les myrtilles une à une, les faisant crisser de ses incisives, avec de drôles de mimiques de ses lèvres longues et minces. Tantôt elle grimace comme un chimpanzé féroce, tantôt, elle déguste aussi précieusement qu'une marquise, dans un curieux mélange de primitivisme et de bonnes manières, c'est un régal de la voir manger. C'est ainsi que nous avions passé ce premier repas avec Mère de nos mères. Tek'ic et moi mesurions encore chacun de nos gestes, et l'ambiance en était un peu guindée.

Et voilà que Qâ, ayant décortiqué son repas bien avant nous, soudain s'était levée, avait sauté sur le plancher de la hutte et était sortie tout droit par la porte ouverte. Le chaman et moi nous étions retenus de crier, il avait immédiatement laissé tomber ce qu'il tenait dans ses mains, fermé les yeux et s'était mis à psalmodier une mélopée gutturale, oscillant d'avant en arrière ; moi, j'avais bondi sur les pas de Qâ.

Elle s'était avancée sous la pluie matinale, découvrant pour la première fois la terrasse immense, les séquoias, le ruisseau qui serpente, et l'aven central, elle s'était avancée, était restée immobile, debout, à s'imprégner de la beauté du paysage.

Je m'étais arrêté sur le pas de la porte, et de la voir là, dans une posture si incontestablement humaine, avec ses poils mouillés donnant l'impression d'une peau nue recouverte d'un voile ; de la voir, si entièrement là, si parfaitement inscrite dans la nature, avec la même légitimité que le vent et les arbres, les pierres et la pluie, la terre et les feuilles, je m'étais fondamentalement posé des questions sur cette vie que je croyais vivre jusqu'alors, sur cette intelligence sans sympathie qui avait toujours déterminé mes actes, et sur cette conscience trop canalisée, qui ne me permettait que de subodorer des envies de symbiose.

Qâ s'était ensuite faufilée entre les arbustes, pour aller s'accroupir dans le ruisseau. Je l'avais suivie à distance, pour ne pas la perdre de vue, transi sous la pluie froide, admirant avec quelle aisance elle affrontait la température. Elle était restée là un moment, assise dans l'eau glacée et je n'avais compris ce qu'elle faisait qu'en la voyant se laver, avec des mouvements si impudiques et féminins, que j'avais soudain détourné les yeux, confus.

En ressortant, Qâ s'était mise à se secouer comme un chien, d'abord la tête, puis les épaules, les hanches, les jambes et enfin les pieds, en y prenant visiblement un grand plaisir, quand soudain, je l'avais vu chanceler. J'allais me mettre à courir pour la rejoindre. Avant même que j'entame mon mouvement, elle avait levé un bras apaisant dans ma direction, en un geste si humain et explicite, que j'en étais resté sidéré. Elle m'avait longuement regardé, puis la nature, tout autour d'elle... Je sentais presque le désir qu'elle en avait, ma gorge s'était serrée davantage à l'idée qu'elle ne saurait y résister ; alors, je lui avais rendu son signe pacifique, et hochant la tête, fataliste, j'avais tourné les talons en direction de la grotte.

Qâ était revenue d'elle-même, marchant sur mes pas.

Dans la cabane, le chaman chantait toujours. Elle était entrée, s'était assise à bonne distance du feu ; je l'avais chargé de grosses branches, dont la résine s'était enflammée comme de l'essence, crépitant dans mon cœur en véritable feu d'artifice. Qâ était revenue, elle m'avait suivi de son propre gré, j'avais envie de crier de bonheur et le feu le faisait pour moi. Elle avait entrepris d'essorer consciencieusement ses poils, en les lissant du plat de la main, faisant glisser l'eau jusqu'à ses extrémités, frottant encore et encore jusqu'à ce que sa fourrure soit tout ébouriffée. Tandis que je me séchais à mon tour, elle s'était lovée sur une paillasse et, très vite, s'était endormie.

C'est alors seulement que Tek'ic avait rouvert les yeux et cessé de chanter. Il était descendu du surplomb et m'avait rejoint. Il souriait, pourtant, malgré la promptitude de son geste pour les essuyer de sa manche, je vis des larmes couler sur ses joues. Il rompit le silence.

— La fumée me pique les yeux, me chuchota-t-il.

— La fumée de l'intérieur ? lui répondis-je, et je sentais d'entre mes paupières cousues, suinter mes propres larmes de joie.

Depuis, Qâ sort quand elle veut, sans même que l'un

de nous l'accompagne, nous savons qu'elle va revenir. Elle est encore très faible, passe rarement plus de quelques heures éveillée. Chaque fois elle nous émerveille.

Quand elle dort, Tek'ic Standing Crow et moi tenons de longs conciliabules. Le chaman m'entraîne hors de la cabane, nous restons à l'abri du surplomb de la grotte, la pluie tombe sans discontinuer. Ne pouvant plus réfuter les liens qui me lient à la femme poilue, il m'interroge sans relâche sur mon parcours, veut connaître la couleur précise de ma douleur, la graduation d'orange des flammes qui me rongent. Il veut savoir la forme des yeux du tatzelwurm, ce que j'avais mangé avant la première rencontre, le déroulement exact de ma peur quand j'ai cru voir les anges. Il veut que j'énumère encore et encore les étapes de mon voyage, revient à plusieurs reprises sur Béatrice, me demandant de révéler les détails les plus intimes de ses baisers. Je dois dire que je le fais avec plaisir. Il insiste sur l'importance de ma frustration, et je ne vois pas bien ce que l'encombrement de mes glandes peut bien avoir à faire avec tout ça.

Mon œil va beaucoup mieux. Tek'ic en le soignant me dit que bientôt il pourra découdre mes paupières. L'idée m'effraie un peu. À plusieurs reprises, il trace des signes sur le sol, tandis que je lui raconte précisément de quoi était faite l'odeur d'Ulysse quand il est mort dans mes bras, ou la façon dont Béatrice a tenu ma main en me faisant boire l'antidote. Et le grizzli, avait-il une touffe de poils noirs sur sa bosse ? Je réponds à toutes ses questions avec diligence, j'ai l'impression que je parle de quelqu'un d'autre, et lorsqu'il me dit qu'incontestablement les esprits m'ont choisi pour être le sauveur de Qâ, je hausse les sourcils, et j'acquiesce, béat.

Il trace des signes sur la terre battue, avec un long bâtonnet. D'après lui, certaines étapes de mes mésaventures correspondent à différents rites d'initiation chamanique. Habituellement, un futur chaman doit faire preuve d'une très forte vocation, mais parfois les esprits décident d'eux-mêmes de faire d'un homme leur interlocuteur, c'est mon cas, même s'il ne comprend pas bien leur choix.

J'ai beaucoup de chance d'être mort et d'avoir perdu un œil, car ce sont deux étapes indispensables. Lui-même n'a-t-il pas perdu une jambe qui heureusement a repoussé ? Et c'est le feu de ma douleur qui m'a ouvert à d'autres perceptions, grâce au tatzelwurm, je suis deux fois mort et deux fois revenu.

— Si tu veux, m'affirme-t-il, si tu acceptes de te soumettre à l'épreuve d'une longue préparation, d'un long rituel, sans l'interrompre, je pourrais t'initier. Faire de toi un apprenti-chaman. Après, tu pourras te soigner toi-même du poison.

Et moi j'acquiesce, béat.

Plusieurs fois j'ai tenté de rentrer en contact mental avec Qâ. De concentrer ma volonté sur un geste ou une action particulière, mais si toujours elle semble percevoir la moindre de nos intentions, pas une fois je ne sens sa présence dans ma tête, et je finis par me dire que ce qui s'est passé pendant ma dernière crise était dû à un reste d'antidote, ou à une glissade de mon imagination.

Pas une fois, je ne pense à ma prochaine crise. Pas une fois, je ne pense aux emmerdes qui attendent Boris Genssiac, de l'autre côté du monde ou au chagrin de Béatrice. Et quand je pense à mes amis morts, c'est surtout pour regretter qu'ils ne puissent voir Qâ.

Je suis le témoin privilégié, je suis le choisi fortuné qui assiste à la naissance de l'amitié de Mère de nos mères avec deux de ses petits frères. Je suis Loup Mouillé N'a qu'un œil, je suis serein, bien assis dans mes sens, je me régale de chaque seconde, chaque minute, chaque heure de sa présence.

Au contact de Qâ, la femme poilue des bois, et du vieux chaman, je suis heureux pour la première fois, et je sens confusément que c'est ma propre humanité que j'apprivoise.

Et puis, un matin...

4

Un matin, je m'éveille en sursaut, tombé d'un cauchemar interminable. L'angoisse m'étreint la poitrine, et pendant quelques secondes, je cherche où j'ai mal. Non, rien de physique, mais l'oppression est tellement en contraste avec ce que j'ai ressenti ces derniers jours, que j'ai mal dans mon corps, comme si j'avais une angine au bonheur. Je m'assieds sur ma paillasse, en sueur, transi.

Pour une fois, Qâ, Tek'ic et moi nous sommes endormis en même temps, elle, lovée sur elle-même, nue sur le rocher de la grotte, et le chaman enseveli sous ses fourrures. La porte de la hutte est fermée. Depuis que nous avons montré à Qâ comment l'ouvrir, elle accepte que nous la gardions close, pour maintenir la chaleur. Je ne vois pas si dehors l'aube s'est déjà levée. Et soudain, j'entends braire au loin la mule de Tek'ic, qu'il laisse vaquer librement alentour.

Qâ se réveille d'un coup, affolée. Elle saute, court en direction de la porte, revient vers moi, repart, mais visiblement n'ose pas l'ouvrir. Je bondis sur mes pieds pour aller secouer le chaman. Lui aussi se réveille d'un coup. Pour la première fois, il rompt le silence en présence de Qâ.

— Quelqu'un... Vite !

Il se dépêtre de ses couvertures, fonce à travers la hutte, grimpe sur le surplomb et se dirige vers le grand panneau de bois peint. Qâ court de droite et de gauche dans la pièce, debout ou à quatre pattes, s'arrête, repart, les poils complètement hérissés, elle semble sur le point de foncer droit à travers la porte fermée, et tout ce qui pourrait la retenir. Dans son énervement, elle ressemble presque à un jeune gorille. J'avance vers elle, les mains levées, pour qu'elle se calme. Elle tente de me contourner, j'attrape son bras, elle gronde comme un rottweiler, retrousse les babines, tire pour que je lâche, elle me secoue, je me cramponne, l'exhortant au calme et au silence de l'autre main, et soudain, des voix humaines éclatent à l'extérieur, appelant le chaman.

Qâ se fige. Je la tire, elle me suit, nous courons, grimpons sur le surplomb. Tek'ic a fait pivoter le panneau de bois, révélant un prolongement de la grotte, une petite anfractuosité où l'on ne peut pas se tenir debout. Qâ n'aime pas ça du tout, elle résiste. Le chaman, d'un air désolé, la pousse gentiment vers l'intérieur, je la suis. Dans la vague lueur des lampes à huile, avant que Tek'ic referme le panneau sur nous, j'aperçois sur les parois des peintures qui paraissent très anciennes, j'ai aussi le temps de voir le visage terrorisé de Qâ, ses yeux épouvantés, puis Tek'ic, barrant ses lèvres d'un doigt levé, nous plonge dans le noir. J'attrape la main de Qâ et me mets à la caresser frénétiquement. Je sens la tension de son corps, comme une pile atomique, elle pourrait d'un coup fracasser le panneau de cèdre pour se précipiter dehors. Alors, sans réfléchir, je porte sa main à ma bouche, et me mets à souffler dessus en la tapotant pour qu'elle se détende. Surprise, elle se laisse faire. Du calme, du calme...

Le panneau de bois est percé de deux trous, à l'endroit des pupilles menaçantes de la grande figure de corbeau qui est peinte de l'autre côté. Quand Tek'ic ouvre la porte de la hutte, la lumière de l'aube perce de deux traits l'obscurité de notre cachette. Je lâche Qâ et applique mon œil à l'un des trous. Deux hommes et une femme sont devant la hutte, et saluent le chaman avec effusion, en langage vernaculaire. Des Natifs. Un homme assez âgé porte une cape brodée de motifs colorés, comme celles du chaman. La femme et l'autre homme sont équipés de doudounes en duvets, de moonboots et de bonnets de laine et chargés de gros sacs à dos sur lesquels sont fixées des raquettes. Ils doivent venir de loin. Tek'ic les étreint l'un après l'autre, le vieil homme lui parle avec véhémence et la femme l'interrompt sans arrêt, d'une voix affolée par l'urgence. Le chaman les fait entrer dans la hutte. Dans le rayon de lumière, je vois Qâ reculer et se tapir tout au fond de l'abri.

Tek'ic s'active, met de l'eau au feu pour préparer un thé, mais ses visiteurs refusent d'enlever leurs manteaux, ils ont l'air bougrement pressés. La femme se fait suppliante à l'égard du chaman, et celui-ci semble consterné. Il se met à lui poser un flot de questions, auxquelles elle répond à toute vitesse. Tek'ic tout en lui parlant se dirige vers la réserve et y pénètre. Tandis qu'il est à l'intérieur, la femme regarde autour d'elle, visiblement impressionnée par le décor. Le plus vieux des deux hommes hoche la tête pour la rassurer, l'autre, taciturne, s'occupe du thé. La femme se met à raconter quelque chose qui la bouleverse et soudain elle éclate en sanglots. Tek'ic revient, les bras chargés de nourriture qu'il leur présente. Il s'agenouille près de la femme en lui posant d'autres questions, tandis que ses invités se restaurent, le chaman va décrocher un grand sac du mur, et commence à le remplir de ses ingrédients thérapeutiques, et je comprends, inquiet, qu'il va devoir partir.

Je me retourne vers Qâ. Elle est blottie au plus profond de la grotte, cachée derrière ses genoux, le peu que je vois briller de ses yeux écarquillés, reflète une terreur sans nom. L'endroit est exigu, elle est si tendue que j'ai l'impression de sentir l'air vibrer. Je me baisse encore, très lentement, m'accroupis à côté d'elle, tends le bras. Quand je touche sa jambe, elle se rétracte, mais ne peut aller plus loin. Tout doucement j'insiste, la caresse du bout des doigts, elle frémit, je cherche ses mains, elle résiste un peu et me les abandonne, je les étreins dans les miennes. De toutes mes forces, j'aimerais lui dire :

— N'aie pas peur, petite sœur, je suis là, n'aie pas peur, tout va bien aller. De toutes mes forces. Et alors...

Elle ne parle pas, oh non. Elle n'en a pas besoin.

Elle m'envahit.

Un maelström d'émotions, de sensations, de goûts, d'odeurs, de sons, de textures, me submerge. Aussi précis et tangibles qu'une volée de cailloux, aussi évanescents que des rêves fugaces. Je sens par ses sens, ressens par sa conscience. Tout. Sa crainte, et son élan de gratitude pour mes tentatives de réconfort, sa sympathie, mais aussi son dégoût quasi virginal de devoir pactiser avec l'espèce honnie des hommes. M'emporte, me bouleverse et, m'envole, me dilapide, me densifie, me glace et me fait fondre, m'éblouit, me vitesse, me pétrifie.

Tout.

Le fracas des roches qui se détachent, sa chute au long de la falaise, la douleur du choc sur sa tête, ou son plaisir lorsque l'autre jour Tek'ic a imité pour elle la danse des chèvres de montagne. L'odeur de bonté de l'haleine d'Ho Letite, et l'effroi de la puanteur aigre du rouquin, sueur, alcool et naphtaline. Le choc des projectiles contre la carlingue du Pigeon Vert, le cri d'alerte d'un geai qui croise sa trajectoire.

Mes poils se hérissent comme les siens.

La peur abjecte, la grange, les fers, le foin. La déchirure, je sens les sexes des Morgensen fouiller mon ventre comme le sien, la panique des bêtes dans la grange adjacente, et l'espoir immense de ma propre présence derrière la cloison. La douleur et l'horreur mais, en même temps, le soulagement d'un loir qui niche plus haut dans la paille, quand s'évaporent les phéromones de haine à la sortie des bipèdes géants. Le bonheur un peu jaloux de Tek'ic, comme si j'étais dans sa tête, quand Qâ revient d'elle-même dans la hutte, et la mer froide quand je nage pour nos vies, ma propre peine à la mort de mes amis. Je reçois, retranscrit par elle, le vide béant qui m'envahit quand je tue le vieux Morgensen. Tout, elle ressent tout.

Le crissement du foret dans son crâne, son tressaillement de surprise lorsqu'elle m'épouille et que j'explose de rire. Je sens la chaleur de mon propre corps ligoté contre le sien sur la luge, et même l'odeur de ma blessure encore fraîche. Je résonne du chant de Sherman quand le fer lui déchire les reins. Je vois capoter l'hydravion rouge à travers l'œil d'un faucon, ressens sa propre peur à son réveil devant le masque du chaman, son bonheur quand elle revoit les arbres pour la première fois. Les frissons de haine du grand maigre quand il met en joue Ho Letite, son plaisir immonde quand il tire. Je vis de l'intérieur la mort du jeune Indien, sa stupeur innocente au moment de l'impact. Elle a été consciente, elle a ressenti tout ça... La brûlure pourpre du venin qui m'incendie les veines, et celle plus sourde de ma plaie en voie de guérison. Encore la stupeur farouche d'un élan, qui cesse de brouter, tressaille, en regardant passer le chaman, la mule et son travois. Où je me vois à côté d'elle.

Tout ça, elle ressent tout ça. Bien plus fort. Bien plus fort que moi.

Je me vois à travers ses propres pupilles, sa vision dans la pénombre de la caverne est bien meilleure que la mienne. J'ai l'air hagard d'un Frankenstein borgne, qui perçoit ce que je perçois. Et en même temps, et à travers elle, je suis dans la tête de Tek'ic qui se fait du souci pour nous ; dans celle du vieux voyageur, qui reprendrait bien un peu de pémican ; dans celle de l'autre homme qui pense que c'est plus prudent de faire soi-même le thé chez un chaman, et surtout je suis dans la mère, que le désespoir dévore, et les regrets d'être partie. Tek'ic, fais vite, je t'en prie. Son enfant, sa fille a mis le pied dans un piège, l'os est fracturé, la blessure ouverte, le piège juste avant avait attrapé un glouton. Ils ont laissé son père à son chevet et couru marché pendant deux jours pour venir le chercher. Fais vite par pitié, chaman, fais vite.

Qâ ressent, perçoit, touche, goûte, voit, entend, comprend tout ça, tout ça à la fois.

Le plus étonnant, c'est qu'il se dégage de l'amalgame de sensations, de la multitude de perspectives, bien que nombre d'entre elles soient atroces, un sentiment incroyablement puissant de bonheur, d'échange, de partage, un sentiment plus profond et plus vaste que tous les océans... un sentiment d'une complétude divine...

Noms de dieux ! Mon rêve, mon putain de rêve n'en était pas un ! C'était Qâ qui venait dans ma tête...

Tout ça n'a duré qu'un instant, quand elle me laisse, j'ai beau être assis, je tombe en arrière, elle me rattrape de justesse avant que je m'affale contre la paroi de bois. Elle me tire, je me redresse, stupéfait. J'ai l'impression qu'on a soumis mon cerveau à des électrochocs, qu'on a mis sous tension des circonvolutions jusque-là inertes. Jamais je ne me serais cru capable d'ingurgiter, de traiter, de sentir, autant d'informations, de sensations, d'émotions simultanées. Lorsqu'elle m'abandonne d'un coup, elle laisse un vide immense, où résonnent les échos de ma stupéfaction. J'ai la cervelle lessivée, les neurones passés à la moulinette.

Elle ressent tout ça, tout ça à la fois... À côté d'elle je ne suis qu'un avorton de la conscience, un handicapé des sens, un inachevé...

Je la regarde d'une tout autre manière. Elle est peut-être dans ma tête à l'instant même ? Qâ me rend mon regard, fait une petite moue, acquiesce d'un hochement de tête craintif, et me fait signe de guigner pour voir ce qui se passe dans la pièce d'à côté. Elle y était, elle y est ! Médusé, je m'efforce de me relever, me hisse, me démène, mais mon corps pèse des tonnes, alors je me rassieds, ou plutôt je m'effondre, et à mon tour, je lui fais des signes, pensant très fort :

— À quoi bon, tu n'as qu'à regarder dans leurs têtes...

Qâ ne semble pas apprécier ma boutade, désapprobatrice, elle se penche en avant et j'écoute avec elle.

Dans la hutte, Tek'ic parle plus fort, il prend des décisions. Ses invités se lèvent, se dirigent vers la porte. Le chaman sort avec eux, se met à siffler sa mule. Je l'entends répondre quelque part dans les bois, il parle à ses invités et je n'ai pas besoin de comprendre la langue, ni d'être dans leurs têtes pour saisir qu'il leur demande d'aller l'attendre un peu plus loin. Je l'entends attraper sa mule qui arrive au galop, l'attacher devant la porte. Les visiteurs s'éloignent, alors seulement, il revient dans la cabane et se précipite pour ouvrir notre cachette.

Tek'ic lutte pour déplacer le lourd panneau de cèdre, et la lumière subite me fait cligner de l'œil. Qâ se penche un peu pour surveiller la porte ouverte entre les jambes du chaman. Il semble soulagé de voir que tout va bien, et en même temps terriblement embêté. Qâ est là, et il doit me parler. Il se lance à son intention dans une gestuelle compliquée, pleine d'excuses, de courbettes et de justifications. Qâ l'interrompt d'un geste signifiant clairement : « Abrège... » Interloqué, il me regarde, puis elle à nouveau, et rompt le silence.

— Je dois partir, un enfant a besoin de moi, me chuchote-t-il.

— Je sais, lui réponds-je la voix blême, une petite fille. Elle a une vilaine fracture ouverte du tibia et du péroné, je crois que la cassure est nette, mais les tissus sont très endommagés.

Le chaman en reste coi... Un long moment il nous dévisage, Qâ et moi, son expression inquiète se dissipe, remplacée par une incrédulité débonnaire, puis un enthousiasme jubilatoire.

— Seulement quelques jours, reprend-il. Au retour, nous préparerons ton initiation, pour te guérir du poison. Viens, je vais te montrer comment soigner Mère de nos mères.

— Je saurais faire, Tek'ic, je t'ai observé bien souvent. Laisse-moi ce qu'il faut et j'y arriverai.

Il croise les bras et secoue la tête, estomaqué, en souriant.

— Décidément... Viens.

Il m'aide à me lever et je le suis dans la hutte. Il me donne le nécessaire à la fabrication de l'onguent, de quoi soigner ma propre blessure, et me fait ses dernières recommandations, j'aimerais bien lui parler de ce que je viens de vivre, je ne sais trop quoi lui dire. Puis il boucle son sac et rassemble ses affaires. La porte d'entrée est restée ouverte et, bien que Tek'ic ait demandé à ses amis de l'attendre au pied de la montagne, Qâ n'ose pas sortir de la cachette et reste dissimulée à l'abri du panneau de bois. Le chaman commence à charger sa mule, fait des va-et-vient, je l'attrape au passage et lui glisse :

— Elle est dans nos têtes, tu sais...

Il plonge ses yeux dans les miens, pleins de sagesse, et me répond, serein :

— Je sais.

Quand il a fini de sortir son matériel, Tek'ic revêt un épais manteau de fourrure et grimpe sur le surplomb pour aller saluer Qâ. Par pudeur, je détourne les yeux, son émotion est si intense que je peux presque la sentir à distance, comme un parfum capiteux. Il saute souplement par terre et vient se planter devant moi.

— Je dois partir, Loup Mouillé N'a qu'un œil, me dit-il, solennel. Tu sais où se trouve le garde-manger. N'abuse pas des bonnes choses, la viande n'est pas bonne pour toi. Prends bien soin de ma maison — puis me montrant Qâ —, et surtout, prends bien soin d'elle, elle est le bonheur le plus précieux de cette vie.

— Ne t'en fais pas, Tek'ic, tout ira bien, t'en fais pas.

Nous nous donnons une chaleureuse accolade, très émus. Il s'en va, tirant sa mule derrière lui et je les regarde s'éloigner. Ils contournent le ruisseau et l'aven, et disparaissent entre les arbustes.

Me laissant seul, seul avec Qâ.

J'ai une seconde d'appréhension, qui se mue en réjouissance. Je suis seul avec Mère de nos mères, et je sais de quels prodiges elle est capable. Je vais la rejoindre sur le surplomb, raflant au passage deux lampes à huile. Lorsque je contourne le panneau de cèdre, m'attendant à trouver Qâ tapie, sur le qui-vive, j'ai un sursaut d'angoisse en la découvrant allongée sur le sol. Mais non, elle va bien, son expression me rassure. À vrai dire, elle s'est couchée sur le dos pour faire ce que j'ai envie de faire, regarder de plus près les peintures qui ornent les parois et le plafond de la grotte. Posant les lampes, je m'arc-boute contre le panneau pour le faire pivoter complètement et laisser entrer la lumière. Je m'étends doucement à côté d'elle, elle tourne la tête et hausse les sourcils, admirative.

La grotte est recouverte de dessins à la peinture ocre, qui par endroits se sont fondus dans la teinte du rocher. Ils semblent très anciens, représentent des scènes de chasse et de cueillette et me rappellent les gravures rupestres du Tassili ou de Lascaux. Là, je reconnais des guerriers demi-nus, armés de sagaies et de flèches encerclant un bison, ou peut-être un aurochs, ici, des chasseurs de phoques brandissant des harpons, des femmes traînant derrière elles des peaux de bêtes, où s'accumulent les fruits qu'elles ont cueillis. Et puis des animaux de toutes sortes, élans, loups, baleines, ours, caribous, saumons, aigles et des signes géométriques qui ressemblent à des trames de tissage, des spirales, des cercles concentriques.

Je joue avec Qâ à « y es-tu dans ma tête ? ». Mais elle ne répond pas, elle y est peut-être quand même. Et si elle y est ? Si tu y es ? Que fais-tu de ce que tu vois par mes yeux, mes sens, est-ce que tu te l'appropries ? Est-ce que tu t'en fais un genre de doubleur de focale pour améliorer ta propre compréhension, ou est-ce que tu te contentes de comparer les données ? Quand tu admires ces dessins, n'y vois-tu que des représentations symboliques ou, comme moi, perçois-tu les millénaires qui nous séparent de celui ou celle qui les a esquissés ? « Y es-tu ? », Qâ ne répond pas. Elle contemple une figure centrale au plafond, je m'agenouille pour mieux voir.

C'est un homme seul, qui semble flotter dans les airs, les bras en croix au milieu d'une horde de loups aux mâchoires féroces. Nu, les jambes écartées, son sexe qui se dresse a la même forme que les champignons qu'il tient dans ses mains, et que son masque conique surmonté d'une petite pointe. Des champignons magiques... Un chaman, c'est un chaman, immortalisé là depuis la nuit des temps. Décidément la maison de Tek'ic mériterait d'être classée au patrimoine de l'humanité.

Je regarde Qâ, concentrée sur les détails. Elle a l'air extatique d'une étudiante en histoire de l'art devant la toile d'un grand maître. Je ne peux m'empêcher de rire de son plaisir, jamais je n'avais encore croisé une femme préhistorique dans une galerie d'art.

Elle se tourne vers moi, d'abord elle étire les commissures de ses lèvres, les relève et... Elle sourit, pour la première fois, elle me sourit, et son sourire a quelque chose de follement attendrissant, comme une caricature grossière pourtant parfaitement imitée, qui révèle la force et la fragilité de son humanité, mais aussi la profondeur d'une affection instinctive et animale. Je ris, faisant des grands gestes qui englobent la beauté des dessins, elle, ma tête, mon cœur, mon bonheur. Alors Qâ, tout en s'asseyant, ouvre la bouche et se met à hoqueter, produisant des sons qui ressemblent d'abord à une toux de grabataire. Un instant, surpris, je crains qu'elle n'ait avalé de travers. Quand elle voit mon air, elle hoquette de plus belle, et sa voix éclate douce et éraillée, et je comprends qu'elle rit aussi, qu'elle rit à sa manière.

La vie est belle. Qâ est mon amie et elle rit avec moi.

Nous sortons de là épuisés de joie. À présent, je comprends ce que protège la figure menaçante de corbeau qui est peinte sur le grand panneau de bois. Des trésors inestimables, je ne peux pas croire qu'un site rupestre de cette qualité ne soit pas répertorié. Tek'ic ne se rend peut-être pas compte de son importance. Qâ, rasant les murs, se dirige vers la porte de la hutte, y passe discrètement la tête, scrutant les alentours. J'en franchis le pas et observe les environs. J'aimerais dire à Qâ :

— Ne t'en fais pas, ils sont partis, tu peux sortir.

Nous sommes seuls. Mais je n'ai même pas le temps

de finir de formuler mes pensées, qu'à nouveau, elle m'envahit.

Avec comme une intention ironique, en une fraction de seconde elle me bombarde de tout ce qui se passe. « Nous sommes seuls. » Vraiment ? Waoutch ! Je suis dans la tête des voyageurs qui s'éloignent, bien qu'ils soient déjà à des kilomètres. Tek'ic se demande si je ne vais pas essayer de partir avec Qâ, tout en sachant très bien, qu'elle ne me suivrait pas ; le vieil homme à la cape regrette d'avoir mangé trop vite, sa digestion ralentit ses pas ; l'autre ouvre la marche et n'aime pas avancer avec un chaman dans son dos ; et la mère bien sûr, qui se dit : « Pourvu que plus tard ces bonshommes acceptent de ne pas s'arrêter et de manger en marchant. Plus vite. Hâtez-vous. Mon enfant a besoin de moi. »

Qâ va dans leur tête, et tout ça rebondit sur moi. Je regarde autour de moi, je ne vois rien voler ni remuer, pourtant. À travers Qâ, je perçois la tension que ma simple présence suscite. Des oiseaux, oui, nombreux et là peut-être un écureuil ou une martre et même à mes pieds un scarabée éclopé, rescapé de l'hiver, sur lequel j'ai failli marcher. Je me vois même de dos, d'un regard prédateur. Je me retourne... Elle me lâche, je chancelle, secouant la tête.

Qâ est sortie de la cabane, elle me sourit, « seuls, hein... », je scrute la forêt derrière elle, au-dessus de la grotte, rien ne bouge, pourtant je sais qu'un carnivore est là, sans doute un renard ou un coyote. J'aimerais tant parler à Qâ.

Comment fais-tu ? Qui es-tu ? D'où viens-tu ? Dis-moi tout de toi, Qâ. Ton enfance, tes parents, ta vie, dis-la-moi. Et comment fais-tu ça ? Comment peux-tu être ici et partout à la fois, comment ? Tu n'as que deux bras, deux jambes, un ventre, une tête, comme moi. Deux yeux, un nez, une bouche, des oreilles, comme moi. Pas d'antennes, pas d'émetteur, pas de fils, pas de réseau satellite, alors comment ? Comment peux-tu faire ça ?

Bien sûr Qâ ne me répond pas.

Maintenant que je l'ai vue sourire, je lui trouve une

expression énigmatique. Elle s'avance à découvert, me contourne, s'approche du ruisseau et entre dans l'eau froide pour y satisfaire ses besoins. Elle me laisse dans un état de quiétude stupéfaite. Quand elle cesse ses incursions dans ma tête, chacun de mes muscles se relâche, comme si d'avoir ressenti tant de choses, vibré de tant d'émotions diverses, les avait épuisés autant qu'une longue course.

Je rentre dans la hutte, il y fait froid depuis le temps que la porte est ouverte. Je prends quelques bûches, les charge sur le foyer. Comment fait-elle ? Qu'est-ce qui fait le lien entre elle et moi, entre elle et tous ceux qui l'entourent ? Qu'est-ce que c'est ? Des ondes ? Des particules ? Des impulsions neuro-électriques, des vibrations ou plutôt des phéromones ? Ou alors un truc franchement plus ésotérique, angélique, quasi divin ? Ha... Je ris de ma propre ignorance et de la chance suprême que j'ai d'être ici et maintenant, seul avec elle et ses mystères. J'aimerais tant Qâ que tu te révèles. Elle ne répond pas, elle use de ses talents quand bon lui chante, et me laisse à mes abois.

Plus tard, elle rentre toute mouillée et referme la porte derrière elle avec un mouvement si habituel qu'on dirait l'entrée d'un personnage de sitcom. Je lui souris benoîtement, elle vient s'installer près de moi et commence à lisser ses poils. Qâ a un drôle de rapport avec le feu. Visiblement elle le connaît, sait se saisir d'un brandon pour le propager ailleurs. À l'occasion, je l'ai vue jouer avec le briquet à amadou du chaman, elle en tournait maladroitement la molette, mais savait parfaitement souffler sur la mèche pour en attiser la braise. Pourtant sa chaleur l'indiffère, et la plupart du temps, elle s'en tient à distance, alors que, sous la hutte, la température diminue très rapidement dès qu'on s'éloigne du foyer. Sa peau doit avoir les mêmes qualités isothermes que celle d'un phoque ou d'un ours, bien qu'elle n'ait pas la moindre couche de graisse, à vrai dire elle est même plutôt maigre, malgré ses muscles. Trop maigre, il faut qu'elle mange. Et d'ailleurs j'ai une faim de loup.

Quand elle est sèche, ses poils tout ébouriffés, je l'attire vers la réserve avec des signes conviviaux.

— Allez viens, j'ai faim, profitons que le vieux n'est pas là pour nous taper la cloche, lui dis-je dans ma tête. Je plaisante, allons chercher quelque chose à manger.

Elle me suit et fait son choix de graines et de fruits secs. Moi, j'en salive d'avance, marre des brouets de céréales, je vais me faire un gueuleton. Sous le regard curieux de Qâ, je farfouille de ci-de là, trouve quelques oignons, un genre de lentilles, une idée germe. Je fais main basse sur des airelles, et là, ces feuilles racornies, de l'ail aux ours séché, un régal, et ici des noix ! Ensuite, je me saisis d'un couteau et je me coupe une épaisse tranche de jambon de cerf, j'hésite un peu, avant de prendre une jarre d'hydromel. Qâ me regarde faire.

Les bras chargés de boustifaille, je retourne vers le coin cuisine et m'aperçois que toutes les casseroles sont sales. Je me hâte d'aller les laver dans le ruisseau pendant que Qâ commence à manger. J'essaie de toutes les manières de la contacter mentalement, de près, de loin. Rien à faire, ce truc ne marche qu'unilatéralement et que quand elle le veut bien. Je frotte les casseroles dans l'eau froide, avec du sable pour en racler le fond, me dépêche de retourner au chaud. D'un côté je mets à cuire les lentilles, neutres, juste un gros caillou de sel, j'y ajouterai l'ail au ours au dernier moment ; de l'autre je coupe le morceau de cerf en dés, le fais rissoler dans sa propre graisse avec l'oignon haché. Qâ mange tranquillement et m'observe avec attention.

— Tu sens ce fumet ? Ça va être un délice.

J'aimerais lui dire. Je voudrais tant lui parler, je ne cesse d'émettre des bruits de gorge, des mmmhs, des wouaous. J'ai tant de choses à lui raconter, et surtout à lui demander, mais Qâ est concentrée sur son repas. Je sais qu'elle sent les appétits qui me rongent, la faim qui tord mon ventre et l'autre faim, qu'elle recommence ce truc. Ce truc dans ma tête. Lorsque la viande est bien dorée, je débouche la jarre d'hydromel, scellée d'un gros tampon de fibres. Ououh, ça fleure le nectar. J'en verse l'équivalent d'un grand verre dans la casserole, et touille énergiquement pour déglacer. Quand la sauce est homogène, j'y ajoute les airelles et les noix, complète avec un peu d'eau, et couvre à demi la casserole. Faut qu'ça mijote, me dis-je satisfait.

Qâ, lorsqu'elle a fini de manger, entreprend de ramasser une à une les miettes de son repas, les reliefs de ce qu'elle a décortiqué, et les jette dans le feu. Je l'ai déjà vue faire. De même qu'elle va toujours déféquer dans le ruisseau, après chacun de ses repas, elle en fait disparaître toutes les traces. S'il n'y a pas de feu, elle les éparpille alentour en tout petits morceaux. Sans doute un réflexe de survie, de discrétion dans la forêt.

La jarre d'hydromel étant tirée, il faut la boire, je me verse une timbale de liquide ambré, y plonge les lèvres et fait une grimace de plaisir. Qâ semble intéressée. À distance, elle renifle, je tends le bras, la lui présente, elle prend la timbale. Quand elle la sent de plus près, elle recule brusquement la tête, comme si l'alcool lui brûlait les muqueuses, et me la rend, manquant en renverser le contenu que je rattrape de justesse. Ouf, d'un poil, me dis-je, ç'aurait été dommage. Dans l'enthousiasme du moment, je lève le verre et dis à haute et intelligible voix :

— Bon ben, santé alors !

Et je bois. Oups, j'ai parlé. J'ai parlé devant Qâ. Consterné, je bois la timbale cul sec, ça colle sur la langue comme du miel, râpe comme de la vodka, j'avale tout, et quand je l'abaisse vide, Qâ n'a pas l'air particulièrement offensée, juste un peu interloquée. Je continue.

— Pardon, j'ai parlé, lui dis-je avec circonspection. — Elle ne réagit pas. — Wouou, c'est fort ce truc-là. Ça va ? Ça va, ça ne te dérange pas trop si je parle, si je... si je dis des mots avec ma bouche, non, vraiment ?

Qâ fait un drôle de mouvement de cou, qu'elle déplace latéralement, mais à part ça reste impassible.

— Vraiment ? Ça ne te dérange pas, sinon tu n'as qu'à le dire, hein, pas de problème.

J'aimerais tellement qu'elle soit à nouveau dans ma tête, maintenant que je lui parle, je ne sais plus par où commencer.

— Avant tout, je voudrais que tu saches que je suis ton ami, et j'aimerais que tu sois mon amie aussi, tu comprends ?

Qâ se met à se gratter la cuisse, se plie en deux pour s'en mordiller l'intérieur. Avec quelle souplesse, moi qui n'arrive même pas à m'attraper le pied.

— Ouahh, tu sais c'est un sacré soulagement pour moi de pouvoir parler, entendre ma voix. J'ai l'impression que ça fait des lustres, héhé...

Qâ n'a plus l'air de faire attention à moi, elle se gratte furieusement. Son dédain frise l'impolitesse. J'insiste.

— La voix, aaaa, je vocalise, aaa eee iii ooo uu, les sons, les mots, la parole, tout ça est important pour nous tu sais, je veux dire pour nous, les Sapiens, les hommes et les femmes, comme moi, sans poils, hum... C'est un peu grâce à eux qu'on a l'impression d'exister, tu vois ? Non ? Oui bien sûr, toi tu n'en as pas besoin, c'est encore mieux hein. Héhé... Tu comprends, Qâ ? Est-ce que tu comprends mes mots quand je parle ou est-ce que tu lis quand même dans ma tête ?

Qâ se redresse, m'ignorant complètement. Elle s'enlace de ses deux bras pour labourer ses omoplates de ses ongles.

Je soulève le couvercle de la casserole, touille et goûte la spatule. Ça va être fameux, les airelles sont particulièrement sucrées, et la viande très salée, le mélange est parfait, encore une petite demi-heure et... J'en propose à Qâ, sans succès. Tout ce que je propose à Qâ est sans succès. L'alcool me réchauffe les sangs, alors je persiste à soliloquer et je me sers un autre verre.

— Autrefois j'étais chanteur, tu sais. Non, j'suis con tu peux pas savoir. Enfin... ? Ouais, chanteur, je chantais, j'écrivais des mots que je mettais en musique, des chansons, lalalala, avec des paroles... — Je bois l'hydromel et me mets à tapoter la timbale de mes doigts. — Tu voudrais Qâ, tu voudrais que je chante pour toi ? Tiens, du genre...

Et je commence, l'air inspiré.

J'ai gravé ton nom dans l'écorce de mon cœur
avec le poignard affûté de ma douleur
cousu les lèvres de mes peines
scellé les veines de mon désir
avec le fil du souvenir
par crainte de l'oubli
c'était pas la peine
à chaque jour chaque heure qui passe
quel que soit le chemin que je prenne
je t'aime comme avant

J'ai crié ton nom dans l'abîme de mes nuits
scarifié mes joues de mes larmes corrosives
j'ai cautérisé mes blessures
en laissant dedans les éclats
et les brisures de mon chagrin
pour pas qu'elles se referment
c'était pas la peine
à chaque moment, chaque nuit qui passe
quelles que soient les envies qui me prennent
je t'aime comme avant

J'ai tatoué ton nom en relief sur mes paupières
rouvert les béances écarlates de mes chairs
de peur de perdre ta mémoire
j'ai remâché le jus amer
du désespoir comme un remède
pour prévenir l'oubli
c'était pas la peine
aujourd'hui j'ai enfin compris
que tu es dans chaque bonheur qui m'emmène
je t'aime comme avant

Je dodeline de la tête, frappe le rythme du pied, mais ma chanson tombe complètement à plat. Qâ ne se gratte plus, elle est juste là, les yeux dans le vague. Son indifférence commence à me coller le bourdon.

— Voilà, lui dis-je enjoué, c'était pas trop mauvais hein ? J'en avais des tas des comme ça. J'ai fait des concerts, chanté devant plein de gens, beaucoup beaucoup. Et puis, des disques aussi, je m'explique à grand renfort de gestes... des petits objets que les gens prennent chez eux, et ils peuvent écouter la musique, les chansons.

Je fanfaronne, je me vante. Je me dis que si Qâ joue l'indifférence, moi je vais faire comme si je ne m'en apercevais pas. Je me raconte, j'en rajoute, je gesticule, je saute du coq à l'âne. Et plus j'avance plus mon discours sonne faux, et plus il sonne faux, plus je ris jaune et me justifie. En même temps, je pense très fort : « Parle-moi, viens dans ma tête, Qâ, j't'en prie, fais encore ce truc pas possible. » Qâ s'en tape de mes élucubrations et, soudain d'un regard compatissant, elle effleure ma blessure, et me coupe le sifflet...

— Oui, évidemment, dis-je en portant la main aux coutures de ma paupière. Je ne sais pas si aujourd'hui, je pourrais...

Mais qu'est-ce que je déconne ? J'en suis où ? L'hydromel de Tek'ic est sacrément fort, deux verres et je suis déjà bourré. De quoi je parle là, rien à foutre de mon passé. Je suis avec Qâ. Et c'est d'elle qu'il faut que j'apprenne.

Gêné, je replonge dans mes casseroles, ajoute l'ail aux ours et retire les lentilles du feu, pour laisser infuser quelques minutes. Le ragoût de cerf doit cuire encore un peu, la sauce a pris une teinte sanguine, j'en ressors la spatule, elle a l'air d'avoir été trempée dans l'encre rouge. Qâ n'est pas plus affectée de mon silence contrit que de ma logorrhée verbale, elle fait une grimace étrange, penchée en avant, occupée à arracher un bout de corne de son orteil. Si je pouvais la convaincre de recommencer cette espèce de communion des sens, ça a été tellement fort, un tel transport, que déjà je ne me rappelle plus que du sentiment général. J'en ai une envie folle, presque une soif de junky, je voudrais tant qu'elle recommence.

Quand je remue les lentilles, Qâ se redresse, intriguée par l'odeur. Il faut dire que ça sent bougrement bon. Je goûte. L'ail aux ours a révélé toutes ses saveurs, les lentilles sont moelleuses et craquantes à la fois, parfaites, et Qâ m'accorde d'un coup toute son attention. Je n'y résiste pas.

— Tu, tu veux goûter, Qâ ? lui dis-je tout doucement, c'est un vrai délice.

Visiblement elle en salive d'avance. J'y plonge ma spatule, puis souffle dessus en l'agitant comme pour refroidir la nourriture d'un enfant. Qâ se rapproche, elle se penche vers moi, gourmande, se léchant les babines, avec des expressions de jeune animal. Je lui donne directement dans la bouche. D'abord elle sursaute à cause de la température, puis enfourne toute la cuillère et mâche goulûment.

— C'est bon hein, Qâ, ma belle Qâ, je vais t'en faire un bol, mmmh... — Je lui en sers un copieux, et tandis que je remue pour que ça refroidisse, je la vois qui trépigne impatiemment. — C'est quand même meilleur que des lentilles crues, non ? Tu vois, juste un peu de feu, une casserole et de l'eau, du sel, quelques herbettes et le tour est joué. Voilà, gentille Qâ, je crois que ça va. Je lui passe le bol, le tenant des deux mains, elle souffle comme je l'ai fait, goûte précautionneusement en allongeant sa lèvre supérieure, le prend dans sa bouche ouverte, fait glisser la potée avec ses doigts et se met à dévorer. J'en ris de plaisir... C'est mon tour de me pencher vers elle.

Avec une grande bouffée d'affection, je lui demande :

— Qâ, ce truc que tu m'as fait, quand tu viens dans ma tête, c'est tellement incroyable. Comment, comment est-ce que tu fais ça ? Je veux dire, tes parents, ton père, ta mère le faisaient déjà, ou... ? Ce don, ce talent, tu l'as depuis ta naissance, ou as-tu appris entre-temps ? Ça peut s'apprendre ? — Elle me regarde par-dessus son assiette. — Tu voudrais recommencer, tu voudrais bien refaire ce truc avec moi ?

Elle le fait.

Et je prends comme une gigantesque claque dans la gueule.

La caricature, c'est moi qui en suis une. En un flash, je me vois simplement de ses yeux et j'entends résonner des bribes, de l'incohérence entre mon discours et mes intentions. Je suis penché vers elle, obséquieux. Je suis vaniteux, laid, vil, menteur, hypocrite, opportuniste. Je me vois de ses yeux, et en même temps du fond de ma propre conscience en désaccord avec mes actes. Je me vois comme une caricature d'imbécile d'Homo Sapiens.

Une grande claque dans la gueule. Outré, je pique un fard d'une telle intensité, que j'éprouve le besoin de me lever d'un coup.

— Non mais ça va hé ! C'est quoi ces conneries, une putain de thérapie télépathique ou quoi !

Qâ sursaute de mon éclat, elle manque lâcher le bol, prête à bondir. Immédiatement je me reprends, tends les mains pour l'apaiser.

— Non, pardon, pardon, Qâ, excuse-moi, excuse-moi, c'est rien... J'suis con, j'suis l'roi des cons, m'en veux pas, j't'en prie. Après tout, après tout je l'ai bien cherché.

Je me rassieds, elle reste tendue, malgré mes tentatives d'apaisement, et ne recommence à manger que lorsque je me sers enfin. Je lui propose du ragoût. Elle repousse la spatule, peut-être ne mange-t-elle que de la viande crue, et je n'insiste pas. Pourtant, c'est une réussite et les couleurs sont surprenantes. Les lentilles sont plutôt jaunes, le cerf aux airelles, rouge sang, une ligne orange fluorescent scinde mon assiette en deux. Les goûts aussi sont délicieux, mais à présent j'ai comme une boule dans le ventre et c'est l'appétit qui me manque.

Qâ mange comme si rien ne s'était passé. Je fais comme elle, enfin je m'y efforce, je suis vite écœuré. Chacun des plats est bon, pourtant le mélange est trop riche, trop parfumé, ou peut-être ma gorge est-elle trop serrée. Quand Qâ a fini, elle enfouit son menton dans le récipient pour en lécher les parois, pose délicatement son bol et suce ses doigts. Elle s'installe plus confortablement avec des mimiques satisfaites, et soudain elle rote, la bouche grande ouverte, puis se lève sur une fesse et pète bruyamment.

— Eh ben, ça va mieux on dirait, je dis en reculant.

Elle se met à se curer les dents. Moi, je me sers un verre d'hydromel pour m'aider à avaler, et comme j'ai besoin de réconfort, je le bois d'une traite, et m'en sers un autre, ce truc est aussi fort que du chouchen breton, les vapeurs de l'alcool accentuent mon auto-apitoiement, je ne devrais pas pourtant je ne peux pas m'en empêcher. Et, vaille que vaille, termine le contenu de mon assiette.

— Tu sais, Qâ, je suis vraiment très heureux d'être ici avec toi, vraiment... — Je reprends avec une voix douce comme du velours, quand même un peu fêlée. — J'ai pas toujours été comme ça tu sais, un écorché vif... Je ne parle pas de ça, non, dis-je en montrant ma blessure, mais de dedans, de mon cœur. Déjà avant de te rencontrer, j'ai vécu un tas d'horreurs... Je veux dire j'ai... Enfin ça ne rend que meilleur le plaisir d'être avec toi.

Qâ, à nouveau, divague. Tout autour d'elle retient son attention. Tout, sauf moi. Je bois encore, je suis soûl. Fort des répétitions avec Tek'ic, je raconte les douleurs qui jalonnent mon parcours, tente avec véhémence de la convaincre de la valeur de mes expériences. L'alcool me fait tourner la tête, j'ai chaud, je bois encore. Je sais qu'elle connaît le poison, alors je lui parle de Pripréfré, d'Ulysse et d'Albert bien sûr, qui voulait tant la libérer.

— Et ça, j'ajoute en montrant ma paupière balafrée, c'est cette saleté de grizzli qui me l'a fait, celui qui a tué Albert. Tu l'as peut-être senti chez les Morgensen. C'est moi qui l'ai eu cet enfoiré. Oui, trop tard, mais c'est moi qui l'ai tué...

De tout ça, Qâ s'en tape. Je m'énerve. Veux me resservir, la jarre d'hydromel est vide, je me lève pour aller en chercher une autre.

— J'ai dû l'égorger, bon dieu, il avait déchiqueté Albert !

Je m'agite, je gesticule, explique la fuite de l'ours,

les chiens, la peur, je décris la rencontre d'Albert, sa course contre la mort, ses membres déchirés qui volent. Avec de plus en plus de violence, je mime la rage de l'ours, sa haine et ma colère.

— Ce salaud-là grimpe, ne me laisse plus de choix ! Alors...

Je saute en l'air, frappe, me débats, me contorsionne, relève du coude la tête d'un ours imaginaire, et lui tranche la gorge d'un grand revers de bras. Me tordant de douleur, une main sur ma paupière, quand il tombe mort à mes pieds, je me retourne... Qâ...

Qâ n'est plus là...

— Qâ !

Je l'appelle en me précipitant vers la porte ouverte. Qâ ! Je crie en sortant de la cabane, ne la vois pas, cours en direction du torrent. Là non plus. Je hurle.

— Qâ, Qâââ ! Reviens, Qâ, je t'en supplie, je ne voulais pas...

Mais Qâ n'est plus là. Je cours jusqu'à l'aven, à travers le sous-bois. Titube, trébuche, appelle, je cherche partout. Je vais me jucher au bord du surplomb, dominant la canopée, et j'appelle, encore et encore. Grimpe sur la falaise, fouille du regard tous les environs. Elle n'est nulle part. Je hurle au désespoir, de ma voix et dans ma tête.

— Qâ, n'aie pas peur, Qâ, reviens, j't'en prie reviens.

Elle ne répond pas. Je descends le goulet, m'enfonce dans la forêt, escalade la montagne. Pendant des heures, j'erre de toutes parts, mais ne la trouve pas.

— Oh Qâ, non Qâââ, ne me fais pas ça...

Le désespoir m'assaille. Elle est partie, à cause de moi, elle s'est enfuie. Quand le soir arrive, j'ai perdu toutes mes forces en vain. Le froid me fait rentrer dans la cabane. Je vais prendre une autre jarre d'hydromel, et sanglotant, ivre de tristesse, j'y noie mes peines et mon chagrin.

Jusqu'à ce que l'univers bascule...

5

Le lendemain, j'émerge tard dans la matinée, vautré dans mon vomi. J'ai la tête prise dans un étau de briques réfractaires et ma propre chaleur me fond. Je me lève, constate l'étendue des dégâts. Qâ n'est toujours pas là. Je titube jusqu'à la porte, la pluie a repris. Qâ n'est pas revenue, elle est partie à cause de moi. Qu'est-ce qui m'a pris de délirer comme ça ?

— Qâ ! Qâ, mon amie, pardonne-moi, je lui crie dans ma tête. Plus jamais je te dirai des paroles, plus jamais je ne m'adresserai à toi autrement qu'avec mon cœur, je t'en supplie, Qâ, ma sœur, Mère de nos mères, reviens, réponds-moi !

Elle ne se manifeste pas. Je trébuche sous la pluie froide, arrache mes habits souillés et, malgré la température, je me trempe dans le ruisseau gonflé. Si Qâ n'est pas là au retour de Tek'ic, sûr qu'il va me trancher la tête, la réduire, la désosser, la dessécher pour s'en faire un colifichet.

— Qâ, mon amie Qâ, ne m'en veux pas, j't'en prie, ne m'en veux pas de n'être qu'un homme. Reviens, reviens vers moi.

Qâ ne répond pas.

Nu, transi, je lave mes habits dans l'eau glacée, puis cours à l'intérieur pour me frotter avec une peau de daim, cette fois complètement réveillé. Je fouille l'âtre, trouve quelques vieilles braises, les attise, redémarre le feu en le chargeant d'un tas de bois immense. Puis je revêts des habits chauds et entreprends de nettoyer le merdier que j'ai fait alentour. Mon vomi a marqué le plancher comme d'une tache sanglante et le ragoût renversé s'est figé comme de la confiture, je dois tout rincer à grande eau. Quand la maison du chaman est à peu près présentable, j'enfile une épaisse pelisse de caribou graissé, avec un capuchon, les poils à l'intérieur, remplis une besace de provisions de bouche, y attache des raquettes, prends mon couteau et, pressé par l'urgence, je ferme la cabane et pars sous la pluie, à la recherche de Qâ.

— Qâ, petite sœur, je t'en prie, réponds-moi.

Sans cesse je lui parle dans ma tête, lui livre toutes mes émotions. Les plaisirs de nos rires, l'amitié de nos caresses, promets de ne plus répéter les erreurs que j'ai faites, mais elle reste sourde à mes appels. Pourtant elle ne peut pas être bien loin.

La forêt est ruisselante de beauté. Je traverse des bois de conifères si denses que je n'y vois qu'à quelques mètres devant moi, sombres, labyrinthiques ; des clairières de capillaires à moitié décomposés, dont les squelettes demi-dressés évoquent des cimetières de poissons. Je m'acharne pour ne pas laisser la majesté du paysage m'étouffer, je trouve ma voie, me faufile entre les épineux, patauge dans des marécages, escalade des rochers où des ifs aux troncs ondulés prennent racine en dépit du bon sens, me hisse aux écorces hirsutes des genévriers. Mon séjour chez le chaman m'a presque fait oublier que je me trouve au plus profond du royaume des arbres, j'en reprends toutes les dimensions. De temps en temps, je sors à découvert, et parfois j'aperçois, de plus en plus loin, la terrasse, l'aven, et surtout les séquoias géants qui lui servent de gardiens. Pendant des heures, je marche, je monte, je descends, je tourne plus ou moins en rond et parviens à garder mes points de repère.

Puis je m'enfile dans un canyon encaissé où des érables nains aux troncs multicaules et des sureaux poussent si serrés, que j'ai l'impression de sans cesse enjamber des barrières. J'avance, têtu. Je saute, m'agrippe, trébuche, me tords les chevilles, au bout de quelques centaines de mètres déjà, j'hésite à faire demi-tour, les parois se rapprochent et leur tracé est sinueux, mais non, je continue malgré tout, et régulièrement j'appelle Qâ. Plusieurs fois je bifurque dans d'autres ravines, à droite, à gauche, espérant trouver un chemin plus court pour sortir de là. Mes semelles ripent sur les troncs mouillés, je me cogne les genoux, et deux fois l'entrejambe. Le manteau de caribou se fait lourd, et ma besace sur laquelle sont fixées les raquettes se coince dans les branches, un vrai gymkhana.

Enfin, je sors de ce dédale, pour déboucher au-dessus d'une vallée que je ne connais pas. Somptueuse, recouverte à perte de vue de forêts denses. Merde, où suis-je ? Je suis parti plutôt au nord-est environ ; je dois être à peu près de l'autre côté de la montagne de Tek'ic, mais je ne sais plus très bien si j'ai tourné plutôt à gauche, ou plutôt à droite. La pluie a cessé, le ciel est si bas, impossible de distinguer le moindre halo de soleil. Merde, merde, merde.

— Qâ, Qâ, s'il te plaît ! — Qâ ne répond pas. — Oh non, manquait plus que ça, j'ai perdu le Nord. Doucement. Pas de bêtises, je suis en pleine forêt canadienne, on ne plaisante pas avec ces choses-là. Si je prends par là peut-être que... Oui mais peut-être pas, et par ici non plus d'ailleurs. La fatigue m'assaille et avec elle, le froid se fait ressentir. C'est pas vrai, mais qu'est-ce que je fous là. Jamais je n'aurais dû quitter la cabane, et d'ailleurs, jamais je n'aurais dû laisser Tek'ic et les autres partir sans moi. J'aurais dû profiter d'eux pour me tirer de là, me rapprocher de la civilisation, avec ou sans Qâ. Depuis le temps que je suis chez le chaman, j'en ai perdu tout sens de la réalité. Ailleurs des gens me recherchent, m'accusent, ou se morfondent, morts d'inquiétude pour mes amis disparus et moi. Qu'est-ce que je fais là, à errer dans les bois comme une âme en peine ? Je me mets à crier, de vive-voix.

— Qâ, Qâ, bon dieu, réponds !

Ma voix résonne dans la vallée comme un coup de clairon, presque obscène dans le silence environnant, qui me fait honte de moi. Du calme, silence, pardonne-moi, pardonne-moi, Qâ. J'ai besoin de toi, j'ajoute dans ma tête, sans plus de résultats. Bon, mieux vaut être deux fois con, qu'une fois perdu pour de bon, et je décide que le plus sage est de revenir sur mes pas, et de retraverser ces satanés canyons, et leur mikado de troncs emmêlés.

Et ça recommence... Les chevilles tordues, les genoux beugnés, cette fois j'arrive même à me cogner le front, juste à côté de ma cicatrice, suffisamment fort pour passer cinq minutes à grincer des dents. Les troncs des érables sont lisses, ceux des sureaux rugueux, et les cornouillers s'en mêlent, sur les uns je glisse, sur les autres me râpe, et ça dure, ça dure et chaque endroit que je crois reconnaître ressemble à celui qui le précède. Et je m'énerve, m'épuise, hésite dans mes bifurcations. Ici ou là, je ne sais plus, je ne sais pas, et je m'engueule de ne plus savoir, et Qâ, Qâ qui ne répond même pas.

— C'est pas vrai, mais c'est pas vrai, je ne peux pas être aussi con que ça !

Je crie à un nouveau carrefour. Celui-ci ou celui-là, tous ces foutus canyons sont identiques. Je suis paumé, cette fois je suis vraiment perdu. Alors je choisis au hasard. Et ça continue de plus belle. Celui que je prends est particulièrement étroit, et la seule certitude que j'ai, c'est de n'être jamais passé par là. À un moment je veux sauter deux troncs à la fois, je m'encouble, me fracasse méchamment dans les arbres emmêlés et me heurte si fort le coude que les larmes me viennent. Je m'écroule sur un petit espace dégagé, juste de quoi m'asseoir.

— Mais pourquoi moi ? Pourquoi moi ? Je suis fou, bon dieu, complètement fou, qu'est-ce que je fais là... Je suis perdu et je n'ai pas retrouvé Qâ, la sasquatch qui n'en est pas une, la femme préhistorique... Et Tek'ic le chaman... Existent-ils seulement ? Existe-t-elle vraiment cette fichue femme poilue, ou est-ce que tout ça je l'ai inventé dans ma tête de taré ! Ce n'est pas vrai...

Je me rappelle qu'on dit que les gens qui se perdent dans la forêt, finissent par mourir de honte. De honte ! Oh non, pourquoi moi.

Je m'effondre dans le chagrin. Où que je regarde, je ne vois que des troncs tordus. La rage me vient et je donne des coups de pied furieux dans les arbres qui m'entourent. Ils sont bien là, ces enfoirés qui m'encerclent, et ils sont bien faits de bois ! Quand je finis par me calmer, complètement lessivé, je vois, à la lumière qui baisse, que je n'ai plus qu'une ou deux heures de jour devant moi.

Fou ou pas, il faut que je me tire de là.

Alors je me relève et vaille que vaille reprends ma progression. Me contorsionne, me pousse, me démène. Le canyon à présent se met à descendre en pente douce puis de plus en plus abruptement. L'eau y ruisselle d'un côté, bordée de taillis si épais de ronces et autres lianes, que je préfère continuer à me faufiler dans ma jungle. La pente se fait rude, les arbres enfin s'espacent, pour laisser place à de hautes herbes couchées par l'hiver. Glissantes... D'abord je me réjouis de pouvoir foncer, mais après quelques chutes, je me mets à avancer prudemment. Devant moi, entre les parois, je distingue une ouverture sur la canopée. La pente devient si raide que je dois me retenir des mains aux touffes de hautes herbes, et quand enfin le goulet débouche sur une vallée magnifique, bordée de parois rocheuses qui lui font comme des remparts, non seulement je ne sais pas où je suis, la pente plonge en à-pic sur une dizaine de mètres, où le ruisseau jaillit en cascade.

Je m'écroule à quatre pattes, cramponné de mon mieux. J'ai le choix entre regravir cette pente et rebrousser chemin dans ces canyons maléfiques, la seule évocation de l'idée me tue, ou me taper cette descente vertigineuse, oh, pas bien haute, non, juste suffisamment pour se briser les deux jambes... Un instant, je penche pour la troisième solution qui consiste à tout simplement me laisser mourir là. Je ferme les yeux, l'œil, très fort, concentré dans le noir.

— Qâ, ma petite sœur Qâ, lui dis-je dans ma tête. Cette fois je suis vraiment dans la merde, et c'est en bonne partie à cause de toi. Pourtant je ne t'en veux pas. Si j'aimerais que tu reviennes, c'est parce qu'à ton contact, j'appréhende un bonheur si élémentaire, que jamais je n'aurais cru pouvoir ressentir. Je t'en prie, Qâ, si tu m'entends, réponds-moi, même si c'est juste pour m'envoyer paître.

J'ai beau dilater tous mes sens, Qâ reste muette, aussi inaccessible qu'une chimère.

Alors, je descends doucement jusqu'à la dernière touffe, me penche, et scrute la paroi, à côté de la cascade. Presque lisse, mouillée, à ses pieds elle se désagrège en moraine très pentue et plus bas, en gros blocs de rochers déchiquetés, où le ruisseau serpente avant de se jeter dans une petite rivière, bordée par la forêt.

J'enlève ma besace avec les raquettes, la laisse pendre au bout de sa lanière, puis la lâche le plus près possible de la paroi. Elle touche la moraine sans trop de casse, rebondit sur les petits graviers, et va se fracasser contre les rochers, dans un grand bruit de raquettes brisées... Merde. Si je roule jusque-là, je suis niqué. Je me tortille, me contorsionne pour enlever l'épaisse pelisse de caribou et la jette aussi par-dessus bord. Quitte à faire des acrobaties autant être habillé léger. Je frissonne et entame la descente.

Au début tout va bien. Je rampe comme une araignée. Les pierres sont humides, il me faut assurer chaque prise très graduellement, alors, je développe d'énormes efforts musculaires. Beaucoup trop. À mi-paroi, je me retrouve les bras en croix, le pied gauche sur une bonne prise, la jambe pliée, le genou presque à hauteur de mon coude. De l'autre pied tendu, je tâte le rocher, cherchant une prise plus bas et je n'en trouve pas. Je veux remonter, mais je suis sans force. J'insiste pour me hisser des bras, bande mes muscles, et me mets à trembler, shake it baby shake, une putain de tremblante, comme un mouton un soir de grand gala de prions, j'ai beau tenter de m'hyper-oxygéner, mes doigts glissent, se détachent,

...je tombe...

J'ai le stupide réflexe d'essayer de freiner ma chute contre la paroi et j'y laisse la peau de mes paumes, m'érafle méchamment un coude. Par miracle, j'atterris sur mes pieds, si fort que mon menton vient frapper mon genou, et je rebondis en arrière dos à la pente. Je roule, dévale la moraine, m'évertue à écarter bras et jambes pour m'arrêter, m'écorchant davantage, poursuivi et rattrapé par une avalanche de cailloux, dérape et finis par m'écraser dans les rochers, sans autre dommage que contusions, hématomes, plaies et bosses. Je reste là, commotionné, couché sur le dos, sentant le froid me gagner. Ma tête résonne de tous les chocs, et sous mes paupières cousues je sens une vieille douleur se réveiller. Si je ne bouge pas, je suis foutu.

Je me redresse en gémissant. Mes mains sont ensanglantées, une multitude de petites coupures me zèbrent les paumes, mon pantalon de kevlar est déchiré et mon genou tout bleu est barré d'une profonde écorchure. Je pousse un cri de rage.

— RRRâââââââhhh !

Et Qâ m'envahit.

D'un coup. Comme si elle avait toujours été là, éteinte, et qu'elle eût soudain pressé l'interrupteur. Avec comme une injonction au silence, un sentiment d'urgence absolue, sous-tendu de crainte, elle m'assaille du chahut provoqué par mon vacarme dans les environs. Une seconde je suis moi, dans mon corps perclus de douleurs, un millième de seconde plus tard, je suis toujours moi, mais je suis aussi dans les têtes de multiples rongeurs, et d'oiseaux qui s'affolent. Dans celle d'un castor, plus bas sur la rivière qui, ayant senti l'onde de choc de ma chute, renonce à sortir de sa tanière. Dans celle d'une martre furieuse, dont mon cri a fait fuir le mulot qu'elle allait surprendre. Dans un vieux hibou, qui s'envole à tire-d'aile.

— Tu es là, Qâ ? Tu es là, tu as eu peur pour moi ? lui dis-je dans ma tête. — Non, sa peur ne concerne pas mon état. — Mais alors quoi ?

Et d'un coup, je suis dans leurs têtes. Les loups. À moins de cinq cents mètres de là.

Le dominant, un grand gris à l'échine presque noire, déjà alerté par les bruits de ma chute, vient d'entendre mon cri. Immédiatement il commence à courir, ne poussant qu'un seul jappement sourd, et toute la horde, bondissant sur ses pattes, le suit. C'est l'homme, fuyons d'ici. Ils galopent, se faufilant comme des ombres entre les arbres. C'est l'homme, disparaissons vite. Sept loups, le dominant, un autre mâle, trois femelles et deux jeunes. Qui s'enfuient.

Hérissé de chair de poule, je me relève douloureusement, l'œil écarquillé de pétoche.

— Ça va, Qâ, ça va, ils s'en vont, viens, viens m'aider, je suis en piteux état. Mais Qâ ne me lâche pas, et cette tension... Je suis encore dans d'autres créatures dérangées par mon intrusion : musaraignes, insectes, ragondins ; dans un geai outré, perché en haut d'un cèdre, qui sans cesse répète son cri d'alerte. Et les loups qui courent en silence. Ils ont pris leur galop de fond, celui qui avale les distances. Le dominant ouvre la marche, excédé de l'omniprésence de l'homme. La loi est la loi, et là où l'homme apparaît, ils doivent disparaître. Ils s'éloignent à travers les bois. Mais pourtant cette tension ?...

— Alors quoi, Qâ ?

Je suis à nouveau dans la tête du geai, je me vois de son regard oblique, tout petit là en bas. Je sens le plaisir qu'il éprouve quand les plumes de sa crête frémissent dans le vent. Le vent ?

Les loups pour sortir de la vallée décrivent un grand arc de cercle. Oh non... Le dominant est le premier à passer sous mon vent. Il s'arrête, la truffe en l'air, comme soudain retenu par l'odeur de mon sang. Et tous les autres aussi, qui se figent, levant le museau, puis tournent en rond, s'égaillent dans tous les sens. Leurs oreilles se couchent, leurs babines se retroussent. La loi est la loi, devant l'homme, ils doivent disparaître, mais si l'homme est seul, et blessé, alors il peut devenir proie. Ils se concertent du regard, circonspects, leur méfiance contrariée soudain par leurs appétits carnassiers, ils agitent leurs truffes comme des trompes. Un jeune pousse un bref ouinement d'excitation, la faim lui tenaille le ventre. Le dominant donne le signal, ils se dispersent sous le couvert pour mieux m'encercler, et reviennent sur moi.

Qâ me lâche...

— Putains de dieux anthropophages... Je gueule. Allô, allô, Qâ, Qâ reviens !

Trébuchant, je me précipite sur ma pelisse de caribou, l'enfile, ramasse ma besace et vaille que vaille, ahanant comme un marathonien, je m'évertue à grimper le plus haut possible sur la moraine. Pantelant, je me juche sur un rocher stable, à mi-pente, dégaine mon poignard, que je plante à côté de moi, m'escrime pour défaire les nœuds qui attachent mes raquettes brisées à mon sac, malgré mes paumes meurtries, je rassemble un gros tas de cailloux à mes pieds. Tout ça sans cesser bien sûr d'appeler Qâ. Voilà, voilà, venez-y enfoirés. Je vous attends de pied ferme, me dis-je et je tombe assis de fatigue, mon cœur battant la chamade, sans plus fournir la moindre énergie.

Combien de temps encore va-t-il me falloir supporter tout ça ? Pourquoi est-ce toujours contre moi que cette saleté de sort s'acharne, pourquoi ? Je n'ai pas le loisir de m'apitoyer sur moi-même. Les loups sont là.

Un jeune téméraire sort le premier à découvert, ondulant comme une anguille, traverse la rivière, fonce entre les rochers. Je lui lance une pierre, le rate, il fait brusquement demi-tour, poursuit le caillou imprégné du sang de ma main, l'attrape de ses pattes comme un chien qui joue, le renifle et le prend dans sa gueule ; un jappement bref le rappelle à l'ordre, il pirouette et disparaît sous les arbres, emmenant son échantillon pour le montrer à ses collègues. Des aboiements étouffés résonnent tout alentour. Visiblement le dominant n'aime pas l'idée que je les attende, subodorant un piège, il retient la horde. Les cris s'estompent, s'éteignent, plus rien ne bouge dans les fourrés.

— Alors, qu'est-ce que vous attendez ! Venez, essayez seulement de grimper jusqu'ici et vous verrez. Tenez, prenez ça, et ça.

Je gueule et me mets à balancer des gros cailloux sur toute la lisière. Et j'en vois qui s'esquivent, cachés derrière les arbres, cinq, six. Six, je n'en localise que six... Un bruit minuscule, je me retourne.

Le dominant a réussi à me contourner et à grimper du côté de la cascade, jusqu'au pied de la paroi au-dessus de moi, à une dizaine de mètres. Mais pour lui aussi le sol est instable, quand il m'attaque, il dérape. Je l'atteins d'une pierre au flanc, il pousse un cri dépité, glisse, fait volte-face et dévale la pente tout droit, me manquant de quelques pas. L'injuriant, je lui jette encore des pierres, il s'arrête agilement entre les rochers, gronde sa rage, fait demi-tour, esquive lestement mes projectiles et lance d'un court hurlement le signal de la curée. Les loups jaillissent de la forêt, traversent la rivière en trois bonds et m'attaquent tous en même temps.

Frénétique, je balance les pierres à portée de mes mains, en touche quelques-uns, ne parvenant qu'à ralentir leur avance. Je vois leurs yeux luire de colère, leurs crocs scintillants, avides de plonger dans mes chairs. Ils ouinent, grondent, jappent et moi je les insulte. J'arrache mon poignard du sol, brandis une raquette dans l'autre main. Ils ne sont plus qu'à quelques mètres. Qâ, petite sœur, trop tard, c'est foutu. L'heure est venue. Je suis prêt pour l'assaut. Et soudain, juste avant qu'une louve m'atteigne, sur un nouvel ordre du dominant, ils changent de direction, bifurquent, font demi-tour, glapissant de contrariété et de frustration, et s'enfuient vers la forêt. Ils déguerpissent. J'exulte hors d'haleine, je les insulte encore, riant, pleurant, brandissant mes armes en croyant les avoir impressionnés, quand des pierres qui roulent me font me retourner. Je lève la tête, ravale mes cris.

Qâ est là.

Perchée, debout au bord de l'abîme, en haut de la paroi qui me domine. C'est son apparition qui a fait fuir les loups. Elle me regarde, et mon cœur affolé s'arrête de battre quand son corps bascule tout droit dans le vide. Elle tombe ! Non, elle se laisse tomber, court à une vitesse folle sur la paroi verticale, plonge la tête la première, fait un saut périlleux, atterrit sur ses pieds, et me dépasse, dévalant la moraine en dérapage avec l'assurance d'une skieuse alpine, pour s'arrêter juste avant les rochers. Sur le point de suffoquer, je reprends mon souffle.

Les loups ressortent des bois. Ils ont compris que l'homme-femelle était seule, qu'elle ne portait pas ces longs tubes qui sentent la mort brûlante. Ils reviennent, plus énervés que jamais, mais beaucoup plus prudents. La frénésie s'est changée en nécessité implacable. Plus un ne jappe, tous grondent. Les babines si retroussées qu'on leur voit les gencives, ils avancent sur nous pas à pas, marchant toujours un peu de travers sur leurs trajectoires sinueuses.

— Fais attention, Qâ, je lui crie, les lèvres tremblantes.

Qâ, à peine un peu hérissée, sans me prêter la moindre attention, descend à leur rencontre. Elle fait quelques pas, s'arrête, joint ses mains l'une dans l'autre, paume vers le haut, y incline un peu le visage, puis laisse simplement retomber ses bras de chaque côté d'elle, en un geste gracieux, comme si elle voulait libérer un papillon, en suspension dans les airs.

Elle leur fait ce truc.

Pas le truc qu'elle m'a déjà fait à moi, non. Un autre.

Qui ne m'est pas vraiment destiné, mais vu ma proximité, ou peut-être est-ce sa manière de régler ses comptes avec moi, en tout cas, j'en bénéficie, je participe, je déguste, enfin, j'en prends plein la gueule.

Wouff ! Elle est en eux. Et moi aussi. Nos consciences ont conscience de nos présences mutuelles. C'est beaucoup plus fort que les fois précédentes, beaucoup plus dense. Plus qu'un effleurement, un partage, un échange. Pas le moindre animalcule ne fait interférence.

Nous sommes seuls. Sept loups, Qâ et moi.

Qâ ressert encore. Je suis les loups. Je sens leur effarement à ma présence. Je suis leurs poils, leurs crocs, leurs muscles, leur chair. Je sens les différences de leurs intelligences, la fougueuse avidité des jeunes, la férocité maternelle des louves, la méfiance et la circonspection du dominant. Pour tous, même s'ils l'ont déjà rencontré de loin, c'est la première confrontation avec l'homme. Le grand loup est le plus féroce et le plus prudent, il n'apprécie pas du tout cette intrusion dans sa tête. Je sens, à travers son instinct, la façon dont il est totalement dévolu à l'instant, pas de préméditation, pas de prévisions, juste la faim et l'odeur du sang, l'urgence de l'instinct de chasse.

De l'instinct de mort.

Pourtant tous s'immobilisent, grondant un mélange de peur et de rage.

Qâ ressent plus fort encore et nous le reverse en cataracte. Elle nous démonte, nous pénètre.

Je suis dans les vaisseaux sanguins en crue qui irriguent nos tissus, les enzymes déchaînés qui affolent nos estomacs vides, je suis dans les hormones d'adrénaline, les neurones survoltés, les globules, les cellules.

Et Qâ insiste encore, plonge encore plus profond, vertigineusement.

Je suis dans les mitochondries ; comme les marées des océans, je sens les flux infinitésimaux qu'agitent les battements de leurs cils ; je suis glucides, acides aminés, sels, protéines, perçois les liaisons synaptiques comme des éclairs un jour d'orage. Je suis carbone, oxygène, azote, hydrogène, fer, calcium. Molécule. Particule.

Je quitte la matière. Je ne suis plus qu'énergie.

Ailleurs, sur la pente d'une moraine, une femme proto-humaine se dresse entre sept loups pétrifiés, et un

Sapiens en piteux état de délabrement physique et mental. Debout, le torse bien droit, les jambes un peu fléchies, elle tend ses bras écartés de chaque côté d'elle, mains grandes ouvertes à hauteur de ses hanches, ses longs doigts tendus comme pour mieux sentir, entre leurs interstices, la densité de l'air. Elle tend chacun de ses muscles. D'un mouvement très lent, tout embrasse, tout étreint, tout rassemble. La force qui sous-tend sa lenteur est telle, que quand ses mains se joignent, la réalité de ma conscience s'estompe. Je ne suis plus qu'un réceptacle.

Je n'entends plus, je ne vois plus, je ne suis plus que foisonnement d'énergies. Je suis les énergies qui assurent la cohésion de mes propres particules, je sens se prolonger à travers moi les vibrations de la terre et des rayons cosmiques, des pierres, de l'eau, de l'air et des arbres. Je ne suis plus qu'entrelacs de multitudes de rayons, de filaments lumineux et tangibles qui relient tout à tout, tissent des réseaux bien plus vastes que l'infini, aux trames si serrées que des milliards d'années ne sauraient en compter les mailles. Je perçois le plus infime mouvement de chaque filament, sa propagation instantanée jusqu'au fin fond des univers et l'incidence de chaque tension sur toute la géométrie du réseau. De leurs entrecroisements naissent des formes géométriques évanescentes, qui s'assemblent et se désagrègent. Peut-être que ce sont elles qui formulent ma conscience ?

Les formes sont partout, dans tout. Sont tout.

Les trajectoires des énergies déterminent leurs nouvelles arêtes et de leurs transformations naissent les énergies.

Les loups m'apparaissent. Ce qui était les loups lorsque j'avais une conscience, et ce que j'étais moi-même, m'apparaît à travers l'inextricable trame, comme des amas de nœuds chaotiques où les énergies rebondissent, crépitent, se fragmentent, où les figures les plus stables, tétraèdres, cubes, scindés de nouvelles trajectoires, se transforment et s'agglomèrent en octaèdres bancals, en icosaèdres de guingois, en dodécaèdres boiteux et irréguliers qui implosent, se désarticulent, se brisent et renaissent en tourbillons furieux.

Et là, au plus profond de la tempête géométrique, au sein du maelström de lumières concrètes et aléatoires, se révèlent les similitudes et la synchronisation de nos formes élémentaires, le ballet parallèle parfaitement orchestré de nos plus infimes poussières d'âmes. Les fondements de nos ressemblances. Je suis les loups. Je suis Loup Mouillé N'a qu'un œil. Et, sans plus savoir de quoi est fait le monde, je comprends pourquoi Tek'ic Standing Crow le chaman, m'a donné mon nom.

Qâ nous lâche et d'un coup je réintègre mon corps.

Je tombe de tout mon poids sur mes genoux meurtris et vomis. Vomis comme si je devais retourner mes viscères. Vomir à travers moi, tout l'univers.

Entre deux hoquets terribles, je vois les loups. Presque aussi pitoyables. Un jeune s'est effondré, pris de spasmes, sans doute épileptique, une femelle tourne sans fin sur elle-même à la poursuite de sa queue, une autre se lèche comme si de rien n'était, bien que sa patte arrière frappe furieusement le sol, tandis que les derniers geignent. Seul le dominant gronde encore, pourtant couché la tête entre les pattes en position de soumission, il continue à montrer ses crocs, n'avoue pas sa défaite.

Qâ lui tourne le dos et remonte nonchalamment la pente jusqu'à moi.

Révulsé de douleur et de vertige, je lui tends un bras pour qu'elle m'aide, mais elle le dédaigne. Elle ramasse ma besace, en déchire le cuir épais comme un sac de papier pour en inventorier le contenu. Elle le renifle, le trie, puis magnanime, lance aux loups mes provisions de viande séchée et mes galettes de céréales. Et, alors que je me convulse dans mes affres, que les plus vaillants de la horde se disputent le banquet, Qâ s'accroupit sur le rocher, et sans même un regard apitoyé, et sans m'en proposer, elle mange tranquillement le reste de mes fruits secs.

Moi, perclus de mal-être, j'essaie en vain de tomber dans les pommes. Quand je suis enfin vide de tout contenu, trop faible même pour geindre, Qâ me ramasse, me jette sur son épaule comme un sac de farine, les pieds devant, la tête rebondissant sur ses fesses dodues, elle se relève, descend calmement la moraine et passe entre les loups, qui s'écartent, muets.

Je les vois à l'envers, tout proches, sens la chaleur de leur pelage, leurs odeurs musquées de fauves, vois leurs flancs battre, haletants, frémir encore leurs babines.

Je n'ai plus peur. J'ai fait avec eux ce voyage.

Ce voyage dont jamais, je ne serai complètement revenu...

En moins d'une heure, Qâ me ramène. Courant à travers la forêt.

Ballotté, je m'abandonne. Les branches me fouettent l'arrière des cuisses et je m'agrippe de mon mieux aux longs poils de son dos de mes mains ensanglantées. De temps en temps, elle me dépose, avant que ma tête explose sous l'afflux de sang. Je suis dans un état d'hébétude avancée. J'ai la cervelle encore éblouie, comme une rétine imprégnée de trop de lumière. Je suis brisé, vaincu par la complexité de mes sens.

Comment ai-je pu être à la fois autant de consciences parcellaires, sans pour autant perdre ma propre cohésion ? Comment ai-je pu ressentir physiquement des impressions qui dépassent de si loin les capacités de mes sens ? Je flotte dans la soupe de mon ébahissement, anéanti par les dimensions de mon ignorance.

La nuit est tombée. Qâ me trimbale comme un simple poncho, courant dans l'obscurité. Quand, malgré les sursauts, j'entends les bruits familiers de l'aven, je n'ai pas le temps de me réjouir d'être de retour à la maison. Qâ me dépose sans ménagement au bord du ruisseau et entreprend de m'enlever ma pelisse. Je me débats comme une limace.

— Non, attends, qu'est-ce que... ?

Elle insiste, arrache mon manteau, agrippant mes tuniques et mon pull-over, elle les retourne, m'emprisonnant les bras et la tête. Tétanisé par le froid, je pousse des cris de bête qui ne l'émeuvent pas. Elle me déshabille presque brutalement, rompant ma ceinture et mes lacets pour aller plus vite. Nu, frigorifié je me recroqueville sur moi-même en couinant comme un goret qu'on égorge. Elle m'attrape par un biceps et une cheville, me soulève et, me tenant à bout de bras, me laisse retomber dans l'eau froide.

— Non, nooon !

Souffle coupé. Suffoque. Qâ m'immobilisant les poignets, de ses mains rugueuses, se met à frotter mes paumes blessées. J'ai beau me contorsionner, elle me maintient dans l'eau glacée. C'est ensuite au tour de mon genou, qu'elle lave délicatement, tandis que je grelotte au bord de l'hydrocution. Quand elle me sort, me tirant par le bras, j'ai si froid que j'ai l'impression que mes membres vont se rompre. Je veux ramasser ma pelisse, mais elle m'oblige à m'accroupir, elle réunit mes bras d'une de ses mains immenses, pose l'autre sur mon épaule pour me tenir. Elle place mes paumes à vif audessus de mon genou écorché, m'enjambe, écarte les cuisses et se met à pisser.

Elle urine sur moi.

Malgré mon état, j'ai un sursaut de dégoût pour m'éloigner, mais elle me maintient d'une poigne de fer, et pisse sur moi, aspergeant mes blessures d'un jet fumant d'urine ambrée, qui me brûle dans le froid.

Je veux crier. Qâ vient dans ma tête.

Je sens la bienveillance de ses intentions. L'effet astringent de l'acide urique sur mes blessures béantes, l'effet antiseptique de ses sels ammoniaqués et, surtout, je vois le chaos de mes sens. La façon dont mon désarroi mental influence mon état physique. Le froid est tel que je fais des apnées. Je suis tout dans mes nerfs, au lieu de me concentrer sur mon souffle et ma circulation sanguine. Je suis tout dans ma tête, au lieu de soutenir mon corps. Quand Qâ a fini, elle m'emmène enfin à l'intérieur, me dépose sur une paillasse, m'ensevelit sous des fourrures. Tandis que, grelottant, je tente en vain de me réchauffer, c'est elle qui pour moi attise de vieilles braises et redémarre un feu d'enfer, avec des mouvements empruntés et malhabiles, mais parfaitement imités.

Puis elle vient me rejoindre sous les fourrures, colle la chaude soyance de son corps contre le mien. Je suis couché sur le dos, bras pliés, mes paumes blessées tournées vers moi, pour éviter tout contact. Qâ glisse son bras en travers de ma poitrine pour soutenir mes poignets. Ses poils mouillés dégagent une odeur musquée qui me rappelle celle des loups, mêlée à des fragrances de transpiration humaine. D'abord un peu gêné, je m'abandonne vite à son étreinte animale. Et c'est elle cette fois, qui calque sa respiration sur la mienne. Nous joignons nos souffles. Elle se love contre moi, et sa chaleur me détend et me calme.

Je suis à la fois humilié et grandi, amoindri et renforcé, illuminé. Vaincu et fier d'avoir survécu à tout ça. Des picotements douloureux se font ressentir dans mes membres glacés, preuves que la vie revient, je parviens à sourire.

Je me tourne face à elle.

Qâ aussi me sourit. Et de mon regard atrophié d'homo sapiens, je crois voir de la tendresse briller dans ses yeux.

6

Deux jours se passent avant que Tek'ic revienne. Qâ veille sur moi de loin. Depuis cette première nuit, passée à mon chevet, elle ne fait plus que des apparitions furtives dans la cabane et je me soigne seul, avec les ingrédients que le chaman m'a appris à utiliser. Qui font merveille.

Mais Qâ vient sans cesse dans ma tête.

Régulièrement, elle me bombarde de ce qu'elle voit, sent, goûte, vit. C'est une sensation extraordinaire, d'être là, confiné dans la faiblesse de mon corps et dans l'intérieur de la hutte, et d'être en même temps belette, skunk, tétra ou wapiti. Une fois, je me penche pour renouveler les plaques de lichens sur mon genou, et boum, je me retrouve dans la tête d'un corbeau plongeant du haut d'un érable, et manque me casser la gueule ; une autre, alors que je vais entamer un bol de soupe appétissante, paf, je me retrouve en coyote dévorant une charogne ; ou bien elle fait soudain irruption quand je me repose, et m'assaille d'une vision vertigineuse, alors que juchée dans un grand cèdre fendu, elle fouille les rayons cristallisés d'une ruche sauvage, et quand elle lèche goulûment ses doigts, j'en ai le goût dans ma bouche et je salive si abondamment que la bave me coule aux commissures. Souvent, je ris.

Et, la plupart du temps, tout n'est que beauté, à travers les yeux de Qâ.

Je me sens incroyablement bien, au-delà de mes meurtrissures, somme toute superficielles. Malgré la précarité de ma situation, je suis serein et éprouve un sentiment de sécurité, qui me rappelle l'insouciance de mes années d'enfance.

Je ne sais si j'ai vraiment fait ce voyage. Si Qâ est vraiment capable de ressentir cette espèce de conscience infinitésimale ; si je suis vraiment cette infime parcelle d'un grand tout, ou si ça n'a été qu'une métaphore hallucinatoire. En tout cas, j'ai changé. Je ne perçois plus, de l'urgence de mon passé, que des menaces et des enjeux qui m'indiffèrent. C'est ici et maintenant que ma vie se déroule. Qu'elles qu'en soient les conséquences, je veux tout faire pour rester aussi longtemps que possible au contact de Qâ.

Ma décision est prise. Je vais accepter la proposition de Tek'ic, suivre son initiation, et tant que Qâ acceptera notre proximité, je resterai là.

C'est elle qui me prévient du retour du chaman, me révélant ses pensées alors qu'il se hâte soucieux, élucubrant toutes sortes d'hypothèses à notre propos. Je m'habille décemment, mets à chauffer du thé et me prépare à l'accueillir, allant jusqu'au bord de l'aven pour l'attendre. Il met un très long moment à apparaître, caracolant sur sa mule, ce qui me fait penser que les talents de Qâ doivent porter à des kilomètres à la ronde. Il s'approche, la cherchant des yeux de tous côtés ou me scrutant, féroce. Il a l'air tout droit sorti d'une autre époque, avec ses habits bigarrés, ses peaux de bêtes, ses amulettes et son attitude solennelle de don Quichotte. Je ne peux m'empêcher de sourire, et le salue cérémonieusement en levant un bras.

— Bienvenue, Tek'ic, bien content de te voir de retour chez toi !

Il arrête sa mule juste devant moi, saute lestement à terre et me dévisage, découvrant mes pansements et mon piteux état. Fronçant les sourcils, plein d'appréhension, il tourne autour de moi.

— Où est Mère de nos mères ? demande-t-il en serrant les poings, fulminant d'anxiété.

— Elle est là, Tek'ic, elle est là, quelque part, lui dis-je montrant les alentours.

Il se rassérène un peu, regardant brièvement la forêt, puis il montre mes mains.

— Comment as-tu fait ça ?

— Oh ce n'est rien, juste un petit voyage interdimensionnel, et la décontamination. Tout va bien, Tek'ic ?

— Oui, tout va bien, me répond-il gravement. J'ai des nouvelles pour toi, Boris Genssiac. Les autorités recherchent un avion rouge, avec deux Blancs, toi et un professeur, Albert Kalao vom Hoffé, et le pilote indien Sherman Alexie. L'avion est porté disparu. Sherman est le fils de Rising Smoke Alexie, une vieille amie, chamane comme moi. Elle sait que Sherman est mort, Albert et Ho Letite aussi. Elle sait que tu es ici avec Mère de nos mères, pourtant elle ne dira rien. L'existence de Mère de nos mères doit rester secrète. Tu as beaucoup de chance. Les fils Morgensen ont déclaré leur père mort dans l'incendie de sa grange, qui s'est effondrée sur lui, les funérailles sont déjà faites. Ils ne diront rien non plus.

— Quoi ? Mais ces fumiers ont tué trois hommes !

— Toi aussi tu as tué un homme ! me reprend-il, et toi non plus tu ne vas rien dire, rien à personne. Rising Smoke est très triste. Elle ne veut pas attirer plus l'attention des autorités. Elle sait que Mère de nos mères est trop sacrée pour le monde des hommes. Elle ne dira rien. Tu n'es accusé de rien. Tu peux retourner vers ta vie, Boris Genssiac. Dire que tu as survécu à l'accident d'avion, que tu as été soigné par un Indien. Tu ne dois rien dire sur Mère de nos mères. Tu as beaucoup de chance, Boris Genssiac, tu peux partir.

— Quoi, non pas question. Je veux rester, Tek'ic, rester près de Qâ, je veux que tu m'initiies et...

— Impossible. Quand Mère de nos mères sera guérie, elle retournera dans la forêt. Toi, tu dois retourner chez les tiens. C'est peut-être mieux pour ton poison, que tu vois un docteur blanc.

— Non Tek'ic, la médecine des Blancs ne peut rien pour moi. Et Qâ est mon amie. Elle m'a sauvé la vie, Tek'ic.

Le vieil homme a l'air sincèrement surpris.

— Vraiment ?

Qâ vole inopinément à mon secours, en me révélant l'intérieur de sa tête.

— Vraiment.

Je sens sa méfiance de principe à mon égard, mais aussi sa sympathie. Qâ m'entrouvre sa mémoire. Alors je lui raconte.

— Tu as sauvé la jambe de la petite fille que tu es parti soigner, Tek'ic. Pourtant la blessure était vilaine. Tu l'as endormie avec un mélange d'opium de laitue et de valériane, puis tu as facilement réduit la fracture, qui était heureusement très franche. Pour rassembler les tissus ça a été plus difficile. À l'intérieur, tu as utilisé comme fils de suture ses propres cheveux, et beaucoup de poudre de lichen, de l'essence de lavande, du miel enrichi de poudre de propolis et d'arnica. Pour recoudre l'épiderme tu t'es servi de fibres de feuilles de saule, et comme la plaie restait béante, après t'être assuré de vos compatibilités par un procédé que je ne comprends pas, tu as prélevé un long lambeau de peau sur ton propre avant-bras gauche, qui t'a permis de refermer la blessure...

— Tu peux lire dans ma tête ? me demande le chaman, effaré.

— Non. C'est Qâ qui le fait, et elle le partage avec moi.

Tek'ic, stupéfait, me dévisage longuement, entre incrédulité et fascination.

— Toi, tu peux voir dans sa tête ? me demande-t-il.

— Non, seulement ce qu'elle veut. Je veux rester, Tek'ic, et j'aimerais que tu m'inities.

Le vieil homme circonspect rumine un instant ses pensées.

— Tu ne connais même pas les esprits, Boris Genssiac.

— Je peux apprendre ! Tu m'as dit toi-même que ce sont eux qui m'avaient choisi. Je veux rester près de Qâ, au moins jusqu'à ce qu'elle s'en aille. Si tu ne veux pas que je reste ici, alors j'irai construire une cabane plus loin dans les bois.

— Oh et que mangeras-tu ?

— Je me débrouillerai, et Qâ viendra m'aider.

— Pfft, tu es présomptueux.

À ce moment des bruits nous font nous retourner. Qâ apparaît au bord du surplomb qui domine la grotte. Elle nous observe, la tête un peu penchée, puis fait volte-face et disparaît dans la forêt.

En la voyant Tek'ic perd soudain son agressivité et me sourit avec l'air d'un gamin comblé. À peine quelques secondes plus tard, c'est sur notre droite que des branches craquent. Qâ sort des bois d'une démarche pesante, piétine sur place comme un ours, faisant un vacarme effroyable et disparaît à nouveau sans un bruit, pour réapparaître aussitôt à l'opposé de là, et encore se fait voir, se montre puis s'enfuit, pour revenir ailleurs. Si vite qu'elle semble multiple, et entre ses apparitions, ses déplacements incroyablement rapides se font dans le plus parfait silence.

Nous nous retrouvons dos à dos, Tek'ic et moi, scrutant la lisière. Elle surgit silencieusement derrière nous, se faufile comme une ombre et, alors que nous guettons alentour le moindre bruit qui pourrait trahir sa présence, elle lâche soudain un pet sonore, nous faisant sursauter l'un et l'autre.

Alors, devant nos airs, elle se met à hoqueter avec un bruit de crécelle rouillée. Tek'ic ne l'a encore jamais entendu rire et, quand je vois son expression affolée, j'éclate de rire aussi. Du coup Qâ se marre de plus belle ; elle nous imite l'un et l'autre, la cherchant des yeux dans les bois, sursautant, imitant le bruit du pet avec sa bouche, entre deux hoquets. Du coup Tek'ic pousse quelques gémissements ébahis, qui sortent tout droit de son ventre. Émerveillé, il se joint à nous, explosant d'une joie immense. Nous piquons un fou rire infernal qui nous fait tomber assis sur le sol. Qâ fait la folle, déchaînée comme je ne l'ai jamais vue. Elle trépigne, fait des sauts périlleux avant et arrière, tourne sur une main, comme un hip-hopper en plein délire, et tout ça sans cesser de rire.

Quand enfin elle se calme, nous restons là un long moment, à reprendre nos souffles, les zygomatiques tétanisés, inhalant la beauté de la forêt et l'ahurissant plaisir de l'instant. Les yeux brillants du chaman ne cessent d'aller d'elle à moi, incrédules de bonheur. Puis Qâ attrape son poignet et, levant sa main derrière sa tête, lui fait tâter la blessure de son crâne, dont j'ai renouvelé le pansement le matin même. Je vois que Tek'ic le remarque et je lui jette un regard entendu. Le chaman m'examine de la tête aux pieds, semblant se demander comment un éclopé dans mon genre peut bien avoir fait pour apprivoiser Mère de nos mères. Il fronce les sourcils et secoue la tête, dépité. Il a beau prendre l'air sévère il n'arrive pas à ne pas sourire. Qâ repart ensuite dans les bois.

— Loumouillé N'a qu'un œil, si tu veux rester et préparer ton initiation, tu devra obéir, à tout ce que je te dirai.

— C'est entendu, Tek'ic Johnson Standing Crow, c'est d'accord.

Il me jauge encore et me désigne sa mule.

— Pour commencer, décharge ma mule.

— Mais..., dis-je en élevant mes mains pansées.

D'un geste catégorique, il me montre ses sacs et, avec un hochement de tête, tourne les talons pour rentrer dans la cabane. Je soupire et me mets au travail.

En voyant les reliefs de mon dernier repas, Tek'ic découvre immédiatement les importantes ponctions que j'ai faites dans le garde-manger et, bien qu'il rapporte un tas de nouvelles provisions, il fait un esclandre. Du coup, puisque j'ai des talents de cuisinier, il me condamne à dorénavant lui faire à manger, tout en m'obligeant à jeûner les trois prochains jours. Je me rebiffe.

— Attends, Tek'ic, doucement, laisse-moi au moins récupérer. J'ai besoin de reprendre des forces et...

— Tu te trompes. La digestion prend beaucoup de forces. Tu dois boire seulement. Je vais te faire des infusions. Et ton poison, pas de nouvelle crise ?

Je lui avoue que non seulement je n'en ai pas eu, mais que j'ai à peine pris le temps d'y penser, pourtant la prochaine ne devrait pas tarder. C'est comme si mes expériences avec Qâ m'avaient appris à relativiser la douleur des crises. Le venin de Pripréfré est en moi, je suis à tout moment à la merci de ses ravages incendiaires, en même temps, ce sont eux qui jalonnent mon parcours jusqu'ici et, d'une certaine manière, je leur en suis redevable. Je ne les crains plus. Tek'ic remarque mon changement d'attitude.

— Tu crois être guéri ?

— Non, ce n'est pas ça, mais je n'ai plus peur.

Je me mets à lui raconter les événements qui se sont déroulés pendant son absence, depuis la première fois où Qâ est venue dans ma tête, dans la petite caverne, et puis sa fuite, mon expédition. Il m'écoute, passionnément concentré. Quand j'en viens à mon voyage avec les loups, il m'interrompt, circonspect.

— Seulement les plus grands chamans peuvent voler hors de leur corps. Et toi, tu prétends pouvoir le faire ?

— Non, pas moi, enfin si. C'est Qâ qui tenait les commandes. C'est elle qui sait le faire, pas moi.

Tek'ic médite longuement avant de me répondre.

— Loumouillé, peut-être ne comprends-tu pas l'importance de ce qui se passe. Jamais avant Mère de nos mères ne s'est liée d'amitié avec un homme, même pas un Indien. Jamais avant Mère de nos mères n'a partagé ses connaissances. En quelques jours tu apprends à lire dans les têtes, à voler hors du corps, une sacrée grande révélation. Et ça ne te fait pas plus d'effets que cela ?

— Non, je n'ai pas appris, j'ai juste...

— C'est pareil, Mère de nos mères t'a montré que tu peux le faire. Mère de nos mères t'a choisi pour faire le lien entre elle et les hommes. C'est un événement d'importance. Ça rend la première étape de ton initiation plus grave, plus difficile. Si nous commençons, tu ne pourras pas t'interrompre, sinon peut-être que tu passeras le reste de ta vie à être seulement une moitié-d'homme. Ou peut-être un fou, ou peut-être un mort. Si tu abandonnes, tu risques de te perdre pour toujours. Tu dois bien réfléchir.

— Réfléchir. Bon sang, Tek'ic, je fais que ça. Tous les événements de ma vie ont convergé pour que je sois ici. Aux côtés de Qâ. Bon sang, j'ai tué un homme et tu me dis que je ne suis même pas recherché pour ça ? Comment as-tu su pour les Morgensen ?

— J'ai parlé avec Rising Smoke par radio-téléphone. Oui, radio-téléphone, à seulement un jour et demi d'ici, si l'envie te prend ? — Excédé, je lui fais signe de poursuivre, il hoche la tête. — Les autorités ont prévenu Rising Smoke que l'avion de Sherman était porté disparu, avec lui, toi et le professeur Kalao vom Hoffé. Elle le savait déjà. Elle a su quand le professeur est mort, c'était un vieil ami à elle. Les esprits l'ont prévenue. Elle a su qu'Ho Letite avait de gros problèmes, quand tu as tué le père Morgensen. Elle a senti quand Ho Letite est mort en guerrier. Et entendu, dans ses rêves, le chant de mort de son fils Sherman. Elle a dit aux autorités que vous étiez peut-être chez les Morgensen. Les autorités ont répondu que le coroner était déjà là-bas, le père Morgensen est soi-disant mort dans l'incendie de sa grange, écrasé sous les décombres. Ils n'ont pas trouvé trace de votre passage, ni avion, ni corps. Les fils Morgensen ont dit qu'ils ne vous ont jamais vus. Les restes de leur père ont été enterrés sur ses terres. Rising Smoke ne peut rien faire, par peur de révéler l'existence de Mère de nos mères. Elle sait les Morgensen responsables, eux doivent penser qu'elle et toi avez disparu avec l'avion. Un jour ou l'autre, ils paieront.

— Si Rising Smoke a besoin d'aide, fais-lui savoir

que j'en serais volontiers, dis-je au chaman, glacial. Tek'ic, si les autorités ont prévenu Rising Smoke, ils ont certainement aussi informé Béatrice, la fille du professeur, de notre décès. Il n'y a qu'elle pour s'en faire pour moi. Et, quoi que je fasse, Albert ne reviendra pas, je ne peux rien contre son chagrin. Si on me recherche aujourd'hui, ce n'est qu'à l'état de cadavre. Je suis libre de rester ici, Tek'ic, de rester près de Qâ, tant qu'elle voudra bien de moi. Je t'en prie, Tek'ic, accepte.

Le chaman me fixe longuement, impassible, puis il enlève enfin son gros manteau, délace ses bottes mouillées et va s'installer près de l'âtre que j'ai chargé à son intention. Il sort un petit couteau à lame triangulaire, de sa large ceinture, et commence à en aiguiser le fil sur le bord de rocher du foyer. Pour lui laisser le temps de la réflexion, je vais dans la réserve prendre de quoi lui faire à manger, lorsque je reviens, il me fait signe de venir m'installer près de lui.

— Avant tout, je dois découdre ta paupière.

— Quoi, non attends, t'es sûr. Il ne vaudrait pas mieux qu'on fasse ça dehors, à la lumière du jour ?

— Non, ici et maintenant.

J'ai beau renâcler, tergiverser, il me force à m'agenouiller en face de lui, m'ordonne de ne plus bouger. Prenant appui d'une main sur mon nez, couvrant par la même occasion mon œil valide, il maintient mes paupières tendues, du pouce et de l'index écartés. De l'autre main, il approche sa lame et, avec des mouvements très précis, entreprend de couper un à un les fils de la couture qui me barre l'œil transversalement.

Je suis complètement crispé, dents et poings serrés, mais Tek'ic est si habile, que je ne sens pas la moindre douleur. Je réalise à quel point mes paupières scellées m'ont aidé à m'habituer à l'idée d'être borgne. À présent que je vais découvrir si je le suis vraiment, l'appréhension m'étrangle. Au-dessus de mon œil, Tek'ic pince mes paupières pour les décoller de mon globe oculaire et œuvre avec des gestes encore plus délicats. Il parcourt ma cicatrice, de mon front à ma joue, m'affirmant que les tissus sont bien réparés, et j'entends, à chaque point, son rasoir crisser sur les fils. Puis il s'attaque à mes paupières elles-mêmes.

— Garde les yeux vers le haut. Quand j'aurai fini, j'arracherai les fils. Ça va faire un peu mal. Ne bouge pas et surtout ne les ouvre pas. Après je te mettrai une compresse pour te calmer, ensuite tu pourras essayer de les ouvrir.

Je me plie à son supplice. Il range son couteau, sort une pincette d'une autre pochette et se penche à nouveau sur moi. Chaque fil qu'il enlève me pique comme une aiguille, je les sens glisser sur mon œil comme du sable. Je cligne furieusement de mes paupières fermées, larmoyant comme une fontaine, et parviens à ne pas les ouvrir. Quand il en a enfin terminé, il applique mes propres paumes sur mes yeux, pendant qu'il prépare une infusion dont il humidifie un pansement de toile ; je reconnais les parfums apaisants de la camomille et le lui dis.

— Tu connais bien les herbes médicinales ?

— Juste quelques-unes. J'ai passé mon enfance à la campagne et ma mère ne se soignait qu'avec des plantes. Ça ne lui a pas réussi, elle est morte très jeune.

— Ooh. Tu n'as pas pu la soigner ?

— Non, Tek'ic, elle est morte d'un cancer, il n'y a rien que les plantes ou moi aurions pu faire.

— Tu te trompes. C'est une mauvaise maladie. Quand les énergies vitales sont contrariées, c'est très difficile de leur faire reprendre un bon parcours. Possible quand même. Certaines plantes, comme le gui ou le lierre, sont parfois efficaces. Voilà, garde ça jusqu'à ce que je te dise de l'enlever, ajoute-t-il en ceignant un bandeau derrière ma tête pour maintenir le pansement.

Alors que je trépigne d'impatience, il me dit de lui montrer comment je sais si bien gaspiller les provisions pour lui préparer un repas, et maugréant je me lance dans la cuisine. Je décide de l'épater en lui préparant une fricassée avec presque les mêmes ingrédients que lors de notre premier repas avec Qâ. De mes mains maladroites, je fais bouillir les tubercules, rissoler les racines coupées en dés, avec un peu de jambon de cerf, y ajoute noix et fruits secs. Quand je mélange le tout, le liant d'une dilution d'eau et de sirop d'érable, je vois Tek'ic saliver d'envie.

Moi c'est de voir, que je salive. Sous mes paupières inflammées, mon globe oculaire ne me fait plus mal, et j'ai vraiment hâte de vérifier son état.

Plusieurs fois, alors que je vais goûter la préparation par inadvertance, le chaman me retient et m'exaspère en me rappelant que je dois jeûner les prochains jours. Tandis que son repas mijote, il me prépare une tisane, me montrant les différentes plantes qu'il y mélange. Une seule me paraît familière. Des extrémités fleuries floconneuses, presque blanchâtres, qui me rappellent le marrube blanc, un puissant dépuratif. Il m'en prépare une provision importante, puis m'en sert un grand bol, et alors que fulminant je bois l'infâme liquide amer, Tek'ic se régale en face de moi, savourant chaque bouchée de ce que je lui ai préparé.

Je n'y tiens plus. Je dois savoir. Sans attendre qu'il me le dise, je fais glisser mon bandeau. Le chaman continue à manger et m'observe, sans réagir. Je décolle doucement le pansement, et tâte du bout de mes doigts mes paupières boursouflées.

J'ouvre l'œil.

— Aïe !

Le referme aussitôt ébloui. J'ai vu ! J'ai vu la lumière je... Je réessaie précautionneusement. Oui, je vois. Non, oh non, seulement des ombres, la lumière... Tek'ic remue le bras. Oui, je le perçois, pourtant je ne vois que des formes vagues. Je tamponne mon œil plein de larmes avec le pansement, et tourne la tête de tous côtés en l'écarquillant. Je ne perçois que les lueurs des lampes à huile et le foyer orange du feu, le reste n'est que formes floues. Oh non, mon œil est foutu, vraiment foutu.

Tek'ic, posant son plat, se penche en avant pour l'examiner.

— Ton œil est blanc, me dit-il, fendu en deux par

une ligne, comme un œil-de-chat. C'est une chance que tu vois encore.

— Oh merde, merde, c'est pas vrai.

Le chaman se remet à fouiller dans ses multiples pochettes, et en sort un bout de miroir brisé.

— Tiens si tu veux vraiment te voir, me dit-il en me le tendant comme malgré lui.

Je le lui prends des mains, regroupe des lampes et me penche sur mon image. Je suis méconnaissable. Bien que j'aie toujours été presque imberbe, une maigre barbe a mangé mon visage excavé sans que je m'en aperçoive. Mes cheveux sont hirsutes. La blessure de l'ours me barre l'œil, du front à la pommette, d'une cicatrice rosâtre, où perlent çà et là quelques gouttes de sang de mes points de suture. Je me penche, scrutant de mon mieux entre mes paupières boursouflées comme des lèvres. Mon œil est blanc bleu. Ma cornée a été déchirée par la griffe, d'un trait vertical qui la barre d'une cicatrice plus claire, mais elle n'a pas cédé.

— Oh non, bon dieu c'est pas vrai...

— Non, c'est pas vrai que dieu est bon. Si tu veux, je peux recoudre ta paupière, me dit Tek'ic avec obligeance.

— Oh ça va hein, si tu crois qu'c'est drôle. J'ai perdu mon œil, bon sang !

— Pas complètement. L'ours, lui, est complètement mort.

— Et alors, tu voudrais peut-être que je le remercie ?

Tek'ic ne me répond pas et reprend son repas. Moi je m'évertue à fermer mon œil valide pour tenter de mieux focaliser avec l'autre. J'ai beau passer mes mains devant la lumière, je ne distingue plus le moindre détail, que des mouvances de formes abstraites. Lorsque j'ouvre les deux yeux, la superposition de ma vision acérée sur le flou me donne un curieux sens des perspectives. J'ai l'impression de percevoir la densité du relief de façon exacerbée, ce qui me donne presque la nausée.

— Mieux vaut remettre ton pansement cette nuit. Demain tu t'habitueras.

— M'habituer ? On dirait que je n'ai pas vraiment le choix.

Les jours suivants Tek'ic me ménage, me laisse récupérer, le temps que je m'habitue à ma nouvelle vision, et que mes paumes se cicatrisent. Mais il reste inflexible sur mon jeûne, et je dois préparer tous ses repas.

Qâ vient moins souvent dans ma tête depuis que le chaman est là, et c'est tant mieux, car chaque fois qu'il me surprend, l'air illuminé, il me demande de lui raconter en détail ce que j'ai ressenti, et ensuite, se montre de mauvaise humeur. Jaloux de nos échanges. Par contre, Qâ nous rend plus fréquemment visite.

Elle débarque à l'improviste, quand ça lui chante, et tout de suite nous nous taisons. Nous passons instantanément du brouhaha au silence, sans interrompre nos échanges. Parfois j'ai l'impression qu'au contact de Qâ, sans être télépathes, nous développons de nouvelles facultés d'expression, où les moindres signes deviennent des bavardages, où les regards sont bien plus explicites que les mots. La première fois qu'elle voit mon œil, Qâ fait d'abord la grimace, m'attrapant par le menton pour mieux l'examiner. Puis elle hausse les sourcils et fait une mimique de la bouche, comme pour dire : Ça ne te va pas si mal. Énervé, j'arrache sa main et lui tourne le dos.

Elle joue avec Tek'ic au maraudeur, s'ingénie à se faufiler dans la cabane à notre insu, pour se glisser jusqu'à la réserve, y prendre de quoi grignoter et s'enfuir en piaillant. Lui s'évertue à l'en empêcher, tout en étant ravi qu'elle le fasse. Il lui barre la route, la chasse avec un balai, ou la poursuit en lui jetant ses mocassins. Mais c'est toujours elle qui gagne.

J'essaie de m'habituer à ma nouvelle vision. À la lumière du jour, je distingue mieux les formes, et peu à peu, comme mes paupières désenflent, la nausée me quitte et j'apprends à mieux estimer les distances. J'ai pourtant l'impression de voir l'aura des choses. Et de Tek'ic et de Qâ. Ils sont entourés d'un halo indéfinissable, une auréole de flou qui renforce le contraste entre l'air et la matière et pourtant en estompe les limites.

Mon jeûne se passe plutôt bien, et je me fais même à l'amertume de la tisane que je dois ingurgiter. Le premier jour, je suis si occupé à découvrir les limites de mon œil que je tiens avec facilité. Stoïque, je m'efforce de faire à Tek'ic des plats raffinés, pour lui prouver ma force de caractère. Il recommence à me questionner sur Pripréfré et les étapes de mon parcours, afin, me dit-il, de mieux pouvoir définir les rites de mon initiation, et du coup, je comprends qu'il accepte que je reste et l'en remercie.

Le deuxième jour, j'ai vraiment faim, mais par chance Qâ est là pendant les repas, et mange avec le chaman. Ses facéties me donnent du courage. Quand elle goûte à ma tisane, elle fait une grimace épouvantable, tous les traits tirés vers le bas, les sourcils en berne, en poussant un long gémissement plaintif et apitoyé. Puis, goulue, elle se penche sur le bol de Tek'ic, en train de déguster une soupe d'avoine aux myrtilles, elle le renifle, le lui arrache des mains, et s'en régale avec des grands mmmh et des grands rrrrrh de délice. Tek'ic rit de ma mine déconfite. Je me résigne à boire mon bol amer. Quand je le porte à ma bouche, Qâ vient dans ma tête, et j'ai l'impression d'avaler un délicieux nectar de framboise, du coup, je le descends cul sec, et me lèche les lèvres, extasié. Le chaman soudain ne rit plus, il me regarde, soupçonneux et sévère, puis Qâ. Et elle rit de plus belle.

Le troisième jour, j'ai vraiment les glandes. Tek'ic commence fort, dès le petit déjeuner il exige des galettes au sirop d'érable, et plus de miel dans son thé, tandis que l'amertume de ma tisane me révulse l'estomac. Le chaman a beau bien s'occuper de moi, m'expliquant chacun de ses gestes et les fonctions de chaque ingrédient qu'il utilise pour soigner mes paumes, mon genou et mon visage, il sait aussi se montrer exécrable. Et, ce jour-là, semble s'y efforcer. Il ne cesse de me poser les mêmes sempiternelles questions sur le tatzelwurm, la faim me taraude le ventre et j'ai le plus grand mal à me répéter. Même Qâ s'en mêle, et chaque fois qu'elle vient dans ma tête, c'est pour me montrer des scènes de ripaille, les siennes, ou celles d'oiseaux ou autres mammifères. Ça m'énerve tellement que j'essaie même d'interrompre la communication, en vain.

Et si elle vient en personne, c'est pour se précipiter dans le garde-manger et bâfrer encore. Elle et Tek'ic sont visiblement de connivence pour m'insupporter, et quand le chaman me demande de leur préparer quelque chose de particulièrement bon pour fêter ma volonté de fer, je suis sur le point d'exploser.

Le soir vient, Qâ n'est pas là. Tek'ic m'apprend que mon jeûne ne pourra s'interrompre avant le lendemain et, alors que je fomente une tentative de révolte, il décèle soudain un signe quelque part et bondit sur ses pieds.

— Vite. Tu dois te préparer.

— Quoi, qu'est-ce qu'il y a, un train à prendre ?

— Tais-toi, déshabille-toi et couche-toi là, m'ordonne-t-il en me montrant le rocher du surplomb.

— Mais ça caille, je...

— Tais-toi, fais vite !

Lui-même se précipite sur un de ses coffres pour changer de parure, se met torse nu, enfile un lourd plastron d'épines de porc-épic, chargé de colliers de griffes et de têtes de reptiles, se coiffe d'un casque surmonté de cornes de bisons, puis sélectionne différents ingrédients dans ses multiples récipients, avant de venir me rejoindre. En enlevant mes habits, je m'étonne de l'exotisme de sa tenue, qui ne me semble pas propre à la Colombie-Britannique, mais il me fait signe de me taire, de me presser de m'allonger. Surpris de sa hâte, j'obtempère, néanmoins récalcitrant. Me couche sur le dos frigorifié, couvrant de mes mains pudiques mon sexe recroquevillé. Le chaman m'enjambe, s'assied sur mes genoux et se met à chanter, un chant monotone, tandis que ses yeux m'ordonnent de ne plus bouger.

Entre la faim, le froid et la colère, mon sang bouillonne, et lorsqu'il écarte mes bras, et commence à parsemer ses différentes substances sur mon torse, mon ventre et mes épaules, j'ai une furieuse envie de le désarçonner. Il se dépêche d'en finir, puis se penche, m'attrape les poignets, et les maintient au sol de tout son poids.

— Qu'est-ce que... ?

La crise déferle. La fusion nucléaire du venin de Pripréfré explose au plus profond de la moelle de mes os, d'une douleur innommable, me corrode, me calcine. Tek'ic m'immobilise.

— Qâ, Qâ, au secours, je hurle dans ma tête, rugit de ma vraie voix. — L'éruption me dévaste, comme si asséché par mon jeûne j'étais encore plus inflammable. — Qâ, sauve-moi !

Et Qâ répond. Mais pas comme la dernière fois. Elle me submerge de la contemplation d'un magnifique lever de lune, entre le V des montagnes, sous un plafond de nuages argentés, splendides et menaçants... Non, Qâ ! Non, pas ça, montre-moi comment ne plus avoir mal, montre-moi, comme avant... La vision persiste, je me contorsionne, me débats, elle s'incruste en même temps que le mal incendiaire. Non, Qâ, pas ça. Pas ça, l'autre ! Et tandis que les affres du venin me rongent, elle m'assaille de sa sérénité éblouie, et la plénitude de son amour me dit :

— Regarde, tout est son contraire. L'eau est dans le ciel, le feu sort de la terre. Dans le triangle naît la sphère. C'est en toi-même qu'est le mal et le remède, en toi-même qu'il faut chercher, regarde, tout est beauté.

Non, Qâ, aide-moi ! Alors elle me lâche. Le feu de la douleur me dévore, et impuissant, j'assiste à ses ravages. J'ai beau lutter, Tek'ic me tient d'une poigne de fer. Je me crispe tant que je veux mourir, calciné.

Et d'un coup, comme toujours, la douleur s'évapore. Me laisse pantelant, liquéfié. J'ai eu si chaud, que quand le froid me reprend, j'ai l'impression de me briser comme du verre. Je veux me recroqueviller sur moi-même, Tek'ic m'en empêche. Il chante toujours et me fait comprendre que je ne dois pas bouger. J'ai beau gémir, il ne relâche pas son étreinte, avant d'avoir fini d'observer les dessins qu'ont faits les différentes substances en glissant sur ma peau.

Quand il se tait, me libère enfin, il paraît satisfait des résultats obtenus et m'indique ici les traînées jaunes d'un pollen, là, la façon dont une poudre minérale s'est répandue presque en spirale, ou l'éparpillement des pétales autour de mon nombril, qui font un dessin reptilien. Il pense avoir identifié des ingrédients qui pourront me soigner. Grelottant, je suis bien trop occupé à rassembler mes cendres pour m'y intéresser. Il m'aide à descendre, me traîne sur ma couchette, et je me blottis sous les fourrures, exsangue.

Sacré Pripréfré... J'ai beau prétendre l'oublier, lui sait se rappeler à ma mémoire.

Le chaman me conseille de prendre quelque chose de chaud pour me revigorer, je me réjouis d'un peu de douceur dans tout ce malheur.

Mais ce qu'il me propose, en guise de consolation, c'est un bol de tisane amère...

7

Le lendemain Tek'ic me réveille avant l'aube, me secouant énergiquement.

— Assez dormi. Lève-toi, on a beaucoup de travail.

Il m'autorise un frugal petit déjeuner de céréales, et tandis que je le dévore comme un banquet, me dit qu'il a passé la nuit à élaborer la préparation de mon initiation. Je me garde bien de relever que, les deux fois où la faim m'a tiré du sommeil, je l'ai entendu ronfler comme un sapeur.

Mon cas est bien particulier, souligne-t-il. Habituellement, la première étape d'une initiation consiste, pour l'apprenti-chaman, à rechercher une vision, au cours de laquelle apparaît l'esprit-gardien qui va le guider dans les différents mondes qu'il doit connaître. Il doit mourir et renaître afin de comprendre ses enseignements. Moi, je suis mort et revenu déjà plusieurs fois, et il est clair que l'esprit qui m'habite est celui de Mère de nos mères.

— Nous allons nous concentrer pour lutter contre tes démons intérieurs, combattre les mauvais-esprits qui sont dans ton cœur. Tu dois être fort, dans ton corps et dans ta tête, vider tes pensées, te concentrer seulement sur le rituel à accomplir. Et sur Mère de nos mères, pour mieux écouter, mieux apprendre, mieux comprendre.

Il vérifie l'état de mes paumes, dont les coupures forment déjà des croûtes sèches, puis me dit :

— Nous commençons aujourd'hui.

Tek'ic porte un costume que je ne lui ai jamais vu, de daim blanc, frangé de lanières rouges et de gros boutons nacrés, qui sur sa tunique semblent suivre le dessin de ses côtes. Il ouvre un de ses coffres, sélectionne différents colliers et amulettes, des bourses, des récipients, se passe en bandoulière un genre de maracas décoré de becs d'oiseaux, et une espèce de gros sifflet à deux trous, puis sort du coffre une somptueuse parure de plumes d'aigle, qu'il enfile d'un geste solennel. Je m'étonne de son apparence.

— Mais, ça vient pas d'ici ça non ?

— Je te l'ai dit, ma mère était Cherokee. Je suis un chaman interethnique.

— Interethnique ?

Parfois Tek'ic utilise des mots qui me surprennent, de la part du chaman traditionaliste qu'il semble être. Je n'ai pas le temps de le questionner, il se met à souffler dans son instrument, produisant deux notes discordantes et m'entraîne à l'extérieur jusqu'à la limite du surplomb de la grotte, là où la terre est toujours sèche. Il me plante là, debout.

Tenant son sifflet entre les dents, il ouvre une bourse, en verse une poudre blanche avec laquelle il trace un cercle autour de moi, d'environ trois mètres de diamètre. Alors que je me demande si je vais devoir y danser, il retourne à l'intérieur, en revient recouvert d'une épaisse fourrure, portant une houe et une pelle, qu'il pose cérémonieusement dans mes bras. Puis il va s'asseoir contre le mur de la cabane, bien emmitouflé et, sifflant toujours, il se met à secouer son maracas, sur un rythme très lent. Je ne veux pas y croire, je laisse tomber les outils, brandissant mes paumes fragiles pour implorer sa clémence, il fronce les sourcils, courroucé, et siffle plus fort dans son engin, produisant une stridence de mauvais augure. Je n'ai pas besoin d'être sorcier pour comprendre, serrant les dents, je ramasse la houe et commence à creuser.

Le soir, Tek'ic, soignant mes anciennes plaies et mes nouvelles cloques, m'explique enfin que je suis en train de construire les fondations d'une loge à sudation, dans laquelle je vais devoir perdre des litres pour me purifier, et me débarrasser de mes mauvaises énergies.

— Une loge à sudation ? Alors pourquoi creuser, c'est en bois non ?

— En pierre.

— En pierre ? m'exclamé-je, non attends, je...

Tek'ic lève ses deux mains, catégorique, alors, je me tais, et je creuse la terre glacée.

Pendant trois jours.

Je dois ensuite ramener des grosses pierres d'une moraine proche, et le chaman me montre comment les disposer en cercles concentriques pour monter les murs d'une hutte en dôme. Moi qui n'ai jamais rien fait de mes dix doigts, je m'attelle à la tâche. Rapidement, les cicatrices de mes coupures deviennent dures et sèches, mes ampoules se transforment en callosités et celles qui éclatent sont cautérisées par la poudre minérale.

Les jours s'égrènent au rythme lancinant du maracas de Tek'ic, et je tiens bon, je m'endurcis et les murs s'élèvent. Le chaman ne me lâche pas, il surveille de très près mon régime alimentaire, m'interdisant la viande, et rationne sévèrement céréales et fruits secs, je n'ai rien à dire, par solidarité il mange la même chose que moi. Pendant que je travaille, il siffle interminablement. Parfois, lorsqu'il juge qu'une pierre n'est pas bien mise, il me reprend avec son instrument, de coups plus ou moins longs, m'indiquant de mouvements de tête où je ferais mieux de la mettre, et quelquefois je dois me retenir d'aller lui arracher son engin de la bouche.

Les premiers soirs, je suis brisé, fourbu, mais Qâ est là, et elle sait que je fais ça pour me rapprocher d'elle. Sa présence dissipe mes colères et mes doutes. Elle nous rend de fréquentes visites, au propre et au figuré. Des fois, elle s'installe à côté de Tek'ic et gazouille pendant qu'il siffle, en me regardant travailler, on dirait qu'elle veut chanter. Elle me régale de son amour de la vie et du foisonnement de la forêt alentour. Plusieurs petites bêtes, un hibou, un lièvre et une belette en particulier, me deviennent presque familiers, à force d'être dans leurs têtes. Lorsque le chaman me voit soudain suspendre mes gestes et me figer, ravi, en général il siffle plus fort, comme pour tenter de me distraire, alors j'en rajoute, je prends des airs extasiés, sachant qu'il ne peut s'interrompre pour me questionner.

Quand j'ai posé la dernière dalle au sommet de la hutte, il me faut encore la jointoyer avec un mélange de joncs et d'argile, que Tek'ic m'indique où aller chercher. Pendant des heures, je pétris, je malaxe, j'étale, et quand enfin j'ai terminé, la loge à sudation a l'air d'une protubérance un peu hirsute, de la même teinte que le sol, comme une taupinière géante à l'orée de la grotte, un igloo avec une entrée étroite qu'il faut franchir à quatre pattes. Tek'ic s'arrête de siffler, et j'ai l'impression qu'il referme une parenthèse.

J'ai perdu le compte des jours et des nuits, je suis recouvert d'argile des pieds à la tête. Je sue, en tenue plutôt légère, mon corps fume dans le froid. Tek'ic, recroquevillé dans ses fourrures, a l'air frigorifié, ses lèvres sont profondément gercées à cause du sifflet et il tient douloureusement son bras qui secouait le maracas. Je me sens dans une forme éblouissante, alors j'éclate de rire, heureux d'avoir fini mon ouvrage.

— J'ai faim, Tek'ic, j'ai une faim de loup.

— Oh, tu as envie de viande, c'est bien. Alors tu vas devoir tuer.

— Quoi ? Hun, tu plaisantes, il y en a plein le garde-manger.

— Non. Si tu veux manger de la viande, tu dois manger de la viande fraîche, et c'est toi qui dois la tuer. En suivant le rituel. Demande pardon avant la mort, et remercie après.

— Oh non, alors oublie, je vais manger des céréales,

lui dis-je en voulant rentrer dans la cabane, alors qu'il m'en empêche.

— Non, si tu veux manger, tu dois chasser. Je vais te donner un arc et des flèches, tu vas aller chercher de la viande.

Il se relève en geignant, la moutarde me monte au nez.

— Tu ne crois pas que tu exagères ? Bon sang, je viens de bosser comme un fou et...

Il me tourne le dos, rentre dans la cabane et en ressort en me tendant mon poignard, que Qâ m'a ramené quelques jours après notre rencontre avec les loups.

Et un arc et son carquois.

— Tu ne chasses pas, tu ne manges pas, m'assène-t-il sentencieux.

Fulminant, je le lui prends des mains. C'est une arme magnifique, en bois d'if, patiné par le temps, renforcée de tendons, avec une poignée de peau de loutre usée par les frottements, et une corde de boyau torsadé. Les flèches ont un empennage de plumes d'aigles et des pointes d'obsidienne effilées. Tek'ic m'observe, un peu narquois, tandis que je les examine. Je ne sais pas s'il veut me pousser dans mes dernières limites, ou s'il s'agit d'une nouvelle épreuve. Le jaugeant, furieux, je me mets le carquois en bandoulière, souffle un bon coup et pars dans la forêt. Je ne lui dis pas que j'ai passé mon enfance provençale à jouer aux Indiens, ni que j'ai pratiqué pendant trois ans le tir à l'arc sur cible.

Je pars dans la forêt, affolé de détermination carnassière, et je joue la facilité.

Je tue mon lièvre familier.

J'ai un peu honte, et plusieurs fois je tente de contacter Qâ pour avoir son avis, mais elle ne répond pas. À force de fréquenter l'animal, je sais où il se trouve à ces heures de la journée. Je suis recouvert d'argile, qui masque mon odeur, je pose une flèche en place, la maintiens de l'index et, contre le vent, je me faufile jusqu'en lisière de forêt.

Je me suis si bien habitué à ma nouvelle vision, qu'à

présent, je la préfère presque à l'ancienne. Quand je regarde le tapis végétal, sans focaliser, un peu comme si je rêvassais à autre chose, j'y vois se dessiner comme une trame, au sein de laquelle je perçois facilement une tache d'une chaleur, d'une intensité différente, alors seulement je règle ma netteté. C'est mon lièvre, tapi contre une souche, dont son pelage imite l'écorce.

— Oh oui, pardon, et merci, lui dis-je impatiemment en bandant l'arc. Une seule flèche me suffit.

Quelques instants plus tard, je rentre dans la cabane en faisant claquer la porte, Tek'ic en reste médusé. Je lui rends l'arc et le carquois. Tenant mon lièvre déjà éviscéré, je vais m'accroupir près du feu. À l'aide de mon couteau, je fais des incisions sur ses pattes et son ventre, et retourne sa peau comme un gant. Je le décapite, l'embroche et le mets à griller. Tek'ic ne me dit pas un mot, il se change et s'installe de l'autre côté du foyer pour préparer son propre repas. Il feint l'indifférence, mais ne perd aucun de mes gestes.

Quand le lièvre est rôti, je le mange, je le dévore ; sans en proposer au chaman. Je mâche la chair, ronge les tendons, fais craquer les cartilages et brise les os pour en sucer la moelle. Je le mange, sans rien en laisser. Et après, je lèche mes doigts encore.

Qâ, qui depuis quelques heures ne s'est pas manifestée, vient nous rendre visite. Elle entre, marchant lentement, me contourne, m'évitant du regard, et va s'accroupir à côté du chaman. Elle trempe son doigt dans son bol de céréales, goûte, et Tek'ic lui en sert un copieux. Alors, en mangeant, elle lève enfin les yeux sur moi. Je lui souris.

Elle vient dans ma tête.

Je suis accroupi sur les talons. Lorsqu'elle m'assaille, je bascule en arrière, tente de me rattraper et m'effondre contre un coffre, les quatre fers en l'air. Elle me balance sa version de mes propres impressions au moment où j'ai décoché ma flèche. Je sens l'odeur de ma manche contre laquelle mon nez s'appuie, tandis que je bande l'arc au maximum. Je sens la vibration dans le bois quand la flèche s'envole, propulsée dans le bruit de ses pennes. Surtout, je sens l'urgence de ma faim vengeresse, ma soif meurtrière, sans autre réelle nécessité que d'assouvir les appétits de ma vanité. Je sens l'opportunisme indécent de ma chasse, la facilité aveugle de ma trahison, le visqueux dédain de mes mots, lorsque je demande pardon.

Et, par-dessus tout, je vis la mort du lièvre de l'intérieur...

Sa surprise au sifflement de vitesse du projectile. La douleur fulgurante quand la flèche lui transperce le cou, cisaillant sa colonne vertébrale. Sa terreur, sa colère de n'avoir pas bondi. Ses pupilles dilatées, ses membres inertes et ses flancs qui battent.

Ses regrets.

Des folles sarabandes dans les graminées estivales ; du parfum musqué des courses-poursuites, affolé par les queues levées des hases farouches ; des orgies de dents-de-lion, vautré dans les prés en fleurs. Du bonheur des siestes mimétiques, figées de retenue quand passe le prédateur. Du goût amer et délicieux des tendres pousses de chicorée, et de l'odeur de la terre qu'il fouisse, à la recherche du suc des racines. Ses regrets du bruit de la pluie qui tombe sur les feuilles tout autour de lui, bien au sec dans son abri.

Alors que de loin, je l'ai vu mourir en quelques soubresauts, de dedans il s'accroche d'un immense élan de vie aux bonheurs déferlant de sa mémoire. Et, parmi eux, je ressens sa surprise, lors d'un de nos échanges avec Qâ, quand elle lui rebalance un peu de ce qui se passe dans ma propre tête. Je sens le chaos de ses sens, sa tétanie, son effarement, alors que son instinct lui crie de fuir ma proximité, tout en le clouant figé d'épouvante.

Du plus profond de sa stupeur, je sens son intelligence différente formuler quelque chose, qu'anthropomorphiquement j'interprète comme :

« Ça alors, ces monstres de bipèdes ont donc aussi une conscience ? »

Je sens la sienne s'éteindre, fondre, la dilapidation

de ses sens, de ses espoirs et de ses craintes, l'incohérence soudaine de ses énergies. Sa dissolution.

Qâ me lâche et sourit.

Je passe le reste de la nuit les deux mains crispées sur le ventre, dans les affres de l'indigestion, partagé entre abominables douleurs abdominales et coliques assassines.

Commencent les séances sous la loge à sudation.

Chaque matin, nous déjeunons d'une légère bouillie de céréales, et buvons des litres d'eau. Tek'ic a rapporté de je ne sais où cinq pierres volcaniques à l'aspect poreux, que nous mettons à chauffer dans les braises, puis nous les transportons sous la hutte, et nus, nous y enfermons avec elles, obstruant l'ouverture avec une peau de chèvre. Le chaman arrose les pierres d'une légère infusion de sauge, et dans la vapeur qu'elles dégagent, nous suons et psalmodions des chants rituels.

La première fois que Tek'ic me demande de chanter avec lui, je m'offusque et lui dis que je ne saurais proférer des paroles dont je ne comprends pas le sens. Il me reprend.

— Tu ne vas pas parler à des esprits que tu ne connais même pas ! L'important dans le chant n'est pas seulement le texte, c'est surtout le rythme de la respiration, l'intensité de la concentration. Tu es chanteur, non ? Alors fais lalala, wowowo, comme tu l'entends, mais fais-le en y mettant du sens, cherche ta propre façon de te purifier, de disponibiliser tes émotions pour Mère de nos mères. Fais une version sans parole. Surtout, sois très concentré.

J'essaie de faire comme il me dit, d'abord avec retenue. Voyant qu'il m'encourage, je m'abandonne, j'improvise comme je ne l'ai pas fait depuis longtemps.

Au début, la chaleur est telle que rapidement je suffoque, et je dois fréquemment sortir dans l'air glacé. Peu à peu je m'habitue, et finis par y passer mes matinées avec le chaman, m'égosillant à pleins poumons. Il prend plaisir à mes explorations vocales, j'harmonise de longues tenues autour de ses mélopées, ou au contraire les scande et les accentue d'onomatopées rauques. Je m'efforce de charger chaque son que je produis de toute ma ferveur émotionnelle.

Et l'adresse à rien d'autre qu'au bonheur de la vie.

On dirait que Qâ s'en réjouit. Jamais elle ne vient en personne, la hutte est bien trop exiguë, mais elle me rend de fréquentes visites mentales qui participent aux modulations de ma voix. Je surprends Tek'ic en croassant soudain comme un corbeau qui s'enfuit à tire-d'aile, ou en jappant comme un coyote. Parfois, elle investit mes sens sans rien transmettre, juste pour satisfaire sa curiosité, alors le chaman rit, et plus tard, il me dit qu'il sait quand elle est là, parce que je chante alors d'une voix de crooner.

Je sors de là dans des états de béatitude exaltée, que même le choc de l'eau glacée du ruisseau, dans lequel nous allons nous tremper, n'arrive pas à tempérer.

Après m'avoir purgé, Tek'ic me gave.

Il va à la chasse et ramène un daim, tué selon ses rituels. À chaque bouchée que je mange, je dois remercier l'animal d'avoir, pour nous, donné sa vie, et à travers elle, sa force et son énergie. Nous le dévorons des pieds à la tête en moins d'une semaine. D'un côté j'ingère des protéines, de l'autre je brûle toutes mes toxines, et j'ai beau manger, je me nourris moins que je transpire. Chaque jour, je vois mes muscles se dessiner davantage et je deviens plus sec.

Les après-midi, le chaman m'assigne différentes tâches, commençant par les plus ingrates. Un jour, il m'emmène dans la forêt, au pied d'un thuya géant, haut d'une bonne trentaine de mètres, et m'annonce qu'il va me falloir tresser une corde en fibre d'écorce. Pour cela, je dois choisir des fibres rectilignes entre les branches, pour pouvoir les décoller sur toute la longueur de l'arbre, du sommet aux racines. Je dois découper sept lanières, larges d'un centimètre, en prenant bien garde de ne pas les entailler. Il s'en va, me laissant là avec pour seuls outils mon poignard et une corde d'environ cinq mètres pour m'assurer.

Je grimpe avec facilité, l'arbre est énorme, les branches ne sont pas très espacées, et je suis dans une forme éblouissante, mais quand j'arrive au sommet et me retourne, je suis pris d'un vertige terrible. L'arbre est à flanc de montagne, et je domine la canopée à perte de vue. J'ai une bouffée d'angoisse panique, je chancelle, me cramponne des deux mains à l'écorce, affolé par la chute.

Très vite je me reprends. Je pousse quelques profondes exhalaisons, inspire avec l'abdomen. En quelques instants, je reprends si bien mes sens et mon équilibre, que je lâche le tronc pour effectuer quelques katas en repoussant l'air de mes bras. Ahuri de mon propre self-contrôle, je me mets à rire. À rire, debout sur une branche mince, au sommet d'un thuya.

Qui suis-je ? Suis-je encore moi ?

J'ai perdu le compte des jours, des mois ou des semaines qui me séparent de mon passé. Ce bonheur que je vis, que ne m'a-t-on appris plus tôt à le ressentir ?

Que ne m'a-t-on appris à mieux percevoir de chaque instant les plaisirs ? Chaque seconde aujourd'hui, je découvre des impressions nouvelles dans les gestes les plus familiers. Se peut-il que j'aie à ce point changé, que je n'aie plus peur du vide ?

Qâ, merci, Qâ, et merci à toi, chaman !

Je ris, et j'enlace complètement le tronc de mes bras, enfouissant mon nez dans l'écorce rêche, inhalant les odeurs du bois.

— Et merci à toi, thuya, beau thuya, pour me laisser te prendre quelques lambeaux de ta peau. Puisse le temps guérir vite tes blessures.

Je dégaine mon poignard et le plonge dans l'écorce, me mettant à l'ouvrage en chantant :

Is it lust that makes me feel,
in the lightest of your wills
like a song, a sexual call,
an appeal, to my vices

is it love that makes me guess
wine and sugar in your breath
and divine, warm promises
delights that only you receal,

if you were to be the one
that gathers water and fire
on my heart and desire
if you were to be the devil
that my emotions require
I would sacrify freedom
on the altar of devouring passion
and if I was an angel
I would burn my wings to live beside you

is it lust that makes me see
in the light curl of your ear
naked flesh, like an offer
to the wound of my kisses

is it love that makes me hear
the secrets your voice profers
like a prayer, a love song that never ends,
a love song with no end

if you were to be the one
that finally puts together
broken parts of a vampire
if you were to be the angel
that my devotion requires
I might satisfy my soul
with the simple touch of your tenderness
and if I was a devil
I would purify my heart inside you

La première lanière est la plus difficile à découper, et je dois multiplier les acrobaties pour la décoller sans qu'elle se déchire. Quand je la tranche enfin au pied de l'arbre, et l'enroule comme un câble, elle laisse une plaie sinueuse sur toute la hauteur du tronc, où suinte déjà la résine. Je recommence. Et alors que j'en suis à la moitié de la quatrième, suspendu à la corde, à une quinzaine de mètres de hauteur, Qâ vient soudain dans ma tête.

Avec une injonction pressante à descendre de là, j'obtempère sans poser de questions.

J'ai à peine posé le pied par terre que le tatzelwurm me tombe dessus.

— Merde Pripr...

Je m'écroule, terrassé par la fulgurance de la crise de venin. Mais je ne fais pas appel à Qâ. Ni à Tek'ic. Je serre les dents et j'encaisse. J'en ai marre des ravages incendiaires qui me dévorent. Je sais pourtant qu'ils sont éphémères, alors je me fais comme un bouclier de résignation et j'encaisse en hurlant de rage. Et soit que les ingrédients que Tek'ic me fait prendre depuis ma dernière crise fassent de l'effet, soit que la méthode Coué progresse, en tout cas, la crise a beau me fracasser, lorsqu'elle cesse, je ne mets que quelques minutes à récupérer et à me remettre à l'ouvrage.

Plus tard, Qâ vient me rejoindre au sommet du grand arbre. Je sens le tronc vibrer, regarde entre les branches, et la vois grimper, en chair et en poils, avec l'agilité d'un grand singe. Elle vient se percher à ma hauteur, je lui fais signe de s'approcher, l'enlace, et pose un gros baiser mouillé sur son front.

— Merci, Qâ, une fois de plus je te dois la vie, lui dis-je dans ma tête.

Ravie, elle veut m'embrasser aussi, me tire à elle, et je manque me casser la gueule.

— Héhéhé ! Je crie, fais gaffe, doucement, je ne suis pas aussi adroit que toi !

Qâ s'en tape, elle me retient d'une main au-dessus du vide, en même temps qu'elle me lèche la joue, puis me repose sur ma branche, desserrant son étreinte, et son sourire enfantin me fait pouffer, tandis que je me cramponne, le cœur au bord des lèvres. Je lui voue une amitié que je n'ai jamais portée à aucun animal, ni à aucun être humain. Faite de curiosité et d'émerveillement, de respect et de gratitude, où les sens définissent les émotions bien mieux que l'intelligence.

Pour m'épater, elle se met à marcher tout droit sur sa branche, jusqu'à ce qu'elle plie, et elle se balance.

Je lui fais signe d'arrêter, elle accentue le mouvement. Elle se sert de ses gros orteils, très indépendants, pour s'accrocher à la branche, un peu comme le ferait un orang-outang, et autant elle m'a paru humaine en m'embrassant, autant ses acrobaties sont simiesques. Je sens le tronc lui-même osciller, elle lui donne de plus en plus de gîte et, soudain, elle saute dans le vide. J'en ai le souffle coupé.

Elle fait un bond d'une bonne dizaine de mètres et atterrit dans la ramure d'un sapin, que le thuya domine. Glisse, traverse les branches, les brise, freine sa chute, se retourne et s'arrête dans un grand mouvement de balancier, en faisant ployer une des plus basses, accrochée par les bras, à quelques mètres du sol. Elle y saute souplement, me regarde et me fait de grands signes des mains, genre :

— Viens, c'est formidable !

Je m'agrippe de plus belle à mon tronc, en secouant la tête. Elle me sourit, hausse les épaules à sa manière et disparaît.

Quand j'ai finalement décollé mes sept lanières d'écorce, le chaman, me félicitant d'avoir assumé si bien ma crise de tatzelwurmite, m'aide à les amener plus haut sur la montagne, jusqu'à un vaste rocher plat, dans lequel l'érosion a creusé de profondes marmites, où stagne l'eau de pluie. Là, il m'apprend comment écraser les fibres sans les déchirer, en les frappant à l'aide d'un gros galet, à un endroit où le rocher est déjà poli par l'usure et semble profilé à cet effet.

Après, je suis Tek'ic dans une grotte, où il se faufile en rampant et me fait prélever des gros blocs de déjections de chauve-souris, dont le sol est recouvert. J'entends leurs ailes bruisser au-dessus de nous, dérangées dans leur hibernation. La matière filandreuse s'effrite entre mes doigts comme du talc et la poussière sèche m'irrite les poumons et les yeux. Je dois la moudre avec des coquilles d'ormeaux blanchies, que Tek'ic a fait cuire dans les braises. Salpêtre et chaux vive, poudre qui me brûle les mains, quand je la répands dans les bassines où trempent les lanières.

Ensuite, il me faut encore rincer longuement les fibres ramollies dans l'eau glacée du ruisseau, près de la cabane, et enfin les tresser mouillées, en un scoubidou compliqué. Corvée qui à elle seule me prend toute une journée, et que je termine les doigts complètement gelés.

Lorsque le daim est fini, Tek'ic double mes rations de céréales et, par la même occasion, les exercices physiques qu'il m'impose. Il fait de chaque geste une gymnastique, me reprend sur ma façon de me pencher pour verser le thé, ou sur ma manie d'enfiler les jambes de mon pantalon assis, au lieu d'être debout sur un pied, sans compter la manière dont il faut que je porte le bois que je ramène, l'eau que je puise, et toutes les corvées dont il me charge à sa guise. Tout devient prétexte à sculpter mes sens, mes muscles, mon équilibre. Je me plie à sa discipline avec d'autant plus de zèle, que le chaman me laisse les dernières heures de clarté de chaque jour pour profiter pleinement de Qâ.

Quel que soit le froid ou la pluie, je m'équipe et vais la rejoindre dans les bois. Nous sommes de plus en plus proches.

Je pars, sans jamais la contacter, et quelle que soit la direction que je prenne, elle apparaît bientôt à mon côté. Avec elle j'apprends à connaître le moindre recoin des alentours, je m'émerveille de la familiarité avec laquelle elle circule dans la forêt.

Nous jouons à des jeux étranges. Parfois, elle me quitte, se cache, ferme les yeux, me transmet seulement ce qu'elle sent et entend autour d'elle, et je dois tenter de la trouver. Je me guide sur le chant d'un oiseau qui retentit sur ma droite, alors qu'elle l'entend sur sa gauche, ou sur les odeurs des joncs qui croupissent dans un marigot, le bruit de l'eau qui crépite sur des feuilles sèches. Je la cherche, et parfois je la trouve. J'aiguise mes sens chaque jour.

Malgré la saison, elle me montre quantité de racines et de tubercules comestibles, ou comment décortiquer les grains de cynorrhodon racornis par le gel, pour que les poils ne me piquent pas la langue. Ça ne l'empêche pas de fouiller mes poches avec gourmandise à la recherche des fruits secs que je lui ai apportés.

Qâ est une source perpétuelle de surprise et de fascination, et l'amitié qu'elle me porte ravit le chaman. Lui aussi est de plus en plus intime avec elle. Ils s'adonnent parfois à de longues séances de papouilles, au cours desquelles elle se roule sur le sol, en hoquetant, tandis qu'il la chatouille sous les bras. Avec moi, elle ne se livre pas à ces jeux effrénés, elle se montre plus attentionnée, plus tendre. Lorsque nous nous touchons, c'est pour échanger de petites tapes réconfortantes, des caresses, elle m'épouille, ou je lui gratte les omoplates de mes ongles durcis.

Un soir, alors que Tek'ic et moi jouons aux osselets, jeu auquel il excelle, Qâ se vautre depuis un moment près du feu. Soudain le chaman m'interpelle d'un haussement de sourcils, me faisant signe de la regarder, je tourne doucement la tête. Qâ est assise contre un coffre, les jambes écartées, elle fouille de ses longs doigts son épaisse toison pubienne, en gestes sans équivoque.

Elle se masturbe...

Au moment où je la regarde incrédule, elle lève les yeux sur moi, sa bouche s'entrouvre, sa langue rose se recourbe sur sa lèvre supérieure. Je rougis violemment. Tek'ic éclate de rire, Qâ se lève et s'enfuit. Elle sait se montrer facétieuse et farouche, tendre ou brutale, mais sa candeur n'a rien d'innocent.

— Je crois que tu es prêt pour subir la première épreuve, me dit enfin le chaman.

— Mais, tu ne m'as rien dit du panthéon des esprits-indiens, Tek'ic. Si je dois me plier à des rites, je dois savoir au moins à qui les adresser.

— Non, moi je suivrai les rites, toi tu subiras l'épreuve, ensuite nous verrons si je dois t'enseigner. Avant tout, tu vas devoir régler les problèmes causés par ta venue, avec l'esprit de l'ours, ceux de tes amis morts, et de l'homme que tu as tué. L'ours fait le lien entre le dessous et le dessus de la terre. Pour l'invoquer, tu vas descendre dans l'aven avec la corde que tu as tressée.

— Quoi, mais l'eau est glacée et...

— Je te donnerai des graines puissantes, tu ne sentiras pas le froid. Sous l'aven se trouve une grande caverne, là tu invoqueras l'esprit de l'ours.

— Mais comment ? Comment on fait pour invoquer un esprit ? J'en sais rien moi !

— Tu ouvriras tes sens, et concentreras tes pensées. Tu l'invoqueras à ta manière, en chantant ou en dansant. Les graines que je vais te donner sont celles d'une fleur magique. Elle te servira de canoë pour voguer sur le fleuve des morts. Là, tu rencontreras l'esprit de l'ours et feras la paix avec lui, et lui te guidera jusqu'à tes amis, et ton ennemi. Dans la caverne, l'obscurité est presque totale, tu devras trouver des cristaux, de différentes tailles et couleurs, tu en choisiras qui correspondent à chacun des esprits auxquels tu dois t'adresser. Quand tu reviendras avec, nous ferons un rituel pour les libérer et te libérer de ton passé.

J'en reste sidéré, bon dieu, quel programme...

— Et, et c'est quoi, ces plantes que je dois avaler ?

— Ce sont les graines d'une grande fleur bleue, intense comme le ciel. Une plante qui grimpe, qui se tortille, avec des feuilles en cœur.

— Quoi, des volubilis, c'est ça ? Des liserons à grande fleur bleue ?

C'est mon tour de surprendre le chaman, non seulement en identifiant la drogue, mais en y ayant déjà goûté. Je lui raconte qu'au cours de mon adolescence délurée j'ai essayé toutes sortes de drogues, particulièrement des psychotropes, et que les liserons bleus figurent à mon palmarès. J'ai goûté aux graines de la variété à grande fleur bleu d'azur, connue sous le nom de « Gloire du matin », à plusieurs reprises. Ses graines contiennent des alcaloïdes très proches du LSD, et j'en garde des souvenirs hallucinés, pas toujours agréables.

Le chaman me montre la quantité de graines qu'il

va me falloir ingurgiter, j'ai l'impression qu'il y en a dix fois plus que ce que je prenais à l'époque.

— Tout ça ! T'es sûr que... ?

— Nous ne jouons pas aux adolescents stupides, nous préparons ton initiation, pour que tu te purifies, pour être à même de mieux sentir tes échanges avec Mère de nos mères. — Il se penche sur moi. — Alors, tu veux ou pas ?

Il m'explique encore, qu'avec ou sans la drogue, ça ne sera pas une partie de plaisir. Le ruisseau plonge droit dans un gouffre. Pour atteindre le sol de la caverne, il me faudra me balancer au bout de la corde. Elle sera amarrée au saule qui domine l'aven, et son extrémité sera attachée à ma cheville, car si je venais à la lâcher, elle irait se perdre dans la cascade, et je ne pourrais pas remonter.

— Bien sûr je peux toujours te porter secours, si tu secoues la corde. Sans signal, j'attendrai trois jours avant de te remonter. Alors, te sens-tu prêt ?

Curieusement, j'ai soudain l'impression que Tek'ic fait tout pour me décourager. Je serre les dents, et lève sur lui mon regard pers et balafré.

— Allons-y, chaman. En route pour le royaume des morts...

TROISIÈME PARTIE

LA FUSION

1

Au matin, c'est le tambour qui me tire de mon bref sommeil, après que j'ai passé la nuit à m'agiter sur ma couchette. La veille, j'ai demandé à Qâ de ne pas intervenir pendant mon épreuve, et j'ai un instant le regret qu'elle ne soit pas à mon côté.

Tek'ic a revêtu un costume entièrement végétal, fait de fibres, de joncs et de racines emmêlées. Assis sur le sol, il a l'air d'une motte de foin, d'où émergent ses bras qui frappent le grand tambour, celui à la figure grimaçante avec une langue bleue. Devant lui sont disposés différents récipients, un petit pilon de pierre, et la corde que j'ai tressée, enroulée comme un gros serpent. Au pied de ma paillasse, un costume est étalé, mocassins, pantalons et casaque capuchonnée, en peau de loutre.

Comme me l'a indiqué le chaman la veille, j'effectue d'abord des mouvements d'étirement et d'assouplissement, jusqu'à ce que mes muscles se réchauffent. Je prends le premier récipient, de la graisse d'ours, un peu nauséabonde, dont je m'enduis la peau des pieds à la tête, frottant ensuite mes mains dans la cendre, pour qu'elles ne restent pas glissantes.

J'enfile le costume, la peau en est incroyablement souple, et je noue les lacets qui en resserrent le col, la taille, les chevilles et les poignets, le rendant presque hermétique, boucle ma ceinture par-dessus, y passe mon poignard et viens m'asseoir en face de Tek'ic. Il frappe un rythme lent, simple, à quatre temps, accentuant le premier du plat de la paume sur la langue du tambour. Toum, tam, tam, tam, toum, tam, tam, tam. Je m'efforce de calquer ma respiration sur une séquence de son rythme.

Je fais le vide dans ma tête. Toum tam tam tam, répète Tek'ic inlassablement. Je prends le deuxième récipient. Une petite fiole en écaille, qui contient de l'huile de flétan, dont il me faut avaler trois grandes cuillères de bois. Beuaark. Après ça je rote comme un chalutier, et attends quelques instants, que mon œsophage se relâche, et que cessent de coasser les grenouilles de mon ventre. J'ai droit ensuite à un grand bol de myrtilles séchées, qui sont, je le sais, un puissant antivomitif et stabilisateur de l'estomac. Leur acidité sucrée dilue mes relents de poisson, et je les avale avec de grandes rasades d'eau fraîche. Quand j'en viens à bout, je me déplace devant une boîte faite de plaques d'ardoises gravées, dont celle du dessus s'orne d'un masque d'ours aux crocs triangulaires et menaçants. Je l'ouvre.

À l'intérieur, dans une coupelle d'obsidienne, se trouvent des graines allongées, étirées en losange.

J'ai une seconde d'appréhension en voyant leur quantité, mais je m'empare cérémonieusement de la coupelle, l'élève à hauteur de mes yeux, pour mieux les observer, les fais glisser dans le pilon de pierre.

Je les mouds dans le rythme, toum tam tam tam. Je dédouble, complique sans perdre la pulsation, et réduis les graines en une poudre plus fine que de la farine. Lorsque je cesse de battre et dépose le pilon devant moi, le chaman accentue ses « toums », et le tambour se met à dégager plus d'harmoniques.

Je verse alors la poudre dans un bol de cèdre, que je remplis d'eau bouillante aux deux tiers. J'agite le mélange, vois le liquide s'oxyder en refroidissant dans le bol, devenir de vert, brun, de plus en plus foncé, carrément noirâtre. Le tambour produit des basses si puissantes que j'ai l'impression de voir l'eau vibrer. Quand le breuvage est froid, Tek'ic brise son roulement d'un trak tak tatak taka toum tam tam tam, reprend son rythme, alors, je bois le bol de décoction noire de volubilis, d'une traite, en retenant mon souffle. Elle a un très fort goût de terre, mêlé d'une odeur minérale un peu suffocante, comme celle qu'on inhale à proximité d'une perceuse forant le silex. Je sens déjà comme une pierre se former dans mon estomac.

Qui enfle, se fait lourde, pesant de plus en plus sur mon ventre, en une douleur sourde, lancinante. Je jette à Tek'ic un regard inquiet, mais il m'a prévenu et continue à frapper son tambour. J'avale en vain ma salive, la chose qui m'emplit remonte. Je me lève, chancelant, je me penche en avant, les mains sur les genoux, tournant le dos au chaman, et quand la pression devient intolérable, j'accompagne mon renvoi en contractant tous les muscles de mon abdomen, et vomis, d'une seule grande gerbe noire et violacée, tout le contenu de mon estomac dans le brasier. Hoquetant, je me redresse.

La douleur a complètement disparu, mon ventre est à nouveau léger. De ça aussi, Tek'ic m'avait prévenu. Je reprends mon souffle, bois un peu d'eau fraîche et me dirige vers la corde, essayant de raffermir mes jambes. À son extrémité, j'ai noué une lanière de cuir, je m'agenouille, et l'attache soigneusement autour de ma cheville droite, la passant sur mon ventre et au-dessus de ma tête, je me l'enroule en bandoulière. Elle est d'une texture étonnante, douce comme de la soie, et pourtant adhérente, souple et épaisse à la fois. Lourde. En me redressant, je ressens comme une première vague de frissons, où je sens poindre les effets de la drogue.

Quoi, déjà, malgré mes vomissements ! Il faut que je me hâte, si je ne veux pas avoir à descendre en pleine montée. Ma pensée me fait sourire. Non, ce sont mes zygomatiques qui se crispent nerveusement. Oh merde, je suis déjà pété.

Le chaman se lève, debout il est encore plus impressionnant. Je ne vois pas ses jambes, l'amas de fibres traîne jusqu'au sol qu'il balaie derrière lui. Je lui emboîte le pas en direction de la porte. Il doit m'escorter jusqu'à l'aven, l'ennui c'est qu'il n'avance que sur ses « toums », et pendant ses « tam tam tams », moi je trépigne, m'impatiente, tentant de refouler les bouffées qui me traversent.

Le temps d'arriver au bord de l'aven, ce ne sont plus des bouffées que je ressens, mais des décharges qui électrisent mes sens. Et quand le chaman atteint le grand saule, je suis complètement défoncé. Le tambour résonne dans ma tête comme avec une légère réverbération, et ma vision s'altère. Je vois se prolonger les lignes qui définissent les contours de chaque chose, et lorsque je bouge la tête, les lignes suivent, comme une trame lumineuse, avec un effet stroboscopique. Je regarde le tambour du chaman et, entre ses frappes, j'ai soudain l'impression que la langue bleue me fait « blebleble ».

Ça me trouble si fort, que j'ai une seconde d'épouvantable appréhension au moment de nouer la corde autour de l'arbre, à l'idée que je ne sais tout simplement plus faire les nœuds. Heureusement mes mains s'en souviennent. De la folie, c'est de la folie. Je suis bien trop pété pour faire de l'escalade, c'est pas sérieux, il faut que je renonce, je lève une main vers le chaman pour le lui annoncer. Tek'ic n'est plus là, à sa place, il n'y a qu'un tas de foin, avec une figure ronde qui me regarde en se frappant la langue de la main. Qu'est-ce que... ?

Secoue-toi, tu dois descendre à cette corde dans ce gouffre béant. Tek'ic l'a fait, et d'autres avant lui, alors vas-y. Allez maintenant ! Je jette la corde en boucle dans le vide. À nouveau je me penche. Depuis plusieurs jours, il fait beau, le ruisseau a considérablement baissé. Il s'engouffre dans une faille, au fond de l'aven, suffisamment large pour que je puisse passer à côté, presque au sec. Par à-coups, j'y fais glisser la corde. Je me mets face au chaman, enfin à la motte de paille fluorescente, qui tisse l'espace de vibrations sonores, enroule la corde autour de mes épaules, de ma taille, la passe entre mes jambes, et profitant d'un bref répit dans les vagues hallucinatoires qui m'assaillent, je commence à descendre en rappel dans l'aven.

Les premières éclaboussures du ruisseau me fouettent le visage, et je réalise soudain les dangers de mon entreprise. L'eau est glaciale. Si froide qu'au lieu de me tétaniser, elle me dynamise. Mon corps par réflexe se hâte, je rebondis sur mes pieds contre la paroi, contrôlant ma vitesse, et j'ai l'impression que chaque fois que je touche le rocher il résonne comme d'un coup de tonnerre, je lève la tête. Non, c'est Tek'ic, il apparaît au bord de l'aven, dans son costume végétal, comme un gnome des marais, et c'est son tambour qui résonne dans les airs.

— J'y vais. Tek'ic, regarde. J'y vais, je descends jusqu'au royaume des morts !

Je lui crie à moitié hystérique, et me couchant sur le ventre, tenant fermement la corde mouillée de mes doigts glacés, je fais passer mes jambes dans la fissure, me laisse glisser dans les ténèbres.

Le ruisseau rebondit sur le rocher, puis gicle en cataracte ; dès que je passe le surplomb, je me retrouve relativement au sec, mise à part la bruine, et l'eau qui dégouline le long de la corde. Au bout de deux ou trois brassées, je me retrouve aussi dans la quasi-obscurité. Descendre, il faut que je descende à la caverne. Me balancer.

L'obscurité autour de moi se teinte d'arabesques luminescentes, en trois dimensions, aux perspectives tronquées. Je me balance, comme me l'a dit le chaman, je ne sais plus dans quelle direction je vais. Je me balance, et jamais je ne touche les arabesques, elles s'écartent, se déforment, suivant des angles impossibles, qui me donnent presque la nausée. La corde tourne sur elle-même, et par moments, je passe sous la cascade, qui me glace, je bois de l'eau par le nez, tousse, suffoque, et d'un coup, mes tibias viennent frapper un rebord de rocher. La corde me glisse des doigts, je tombe de tout mon poids sur le côté, me heurtant la tête sur la pierre trempée.

Veux me redresser. Vois vraiment trente-six chandelles. Sur un coude, une main ; de l'autre cherche une prise, y porte mon poids, non, plus bas. Pivote sur un genou, et plonge mon bras tout droit dans le vide. Je bascule !

Me rattrape en brisant mes ongles dans une entaille, l'autre main, vite. La corde se déroule de moi et tombe du reste de sa longueur dans le gouffre, l'à-coup dans la lanière est suffisant pour faire riper mon pied, je me retrouve suspendu par les mains au rebord glissant. Frénétique, je pédale pour remonter, tirant sur mes bras, trouve une prise pour mon pied, pousse comme un fou, me hisse, rampe puis m'affale sur le ventre, à l'horizontale, les bras en croix, agrippé au rocher, les pieds coincés contre des aspérités, avec l'impression absurde et terrifiante que je vais tomber vers le haut.

Le choc a été si rude que toute ma tête en résonne. Je suis complètement ébloui par des lumières multiples et mouvantes, qui s'agitent même derrière mes paupières closes. Je ne sais plus...

Où suis-je ? Un accident, j'ai dû avoir un accident. Mais quand ? Où ? Peut-être n'est-ce qu'un mauvais rêve. Non. Attends. Trottinette, vélo, automobile ? Un choc sur la tête, mais quand ? Oh merde, qui suis-je ?

Du calme, du calme, je suis trop défoncé, je suis Boris, Loumouillé, et je suis dans la caverne. Allez lâche, lâche une main pour voir, là, doucement. Alors, tu vois que tu ne tombes pas. Précautionneusement je m'assieds. Tâte mes tibias qui n'ont rien, ni ma tête, sous sa capuche de peau de loutre. Tout va bien, tout va bien. Je lève la tête vers la lueur de la faille, d'où chute le ruisseau, j'ai l'impression que c'est de la lumière liquide qui me tombe dessus, et lève brusquement les bras pour me protéger. Rien ne vient.

Je pouffe. Et mon bruit provoque un souffle, une bourrasque, fait se gondoler mes hallucinations qui oscillent et se remettent en place, je pouffe de plus belle, ça recommence. Alors je ris, et chaque éclat fait danser mon capharnaüm, de plus en plus fort, de plus en plus vite. Je ris aux larmes, mon rire s'emballe, m'échappe et tornade, typhon, m'entraîne, et je pleure pour de bon et grimace pour le retenir. Je sens ma bouche qui s'agite et se tord, sans plus tenir compte de ma volonté. Le maelström me dilapide !

Du calme, ralentis, ralentis ! Voilà, comme ça, tais-toi, ravale ton rire et tes larmes, reviens, reviens. Voilà, respire, ha ha hooo hinhiii, regarde, tes sons, ce sont tes sons qui font ça ! Ne ris plus, ha haarrête, contrôle-les. Drôôôôôôô, fooouuh, oui, une seule note, ooooooooo, respire, c'est ça. Je mets un bon moment à stabiliser mon champ visuel. À présent ma vision est complètement dissociée. Mon œil balafré voit un type d'hallucinations, et mon œil valide un autre. Leur superposition complique encore les trames qui m'environnent. M'éloigner, il faut que je m'éloigne du gouffre.

J'entends des bruits tout autour de moi, ricanements, grincements, chuchotements, rires de goules, mes hallucinations se contorsionnent en lames acérées et en épines. Le vide saigne. Je tourne sur moi-même, et soudain quelque chose m'attrape la cheville. Je tire un grand coup pour me libérer, ça s'accroche, je tombe, me débats comme un fou en roulant, mais ça ne veut pas me lâcher. Alors je dégaine mon poignard et me mets à couper, couper, jusqu'à ce qu'enfin j'entende fuir la main, la chose, le tentacule, qui glisse vers le gouffre, ondulant comme un serpent.

Connerie, j'ai fait une connerie... Quoi déjà ? Je reste là, le couteau brandi devant les choses qui menacent. Rien de tout ça n'est vrai, rien. C'est la dope qui me le fait voir, rien d'autre que la dope. Assez ! Il faut que je me raccroche à du bon, que je me concentre. Qâ, il faut que je pense à Qâ.

Un reflux. Alors, malgré les figures grimaçantes qui m'entourent encore, je rengaine ma lame. Cette béatitude de Qâ. Cette paix, cet amour qui me fait me sentir si indissociablement corrélé à tout l'univers. C'est ça qu'il faut que je ressente. Tout reflue. Et pourtant mon oppression persiste. D'un élan lyrique et solennel, je déclare dans la caverne.

— Esprit du grizzli de la montagne, esprit d'Albert, esprit de Sherman, esprit d'Ho Letite, c'est pour vous que je suis ici, pour vous que je suis descendu au ventre de la terre.

À nouveau mes paroles tissent des arabesques. Magnifiques. Je fais un gros effort de volonté pour qu'elles s'immobilisent. En prononçant les mots, je sens mes lèvres qui les formulent, la sensation est incroyablement étrangère, à la fois sensuelle et délicieuse. Mes mots sont comme des pinceaux magiques. Le régal de leur sonorité sculpte des artifices. Je les charge de tout leur sens, de toute ma conviction, et me conforte de les voir accomplir mes moindres intentions. L'ampleur de leurs effets me remplit de courage.

Il ne se passe rien. Enfin si, mes arabesques s'aèrent, s'espacent en un tissage moins serré, et augmentent leurs luminescences.

— Esprit de l'ours et vous esprits de mes amis disparus, c'est à vous que je m'adresse. Pour vous, j'ai chevauché la fleur, et suis venu ici, sur le fleuve des morts. Pour vous rencontrer ! Pour vous dire combien je vous regrette, et pour combien vous êtes, dans chaque instant du bonheur que je découvre aujourd'hui. Esprits des morts, je vous invoque ! Je crie dans la caverne. Esprit de l'ours, esprits de mes amis morts, et même toi esprit du vi...

Non, non ça je ne peux pas, ce vieux salopard ne mérite pas ça. J'ai suffisamment de courage pour prendre des décisions. Je reprends en haussant la voix de plus belle.

— Non, pas toi, esprit du vieux Morgensen ! Toi, je te révoque, je te damne, puisses-tu à jamais errer dans les ténèbres de tes haines !

Ma clameur sonne comme la voix de la justice, et provoque une débâcle affolée de mes hallucinations qui explosent, se diffractent et se reconstruisent beaucoup mieux structurées. Je n'ai plus peur, je n'ai plus peur, je maîtrise.

Rien ne se passe, à part les vents de mes mots tourbillonnant dans les voiles de mes hallucinations. Mais dis-moi, toi qui n'y crois pas, tu t'attendais à voir quoi, des spectres, des fantômes, ou des lumières vertes ?

— Je suis sincère, je suis sincère ! — Je hurle dans le bouillon de la dope. — Esprit de l'ours, puisse-tu m'apparaître et me guider sur le fleuve, à la recherche de mes amis morts. Je t'invoque, esprit de l'ours, viens à moi. Pour te rencontrer, je suis descendu jusqu'au ventre de la terre !

Je suis là, debout dans le noir, affrontant la tempête visuelle de mes mots, presque serein. Je penche la tête, de d... roite et de g... auche, et j'ai l'impression que le m... onde bouge avec m... oi, après un certain décalage, comme si j'étais une spatule dans un bloc de gélatine. Décalage... Je suis pris soudain d'un doute.

Ventre de la terre ? Descendu ?

La corde ! J'ai tranché la corde... L'angoisse me tombe dessus si forte, que mes hallucinations refluent dans mon corps, comme aspirées de l'intérieur à travers mes vêtements de loutre, par chacun de mes pores, avec un effet de vertigineuse compression. La corde... Tout à l'heure, le truc, à ma cheville, que j'ai coupé, oh non ! Je me laisse tomber à genoux, cherchant désespérément la corde à mes pieds, tâtant le sol tout autour de moi.

Non, la corde, elle est pas là, elle est plus là. C'est bien ça que j'ai coupé tout à l'heure dans mon délire. Le truc que j'ai entendu glisser vers le gouffre, c'était ça ! Entraînée par le poids de l'eau, elle doit pendre dans la cascade. Étreint par une angoisse terrible, mon cœur s'emballe, mes membres sont pris de spasmes et des tics me secouent le visage. J'ai la tentation de me précipiter vers le gouffre pour vérifier si elle y est, mais je suis bien trop affolé pour savoir dans quelle direction il se trouve.

Non, trois jours... Je suis condamné à passer trois jours ici, dans l'obscurité, avant que Tek'ic vienne me secourir, trois jours. À mourir de froid. Trop défoncé. La peur qui distord mes sens est abominable. Je vois les couleurs des sons, sens les odeurs des lumières. Et les arabesques ressortent par mes pores. Avec des reptations abjectes, elles reprennent leur essor. Envahissant l'obscurité de leurs réseaux putrides, gluants, épineux, parasites, nécrophages.

Non, pas le flip, non ! Contrôôôle !

Chante. Chante je.

De longues notes tenues. Chante doucement, posément, comme une cocotte-minute sifflant au lieu d'exploser. Je chante, et ça marche, comme avant, ça marche, je reprends le contrôle de mes hallucinations. Pas de flip, non. Si je dois y passer trois jours, j'ai intérêt à être cool, très cool. Je reconstruis un décor acceptable. Voilà, oui comme ça. Plus de corde, merde. Espèce de con, trop tard, alors cool, chante.

Je veux m'asseoir sur le sol, il est humide. Je m'enfonce un peu dans la grotte, à quatre pattes, puis quand j'estime au toucher qu'il est plus sec, bien qu'il évoque sous mes doigts plutôt une peau de lézard, je m'installe. Maîtrisant plus ou moins les flots déferlants de la drogue. Je chante.

Pas des mots, juste des sons, ma voix. Des longues modulations. Parfois de sa pleine puissance, et parfois susurrées en voix de nez. Je chante contre ma peur, et s'il le faut je chanterai jusqu'à ce que Tek'ic vienne.

Au fil du temps qui passe, je prends de l'assurance, maîtrise mes créations. Me permets même quelques fantaisies, mais si j'arrête, très vite à nouveau la dope me submerge. Alors je m'égosille. Je ne sais même plus qui je suis, ni pourquoi je suis là. Je chante, et ma voix fait de prodigieux tissages. Et puis, ça me revient. Je repense à mes invocations, peut-être mes mots étaient-ils vains ? Je réessaie, juste de la voix. Oui c'est ça. Mes hallucinations s'égayent.

À nouveau j'invoque l'esprit de l'ours. Avec toute ma conviction. Je chante des sons de paix, de respect, et devant l'absence de résultats, les charge de colère. Le souvenir du grizzli me revient, sa fureur. Je hurle comme lui, grogne, vocifère, créant un énorme fatras de formes chimériques, et soudain...

Je vois la lumière.

Un trait, d'abord, puis un flot. Elle sourd en cascade lente de l'obscurité.

Un fleuve, un fleuve de lumière. Le fleuve des morts ! Qui s'écoule en cascade, si lente, ma vie sera-t-elle assez longue pour que ses flots m'atteignent ? Assis en tailleur, je chante, l'attire comme une sirène. Le fleuve des morts, rivière de lumière, coule vers moi sur la paroi du néant, puis en flots sur le sol. Lent de la lenteur de la mort. Ça n'est plus la défonce, c'est une extase mystique, qui du sol me relève. Debout, face au fleuve de lumière, je chante comme jamais, complètement ébloui, subjugué, pendant ce qui me semble être des jours. La drogue me fond complètement dans la vision irréelle. Juste avant que la lumière m'atteigne, j'y vois pointer de l'obscurité, devant moi, une tache, une proue effilée, qui s'avance à contre-courant des flots éblouissants. Un bateau, le volubilis, le canoë pour voguer sur le fleuve des morts.

Il se détache de l'ombre et, sans que j'aie à bouger les pieds, j'y flotte, et le découvre émerveillé. Le canoë a des bras, et sa proue, une tête, comme moi, mais il est beaucoup plus long, beaucoup plus étroit. Noir sur le fleuve de lumière, je le déplace d'un simple effort de volonté.

Les invocations, c'est maintenant qu'il faut les faire... Je recommence à chanter pour l'ours, ne m'adresse plus à sa colère, plutôt à ses énergies. Oui, comme avec Qâ pendant la séance des loups. Non pas à sa colère, aux énergies qui l'animent. Oui.

Je chante depuis si longtemps que je suis comme engourdi.

Et d'un coup je vois dans l'obscurité de part et d'autre du fleuve des morts, et sur moi-même, des myriades de points scintillants, surgir du néant, virevolter, se rassembler au-dessus des flots, s'agglomérer en figure évanescente. Comme si, d'une volonté concertée, des énergies correspondantes quittaient leur fonction première, ici, entre deux particules, là, au fond d'une de mes propres cellules, pour se rejoindre et s'amalgamer.

En ours. En énergies d'ours. Qui soudain devant moi rugit sa fureur, malgré ma peur, je ne bouge pas. Je chante, debout dans le canoë du volubilis, flottant sur le fleuve des morts. L'esprit de l'ours veut me déchirer de ses griffes. Ses coups passent à travers moi. Je ne bouge pas, il finit par se calmer et, bougon, gratte le fleuve de ses pattes. Il gronde, trépigne. Je lui chante ce que je veux de lui. Il s'éloigne alors, trottant sur la surface de son pas dandinant. J'avance, le canoë glisse à contre-courant.

À l'endroit où l'ours a gratté le fleuve, je vois sur le fond, à travers la lumière liquide et diaphane, scintiller des cristaux. Je sors mon couteau, me penche, plonge le bras dans le fleuve, et de la lame, en brise et les ramasse.

L'ours a déjà traversé. D'une impulsion, je me lance à sa poursuite à travers les flots. Le courant de lumière est fort. Par moments, le canoë déploie ses balanciers, et moi, j'écarte les bras pour garder mon équilibre, mes pieds bien ancrés au fond de l'esquif.

Là-bas, l'ours se livre à un drôle de stratagème, il tourne en rond, le nez au ras des flots, renifle, et soudain y enfonce la tête, la ressort, s'ébroue et s'assied. À nouveau des étincelles d'énergies s'agitent et se détachent. Cette fois, dans le flot lui-même, se rassemblent, comme aspirées par le tourbillon qu'a fait l'ours, et construisent une figure translucide.

Albert, c'est Albert, et son esprit porte des lunettes ! Il sort des flots, s'élevant comme debout sur un ascenseur, hilare, et se met à gratter la tête de l'ours, qui se frotte contre lui. Je comprends qu'ils se sont pardonnés.

Albert me sourit d'une oreille à l'autre, il ne peut pas parler, mais je vois dans ses yeux sa curiosité, son envie avide de savoir. Alors, je lui dis tout de Mère de nos mères. Comme m'a appris à le faire Qâ, je lui livre les meilleurs instants de ma mémoire, d'échanges, de fusions avec elle. Une multitude d'émotions intimes, de mammifères et de volatiles, dont j'ai frôlé les consciences et de leur convergence naît un immense amour de la vie.

Albert se tord de plaisir. Il frappe dans ses mains énormes, danse sur place, se contorsionne en riant aux éclats, et malgré sa luminescence, je vois ses larmes scintiller. Moi aussi, sa joie me fait pleurer, je lui dis combien il me manque, et alors que des sanglots m'étreignent, il me fait des grands signes des bras. « T'en fais pas. Tout va bien. Ça n'est rien. Donne-lui tout le bonheur que tu peux et découvre-le avec elle, et dis à Béatrice que je l'aime. » Il s'enfonce, riant, à travers ses larmes, agitant ses longs bras, il s'enfonce et se désintègre dans le fleuve des morts.

À l'endroit où il disparaît dans les flots, un tourbillon se forme, et en son centre apparaissent les feux éclatants de cristaux, posés sur le fond. Je me penche et les prélève. L'ours me guide ensuite vers Ho Letite, également reconstitué d'énergies équivalentes. Je lui parle de Qâ, Ho Letite est transfiguré d'un amour si fort, qu'il l'auréole de sainteté. Je voudrais lui dire qu'elle veut garder pour toujours le nom qu'il lui a donné, mais il est accaparé par ce ravissement que je lui ai apporté, et disparaît, sans plus me prêter garde. Et là où il fond, versant mes larmes dans le fleuve, je ramasse des cristaux miroitants.

Puis c'est Sherman que me montre l'ours. D'abord, il hausse un sourcil, surpris de l'éloquence passionnée de mes chants, des élans qui chargent mes notes, et il se joint à moi. À lui aussi je livre tout de mes bonheurs avec Qâ, et il a beau feindre l'indifférence, je sais à la chaleur de sa voix muette, qu'il est aussi heureux que moi. La beauté de nos chants réunis est telle, même si le sien ne s'entend pas, qu'il me vient des larmes de joie. Quand il se désagrège, les cristaux qu'il laisse semblent vibrer encore de sa voix.

L'ours m'abandonne, Sherman s'en va, je me retourne et il n'est plus là.

Je reste seul, en pleine extase.

Debout les bras ouverts, dans le canoë du volubilis, je navigue sur le fleuve des morts. Ébloui, les yeux noyés de larmes, je vibre d'une béatitude parfaite, complétée des joies de mes amis perdus. Je vogue sur le fleuve de lumière et je comprends que son courant s'inverse. Devant moi, les flots s'arrêtent comme au bord du monde, plongent en cascade dans l'obscurité. Le courant de bonheur me porte droit vers sa chute. Mon canoë rétrécit, fond sous moi, et pourtant toujours flotte. Au moment de franchir la limite, de plonger dans l'obscurité béante, j'ouvre encore mon cœur, si possible, et ferme les yeux, m'apprêtant à tomber.

Non, je reste debout. J'attends le vide, l'appréhende, le cœur libre, le corps tendu, mais non, je flotte dans le noir...

Alors j'éclate, débordant d'une joie plus vaste que les océans, je remercie les esprits de m'avoir aidé dans ma quête, en un chant d'apothéose, donnant tout dans ma voix, le corps complètement immobile, figé, de crainte de rompre le fragile équilibre qui me tient suspendu au-dessus du néant. Je reste là un si long moment, que je sens des fourmis grouiller dans tous mes membres, et quand enfin ma voix se tarit, mon chant s'arrête, je suis rattrapé par les bruits de mon propre corps, haletant, et le vacarme du ruisseau qui s'engouffre dans les ténèbres de la caverne. La caverne ?

Ça va mieux ? C'est passé ? Hé, Dugland, hé ! Tu peux bouger, tu sais. Tu es debout, debout sur le rocher. Retourne-toi, Dugland, avant qu'il ne soit trop tard. Tu vois, tu vois ce rayon de soleil, là-haut, en train de disparaître, il a traversé la caverne, c'est lui, ton fleuve des morts. Ton canoë c'était ton ombre, et tes esprits, des volutes d'eau où la lumière se diffracte.

— Les cristaux, j'ai les cristaux, je dis à haute voix, en les tâtant dans ma poche.

— La caverne en est tapissée. Ça, pour être pété, t'es pété.

Une froide colère me prend.

— Va chier, Boris Genssiac, ravale tes sarcasmes

puants. Ton rationalisme à la con n'est qu'une peur étriquée à l'idée d'ouvrir tes yeux d'une autre façon sur le monde. La systématique de ton cynisme, le grand manque d'humilité de cette conscience que tu crois t'appartenir, n'empêcheront pas des forces qui te dépassent de déterminer les énergies qui te régissent. Va chier, Boris Genssiac. Ta désacralisation bornée de pitre aveugle aura beau se débattre, elle ne m'empêchera plus désormais de goûter à la poésie de mes sens. Va-t'en mourir chez les tristes, et emmène avec toi ta condescendance !

Je secoue la tête, tentant de créer un instant de silence pour y recomposer mes pensées, je suis encore trop défoncé. Mes hallucinations reprennent.

À travers elles, je vois là-haut le rayon de soleil diminuer dans le nombril étroit de la faille. Je comprends que l'après-midi est déjà entamé, la matinée a passé sans même que je le sache. La corde, il faut que j'essaie de rattraper la corde, peut-être que je peux remonter.

Juste avant que la lumière disparaisse, je m'avance précautionneusement en direction du gouffre. L'obscurité est déjà presque totale. Les yeux grands ouverts, je me faufile à travers mes arabesques, crois voir briller parmi elles une ligne luisante plus constante, m'y avance. C'est le bord du précipice. Les embruns glacés me fouettent le visage, la cascade s'engouffre dans le noir avec un fracas métallique, et des bourrasques me bousculent, chargées de l'haleine de la terre. L'eau chute le long de la paroi d'en face.

Entre nous, trois mètres d'abîme.

J'ai beau écarquiller les yeux, et essayer de ne pas tenir compte de mes hallucinations, tout ce que je vois luire, ce sont les reflets de l'eau qui précipite, et je ne vois pas la corde. Pourtant elle doit y pendre. Tek'ic me l'a fait tresser trop longue d'une dizaine de mètres, elle doit y pendre, gorgée d'eau.

Je ne la vois pas, je l'entends. Oui, je l'entends frapper par instants la paroi, claquant comme un serpent visqueux. Oui, ferme les yeux, ouvre tes sens. Écoute...

Là, c'est elle, ensuite ici, et là, qui glisse, tourne, se plie tape de la queue, aussi imprévisible et aléatoire qu'une anguille qui se contorsionne sous l'hameçon.

Aléatoire ? Chut, non, écoute. Ne fais pas appel à ton intelligence, mais à ta sensualité. Écoute. Pense à Qâ. Tout est relié, tout vibre, tout a un rythme, une séquence. Forcément quand elle remue, quelque chose en toi la sent bouger. Trouve-le, définis-le, concentres-y tes sens, peut-être que tu pourras l'attraper. Oui, là, au milieu du vacarme aquatique, avec des fréquences nettement différentes, fratch, puis schlac, triitch, frout, plafff, kpotchl, écoute, et ça recommence, sens-le, sens-le, trouve le début du cycle, le rythme des oscillations. Serein, malgré la tension de mon corps, lucide et concentré, malgré les excentricités de mes sens, je me penche en avant. Au-dessus de l'abîme, trempé par les éclaboussures. Là, fratch... kpotchl, si je sens le tempo, si je compte, oui, fratch, schlac, triitch, deuxtroisquatrecinqsixsept.

À deux, elle est là, au plus près de moi. Non, c'est trop vite, trop vite pour que je compte. Prends le rythme, sens le rythme, fais confiance à ton feeling. Une demi-seconde pour franchir le vide, une demi-seconde pour saisir la corde, et une autre seconde, pour la rattraper si je la manque. À fratch, il faut que je parte à fratch. Oui, je peux le faire. Oui.

Fratch ! Je le fais.

Je plonge dans le vide...

Les bras en avant, je plonge, manque la corde, m'écrase contre la paroi d'en face, rebondis, me vrille, la corde me frappe l'épaule, d'une main je l'attrape, l'autre ! Je glisse, tombe, l'enroule autour de mon poignet, freine, la serre, me râpant les mains en bénissant mes paumes calleuses, freine en l'essorant, et m'arrête d'un coup de mes bras tendus, les deux mains étranglées sur un nœud gorgé d'eau. Des jambes, je cherche désespérément sous moi, je suis au bout de la corde, et ne trouve que la lanière de cuir. C'est elle qui m'a sauvé, en créant un engorgement de fibres à son extrémité.

Dans l'obscurité, je balance. Traîne pas, vas-y, vas-y, avant de réfléchir... Je remonte à la force des bras, jusqu'à pouvoir coincer la corde dessus-dessous mes pieds, je me cale, contrebalance ses mouvements pour diminuer leur ampleur. Régulièrement, la cascade m'arrose, mais le froid de l'eau sur mon visage me fait l'effet d'un baume, tant j'ai chaud d'un feu intérieur, qui sans me brûler m'allume. Je ramène mes jambes, coince mes pieds à nouveau et remonte.

Je rampe vers la lumière, laisse sous moi la caverne, grimpe. C'est à peine si les difficultés du passage de la faille me ralentissent, et je suis dehors, ébloui par la lumière du réel, me hisse des bras, marchant debout sur la paroi de l'aven, jusqu'en haut, puis encore, sur le plat, jusqu'au nœud de la corde qui l'attache au grand saule.

J'étreins l'arbre de mes bras, me colle contre lui de tout mon être, me blottis dans l'écorce, à l'abri de son bois.

J'ai accompli les oracles qu'avait prédits le chaman. Je ramène les cristaux de mes amis perdus. J'ai vogué sur le fleuve des morts dans un canoë magique, fais la paix avec l'esprit de l'ours et réconforté mes amis.

J'en reviens fort d'un bonheur invulnérable.

J'étreins dans mes bras le tronc de l'arbre fier, sens ses racines s'enfoncer profond dans la terre, et sa chevelure ondoyer jusqu'au ciel.

Je le sens.

Je m'endors de joie.

2

Je m'éveille quelques instants plus tard. Calme et dispos, d'un coup complètement revenu. Encore très défoncé, je n'hallucine plus. Mon cerveau baigne dans une bulle d'intransigeante lucidité, alors que mes sens ondulent d'un drôle de mélange de lassitude et d'effervescence.

Mais où est donc Tek'ic ?

J'ai encore chaud. Malgré mon petit somme, le froid et mes habits trempés, je transpire encore. Je suis calme, détendu, pourtant mon cœur bat comme celui d'un coureur de fond, je sue d'un sauna intérieur. Lorsque je bouge, je sens ma propre odeur un peu nauséabonde, loutre mouillée, boue, graisse d'ours et sueur. Me relève.

— Tek'ic, Tek'ic Standing Crow, je suis là, je suis revenu !

Je crie tout autour de moi, il ne répond pas, ce qui me fait sourire. Voyant la corde molle, il a dû penser être débarrassé de moi pour au moins trois jours. Il va avoir une sacrée surprise. J'hésite à contacter Qâ et décide de garder ce plaisir pour plus tard. À voir le soleil, j'ai encore deux bonnes heures de jour devant moi. Je me dirige vers la cabane.

Le costume du chaman gît sur un coffre, dégonflé,

et il a chargé le foyer d'un tas de bois immense, il doit être parti pour plusieurs heures. Je me mets nu devant le feu, mes habits trempés collent à ma peau, je dois m'en extraire comme d'une mue. J'éprouve de drôles de sensations, la conscience qui formule mes pensées semble dissociée de celle qui dirige mon corps. Il effectue des gestes très précis sans que j'aie à faire le moindre effort de volonté.

Nu, je me frotte le corps et le visage avec des cendres pour diluer la graisse d'ours, puis je cours au ruisseau et me jette dans l'eau glacée. Le choc n'est pas pire qu'au sortir de la loge à sudation, et au contraire j'ai l'impression qu'il aide à dissiper les effets de la drogue. Je me rince et m'éclabousse, haletant, en battant des bras, retourne en courant au coin du feu, me sécher avec une peau de daim. Je me sens plein d'une force étonnante. Il faut dire que, dans la caverne, je suis resté presque immobile, et n'ai fait que chanter et m'hyperoxygéner. Je me sens presque un trop-plein d'énergie. Je regarde mon corps, sec et musclé, ça fait des années que je n'ai pas été dans une forme pareille. Et tout. M'extasie devant tout ce que je regarde, m'émerveille que, dans le chaos, chaque chose trouve sa très juste place.

Je m'habille de vêtements relativement légers, et décide d'aller courir, pour brûler ce qui reste de la drogue dans mes veines. D'abord, je me rends dans la réserve, et y prends deux grosses poignées de fruits secs, myrtilles, cerises, et surtout cynorrhodons, car contre les effets de la plupart des hallucinogènes, la vitamine C est souveraine. Je les mange en buvant un bon litre d'eau.

Ensuite je sors les cristaux que j'ai rapportés de la poche de la casaque en loutre. À la lumière, ils scintillent de mille feux, je les place bien en évidence juste devant le foyer. Si le chaman revient en mon absence, il aura la surprise de les trouver. Devant la grotte, j'appelle encore Tek'ic, mais n'obtiens pas de réponse. Sans doute est-il en train de s'affairer dans les bois.

Je pars en courant.

Je traverse la terrasse de l'aven, descends les éboulis, et me dirige vers l'ouest, longeant le pied de la montagne du chaman en trottinant. Je ne recherche pas la performance, loin de là. Je cours pour le bonheur de me sentir vivant. À toutes petites foulées, je sens mes muscles se réchauffer. L'envie me prend de tenter d'escalader une colline, où je ne suis jamais allé. Du sommet peut-être pourrais-je voir l'océan ? Je dois pouvoir faire l'aller-retour avant la nuit. De toute façon, je n'ai plus peur du noir, et j'ai suffisamment parcouru les environs pour retrouver mon chemin.

Non, je n'ai plus peur du noir. Je l'ai fait. J'ai surmonté les épreuves de ma première initiation. Tek'ic va être fier de moi. Et je le suis aussi. Je n'ai plus peur. De rien.

Mon cœur bat fort. J'ai la curieuse impression qu'il faut que j'aligne sur lui le rythme de mon corps. Alors j'accélère. La vitesse me grise et l'effort fait remonter la drogue, qui littéralement dope mes facultés. Je trouve mon souffle, les muscles de mes cuisses me propulsent comme des vérins, et mes mollets se tendent en ressorts d'acier. Je cours comme un fauve. Traverse une petite vallée marécageuse, obligé de sauter de touffes en touffes sur des îlots de joncs couchés qui ressemblent à des nids géants. Puis je m'enfonce dans une forêt de majestueux sapins de Douglas, entre lesquels poussent des pruches d'un vert si tendre, qu'on les dirait de fourrure synthétique. Je monte, gravis la pente, change de rythme.

Mon cœur frappe dans ma tête plus fort que le tambour de Tek'ic, et bien plus vite. Mes poumons, incroyablement libres de toute obstruction, se gonflent comme des soufflets de forge. Je ne ressens pas le moindre point au côté, pas la moindre crampe. Je choisis les trajectoires les plus silencieuses, évitant soigneusement les feuilles mortes, les cailloux ou les brindilles, pour guider mes pas sur la mousse, l'herbe ou la terre nue.

Mon corps fait tout cela de lui-même, ma conscience

stupéfaite n'en revient pas de son bon fonctionnement. Je me sens comme un pilote essayant un nouveau bolide. Je gravis la colline d'une longue traite, décidé à contacter Qâ quand j'aurais atteint le sommet, bien qu'elle sache certainement déjà tout à mon propos.

Je sors de la forêt à l'orée d'une petite combe, enchâssant une mare à moitié recouverte de déchets végétaux. Je la contourne en courant, seul un aplomb d'une dizaine de mètres me sépare du sommet. Je commence à l'escalader, et soudain...

J'ai un vertigineux sentiment de déjà vécu. Je me retourne.

La combe, la mare ? Ça alors ! Non, ça ne se peut pas... Mais si, c'est ça, la saison ne correspond pas, mais c'est ça... Je franchis les derniers mètres complètement éberlué, incrédule, et quand je débouche au sommet, j'ai un nouveau transport, un flash, une illumination, plus forte que celle que j'ai eue devant le fleuve des morts. Juste avant que déferlent les effets conjugués de l'effort, de la drogue et de la surprise, j'appelle Qâ.

— Qâ, viens vite, c'est trop... Vite, je t'en prie, rejoins-moi.

Elle ne répond pas.

L'extase me submerge.

Dans mon rêve. Je suis dans le paysage de mon rêve. Cette nature à perte de vue, inviolée et grandiose. Derrière, la blancheur éclatante des cimes enneigées, devant, le vert ondoyant des collines, et au loin sous le bleu trop délavé du ciel, la ligne scintillante d'acier de l'océan. Cette vision de magnificence, ce paysage somptueux, j'y suis déjà venu en rêve. C'est l'endroit même que Qâ a évoqué à plusieurs reprises dans ma tête.

— Qâ, vite, il faut que tu viennes...

Elle ne me répond pas. La drogue explose mes sens.

Je sens tout. Je reconnais tout. Les odeurs qui m'environnent, la qualité du vent sur mes paumes ouvertes, les bruits des branches des arbres proches et le silence lointain de la forêt. Je reconnais tout. Sauf peut-être le sentiment de complétude divine, remplacée par les jaillissements de ma joie chaotique et éberluée.

Avec une acuité démesurée par les effets de la drogue, je reconnais chaque sensation, comme si leur expérience onirique m'en avait déjà donné une connaissance intime. J'ouvre tous mes sens aux flots indicibles qui me transpercent.

Je suis pris d'un tel élan de plaisir muet, transporté d'émotions si sensuelles, qu'il suffit d'un frôlement de mon pantalon de daim sur mes couilles, pour que mon sexe, en berne depuis si longtemps, se réveille, se déploie, se gonfle, se redresse. Je me mets à bander comme un âne, la sensation exquise s'ajoutant aux flots déferlants de plaisirs qui me secouent.

Je suis Loumouillé N'a qu'un œil, l'initié, et je reçois le bonheur d'un mystère, que Mère de nos mères m'a révélé. Je vis pour de vrai dans le paysage de mes rêves. Debout, au sommet de la colline qui domine la beauté familière, je bande de tout mon être, bande comme un faune, bande au bonheur de la vie.

Sans que j'aie rien senti venir, une main vient soudain se plaquer sur mes yeux, me faisant sursauter, sans pourtant interrompre ma transe. C'est Qâ, elle est là. Sa main glisse de mes yeux à ma bouche. Je baise sa paume. Elle vient dans ma tête.

Le sentiment...

Le sentiment de complétude divine. Ça y est, il est là, comme au plus fort de mes souvenirs. La complétude, c'est elle, c'est elle et moi réunis. Elle m'envahit, et nos émotions mêlées reconstituent exactement cet amour immense qui sous-tendait mes visions, ce sentiment de dévotion et d'appartenance à l'univers tout entier et c'est ensemble que nous le formulons.

La main de Qâ glisse de ma bouche à ma poitrine, y rejoint son autre bras. Elle m'enlace, je pose mes mains sur les siennes. Elle vient lover son menton au creux de mon cou et de mon épaule, et se colle contre mon dos. Je m'abandonne à son vertige de tendresse, frotte mon oreille sur ses cheveux.

— Mais comment as-tu fait, Qâ, comment as-tu su que nous serions un jour ici réunis ? Étais-tu déjà venue ? Peux-tu aussi sentir l'avenir ?

Qâ me serre plus fort dans ses bras. Chaque parcelle de son corps qui me touche, chaque effleurement de son esprit dans le mien, alimente davantage les torrents de bonheur qui me charrient. Je bande encore.

Qâ presse ses seins fermes contre mon dos, à travers ma tunique trempée de sueur. Elle me balaie d'émotions fugaces, farouches, sauvages, qui m'interpellent sans que je les comprenne. Sa main glisse en une lente caresse, sur mon torse, mon ventre, et soudain se pose sur la bosse de mon pantalon...

Tout au fond d'une infime bulle de conscience, j'ai un sursaut de panique, mais le transport est trop fort. Les émotions se définissent.

Je suis chaleurs, désirs, ruts, saillies, membres tendus, vagins avides. Je suis pur instinct de reproduction, sexe ludique ou cruel, nécessaire ou sensuel, je suis caresses, étreintes, viols, tendres effusions, unions, langues, poils, muqueuses, sécrétions. Je suis multitudes d'amours animales.

Qâ, d'une main leste, défait ma ceinture, le lacet de mon pantalon, et s'empare de mon sexe. Le contact physique de ses doigts chauds et de mon membre dur affole encore plus mes sens. De l'autre main, toujours collée contre mon dos, elle retrousse ma tunique et me caresse un téton.

Je suis l'orignal mâle s'ébrouant aux phéromones affolantes du sexe mûr d'une femelle prête à l'accueillir ; je suis puma, clouant sa partenaire de ses griffes, les crocs plantés dans sa nuque pour mieux la saillir ; louve en chasse, torturée de désir, grondant ses menaces, la croupe offerte, trépignant de ses pattes arrière pour mieux s'ouvrir.

Qâ, sans me lâcher, glisse autour de moi. Sa main qui tient mon sexe descend jusqu'à mes couilles, les comprime doucement. Elle se baisse, passe sous ma tunique, sous mon aisselle, y fourre sa tête, son nez, sa bouche, me renifle, je sens sa langue m'effleurer.

Je suis coléoptère, cramponné à la carapace d'une congénère d'une étreinte mécanique, taraudant la chitine de mon sexe-poignard. Je suis lapine, museau, babines, ventre soyeux, câline et frénétique ; mouche noire se lavant après chaque accouplement, jusqu'à choisir l'élu parmi la multitude ; phoque, roulant langoureusement ma moitié dans les vagues ; geai bleu ébouriffé, piquant la tête de ma compagne. Je suis tant d'amours, de désirs, d'accouplement, de razzias, de copulations, que ma conscience se dilapide. Ne restent plus que sens saturés de plaisir.

Qâ s'accroupit en m'embrassant le ventre, descend jusqu'à mon sexe, mes couilles, y love son nez, s'enfouissant dans ma peau, elle me renifle, me respire, me goûte, lèche tout du long mon sexe bandé, se redresse.

De ma main en coupe, je lui saisis un sein, le malaxe. Il est incroyablement doux et ferme, son mamelon s'érige entre mes doigts, long et dur. Elle se relève en se frottant contre moi, ses deux bras passant sous mes épaules, elle lève une jambe pliée, la pose sur ma hanche, son pied pousse mes fesses vers l'avant.

Je plonge dans ses yeux, noirs abîmes de désir, je l'enlace, tends mes cuisses, elle s'élève à la force des bras, passe sa deuxième jambe autour de moi, lâche une main pour fouiller l'épaisse toison de son pubis, l'écartant de ses doigts, et s'empale sur moi, d'une seule poussée lente.

Tous mes sens convergent vers le bout de mon sexe au plus profond du sien, vers le bonheur humide de son plaisir autour du mien, tandis que ma conscience s'éparpille, généreuse d'un amour si vaste, qu'à peine l'univers peut le contenir. Qâ enlace ma nuque, m'embrasse, et sa bouche a le parfum du miel, sa langue goûte la mienne comme l'abeille, une fleur. Elle me lèche, les yeux, le visage, les oreilles. Je passe mes bras derrière sa taille, la cambre, mieux la pénètre. M'évapore.

Je suis le frôlement des nuages au flanc des montagnes lointaines, déposant l'eau nourricière. Le lent va-et-vient des marées, la caresse du fond des océans sur la peau de la terre. Je suis la vase, ressens le ballet mouvant qu'accompagne chacune de mes algues.

Je suis les inexorables effleurements des alizés qui creusent au ventre des falaises, inlassablement, les frôlent, les libèrent, les désagrègent.

Je suis dans le pollen que les grands arbres essaiment, dans les graines d'herbes folles qui s'envolent dans le vent, dans les racines qui fouissent si sensuellement les entrailles de la terre.

— Ô Qâ, Qâ, tu me fonds...

Je bascule, m'écroule, Qâ accompagne ma chute et, toujours sur moi, me chevauche, ondule, s'écartèle. Je ne suis plus qu'amour immense.

Elle m'enfonce toujours plus loin dans son ventre, elle s'enfonce toujours plus profond dans mes sens. Je crie, elle aussi, et bascule sa tête en arrière. De mes mains affamées, je caresse sa fourrure satinée, son ventre, ses cuisses, ses seins lourds et pleins, aux aréoles brunes, en pince les mamelons, les gobe. Son duvet sous ma langue est plus doux que la soie. Je la lèche, l'embrasse, l'étreins.

Je suis le souffle des tempêtes cosmiques, égrenant les poussières d'étoiles à travers les galaxies sans nom, comme autant de germes de vie.

J'explose.

Je jouis. En rivière, en geyser, en volcan. Je jouis enfoncé dans son ventre, l'inonde de mon sperme, de l'amour, et de la passion de tout l'univers. Je sens aux spasmes qui la prennent qu'elle jouit en même temps que moi, son vagin se contracte sur mon sexe, ses sens se fondent complètement dans les miens.

Je sens Qâ me sentir jaillir en elle, comme une lave délicieuse, je la sens me sentir ressentir chacun de ses orgasmes, et c'est comme si elle ouvrait un écho sans fin au plaisir, chaque rebond amplifiant le bonheur qui nous lie.

Je jouis, encore et encore. C'est si fort, qu'à nouveau je vois la lumière.

Et cette fois, je m'évanouis...

Lorsque je reviens à moi, le soleil est sur le point de disparaître.

Couché sur le dos, frigorifié, je mets d'interminables secondes à me rappeler qui je suis et ce que je fais là. Ce n'est qu'en me redressant, et en découvrant mon pantalon baissé et mon sexe humide, que tout me revient d'un coup.

Mon dieu qu'ai-je fait... Oh non, Qâ... J'ai baisé Qâ, c'est pas vrai, quelle horreur ! Qu'est-ce qui m'a pris ?

— Qâ, Qâ, reviens, je t'en supplie, je lui crie dans ma tête, n'aie pas peur, pardonne-moi, je voulais pas, je... Reviens, Qâ !

Mais Qâ ne répond pas. Évidemment, elle s'est enfuie. Je me prends la tête dans les mains, ravagé de honte et de remords. Qu'ai-je fait, c'est pas possible, je suis un monstre, un fumier pire que les Morgensen. Bon dieu, j'ai fait l'amour avec Qâ, j'ai profité de son innocence au lieu de lui taper sur les doigts, je suis fou, taré, tordu. C'est la faute de... de Béatrice ; si je n'étais pas si frustré, depuis si longtemps, jamais je n'aurais... Elle n'est même pas complètement humaine. Et j'ai... Je suis une bête. Hunnnn...

— Qâ, pardon, Qâ, si tu m'entends, pardonne-moi, je suis en pleine confusion, je ne voulais pas, Qâ, je, je suis ton ami, mais je ne voulais pas t'aimer comme ça... C'est la drogue qui m'a fait perdre le contrôle de moi-même. Réponds-moi, je t'en supplie, dis-moi comment tu vas.

Elle reste muette. Je me relève, grelottant, réajuste mes habits humides et glacés. Du volubilis je ne sens plus que les effets de la descente qui m'oppressent la poitrine d'une sourde angoisse. Tous mes muscles sont douloureux, comme saturés de toxines, et le froid ne fait que me crisper davantage.

Il faut que je profite des dernières lueurs du jour,

alors je m'élance dans une course saccadée et dévale la colline, perclus de dégoût de moi-même, de remords et de honte, espérant que l'effort pourra me réchauffer.

Qu'est-ce qui m'a pris ? Jusque-là, j'avais si bien réussi mon initiation, et j'ai tout gâché, au-delà de l'imaginable.

— Ton initiation..., reprend Boris Genssiac. T'appelles ça une initiation ? Non mais regarde-toi, t'as bouffé autant d'acide qu'une rave-party à toi tout seul. Bon dieu, tellement pété que tu viens même de sauter une demi-guenon.

— Arrête, arrête !

— Pardonne-moi, Qâ, ne m'écoute pas, je délire...

— Ça pour délirer, tu peux le dire. Ouvre les yeux mon vieux, t'as complètement perdu la boule. Regarde-toi, à moitié borgne, à moitié gelé, à errer la nuit dans les bois. Depuis que t'es là, t'es fou, mec, t'as complètement perdu le sens du réel, c'est le chaman qui t'entourloupe, c'est lui qui t'a filé la dope, non ? D'accord, Qâ est une créature extraordinaire, mais maintenant à mon avis, entre vous c'est plutôt mal barré, à moins qu'tu veuilles rester pour lui faire des enfants ? Non, franchement mec, ça et tout le reste, c'est du délire. Casse-toi, mec, prends tes cliques et tes claques et tire-toi d'ici, avant que tout ça finisse mal.

— Tais-toi, tais-toi, pardon, Qâ...

Mon trajet de retour se mue en flip d'enfer. J'ai beau faire, je n'arrive pas à me réchauffer. Je me débats contre moi-même, contre les branches et les épines qui me barrent le passage, contre le remords, les arbres et le noir. De la drogue, je ne sens plus que les aspects négatifs, la tension, la paranoïa, une légère perte d'équilibre qui rappelle les effets de l'alcool, me fait me cogner sans arrêt aux obstacles. Et de nombreuses distorsions auditives qui me forcent sans cesse à me retourner sur moi-même.

À un moment, je panique tant que je dégaine mon poignard, et dans mes gesticulations, je trouve le moyen de m'entailler le pouce, qui, bien sûr, se met à pisser le sang, renforçant mon angoisse de la crainte de devenir un appât pour les prédateurs.

Je titube, tombe, trébuche, me heurte, me griffe, les branches me giflent le visage, la forêt tout entière se ligue contre moi, et quand j'atteins enfin la terrasse et l'aven, épuisé, j'ai l'impression d'être arrivé au fin fond du trou du cul du monde.

Et Tek'ic n'est pas là.

La seule lueur dans la cabane vient des braises qui rougeoient. J'y jette des branches en vrac, me sèche, me change, m'enveloppe sous des fourrures, allume toutes les lanternes, inquiet pour le chaman, ça ne lui ressemble pas de disparaître comme ça. Oui, c'est ça, occupe-toi plutôt de toi... Grelottant, je vais dans la réserve, je suis bien trop épuisé pour manger, alors je me verse un grand bol d'hydromel, je le descends cul sec, en tirant un vague réconfort qui me brûle le ventre, m'en verse un autre, l'emporte. Au point où j'en suis, autant que je m'assomme, il faut que je dorme, que je dorme. Ô Qâ, pardonne-moi...

À ce moment la mule hennit à proximité et le chaman fait irruption dans la cabane, hirsute, dépenaillé, couvert de boue de la tête aux pieds. L'air à la fois très inquiet et ravi de me voir.

— Loumouillé, Loumouillé, tu es vivant ! s'exclame-t-il en me souriant, puis il voit mon air affligé.

— Tu vas bien ? Comment es-tu sorti de la caverne ? Je viens d'aller te chercher. Il y a une autre entrée dans la caverne, j'ai dû ramper sous terre pendant des heures pour venir t'aider. Comme tu n'y étais pas, je suis même descendu dans le gouffre sous la cascade pour y chercher ton corps, et crois-moi, ça n'est plus de mon âge. Je suis bien content de te voir vivant. Comment es-tu remonté ?

— J'ai attrapé la corde.

Il me fait une moue incrédule et admirative et je baisse les yeux. En le regardant, je pense à Qâ, ma gorge se serre. Tek'ic voit les cristaux.

— Oh, et tu as rapporté les cristaux. As-tu eu une vision ?

— Une vision ? Tu plaisantes... Bon sang, Tek'ic, j'étais tellement défoncé que j'en avais même les yeux fermés, des visions. C'est un miracle que je ne sois pas mort d'overdose ou devenu fêlé... Tek'ic, j'ai... J'ai rencontré Qâ et... Ah merde, Tek'ic, t'étais pas là, et c'est arrivé si... J'étais tellement défoncé, que j'ai baisé Qâ, tu m'entends, j'ai fait l'amour à Mère de nos mères !

Cette fois Tek'ic pâlit carrément.

— Quoi ? me demande-t-il doucement, d'une voix plus glaciale que la mort.

La honte et le désarroi me submergent.

— J'ai fait l'amour avec Qâ...

Le chaman effaré me foudroie d'un regard plein de haine, crispant ses mains devant lui, s'apprêtant à mieux m'étrangler. De ma voix éraillée, je lui raconte, ma sortie, ma course, et ma rencontre avec Qâ dans le paysage de mes rêves et... Je lui dis tout, comment tout s'est passé. Son expression se transforme. De la colère à l'ébahissement, de l'abjection à la surprise, de la suspicion au ravissement. Quand je termine, exsangue, le chaman, reste un instant bouche bée, puis me dit :

— Loumouillé Naquneye, on dirait que ton initiation a réussi, au-delà de toutes mes espérances.

Il se met à rire, d'abord d'un petit rire nerveux, puis plus fort, encore, d'une hilarité immense, graveleuse, gargantuesque et soudain.

— Heyaahahyia Heyaho ! se met à chanter et à danser autour de moi.

Je tonne pour couvrir sa gaieté.

— Arrête, vieil homme, arrête ! Y'a rien de drôle dans tout ça. J'en peux plus de tes foutues simagrées, je vais foutre le camp d'ici, me tailler, disparaître, tu m'entends ! Arrête ! ! !

Je hurle mon dernier mot de tout mon être, et l'accompagne en frappant l'air de mes deux mains ouvertes, comme pour le repousser.

Tek'ic s'envole... Il est à plus de trois mètres de moi,

quand je fais mon geste, il s'envole, cueilli en plein saut par quelque chose comme un poing géant invisible, qui le frappe au ventre, le soulève et l'envoie valdinguer contre la paroi de bois, où il s'effondre, enseveli par les masques et les ustensiles qu'il décroche. J'en reste coi. À regarder mes mains ouvertes...

Quoi ? C'est moi ? C'est moi qui ai fait ça ? Là-bas, sous le capharnaüm, j'entends le chaman hoqueter, je m'avance, inquiet, m'arrête, ça n'est pas de douleur qu'il hoquette, mais de rire, rire, rire... Vacillant sur mes jambes, au bord des larmes, tenant mes mains devant moi au bout de mes bras tendus, à distance, comme des corps étrangers, je recule.

Étranger, je le suis à moi-même.

Je recule jusqu'à ma paillasse, essoré, sec de toute énergie, comme si ce qui venait de se produire avait complètement drainé mes dernières forces. Je m'y effondre assis, couché.

C'en est trop. Faut que je verse...

3

Je dors d'un sommeil de plomb. Sans rêves. Et quand j'émerge, je trouve Tek'ic, penché au-dessus de moi, l'air à la fois inquiet et narquois.

— Ça fait deux jours que tu dors, ça fait deux jours que je suis sans nouvelles de Qâ..., me dit-il, clouant le bec à mon agressivité montante.

— Oh non, Qâ... Tu crois, tu crois qu'elle est partie ?

— Non, je crois qu'elle attend comme moi, de voir ce que tu vas faire, me dit-il en reculant de quelques pas, se croisant les bras sur la poitrine.

— Ce que je vais faire... Comment, comment veux-tu que je le sache ? — Je me redresse en étirant mes muscles endoloris, je regarde mes mains. — Et ce truc, quand je t'ai frappé, bon sang, c'était quoi ?

— Ah ça, ça dépasse de loin le cadre de ton initiation, c'est plutôt à Mère de nos mères que tu devrais poser la question. Il semble que sa fréquentation ait révélé en toi des talents cachés. Tu m'étonnes chaque jour davantage, Loumouillé.

Je me lève, pour tester la solidité de mes jambes, me contorsionne, faisant craquer ma nuque et mes épaules, étonné de me découvrir indemne. Ma tête grésille encore comme un lendemain d'anesthésie, je la remue précautionneusement.

— Tu m'as salement cassé la tronche, chaman.

— Tu sembles avoir bien supporté le voyage. Je suis fier de toi, Loumouillé, je comprends maintenant les raisons de ta présence auprès de Qâ.

— Vraiment ? Tu as bien de la chance. Où peut-elle bien être ? J'ai l'impression que plus jamais je ne pourrai la regarder en face, plus jamais je ne pourrai la voir autrement que comme...

— Comme une femme ?

— Oh arrête, elle est même pas complètement humaine et...

— Vraiment ? Alors pour toi l'humanité serait une simple question de pilosité ? Pourtant, si je vous compare elle et toi, je trouve que vous vous ressemblez beaucoup, et par ton impulsivité et tes sautes d'humeur, c'est indéniablement toi le plus primitif. Elle est réfléchie dans ses actions, cohérente dans son comportement, toi c'est tout le contraire. Certes, si tu préfères les blondes décolorées à tétons roses, elle est d'une beauté quelque peu différente. Mais dans son genre, c'est une vraie pin-up. En tout cas, elle a une sacrée paire de nénés.

— Attends, mais... C'est de Mère de nos mères dont tu parles !

— Tiens, alors soudain tu la considères ? D'un côté, tu prétends la vénérer, de l'autre, tu nies sa féminité. Elle est Mère de nos mères, tu l'as dit, elle est entière, de corps et d'esprit. Elle est plus humaine que toi et moi. Elle a encore ce que nous n'avons plus, elle est encore ce que nous ne sommes plus. Je te trouve présomptueux de croire qu'en ce qui s'est passé entre vous, elle ait pu se laisser user ou manipuler de quelque manière. Ta culpabilité mal à-propos t'honore, enfin d'après ce que tu m'as dit, ce serait plutôt elle qui, passe-moi l'expression, aurait mis la main à la pâte. Ce qui pour toi représente un acte exceptionnel n'était peut-être pour elle qu'une simple soif à assouvir, une faim soudaine à rassasier, une envie urgente de...

— Non, non, c'était bien plus que ça ! C'était un acte d'a... De...

— Ah aaah, tu as failli le dire. Le mot te fait mal aux lèvres. Il heurte le carcan de ta fichue morale nauséabonde, il embrase l'éternel conflit entre l'instinct de tes sens et ton intelligence entravée. Ah Loumouillé, il est encore long le chemin avant que tu te libères.

Il me jauge d'un long regard impassible, pourtant chargé de sarcasmes.

Qâ, il faut que je retrouve Qâ.

Quelques instants plus tard, je sors de la cabane, emmitouflé dans le manteau de caribou graissé, les poches bourrées de fruits secs, et mon poignard à la ceinture. Dehors il pleut à verse et l'eau forme un rideau opaque devant la caverne, marquant comme une séparation entre deux mondes. Sans en franchir la limite, je me concentre.

— Qâ, petite sœur, mon amie, je suis revenu, je suis de nouveau moi-même et il faut que je te voie. Où que tu sois, je t'en supplie, dis-le-moi.

Je tends tous mes sens aux aguets, me tourne de tous côtés, ne reçois aucune réponse. Je me retourne sur la silhouette de Tek'ic devant la porte, lui fais un signe las, rabats mon capuchon et je pars sous la pluie glacée en direction des bois.

Je longe l'aven. Le ruisseau en crue s'y engouffre avec une telle violence, que je ne peux m'empêcher de frissonner à l'idée d'être descendu là-dessous. Je ne garde de mon initiation et de ce qui a suivi, que des souvenirs confus, pourtant je l'ai vraiment fait. Je suis descendu là au fond, sur le fleuve des morts et j'ai rencontré les esprits, il faut que je m'en souvienne ; j'ai affronté ma mort, j'ai surmonté ma peur, avant la honte j'ai connu l'extase ; j'ai appris le courage, il faut que je m'en souvienne...

— Qâ, je t'en supplie, ne m'en veuille pas, pour ce qui s'est passé, ou pour les pensées atroces que j'ai pu avoir à ton égard. Je n'étais pas moi-même, Qâ. Cette drogue, ces graines de fleur bleue, elles distordaient tout mon être, elles amplifiaient à la fois mes émotions et mon désarroi. Je t'en prie, Qâ, maintenant je suis clair, c'est maintenant, qu'il faut que je te voie.

Qâ ne se manifeste pas.

J'erre sous la pluie, grimpe et redescends aux flancs des montagnes, me désespère à travers les forêts, appelle, quémande, supplie, mais Qâ ne répond pas. À mesure de mes explorations vaines, une angoisse terrible m'étreint. Je retourne à la colline de mes rêves, elle n'est pas là non plus. Ma gorge se noue d'un bâillon de douleur, mon ventre se tord, mon cœur s'affole.

Si j'ai perdu Qâ... Si Qâ est partie à cause de moi, pas à cause de ce qui s'est passé entre nous, non bien sûr, à cause de ma réaction de dégoût, de mes pensées abjectes, de ma connerie furieuse...

— Non, Qâ, pardonne-moi, tout ça a été si fort et si soudain, tout ça est si nouveau pour moi. Ô Qâ, Mère de nos mères, reviens, je t'en prie, reviens à moi.

Pendant des heures, je cherche partout, et inlassablement l'appelle, en vain.

Cette douleur qui m'envahit à l'idée de la perdre, cette terreur sans nom qui m'assaille à l'idée de ne plus la revoir, la sentir dans ma tête, la connaître, la toucher, ce manque énorme qui m'essore...

— Qâ, je t'en supplie, où es-tu ?

Mes appels se dissolvent dans la pluie, se perdent entre les arbres, s'envolent avec le vent. La nature ruisselante, si belle, renforce la solitude de mon chagrin. Qâ a disparu, elle n'est plus nulle part.

Alors, quelque chose en moi se fracture, mon cœur se déchire.

Qui suis-je pour encore douter, encore me retenir ? Ces expériences extatiques, à l'orée de la mort, je les ai vraiment vécues, je ne peux renier leur influence sur ma vie. Et ces échanges avec Qâ, ces fusions de bonheur, je ne peux nier n'avoir jamais ressenti, au préalable, quelque chose d'aussi bon, d'aussi fort, d'aussi intense, comme une nourriture de la conscience. Non, jamais. Cette culpabilité que j'éprouve, ne serait-ce pas qu'une terrible peur d'admettre...

Quelque chose en moi se déchire. La membrane qui m'étouffe se fend, éclate comme la mue du ventre d'un lézard. L'écorchage fait très mal, mais quand la vieille peau se détache, mon cœur à vif pulse d'un sang neuf. Qui gonfle mes veines, déferle, m'éblouit comme une vérité première.

— Qâ, réponds-moi, Qâ, je t'aime ! Je crie les mots dans ma tête et m'ahuris de l'effet libérateur qu'ils ont sur les blessures de mon âme.

Je t'aime...

Cette tornade de mes émotions, ce chavirement de tristesse qui me dévaste, qui me dévore. Qui me tue si tu n'es plus là, ô Qâ, Mère de nos mères, toi qui sais parler aux animaux, toi qui vibres au rythme de l'univers, écoute-moi, c'est de ça qu'il s'agit. Si je cesse de mentir à mes sens, si j'écoute plus attentivement ma conscience, c'est de l'amour que j'éprouve pour toi. Je t'aime, Qâ, Mère de nos mères, je t'aime. Je t'en conjure, réponds-moi.

Je vois des oiseaux qui passent et j'aimerais aller dans leur tête, leur demander s'ils ont vu Qâ, leur dire : si vous la rencontrez, dites-lui ce que je ressens pour elle, oui dites-lui, dites à Qâ l'amour que j'ai pour elle. Je cherche, et j'implore les nuages et les arbres mais elle ne répond pas.

Je me retrouve éperdu de chagrin au milieu d'une clairière, le visage levé au ciel pour que la pluie dilue mes larmes, submergé par l'intensité des sentiments dévastateurs qui me bousculent, et d'un coup, alors que depuis un moment je le regarde sans le voir, un lynx me rappelle à l'ordre d'un feulement terrifiant. La peur me glace.

— Tu as vu Qâ ? lui dis-je, la voix tremblante, il feule de plus belle, me clouant le bec.

À dix mètres de moi, tapi au sec dans une anfractuosité entre la roche et les racines d'un séquoia, il me terrasse de ses yeux d'or. Se déploie, visiblement mécontent de devoir quitter son abri, s'avance sous la pluie, les oreilles couchées, les babines frémissant sur ses crocs acérés. Il m'observe, les muscles gonflés de menace, je lutte pour contrôler ma respiration, et tout doucement recule. Il gronde imperceptiblement, tandis que son pelage se mouille. Apparemment satisfait de son emprise sur moi, il redresse ses oreilles, me toise et commence à s'éloigner latéralement sans que ses yeux me lâchent, bougeant avec une extraordinaire économie de gestes.

Tout en lui semble me dire : « Tais-toi. Cesse tes gesticulations mentales, ton aérobic émotionnel, sois dans tes sens là où tu es, pas dans l'ailleurs de ta tête. Déploie, pour chaque mouvement, la juste énergie nécessaire. » Puis, en trois bonds fantomatiques, il disparaît, avalé par la forêt. Je reste un instant immobile.

Ce truc dans mes mains, quand j'ai frappé Tek'ic, ce truc, quand je l'ai fait, j'ai ressenti comme une énorme décharge d'énergie, comme... Si j'arrivais à me concentrer, à drainer mes forces. À les rassembler mentalement, si j'arrivais à faire ça avec ma pensée...

— Qâ, je t'en prie, il faut que je te voie. Non, non, pas comme ça. Juste des pensées, des pulsions, des...

J'enlève mon capuchon fourré, la pluie glacée me fouette le visage et la tête, je ferme les yeux. Concentre tout. Aime Qâ. Aime-la ! Jette. Fuse...

Et d'un coup j'y suis. Je suis dans Qâ !

Ce n'est pas elle qui vient en moi, c'est moi qui vais en elle. Pas dans sa conscience, non, dans son corps. Vois par ses yeux, sens par son nez, sa bouche, sa peau, sa chaleur...

Je l'ai fait, je le fais. Le choc est si fort que je chancelle, vacille, romps le contact, rouvre les yeux.

— Qâ, c'est moi, je suis là... — Je crie, bien qu'elle ne puisse m'entendre. — Non, pas ça, pas comme ça. Ne formule pas tes pensées avec des mots, livre tes instincts bruts. J'y retourne. Je me campe bien sur mes pieds, respire, me concentre. Aller !

Je suis dans Qâ. Je ne sais pas si elle ressent ma présence, elle ne me livre rien de sa conscience, mais je suis en elle. Et je la sens. Assise, à l'abri d'un surplomb rocheux, elle est blottie, les bras autour des genoux. Je n'arrive pas à savoir ce qu'elle pense, je sens l'étreinte poignante qui serre son œsophage, la douleur vide qui tord son ventre, et avant même que sa vision se trouble de ses pleurs, je sens dans tout son être la résonance de mon chagrin.

— Oh non Qâ, je suis là !

Qâ ne réagit pas à ma présence. Elle souffre. Je lui ai fait si mal. Mon incompréhension, mon aveuglement, mes doutes. C'est moi qui suis la cause de ses peines. Je comprends, à la façon dont sa tristesse convulse son corps, que ses souffrances sont les mêmes que les miennes, elle souffre d'amour et d'absence.

Qâ, aussi, m'aime...

— Où es-tu, Qâ, où es-tu ?

Je lui crie éploré. Elle lève un peu les yeux, et à travers le voile de ses larmes je reconnais une paroi rocheuse contre laquelle s'appuient des pins argentés rabougris. Je sais où elle se trouve.

— Je t'aime, Qâ, tu entends, je t'aime, j'arrive !

Je me précipite en tentant de garder le contact avec elle, trébuche sur une branche et me casse la gueule. Non, je ne peux pas. Interromps la liaison, me relève pour courir, fonce. J'arrive ! Je connais sa cachette, je sais à quel endroit de la montagne elle se trouve. J'y cours.

Qâ souffre à cause de moi. Elle m'a fait le cadeau le plus précieux qui soit, celui de son amour, et je l'ai dédaigné avec une suffisance abjecte. Je cavale, le cœur au bord des lèvres, traversant fourrés et forêts, dévale et gravis les pentes, fendant la végétation comme un ours furieux. Pardon, Qâ, pardon, et je me hâte, galope à travers les bois pour la retrouver.

Mère de nos mères, j'éprouve pour elle un amour à nul autre pareil, et elle m'aime en retour. Qâ, la femme poilue des bois, la femme préhistorique, la pithécanthrope, la néandertalienne, la plus qu'humaine. Je ne sais qui elle est, et je ne sais plus qui je suis moi-même, sinon que toute ma vie aboutit à ce sentiment suprême.

Un amour qui me laisse sans voix.

Sa beauté m'est déjà familière et ce que j'éprouve pour elle gomme toutes nos singularités. Elle n'est peut-être pas *Sapiens sapiens*, mais toute velue qu'elle soit, elle est plus humaine que moi. Après tout ce que j'ai déjà vécu avec elle, elle ne m'est pas plus étrangère qu'un Viking à une geisha, une Massaï à un Inuit, un Papou à une Parisienne. Je lui voue un amour que je n'ai jamais porté à quiconque, et l'émerveillement de nos différences ne fait que le magnifier.

Je m'arrête hors d'haleine juste avant d'atteindre sa cachette, reprends mon souffle et réessaie de la contacter. Je me détends, fais le vide dans ma tête, m'efforçant de ressentir chacun de mes membres, de mes muscles, tout relâcher, bien percevoir les énergies qui s'y reposent, puis les aspirer, les rassembler en une seule boule de volonté, au plus profond de mon ventre, et surtout ne pas penser à elle, non surtout pas.

Le vide, faire le vide et rassembler, comprimer, contenir, tout amalgamer et alors, alors seulement, au moment de tout donner, l'évoquer elle, hurler son existence, sans même murmurer son nom, exiger sa présence immédiate et instantanée.

Ça marche ! De nouveau ça fonctionne, je réussis. Je suis propulsé en elle. Comment ai-je appris ? Comment puis-je faire une chose pareille, d'un seul élan, comme si la télépathie était un vieux réflexe que je n'aurais pas oublié, comment ? Oh Qâ, c'est toi qui me donnes des ailes.

Qâ ne réagit pas à mon intrusion.

Je vois par ses yeux, elle marche accroupie, sort de son abri. La pluie mouille sa fourrure, et je ressens chaque goutte qui touche sa peau. Je suis dans son corps, mais elle fait barrage sur ses pensées, je sens le malaise qui l'étreint physiquement, elle ne me livre rien de ce qui se passe dans sa conscience. Elle a mal. Pourvu qu'elle ne se sauve pas...

— Qâ, attends !

Je reprends ma course, gravis un éboulis et

débouche sur le replat où elle a trouvé refuge. Elle est là.

Debout, à quelques pas de la caverne, à une vingtaine de mètres de moi. Je m'approche, haletant. Elle me regarde. Une main posée sur son ventre, l'autre triturant les bourgeons rouges d'une branche de thuya, elle me dévisage. Ses grands yeux noirs pleins d'une terrible appréhension.

J'aimerais lui parler, de ma bouche, dans ma tête, pourtant je me retiens, son expression m'inquiète, j'ai peur de l'effaroucher. Elle m'examine, et je vois ses sourcils se soulever de surprise quand elle sent l'élan de tendresse qui me porte vers elle. Je comprends soudain qu'elle fait l'impasse sur ses émotions et qu'elle n'est pas venue dans ma tête parce qu'elle a peur de ce qu'elle peut y trouver, peur que je sois venu pour lui faire mes adieux. Avant que je le lui dise en face, elle ne veut rien savoir.

Non, Qâ, non, regarde, je suis là pour de bon. Respire-moi mieux, malgré la pluie qui masque mes intentions. Ces relents aigres que j'exsude, ce ne sont pas ceux de l'anxiété de la séparation, non, Qâ. Si je suis tendu, si je pue le chagrin, c'est de t'avoir fait de la peine. Pardon, Qâ, pardonne-moi. Sens-moi mieux, sous l'écran de tristesse, c'est l'odeur de l'amour que j'amène... J'aimerais lui dire, mais je n'en fais rien. Ni mes mots, ni mes pensées. Je ne veux rien entre elle et moi, ni paroles, ni interférences mentales. Rien que la terre, le ciel et nos corps, rien que nos instincts et nos sens. J'avance vers elle.

Elle a compris. Elle a lu dans mes yeux les cris que je refrène. Ses épaules se redressent, son visage s'illumine. Elle est la femme que j'aime. La pluie a entièrement trempé son pelage, nue, elle a l'air vêtue comme d'un voile de soie. Elle est belle, d'une beauté farouche, sauvage, primale, que l'amour apprivoise. Elle lâche la branche de cèdre, fait deux pas hésitants, encore incertaine de devoir s'abandonner aux transports qui la prennent.

Je m'y jette tout entier, je m'élance vers elle. Elle court. Nous volons l'un vers l'autre, nous jetons l'un dans l'autre. Si fort. À nous couper le souffle.

Et je serre Qâ contre mon cœur, elle s'enfouit dans le mien, je frotte mon visage dans le baume de ses cheveux trempés, l'inhale, l'enlace, la respire, bois son amour de tout mon être. Et elle m'étreint, m'embrasse, me chavire, nous tournons sur nous-mêmes, et notre tourbillon entraîne la pluie, le vent, les feuilles, les arbres, les rochers, l'herbe et les nuages, nous devenons l'œil du cyclone, le noyau du ciel.

Je lui dis de ma vraie voix :

— Je t'aime, Qâ.

Et elle gémit de joie, et je ne dis rien de plus, je sais que la simplicité de mes mots sonne comme une ode à ses oreilles, tant ils sont accordés aux élans de mon âme. Les effluves de nos cœurs mis à nu se libèrent, et de nos émotions se mêlent, se complètent, se renforcent, pour ne former plus qu'une tornade de vapeurs essentielles. Les parfums d'une dévotion vraie, basique, primordiale, faite de pulsions charnelles et d'instinct animal. Le parfum de la bête que l'amour de Qâ libère au plus profond de moi, dont les émanations m'enivrent. Les parfums de la femme, qui s'épanouissent en corolle autour d'elle, tandis que croît mon désir et que nos êtres se révèlent.

Nous tournoyons, noyés, et la spirale de passion nous aspire.

Nous tourbillonnons, au centre de l'univers.

Plus tard, Qâ m'entraîne derrière elle jusqu'à l'abri où elle se cachait. J'enlève mon lourd manteau, l'étends sur le sol, Qâ vient se blottir contre moi, et je rabats sur nous la peau de caribou. Elle suit de ses longs doigts les contours de mon visage, ses yeux éperdus dans les miens, quand elle effleure mes lèvres, je baise son doigt. Elle me touche, me palpe, comme pour vérifier la réalité de ma présence. Ses mains glissent sous mes vêtements, se déploient pour mieux parcourir les étendues de ma peau.

Moi aussi, je la caresse. Je fais glisser l'eau de sa

fourrure soyeuse jusqu'aux extrémités de ses membres, je l'éponge avec le manteau, la frotte, la sèche. Nous restons là des heures. Sans rien échanger d'autre, sans rien dire, que les gestes de nos attentions mutuelles. Nous faisons l'amour, avec une tendresse folle, simple prolongement de nos émotions qui fusionnent. Elle me prend, elle se donne, je l'attends, elle s'abandonne. De temps en temps, nous grignotons des fruits secs. Nous faisons l'amour, elle et moi, nus comme des vers, dans cette matrice de la terre.

Nos corps fument, et nos cœurs s'évaporent.

Quand la nuit vient, malgré la chaleur de Qâ, le froid se fait intense, alors j'allume un feu à l'entrée de la caverne. Je m'installe, assis en tailleur, Qâ vient poser sa tête sur mes cuisses, et à la lueur des flammes, je lisse sa fourrure chatoyante, plonge dans ses yeux noirs où se déversent les flots de mon cœur. — Jamais personne, je n'ai jamais aimé personne avant toi, je lui dis de tout mon être, de toute ma vie.

Qâ vient enfin dans ma tête.

Elle m'envahit, me submerge, simplement du bonheur qui l'étreint à l'envie d'être mienne, j'y réponds de toute la générosité de mon être.

Mère de nos mères, Qâ, la femme poilue des bois, la femme que j'aime.

La passion nous transporte jusqu'au petit matin.

4

À l'aube, lorsque nous sortons de la cachette, il ne pleut plus. Qâ efface derrière elle toute trace de son passage. Elle ne touche pas au feu, ni à mes propres marques, coquilles de noix, pépins de pomme, semelles profilées. Là où elle se trouvait, elle balaie le sol de ses doigts avant d'y éparpiller feuilles mortes et brindilles. Elle se redresse, se secoue d'un nuage de poussière, et de ma vision imparfaite, je vois les premiers rayons du soleil allumer autour d'elle, comme une aura purpurine.

Elle me rejoint, debout, elle est presque aussi grande que moi. Elle parcourt des yeux les alentours, flairant le vent. Elle les sonde mentalement, et je la sens dans ma tête. Je glisse ma main à son cou, effleure du pouce son oreille, l'attire à moi. J'aime son regard, à la fois ébloui, vigilant et circonspect, scintillant d'intelligence et de félicité. Je l'embrasse, heureux de sentir notre amour poindre en même temps que le jour.

Un peu plus bas, en redescendant de la montagne, nous tombons sur un petit torrent, et elle n'hésite pas un instant à s'immerger dans l'eau glacée. Je me sens obligé de faire comme elle. Malgré la température, il ne doit pas faire plus de trois ou quatre degrés, je me déshabille, grelottant, de l'eau jusqu'aux chevilles, m'éclabousse et me frictionne, sans pouvoir retenir mes cris.

Qâ plonge complètement dans un bassin plus profond, se lavant comme une naïade, elle me fait signe de venir la rejoindre, se moque de moi. Tremblant de froid, j'essaie quand même de me concentrer et vais dans sa tête. Elle a presque chaud. Tous ses muscles sont détendus, ses mouvements restent souples, son cœur bat vite, mais elle le contrôle d'une profonde respiration abdominale, bien qu'elle bouge peu, elle déploie plus d'énergie qu'un skieur de fond. Je sors de là rouge comme un homard, la peau fouettée par le froid, me hâte de me sécher avec le manteau de caribou, et de remettre mes habits.

Tandis que je saute sur place en me battant des bras pour me réchauffer, Qâ sort de l'eau lentement, avec une nonchalance affectée. Elle s'ébroue de la tête aux pieds, fait glisser l'eau de ses poils, usant la tranche de sa main comme un racloir, un bras après l'autre, sa poitrine, son ventre, ses cuisses, ses fesses. Elle me regarde souriante, penche la tête, rassemble ses longs cheveux noirs d'un côté, les essore, les peigne de ses doigts écartés avec des mouvements si sensuels, si lascifs, que mon sexe ratatiné par l'eau glacée, se met à hocher du chef.

— Ha ! Trop froid... Je ris, lui tourne le dos et pars en courant.

Elle me rejoint et trotte à côté de moi, malicieuse. Sa course est parfaitement silencieuse, je n'entends que mes pas et mon vacarme intérieur. De temps en temps, elle accélère, je sprinte de toutes mes forces pour la suivre, mais rien à faire, elle me pose à chaque fois et, avant que j'aie eu le temps de m'immobiliser, elle disparaît dans les bois. J'ai beau tendre l'oreille, jamais je ne l'entends faire le moindre bruit, avant que, comme par magie, elle réapparaisse toute proche.

Elle vient régulièrement dans ma tête, me régaler du foisonnement des vies animales que nous rencontrons, et dont la présence m'échappe, écureuils, mulots, renards, oiseaux multiples. Et, moi aussi, je vais dans la sienne. Je n'y arrive pas en me déplaçant, il faut que je m'arrête, même si ça me vient de plus en plus facilement. Je lui demande :

— Comment as-tu fait pour m'apprendre à faire ça, Qâ, comment ?

Elle s'approche de moi, m'envahit complètement, prend les rênes de mes sens, me débarque de mon corps, je n'en suis plus que le témoin ahuri.

— Regarde, c'est simple, me dit-elle à sa manière. Ici, le toucher. — Elle s'empare de ma main et la pose sur son sein doux, au mamelon duquel mon pouce s'accroche. — Là, tu vois.

Et je sens s'allumer comme des fibres phosphorescentes, le réseau nerveux qui court du bout de mes doigts, le long de mon bras, ma nuque, à travers ma moelle épinière, jusqu'aux neurones affolés de la zone concernée de mon cortex.

— Ici la vue, ajoute-t-elle en se léchant les lèvres avec gourmandise. Juste devant mon visage, et des flux parallèles courent dans mes nerfs optiques, pour faire tilter les neurones d'une autre zone de ma cervelle, que je sens clignoter comme un néon publicitaire. Et l'ouïe, elle se penche sur moi et gémit de désir à mon oreille. Je suis le parcours des informations, de mon pavillon auriculaire, à travers mes tympans, mes limaçons, jusqu'à une nouvelle zone corticale, dont les circonvolutions frémissent. Puis ce sont celles de mon odorat, lorsqu'elle souffle sur mon nez le nectar de son haleine, et quand elle enfonce soudain sa langue dans ma bouche, je suis la sarabande de l'élaboration de son goût, de mes papilles à mes neurones qui s'agitent dans une autre région précise et commandent mes sécrétions de salive.

— Et ça, c'est ce que nous faisons maintenant, m'explique-t-elle encore, et d'un coup elle révèle le réseau inextricable de liaisons nerveuses et neuronales, que j'use pour cet échange avec elle.

Elles recoupent toutes mes capacités sensorielles. Je sens fuser des milliards de connexions synaptiques, dans les différentes zones correspondant à mes sens, mais aussi partout ailleurs dans ma matière molle. Ma cervelle crépite.

— Et ça, c'est tout à la fois, conclut-elle, en m'embrassant à nouveau, et là, pffuiit, je m'envole, je perds le fil, je renifle avec les doigts, entends du bout de ma langue, la touche de mes yeux, la goûte de mon ouïe...

Elle me lâche, je chancelle. Secoue la tête, obstiné, retourne en elle.

— Comment est-ce que ça a pu me venir ?

Elle me montre la colline de nos rêves, puise dans ma mémoire et la sienne des bouffées de notre première communion, plus que solennelle, extatique, charnelle.

— Ça a toujours été là, au fond de toi, ça s'est réveillé sur la colline, quand nous avons fait l'amour pour la première fois.

— Tu veux dire que j'ai toujours eu ce talent, et que je ne le savais pas ?

— Tu le savais, me fait-elle encore comprendre, et elle va chercher au plus profond de moi, des souvenirs oubliés.

Je me revois enfant, huit ou neuf ans, sur la banquette arrière de la voiture de ma mère. Nous partons en Espagne, elle est épuisée et nerveuse au volant. Nous suivons un gros camion vert, marqué en jaune : Transports Trouillot Valence. J'imagine que j'en suis le chauffeur obèse, qui viendrait de finir une nouvelle bière et sombrerait dans la somnolence. Je suis pris d'une angoisse terrible. Je veux que ma mère s'arrête, mais je n'ose pas lui demander parce que nous venons de nous engueuler. Alors je hurle qu'une guêpe m'a piqué, me débats, me démène, crie comme un dératé. Ma mère se rabat sur la droite et s'arrête, elle jaillit de la voiture, la contourne pour venir à mon aide. Devant nous, un peu plus loin sur l'autoroute, le camion se met en travers, se retourne, et les voitures qui le suivent viennent s'y encastrer dans un immense fracas de tôle. Trois morts, cinq blessés. Ce jour-là, quand ma mère ne me trouve pas la moindre piqûre, elle me serre très fort dans ses bras.

Et puis d'autres fois, adolescent, des prémonitions, des sensations soudaines, que j'écoute ou pas, des accidents, des rencontres, des heureux hasards, des coïncidences troublantes que je remarque ou pas. Ou encore, ce sentiment qui me prenait parfois avant que j'entre sur scène, d'être en complète harmonie avec le public et la musique, de ressentir entre eux et moi comme des liens tangibles, magiques. Elle me rappelle même mon premier face à face avec Pripréfré, cet instinct de peur que je n'ai pas écouté, et qui me disait de m'enfuir.

— Mais comment peux-tu ? On dirait que tu y étais, lui dis-je, fasciné.

— Toi tu y étais. Tout cela est enfoui quelque part dans ta mémoire. Et je suis en toi.

Du doigt, elle me désigne un oiseau au jabot orangé, perché sur le rameau de la dernière feuille rouge, qu'un érable arbore comme une médaille. Un genre de bouvreuil, aux plumes ébouriffées, que notre présence proche n'inquiète nullement.

— Allons, essaie, me dit Qâ, sans les mots, bien sûr, juste avec des sensations.

— Oh non je ne pourrais pas. J'y arrive avec toi parce que je t'aime.

— Aime l'oiseau comme tu m'aimes moi.

Pour lui faire plaisir j'essaie, me concentre.

Ça marche !

L'oiseau effarouché par mon intrusion s'envole.

La feuille se détache. Il part en piqué sur sa droite, fonce entre les arbres.

Je bascule, me penche trop sur la droite, trébuche, cours pour me rattraper et vais tout droit m'empêtrer dans les branches d'un pruche. Qâ hoquette.

Je l'ai fait, ça a marché. Je suis allé dans la tête de l'oiseau, tout seul, sans l'aide de Qâ. Ça alors, c'est pas croyable ! Me voilà devenu télépathe, et même plus que ça. Sacrée Qâ, elle est pas possible, elle ne doit pas se rendre compte de ce qu'elle provoque en moi. Bon sang c'est formidable, imagine ça dans une partie de poker...

— Oh pardon, Qâ, pardonne-moi pour mes pensées imbéciles. Ce bonheur que je découvre avec toi, ces dons dont ton amour m'illumine, c'est tellement nouveau pour moi. Notre rencontre, et tout ce que nous vivons depuis, tout ça est tellement inhabituel, tellement différent de ce que je vivais jusque-là. Je t'aime plus que tout, ne m'en veuille pas si parfois je fais preuve de maladresse.

Qâ me regarde, grave.

— Et moi, crois-tu que de t'aimer me soit facile ?

Et, pour l'expliciter, elle me révèle, du plus profond de sa mémoire, des souvenirs qui me déchirent.

Je suis Qâ, âgée de cinq ans, blottie sur la hanche de sa mère, une femme poilue, comme elle. Elles traversent une large rivière boueuse. Sa mère sonde les alentours proches, tout va bien. Et soudain éclate le ronflement lointain du rotor d'un hélicoptère. Sa mère se met à courir, de l'eau jusqu'à la taille, elle n'a pas le temps de traverser. Elle bâillonne Qâ de sa main et plonge.

Je suis dans Qâ, quand elle suffoque, s'affole, se débattant pour remonter, alors que sa mère la retient au fond de l'eau brune, qu'elle étouffe, qu'elle va se noyer.

Et je suis dans sa mère, dans sa terreur absolue, à l'idée que son enfant périsse, et qui pourtant lutte pour la retenir, et la peur plus grande encore qu'un homme-nu les aperçoive, du monstre métallique qui les survole.

Je suis dans Qâ terrifiée qui grimpe dans les branches d'un arbre, tandis qu'à ses pieds sa mère fait face à une horde de chiens de chasse. Elle les terrasse mentalement, mais éprouve le plus grand mal à les faire partir sur une autre piste. Je suis dans l'arbre, paniquée, j'appelle ma mère, l'exhorte à se hâter, et en même temps perçois les pensées haineuses et mortelles des chasseurs qui s'approchent.

Je sanglote avec Qâ, adolescente, assise au bord d'un précipice, alors qu'à l'aide d'une grosse pierre elle broie le cadavre de sa mère. Écrase les os, la peau, les chairs, et disperse lambeaux et esquilles dans le torrent, au fond du gouffre.

Elle pleure en abattant sa pierre, éclaboussée de sang, pourtant ce qu'elle fait, elle doit le faire, pour faire disparaître toute trace du corps de sa mère, et cacher à jamais leur existence à l'homme-nu.

Je suis dans Qâ et, quand je vois s'ouvrir en grinçant, la porte de la grange des Morgensen, je crie :

— Non !

Et elle s'interrompt. Je geins, sidéré. C'est la première fois qu'elle me révèle son passé. Cette crainte atavique, cette terreur absolue de l'homme qui sous-tend toute sa vie, et moi qui... Oh pardon, Qâ, oh comme j'aurais aimé avoir été toujours là pour te défendre.

Elle est si tendue, me regarde avec une expression si fragile, si trouble, j'ai peur que soudain elle s'enfuie, trop meurtrie par ses souvenirs. Je tends doucement la main vers elle. Elle cligne des paupières, me jauge longuement, ses yeux se plissent, elle regarde ma main comme si nous allions sceller un pacte, qui romprait des habitudes millénaires. Elle me sourit, prend une profonde inspiration, et prend ma main dans les siennes. Je l'attire à moi, l'enlace, la couvrant de mes bras, elle se love contre ma poitrine.

Elle revient en moi, et par les yeux d'un faucon, je nous vois minuscules entre les arbres immenses, et tout autour de nous, la forêt s'échauffant sous les rayons du soleil dégage des fumerolles.

Nous marchons main dans la main, imbriqués l'un dans l'autre, stupéfaits et émerveillés de l'intensité du bonheur qui nous lie.

Lorsque nous arrivons à proximité de l'aven, Qâ me lâche et s'éloigne. Je l'appelle, elle ne répond pas, je vais dans sa tête, mais n'ai droit qu'à des sensations fugaces d'animaux qui s'enfuient, courent, sautent, s'enfouissent, volettent.

— À plus tard, mon amour, lui dis-je avant qu'elle s'évanouisse dans les bois.

Je contourne l'aven, saute d'un bond le ruisseau familier. Je suis un homme neuf, pénétré de l'importance de ma chance de vivre cette relation exceptionnelle, avec une femme d'une autre espèce, que peut-être seuls quelques très anciens ancêtres ont pu vivre avant moi. Je veux explorer cette joie jusqu'au bout de moi-même. Ces talents que je me découvre, et la facilité avec laquelle je m'accommode de l'idée que je ne peux plus que vivre pour toujours auprès de Qâ. Tout cela est tellement en contradiction avec les préoccupations de mon passé, que je décide soudain de m'en débarrasser.

Une bonne fois pour toutes.

Je suis un homme neuf. Tout en moi a changé. Même le handicap de mon œil balafré participe activement à ma nouvelle appréhension du monde, et je le considère comme un bienfait. Debout au bord de l'aven, je mime l'arrachage de ma peau, je m'extirpe de mon enveloppe, me décolle de mon propre corps, me chiffonne, me roule en boule en une danse convulsive et énergique.

Je jette Boris Genssiac dans l'aven, avec un grand cri libérateur.

Tek'ic, par la porte ouverte de la cabane, m'a vu et doit se demander à quoi rime mon stratagème. Je m'approche. Il est agenouillé devant le foyer, où ne luisent plus que braises. Coiffé d'un bandeau de plumes, sur un costume brodé d'une multitude de boutons d'écailles, il chante de sa voix éraillée et frappe un rythme monotone sur un petit tambour. Je comprends à ses traits tirés et à sa mine défaite qu'il a dû passer la nuit blanche, et chanter depuis la veille.

Quand j'entre dans la cabane, il ne veut pas interrompre sa cérémonie. Pourtant, dans sa hâte de me questionner sur Qâ, il hausse les sourcils et grimace pour que je lui dise si j'ai pu la trouver. Pour le faire marcher, j'entre la mine sombre, et adopte l'impassibilité dont il fait parfois montre.

Son chant déraille un peu, son rythme flageole, il s'énerve, veut que je lui réponde, me questionne de ses sourcils en circonflexe. Je traverse la pièce, insensible à son état, et pour augmenter son supplice, j'enlève un à un mes habits sales de poussière. Après quelques hésitations, j'enfile mon jean, ce qui reste de mon tricot et de mon pull-over, et ma veste déchirée dont j'ai coupé les manches pour me faire un gilet. Tek'ic, de plus en plus inquiet de mon manque de réactions, me supplie, implorant en fronçant ses pommettes.

Je reste impitoyablement inflexible.

Soudain, il me vient une terrible envie d'essayer d'aller dans sa tête. Je me détends, me concentre, me projette.

Et ça marche ! Je l'envahis...

Je le fais avec une telle facilité, que dans le feu de l'action je m'empare de son bras qui frappe le tambour, et de sa main, il se met à en gratter furieusement la peau comme des cordes de guitare, et de sa voix brisée, je lui fais gueuler :

— *Excuse-me while I kiss the sky !* Comme un Hendrix déchaîné.

Et il le fait, malgré lui, ahuri de ses propres gestes.

J'éclate de rire.

Tek'ic explose, mais de colère. Il bondit sur ses pieds, laissant tomber le tambour qui roule sur le sol et m'invective.

— Chien insolent, comment oses-tu faire une chose pareille ! Comment oses-tu interrompre ma cérémonie !

Je sursaute, réalisant la portée de mon gag inconsidéré.

— Oh hé, du calme, hein, bon. Un peu d'humour quoi. Je viens juste d'apprendre à le faire... Je savais même pas si ça allait marcher et...

— Alors tu as vu Mère de nos mères. Et c'est ça que tu fais des dons qu'elle te révèle ? Tu n'as donc rien compris ? Tu n'as donc aucun respect pour elle et pour les esprits qui te protègent.

— Les esprits ? Oh ça va, Tek'ic, épargne-moi ta morale, je m'excuse, je ne pensais pas...

— Ah ça, pour ne pas penser, tu sembles être très fort ! Tu n'as même pas ramené le bon nombre de cristaux du fleuve des morts. Inutile de te demander lequel manque. Je crains que tu ne mesures pas les conséquences de ton insoutenable légèreté.

— J'ai fait ce que j'avais à faire, lui dis-je, soudain excédé. Me gonfle pas avec tes oracles, professeur...

— Chaman ! me rétorque Tek'ic hors de lui.

Le visage déformé par une grimace de rage, figée comme un masque d'opéra, les yeux exorbités, il se met à haranguer les airs devant lui, à grand renfort de mouvements des bras, dans une langue que je ne comprends pas, pleine de hakschtl, uuiithj, de ptolcl, de xtethlclt.

Soudain j'entends bruire quelque chose dans l'espace de la cabane.

Mes frissons me tétanisent. Quelque chose qui volette, non, qui se déchire, non du vent qui... Tek'ic brasse le vide de plus belle, vociférant ses incantations, et des trucs me frôlent, me bousculent, me traversent, effaré je me débats. Le chaman, me désignant du bras, me vise et me condamne, d'une suite imprononçable de consonnes juxtaposées.

Son tambour s'envole.

Comme un avion à décollage vertical, il s'élève du sol, jusqu'à hauteur de son bras tendu, et là, jaillit tout droit, en carreau d'arbalète, pour venir me frapper en pleine gueule. Mon nez éclate au centre de sa peau avec un « Tooîîînnk » assourdissant qui m'envoie valdinguer les quatre fers en l'air contre un buffet, avant que le tambour me tombe de tout son poids sur le tibia. Je crie.

Qâ entre dans la cabane, tranquillement, comme si de rien n'était.

Tek'ic, effaré, ne peut interrompre son incantation, et se taire. Il change de registre, continue le plus doucement possible, répétant le même chuchotement impératif, comme s'il rappelait, en vain, un chien dangereux et indiscipliné. Je tiens mon tibia et mon nez, sous le choc, rampant sur le sol pour m'éloigner du tambour.

Qâ s'avance, intéressée. Elle regarde vers le plafond de la cabane, semble suivre des yeux le vol de quelque chose d'invisible. D'un geste, elle fait signe au chaman d'arrêter son rituel. Plein d'appréhension, il obtempère.

Qâ lève lentement sa main, paume en l'air, et les trucs, le machin, les esprits, ou je ne sais quoi, en tout cas, les sons qu'ils émettent, y convergent, et paraissent s'y poser. Sa main s'abaisse, ses muscles se tendent, comme sous l'effet de leur poids.

Le bruit cesse.

Ma tête résonne et mon nez saigne, je suis complètement suspendu à la main de Qâ, et je n'ai pas la présence d'esprit d'aller voir dans sa tête, Tek'ic la regarde pareillement ahuri. Elle referme doucement ses doigts, et quand son poing se serre, la tension se dissipe, s'évanouit.

Qâ, juste avant que le chaman et moi respirions soulagés, bondit dans les airs en poussant un grand rugissement et nous fait sursauter comme des gazelles. Nos cœurs se décrochent. Elle retombe assise par terre, hoquetant en se tordant les côtes, devant nos mines. Tek'ic, sidéré, recule, chancelant sur ses jambes, et s'assied sur un coffre.

Qu'est-ce que c'était ? Bon sang, comment a-t-il fait ? Qu'est-ce qui m'a balancé ce putain de tambour ? Mon nez n'est pas cassé, mais saigne à gros bouillons. En tout cas plus jamais je ne douterai de sa qualité de chaman. Je gémis.

Tek'ic me jette un coup d'œil, bien trop fasciné par l'intervention de Qâ pour encore m'en vouloir. Il l'observe ébahi, d'un regard proche de la vénération, comme si elle venait de dompter un dragon en lui donnant un sucre.

Qâ se calme, essuyant ses larmes de rires, elle sourit au chaman, qui le lui rend subjugué. Elle se relève malicieuse, s'approche de moi. En chemin elle ramasse le tambour, le tapote, s'accroupit à mon côté. Elle prend le tambour à deux mains et doucement le frappe avec son visage, me guignant de côté, semblant me dire :

— Comment as-tu pu faire autant de bruit ?

Je grimace douloureusement. Posant le tambour, Qâ

me tend la main, m'aide à me remettre debout. Elle vient se coller contre moi. Je suis un peu gêné de la présence de Tek'ic. Dès que je plonge dans ses yeux, j'oublie tout.

Tout, autre que l'amour que j'ai pour elle.

Elle pose sa main sur le côté de mon visage, m'attire vers elle, je crois qu'elle veut m'embrasser, mais à petits coups de langue, elle entreprend de lécher le sang qui me barbouille le menton et la bouche. Je m'abandonne à sa tendresse.

Là-bas, à l'autre bout de la cabane, le chaman, assiste à la scène bouche bée, peu à peu gagné d'un ravissement éberlué.

J'enlace Qâ, elle plaque son bassin contre moi, passe un bras autour de ma taille. Par-dessus son épaule, je vois Tek'ic qui nous regarde, je sais qu'il m'a pardonné mes affronts. Je ferme les yeux, pour mieux m'adonner au bonheur de l'instant. Qâ pose sa tête contre ma poitrine, je l'étreins de tout mon cœur.

Et le faisant en présence du chaman, j'ai l'impression de clamer notre amour à la face du monde.

Alors, malgré sa rigueur, son âge, son sérieux, sa ferveur et son respect traditionnel, Tek'ic Standing Crow ne peut retenir un immense cri de joie.

Les jours suivants, j'apprends à vivre avec Qâ, et la tâche m'est facile, quoi que j'aie à faire, le bonheur m'obnubile. Elle va et vient autour de la cabane. Qu'elle soit là ou pas, nous restons en contact quand nous le désirons, elle en moi, ou moi en elle, et chaque échange, chaque fusion, alimente notre passion.

La qualité de notre union est telle que le chaman en est complètement retourné.

Non seulement il en oublie mes frasques, mais il m'attribue le rôle de récepteur pour l'humanité, des dons divins de Mère de nos mères. Il m'assure que, bien qu'il n'en sache rien, notre liaison devait être prédite par les plus anciens oracles, car un événement de cette importance ne peut qu'être inscrit dans les astres.

Quand je tempère l'enthousiasme du chaman, il

revient avec des arguments irréfutables. Je veux garder jalousement mon bonheur avec Qâ. Lui veut faire de notre amour un tournant de l'histoire des hommes. J'ai beau renier sa version des choses, je ne peux que me rendre compte du miracle qui se produit en moi.

Chaque jour j'ouvre mes sens davantage.

Et ces talents qui me métamorphosent, je les dois à l'amour de Qâ.

Tek'ic me presse de reprendre la cérémonie avec les cristaux de mes amis et de l'ours. Il ne revient pas sur l'absence de celui du vieux Morgensen, sinon pour me dire de le tenir le plus loin possible de mes souvenirs, et de ne jamais m'approcher de rien qui puisse l'évoquer.

Nous quittons la cabane de nuit, lui et moi, Qâ nous accompagne. Je tiens les cristaux dans mes mains froides. Pas une fois Qâ ne vient dans ma tête, pourtant sa présence physique me réconforte, m'aide à me concentrer sur ma tâche, en m'évitant de sans cesse penser à elle. Nous gravissons la montagne, Qâ en tête de cortège, comme si elle savait où l'on va, jusqu'à un promontoire rocheux qui domine la forêt à perte de vue. Là, le chaman me fait dresser quatre réceptacles, sur lesquels j'installe les cristaux de Sherman, d'Ho Letite, d'Albert et de l'ours, entourés d'offrandes pour chacun d'eux.

À l'aurore, les premiers rayons du soleil frappent les pierres qui s'allument de mille éclats d'arc-en-ciel. De mon poignard, je m'entaille le pouce et répands quelques gouttes de mon sang sur les quartz, les maculant d'un rouge de rubis. Tek'ic s'éloigne un peu avec Qâ, fait un feu et s'installe. Moi je reste immobile, devant les cristaux. Les pensées entièrement tournées vers les esprits que j'honore, et l'amitié qui nous lie.

Toute la journée.

Et quand la nuit tombe, je me hâte fébrile de broyer chacune des pierres entre deux dalles de granit que le chaman m'a fait porter depuis la cabane. Mes mains glacées saignent de multiples écorchures. De chaque cristal, je fais de la poudre fine, que je recueille sur des feuilles d'écorce de bouleaux.

Quand la lune se lève, je suis prêt, et au moment où elle atteint sa parfaite rondeur, je souffle une à une les poussières d'âme de mes amis, droit sur elle, et le vent les emporte dans le ciel, avec les prières muettes que je leur adresse du plus profond de mon cœur, leur vouant ma gratitude infinie.

Qâ vient me rejoindre. Elle défait la ceinture de mon manteau, pour se lover contre moi, et je le referme sur elle. Elle vient dans ma tête, juste pour me livrer son bonheur d'être là, avec la lune qui nous guette, et le tapis ondoyant, argenté, de la canopée, qui se déroule à nos pieds.

Là-bas, éclairé par les flammes, le triangle surmonté de plumes de Tek'ic, engoncé dans ses couvertures, se met à produire un son flûté, un chant comme une ritournelle, envoûtante de gaieté.

Pour la première fois de ma vie, je suis en paix, avec l'univers.

Enfin, presque...

5

Tek'ic m'enseigne.

Dès que Qâ me laisse, il m'arraisonne. Il veut que je me montre digne du rôle qui m'échoit, et pour cela, je dois apprendre sans relâche. Toutes sortes de choses. Des techniques de chant et de respiration, de danse et de méditation. Je dois connaître les plantes innombrables de sa pharmacopée, leurs usages et leurs applications, et surtout, je dois apprendre à me connaître moi-même, pour être à même de mieux apprécier la nature des changements qu'occasionne en moi l'amour de Mère de nos mères.

Au début, tout fringant de mon talent tout neuf, je lui demande si je peux venir dans sa tête. La plupart du temps, il refuse, arguant du viol de son intimité, alors je multiplie les effractions, malgré ses réticences, et bien sûr les blagues stupides. Quand il me vante les vertus délicates d'une fleur de violette, je lui fais dire des vers de mirliton, qui rime en culs et en roupettes, ou m'emparant de lui quand il mange, je l'oblige à se flanquer sa cuillère pleine sur le nez. Il s'énerve, m'insulte, et parfois il est si fâché que je m'empresse de m'éloigner des tambours. Je persévère, buté, et pour finir il se lasse de mon impertinence et accepte de se prêter au jeu.

D'abord, nous nous livrons à des exercices au cours

desquels il fait des associations d'idées saugrenues que je dois tenter de définir juste d'après les réactions de ses sens, ou bien simplement, j'essaie de maintenir le contact avec lui tout en me déplaçant dans la pièce. Mais très vite le chaman me dit de me concentrer sur l'essentiel, et je réalise, au cours d'une de ses leçons de choses, que, si je lis dans sa tête, plutôt que d'attendre ses explications, je comprends beaucoup mieux et beaucoup plus vite. Dès lors, le chaman ravi laisse libre cours à mes incursions, à condition que je le prévienne à l'avance.

Nous multiplions les séances pendant lesquelles il se concentre sur ce qu'il veut que j'apprenne, puis je viens dans sa tête, et comme je demande en même temps qu'il me donne, j'ai l'impression d'effectuer des transferts directs de connaissance. Plus tard, lorsqu'il me questionne, je m'ahuris de savoir lui répondre, quant au rituel à observer pendant la torréfaction lente d'une racine de valériane, ou sur le dosage exact qu'il en faut pour soigner une crise d'épilepsie. Moi qui ai toujours été réfractaire à l'enseignement, j'aspire, je gobe, je me gave du savoir du vieil homme. Et plus je le découvre, plus je m'ébaudis de l'immensité de son érudition.

Tek'ic parle cinq langues et onze dialectes. Avant de s'installer dans la forêt, il a beaucoup voyagé et pratique un chamanisme au confluent de nombreuses traditions. Ainsi, j'apprends que les rites qu'il a utilisés pour nous soigner Qâ et moi, s'ils ont été faits dans les règles les plus strictes de respect et de dévotion, ne sont pas autochtones. Pour la trépanation de Qâ, par exemple, il a suivi un rituel Ona, de Patagonie, qui lui a été transmis en 1952, à Puerto Montt, au Chili, par la dernière détentrice de leur savoir, une chamane métisse Mapuche, âgée de quatre-vingt-douze ans. Pour identifier un contrepoison au venin du ver à pattes, il a suivi des rites Hopi, et Cheyenne, et aussi Inuit. De même pour sa pharmacopée. Il utilise bien sûr tout l'éventail des plantes médicinales locales, Kwatuitl, Tshimshian ou Tlingit, également des plantes amazoniennes, mexicaines ou québécoises. Il connaît des remèdes que lui ont enseignés des mamus Kogis, des hautes sierras de Colombie, et des décoctions de lichens de roches, qu'un saint homme Ingalik lui a apprises, et chacun des ingrédients qu'il utilise a été ramassé de ses propres mains. Il n'y a qu'avec mon initiation qu'il ait pris quelques libertés par rapport à la tradition. Je n'entrais dans aucun cadre, alors il a dû un peu improviser.

— Et comment je dois comprendre ça ? lui dis-je, éberlué.

— Vois-tu, les chamanismes, en tant que multitude de traditions animistes, ne sont pas des courants religieux figés par des dogmes. Malgré l'importance de la tradition dans les rituels, tous sont évolutifs. À l'inverse des dieux monolithiques, abstraits et inaccessibles des religions monothéistes, les esprits chamaniques sont innombrables et polymorphes. Ils s'incarnent dans tout ce qui nous entoure, animal, végétal, minéral, gazeux. L'étendue de leurs pouvoirs dépend des intentions qu'on leur prête. Leurs apparences varient, leurs noms changent et leurs fonctions aussi. Mais ils sont partout, tout est sacré. Les voies, les méthodes, les disciplines pour les évoquer sont multiples. Ce qui ne change pas, au-delà des spécificités des croyances, c'est le type d'énergie que le chaman doit déployer pour acquérir les moyens d'entrer en contact avec d'autres réalités. C'est le genre de concentration qu'il doit acquérir pour affiner ses sensibilités, améliorer sa compréhension de son environnement et de lui-même. Quelles que soient les divergences des symboliques et des rituels, ce qui ne change pas, c'est que l'expérimentation extatique, qu'elle soit provoquée par des chants, des danses, des prières ou des substances hallucinogènes, concourt à donner au chaman une nouvelle vision du monde, de la vie et de la mort, qui célèbre avant tout l'unicité de l'homme et de l'univers. Je t'ai vraiment initié, Loumouillé, dans ce que je t'ai fait faire, je suis toujours resté très proche de rituels existants, tu peux te considérer comme une moitié de chaman.

Non content de tout savoir des plantes et des animaux, il connaît si bien ses congénères que je dois lui paraître transparent. Pourtant, il me livre tout de ses secrets avec une générosité sans faille. Nous nous concentrons sur une matière, j'établis le contact, il se déverse en moi, et ce n'est qu'après que je découvre l'ampleur de ce qu'il me communique.

Je n'apprends pas, je sais.

L'impression est ahurissante, quand je découvre en moi des connaissances empiriques que quelques instants plus tôt j'ignorais. Ma cervelle gonfle comme une éponge pourtant au fur et à mesure, augmente sa contenance. Parfois j'ai presque honte de la facilité avec laquelle je le vampirise. Lui, émerveillé, ne cesse de m'encourager, et résume pour moi l'essentiel de ses années d'expériences.

Je vais en lui avec de plus en plus d'aisance, n'ai même plus besoin de beaucoup me concentrer, arrive même à faire quelques pas prudents sans interrompre le contact. Mais, si je sais aller dans sa tête, m'emparer de ses sens et de ses pensées immédiates ou prendre le contrôle moteur de son corps, je suis bien incapable de faire comme Qâ. Je sais viser une cible, m'y projeter mentalement, éventuellement lui faire effectuer des gestes simples, je n'arrive pas encore à ouvrir ma conscience, à sonder les alentours, à retransmettre ce que je ressens, ou à m'immiscer dans des pans précis de mémoire. J'espère qu'avec la pratique, mes talents vont s'affiner.

Malgré l'enthousiasme immodéré de Tek'ic, je ne suis qu'un apprenti sorcier.

Un après-midi, alors que nous sommes en plein échange, le chaman soudain s'agite et m'interrompt.

— Le ver, le dragon, vite, tu vas avoir une crise !

— Quoi ? Mais comment tu...

— Rising Smoke, elle m'envoie un signe.

— Mais qu'est-ce que... ?

Je n'ai pas le temps de m'ahurir.

— Plus tard, presse-toi, me dit-il en m'entraînant derrière lui jusqu'à son coffre pharmaceutique.

Il y fouille des deux mains, en sort quantité d'ingrédients, à l'état brut qu'il disperse devant moi.

— Maintenant que tu en sais un peu plus, concentre-toi pendant ta crise et tâche de sentir lesquels d'entre eux pourront te guérir. Mets tes mains au-dessus et...

Trop tard. La douleur déferle. Cette fois je refuse de tomber, refuse de me laisser abattre. Je reste debout.

Je ne fais pas ce que dit le chaman.

J'appelle Qâ. Instantanément elle est là et, comme la première fois, elle dissocie ma conscience des douleurs de mon corps.

— Mon amour, aide-moi, mais pas comme ça, pour de bon. Il faut que j'en guérisse ! — Je comprends à sa retenue que ça va faire très mal. — Tant pis, montre-moi, qu'on en finisse.

Elle me montre, et c'est moi qui romps le contact pour y retourner. Dans les affres volcaniques qui ravagent l'édifice de mon corps, je replonge dans le brasier qui me brûle l'intérieur.

— Pripréfré, mon ami, merci d'avoir si bien jalonné mon parcours jusqu'ici. Maintenant il faut que cela cesse...

Je lâche la meute affamée des chiens de ma conscience.

Allez, courez dans les couloirs de mes veines, remontez les courants de mes nerfs, fouillez les moindres circonvolutions de ma cervelle ! Faufilez-vous dans les entrelacs de mes fibres musculaires, fouillez mon sang, mes tissus et mes graisses, et où qu'il se cache, trouvez ce venin qui incendie mes chairs.

Débusquez-le, réduisez-le en charpie !

Dans la cabane, debout les jambes écartées, les poings serrés devant moi, je hurle d'un seul long cri, les muscles tendus si fort, sur le point d'éclater, que tout mon corps tremble. Je hurle comme un damné devant Tek'ic impuissant, les yeux comme des soucoupes.

Allez, fouissez dans glandes et tendons, frayez-vous un chemin quelle que soit la douleur à travers mes os et mon cœur, et trouvez-le. Là ! Ces taches sur le cordon latéral de ma moelle épinière. Je lance, de toutes les forces qui me restent, le signal de la curée. Encerclez-le, coupez-lui toute voie de retraite. Éventrez les cellules contaminées, crevez les cytoplasmes, déchiquetez-les, extirpez-en les foutues molécules du venin du ver à pattes. Et la meute déferle. Détruisez-les. Brisez-les. Dévorez les noyaux, et éparpillez les particules aux quatre coins cardinaux.

Qu'on en finisse, qu'on en finisse...

Je m'affaisse, Tek'ic tente de me retenir, il tombe avec moi, amortissant ma chute. La douleur s'estompe, pas de façon abrupte comme les fois précédentes, non, par vagues. Comme la marée, se retirant, dévoile un rocher sur le sable. Elle m'effleure de dernières langues de lave, puis me laisse, m'abandonne.

— Bons dieux, dis-je commotionné, alors que Tek'ic soutient ma tête à ça du sol.

— Alléluia, répond-il pince-sans-rire. Veux-tu que je fasse sonner les cloches ?

— Je les avais mis au pluriel... — Il m'aide à m'asseoir, mes muscles sont comme liquéfiés. — Je crois que cette fois c'est fini, je dis de ma voix blême.

Le chaman me regarde circonspect.

— Tu crois que tu t'es guéri ? me demande-t-il incrédule.

— Qâ m'a montré. Oui, oui, je crois...

Et je me tâte, comme si à travers mes mains je pouvais sentir la résorption du venin. Il secoue la tête, fasciné.

— Mais qu'est-ce que Rising Smoke a à voir avec le tatzelwurm ? dis-je de ma voix cassée.

Il se relève, époussette ses habits, me tend le bras pour m'aider, je décline son offre, préfère rester assis par terre.

— Pas avec lui. Avec le professeur Kalao vom Hoffé et sa fille. Et avec toi, m'affirme-t-il. Comme tu le sais, elle est très concernée par ton histoire, et celle de Mère de nos mères, elle y a perdu un fils, un neveu et un ami.

Bien qu'elle ne te connaisse pas, ta santé lui est chère. C'est une des plus grandes thérapeutes de cet hémisphère, une chamane bien meilleure que moi, je lui ai parlé de ton problème.

— Oui, par radio-téléphone. Mais qu'est-ce que..., tu dis qu'elle t'a fait un signe ?

— Comme un flou dans ta texture matérielle.

— ... un flou ?

— Oui. Elle a mis un esprit gardien à ton chevet pour me prévenir.

— Un esprit gardien ? De quoi on parle là ?

— Tu me demandes de quoi on parle, alors que tu viens de te guérir toi-même d'une affection grave, provoquée par le venin d'un animal qui n'existe pas, grâce à l'amour que te porte une femme d'une espèce inconnue ? J'ai effectivement appelé Rising Smoke par radio, la première fois. Depuis nous sommes en contact régulier. En plus d'être une chamane très puissante, elle est femme et, malgré son chagrin, elle se montre passionnée par ton histoire d'amour avec Mère de nos mères. Presque chaque jour, il faut que je lui en relate les épisodes.

— Tu as un cellulaire, ou elle est télépathe ?

— Ni l'un ni l'autre. Nous communiquons à travers un rituel compliqué, que je te montrerai à l'occasion. Nous, chamanes, utilisons bien sûr nos énergies intérieures, mais aussi et surtout, nous savons solliciter des énergies extérieures. Rising Smoke a placé comme un signal au-dessus de toi, pour me prévenir de ta prochaine crise. Pour cela, elle a dû faire des cérémonies très longues et dépenser une énergie formidable.

— Tu veux dire qu'elle me surveille à distance ?

— Non, ça ne concernait que ton mal. Néanmoins, elle sera ravie de savoir que c'était inutile. Elle est très attentive aux étapes de ta métamorphose, Loumouillé, elle pense, comme moi, que peut-être tu ne mesures pas l'importance de ton amour avec Qâ.

— Je ne la mesure pas, je la vis de l'intérieur. Tu crois que je ne me rends pas compte de ce qui m'arrive ?

— Rising Smoke a contacté de nombreux autres chamanes, tous s'accordent à dire qu'il se passe un événement exceptionnel, dans le monde des esprits.

— Quoi ? Elle leur a parlé de Qâ ?

— Non, elle les a juste consultés. Quelles que soient leur tribu ou leurs croyances, tous ont remarqué des signes d'activité inhabituelle dans les différents mondes des esprits.

— Ça veut dire quoi ça, on parle de quoi ?

— On parle de la structure fondamentalement vibratoire de la matière dont nous sommes constitués, ainsi que tout l'univers. On parle de manifestations physiques, provoquées par des énergies psychiques. D'ondes et de vibrations, de rayonnements et d'atomes, ou peut-être, d'énergies subtiles, de conscience infinitésimale, de mémoire des particules ? On parle des limites de la compréhension de la pensée cartésienne. De sa méconnaissance totale de ce qu'est la conscience. De phénomènes que la science peut vérifier, éventuellement mesurer, en termes de rayonnement ou d'ondes hertziennes, mais qu'elle est incapable de comprendre. On parle de l'étroitesse de notre vision, d'un univers en trois dimensions, alors que la réalité qui nous entoure est infiniment plus complexe, que ce qu'en perçoivent nos pauvres sens. On parle des liens sacrés qui relient tout à tout, et que seuls certains d'entre nous savent encore percevoir ; de la conscience des hommes, si oppressée par sa mauvaise appréhension de la vie et de la mort, si obnubilée par les biens matériels, qu'elle en perd l'essentiel de sa félicité et de ses potentiels. On parle du moment où l'accumulation des connaissances scientifiques ne fait plus que nous conforter sur l'immensité de notre ignorance. L'homme que je suis n'a pas de réponses à te donner. Irrité par sa propre incompréhension, il s'efface et c'est le chaman qui prend sa place. Car lui seul, par son acceptation spirituelle d'une réalité qui le dépasse, de la coexistence de plusieurs mondes juxtaposés, lui seul est capable d'être au lieu de comprendre, de ressentir au lieu de penser, et par là même, de trouver accès à des connaissances qui échappent à l'entendement de la majorité des hommes.

— Qu'est-ce que Qâ et moi avons à faire avec le monde des esprits ?

— Ne confonds pas interprétation métaphorique et réalité des faits. C'est bien dans ce monde-ci que des choses se passent. Il semble qu'à chacun de vos échanges avec Qâ vous provoquiez un tel chambardement, que des gens sensibles perçoivent des phénomènes inhabituels, dans les mondes mystiques au sein desquels ils évoluent ; ce qui est curieux, c'est que tous l'interprètent comme l'émergence d'un espoir immense pour l'humanité.

— Quoi ? Mais de quoi ils se mêlent ! Tout ce que je veux c'est vivre en paix avec Qâ. C'est pas vrai ça !

Je suis pris d'un accès soudain de jalousie, qui me fait bondir sur mes pieds juste en face de Tek'ic, les poings serrés, fulminant. Surpris de mon si prompt rétablissement, il recule de deux pas, perplexe, tandis que je refrène mon humeur, sidéré de ma propre réaction.

— Excuse-moi, mais qu'est-ce que ça veut dire ? Un espoir immense ? Pourquoi ?

Le chaman me regarde impassible, et croise les bras sur sa poitrine. Je cherche dans son expression un indice qui m'aide. Il ne révèle rien. Pourquoi ?

Et, soudain, ça me vient comme une évidence.

— Ces talents que Qâ a révélés en moi, tu crois... qu'un jour je serai capable de les transmettre à mon tour ?

Et l'idée suscite en moi un enthousiasme circonspect, qui me chahute de plaisir et d'inquiétude à la fois. Tek'ic me jauge longuement.

— Peut-être, je ne sais pas. Tout dépendra de ton attitude.

— Eh bien, si un jour je le peux, sois-en sûr, tu seras le premier avec qui je les partagerai.

— Merci, Loumouillé Naquneye, merci de m'honorer de ton amitié.

— Tu plaisantes ou quoi ? Chaman, Tek'ic, mon

maître et mon ami, Qâ et moi te devons la vie, et le bonheur d'être ici aujourd'hui.

Le masque d'impassibilité de Tek'ic fond, il me sourit, ravi, et nous nous donnons l'accolade comme deux frères. Puis il reprend :

— Va vite, va vite rejoindre Mère de nos mères, et mettez la pagaille pour moi dans le monde des esprits, ça compensera tout le respect que je leur prodigue.

— Tu peux compter sur moi, lui dis-je, solennel, et je vais retrouver Qâ.

Je travaille beaucoup avec Tek'ic, pourtant c'est avec elle que je passe la majeure partie de mon temps. Quand je lui demande si un jour, je saurais éveiller comme elle, ces talents chez d'autres personnes, elle me répond à sa manière :

— Tu le peux déjà. Mais tu ne sauras vraiment le faire que lorsque tu m'auras suffisamment aimée.

Alors je l'aime sur la mousse humide et dans les herbes folles, au creux des rochers que les lichens tapissent de coussins de velours ; au sud des séquoias géants, où, sous la protection de leurs branches, ils gardent un abri sec entre leurs racines, pour que s'y lovent les amants. Je l'aime au bord des tourbières, sur des lits de scirpes fanés, tissés comme d'alvéoles qui crissent sous le poids de nos corps et à travers lesquelles la terre fume ; dans des nids de fougères au pied d'arbres immenses, et nous nous retrouvons constellés de leurs spores, jusque dans les oreilles et sur la langue. Je l'aime sous des falaises, dans des trous de rocs et de poussière, où nos ébats font fuir des araignées glacées, plus lentes que des limaces ; dans des clairières de séneçon doré, que la pluie finit de désagréger en filaments diaphanes, où nous nous roulons presque nus, sans que la température parvienne à refroidir, de notre passion, l'ardeur.

Nous communions de mieux en mieux, et de plus en plus souvent j'arrive à lui transmettre mes pensées, sans avoir à les formuler avec des mots, juste la voix de mes sens. Je m'émerveille de ce bonheur insensé, qui m'affranchit du verbe.

La journée, je vis avec Qâ dans les bois, et elle passe ses nuits avec moi dans la cabane.

J'ai installé une couchette sur le surplomb de la grotte, pour avoir un peu d'intimité. Malgré tout, la promiscuité avec Tek'ic n'est pas toujours aisée. D'autant que Qâ se montre complètement impudique, et, en présence du vieil homme, laisse son désir lui dicter tous ses gestes.

Il faut sans cesse que j'ôte ses mains de l'intérieur de mon pantalon, ou que j'arrache la mienne à son emprise, lorsqu'elle la saisit pour la serrer entre ses cuisses. Elle n'arrête pas de me tripoter, de me bécoter, de me caresser au passage, et j'ai beau lui taper sur les doigts, sa fourrure est si douce, que bien souvent ce sont mes propres mains qui s'y égarent. Le chaman m'assure que ça ne le dérange pas, que tout cela n'est plus de son âge. Je le soupçonne d'être un peu voyeur.

Plus d'une fois, en allant nous coucher, je souffle les lanternes, lui rajoute du bois sur le feu, et quand il prétend s'endormir, j'entends, à la façon dont il respire, qu'il n'en est rien, qu'en fait, il nous épie. Je nous ensevelis sous une couverture de laine de chèvre, et je sais qu'il ne voit de nous qu'un tas informe qui s'agite, mais j'ai beau tenter de museler Qâ, je ne peux retenir nos cris et, parfois, je bénis les esprits qu'elle soit muette de paroles.

Elle me fait des trucs incroyables, me catapulte droit au ciel.

La première fois, à l'orée d'un bois de pruches, elle se laisse tomber en arrière, ployant un jeune arbre presque jusqu'au sol, et là, suspendue dans les branches d'un vert fluorescent, elle écarte les cuisses, dévoile sa toison noire qu'elle fouille, les bras serrés pour mieux brandir sa poitrine aux mamelons érigés, elle m'expose son sexe, effleure son clitoris, me regarde.

Vient dans ma tête et s'empare du mien.

Je suis là, debout, à trois mètres d'elle, et mon sexe se tend, gonfle, palpite. Je la vois qui se caresse, et en même temps je la sens autour de moi, le fuseau de son vagin qui m'enserre, se contracte spasmodiquement, m'étreint, me masse, m'aspire, et mon gland qui se boursoufle de désir à fleur de peau, qui enfle. Elle me regarde, plonge son doigt entre ses lèvres humides, et je jouis dans mon pantalon.

Ou dans la cabane, alors que le chaman nous tourne le dos, et répare le grelot d'un hochet qui se coince, elle m'envahit soudain et j'ai beau lutter, elle m'immobilise psychiquement, m'empêche de bouger, sauf pour ce qui est de mon sexe, qu'elle branle de ses mains expertes, me balançant dans la tête toutes sortes de sensations, qui ont tôt fait de dissoudre la moindre de mes velléités de retenue. Je jouis sur son bras, elle lèche sa fourrure, gourmande, me laisse. Quand le chaman se retourne et me demande un maillet, j'ai les jambes qui se plient à l'envers.

Pourtant, le plaisir n'est qu'une petite partie du bonheur qui m'emporte.

Les jours passent, s'égrènent les semaines...

Un matin, Qâ se réveille, comme à l'accoutumée, elle s'étire longuement, puis soudain s'immobilise, la main sur le ventre. Je me redresse, la questionne du regard, inquiet, d'un bond elle descend jusqu'au foyer, se penche et vomit dans les braises. Je veux la rejoindre. Le temps que je me dépatouille des couvertures, elle se redresse, souriante, surprise, me fait un petit signe comme si ce n'était rien, et sort de la cabane. Comme je me hâte de m'habiller pour la rejoindre, Tek'ic, assis sur sa paillasse, se tourne vers moi, avec un sourire ébahi.

— Hé hé hé, me dit-il.

— Tu crois que c'est ce que j'ai fait à manger hier soir ?

Il ne me répond pas, et je cours après Qâ.

Et d'autres fois, ça la reprend, ou alors elle a des lubies bizarres. Elle me fait parcourir des kilomètres sous la pluie, pour aller déterrer des rhizomes rosâtres, dont elle se régale, alors qu'ils n'ont qu'un vague goût d'orgeat, beaucoup trop âpre. Ou bien, elle me fait traverser deux torrents en crue, et escalader la paroi d'un canyon, jusqu'à un arbre inaccessible et protégé, pour aller cueillir trois merises racornies et gelées, à moitié bouffées par les oiseaux, qui y sont encore suspendues depuis la saison dernière, alors que les réserves de Tek'ic regorgent de grosses cerises noires.

Je mets tous ses caprices sur le compte de l'amour qui nous affole.

Souvent, elle se couche sur le dos et me demande de poser ma tête sur son ventre, ce que j'adore faire. J'aime coller mon oreille à sa toison douce, et la façon dont ses poils foncent, sous les globes duveteux de ses seins, pour se rejoindre en une ligne sombre, qui descend jusqu'à son nombril, et là, tourbillonne.

Parfois, quand elle vient dans ma tête, j'ai l'impression de sentir comme une interférence, mais je ne prête attention qu'au bonheur.

Tek'ic Standing Crow a de plus en plus l'air d'un grand-père débonnaire. Il couve Qâ d'une attention sans bornes, et parfois je jalouse presque les élans de tendresse qu'elle a pour lui. Il la gave littéralement de bonnes choses à manger, la choie, a mis pour elle quantité de graines à germer pour la régaler de jeunes pousses. Je ne peux rien dire car j'ai droit aussi aux marques de sa sympathie.

Un matin, elle vomit à nouveau, il lui apporte un tampon imbibé d'eau, pour qu'elle s'essuie la bouche. Elle le fait puis se blottit dans ses bras, il lui tape sur l'épaule, jovial, pour la réconforter. Curieux, je vais dans la tête du chaman, et j'ai la surprise de l'entendre penser :

— Ne t'en fais pas, tu n'es pas malade, ça n'est rien, c'est même plutôt bon signe.

Je me dis que Tek'ic doit être content qu'elle ne se sente pas bien, pour pouvoir encore mieux s'occuper d'elle. Je n'insiste pas.

Et, bien sûr, je suis le dernier à comprendre.

Ce soir-là, quand nous rentrons des bois, nous trouvons le chaman au coin du feu, en train de ranger des objets qu'il a utilisés pour ses rituels dans un coffre d'ardoise. Nous souriant chaleureusement, il désigne une casserole qui mijote, un repas qu'il a préparé à notre intention. Qâ, curieuse, va tout de suite examiner de plus près ce qu'il fait, moi, épuisé, je change mes habits trempés contre une tenue plus confortable, puis je m'écroule sur une peau de bête, de l'autre côté du foyer.

Tek'ic montre à Qâ un kitikuk, d'origine Inuit, un morceau d'ivoire, grossièrement sculpté à l'effigie d'un animal, en l'occurrence une belette, qui sert aux chamanes esquimaux d'objet de pouvoir. Entre les mains de Tek'ic, le kitikuk semble animé d'une vie propre. Il le fait disparaître dans ses manches, ressortir par son col, avec la dextérité d'un magicien ; il le tient dans ses paumes jointes, les ouvre, hop, il n'y a plus rien, le fait resurgir au bout de ses doigts, derrière l'oreille de Qâ, qui hoquette, ravie, avec les yeux émerveillés d'un enfant.

Quand elle se lasse, Tek'ic essuie soigneusement le kitikuk d'un chiffon de daim, l'y enroule et le met dans le coffret, mais Qâ l'empêche de refermer le couvercle, avant d'en avoir explorer le contenu. Il la laisse faire. Elle fouille, et pousse un petit gémissement de joie, en ressortant un gros cristal de quartz, qu'elle serre dans ses mains, contre sa poitrine. Le chaman lui fait signe :

— Bien sûr, prends-le, il est à toi.

Et Qâ, tout de suite, vient me rejoindre pour me le montrer. Elle me soulève un peu, s'assied, repose ma tête sur son ventre, et le brandit devant le feu, au bout de ses longs doigts. Il est splendide, parfaitement translucide, d'une pureté incroyable, avec deux inclusions, qui brillent comme des paillettes d'or. Qâ le fait tourner dans la lumière, elle le pose dans ma main, et referme la sienne dessus. Elle vient en moi.

— Viens, me dit-elle.

Je vais en elle.

Quand nous fusionnons mutuellement, nos échanges sont beaucoup plus forts, plus complets, que nos incursions unilatérales. Nous nous mélangeons complètement. Avec son cœur, Qâ me dit :

— Tu veux entendre la musique de nos vies ? Écoute le cristal, il vibre comme nous. Envoie-lui des bouffées de ta conscience vide. Seulement de ton être. Comme ça.

Elle fait le vide de ses pensées, et c'est comme si elle éteignait une multitude d'émissions sonores, jusqu'à ce qu'il ne reste d'elle plus qu'une seule fréquence. Une note, qu'elle émet. Je sens le cristal dans nos mains entrer en résonance, et c'est comme s'il amplifiait sa fréquence, pour la lui retourner harmonisée, chargée de sa luminescence. Magnifique.

J'essaie, comme elle. Malgré sa présence en moi, ça m'est difficile de faire le vide. Je la copie, je m'aligne sur elle et, au bout d'un moment, j'y arrive enfin.

À m'éteindre, à simplement être.

Quand j'y parviens, le cristal vibre avec moi aussi, et me renvoie la musique de mes fréquences essentielles. Nous le faisons vibrer en alternance, Qâ, le cristal, moi, le cristal, puis à l'unisson, de nos fréquences accumulées, le minéral vibre alors si fort qu'il explose d'harmoniques célestes, la musique de nos vies.

Voilà que je sens à nouveau une interférence, qui me déconcentre. Je regarde le chaman, non ça n'est pas lui. À la façon dont il nous observe, je comprends qu'il n'y est pour rien. Qui alors ? Je recommence, fais le vide, émets ma fréquence. Le cristal résonne. Puis Qâ, il résonne, puis moi à nouveau, et là ! Juste après que le quartz a vibré avec moi, juste avant que Qâ n'émette, je perçois quelque chose.

Qu'est-ce que c'est ? D'où ça vient ? Je fais encore mieux le vide, pour mieux le ressentir. Oui, là. Une fréquence minuscule, si haut perchée dans les aigus, presque indécelable, si ce n'est à cause de l'amplification due à la résonance du cristal. Une fréquence ? Non, deux, deux fréquences juxtaposées, infimes et pourtant, bien présentes. Mais d'où viennent-elles ?

Et d'un coup ça m'éblouit littéralement la cervelle. Ça vient de juste derrière ma tête.

Ça vient du ventre de Qâ !

La surprise est telle que je sursaute, troublant Qâ, interrompant notre fusion. Je me tourne, colle mon oreille à sa fourrure soyeuse, mais bien sûr, de l'ouïe je n'entends rien. Je lève la tête.

Qâ me regarde, les yeux pleins d'un amour incommensurable, et pourtant j'y décèle comme une expectative, une appréhension quant à mes réactions. Tek'ic aussi me dévisage, comme si j'allais deviner enfin ce qui a bien pu interrompre l'échange avec le cristal, la musique de nos vies.

De nos vies... ? Et soudain, je comprends.

Ça me tombe dessus comme une pluie de météorites. Me secoue de frissons, me flanque la chair de poule, hérisse tous mes poils, vide mes poumons et mon estomac. Je plaque mes mains tremblantes au ventre de Qâ et mes larmes jaillissent. De joie. De pure joie. Le bonheur me fond.

Et l'angoisse aussi. Insondable. Qâ... Qâ est enceinte de moi.

Non, impossible... Comment ? Ça ne se peut pas. Et pourtant au fond de moi, en même temps je le ressens comme la confirmation indéniable de son humanité, dont je ne doute plus depuis longtemps. J'éclate, bégaie, bafouille de ma vraie voix.

— Ô Qâ, mon amour, tu... C'est... merveilleux ! Un enfant, dans ton ventre, non, deux, deux fréquences, deux enfants, Qâ, deux enfants dans ton ventre, de moi ?

Elle revient dans ma tête, rajoute à mon émoi, en me submergeant des bribes de notre extase sur la colline des rêves.

— C'est là, me dit-elle, c'est la première fois, c'est là que tu me les as donnés.

— Oh Qâ, comme... comme je suis... heureux de vivre avec toi.

Et je crie, affolé :

— Tek'ic, Qâ, Qâ est enceinte de moi, elle porte nos enfants, deux. Des jumeaux, des jumeaux dans son ventre !

Le chaman me fait signe de me taire, bouleversé et pourtant en même temps, il crie aussi.

— Je sais, oui, je sais, j'en étais sûr, c'est formidable, formidable !

Il pousse un grand « yeeehaahhee », bondit sur ses pieds, puis, attendez, attendez, nous dit-il comme si nous allions nous évaporer. Et sa réaction me rassérène un peu. Lui n'a pas peur, le chaman n'a pas peur, non...

Il se précipite sur un de ses coffres en arrachant ses habits, enfile une tenue, qu'on dirait d'herboriste ambulant, tant elle est surchargée de fleurs séchées, de bourgeons, de feuilles, de tiges et de racines, on dirait le sacre du printemps. Il s'empare de son petit tambour, se met à le battre, à chanter, et à danser autour de nous.

Doucement je baise le ventre de Qâ, sa main, son bras, sa nuque son visage, l'enlace. Elle se love contre moi, m'étreint, m'embrasse. Assis, nous oscillons d'avant en arrière, comme sous une forte houle. C'est le bonheur qui nous tangue, qui nous roule. Et, malgré ma gorge nouée, je trouve le courage de lui dire :

— Qâ, ma femme, tu es là, sous mes doigts, mes yeux, mon haleine, je te goûte, je te mange, je te vis, et pourtant je ne parviens pas à croire à la réalité de ce qui nous arrive. Aide-moi, aide-moi à me débarrasser de mon scepticisme, Qâ. Nos enfants que tu portes dans ton ventre, ils seront les fruits de l'amour, de notre amour. Moi l'homme des villes, toi, la femme des forêts. De notre union improbable et réelle. Et, par le miracle de leur existence, c'est comme si nous donnions la preuve au monde que c'est lui qui se trompe, comme si nous bousculions des millénaires de dogmes étriqués, comme si nous arrachions notre bonheur à l'emprise des lois scientistes de l'évolution. Ces enfants que notre amour crée, je les aimerai comme je t'aime, plus que tout. Plus que moi-même.

Il se passe quelque chose.

Tandis que je parle à Qâ dans ma tête, autour de nous, des trucs volettent. Jusqu'ici je n'y ai pas prêté attention. En fait, c'est depuis que le chaman danse ;

mais rien de menaçant, non, ça évoque plutôt des vols de papillons de nuit. Je balance avec Qâ, et soudain, j'ai l'impression d'être investi d'une myriade de battements d'ailes qui m'effleurent, traversent ma peau et s'agglutinent en moi. Je me redresse. Mon visage se fait solennel, et je parle à haute voix, sans pourtant interrompre l'échange avec Qâ. Je ne parle pas avec ma voix à moi, non. Je parle avec celle d'un autre.

D'un Peau-Rouge. D'un très vieux Peau-Rouge.

Dans un langage qui m'est inconnu, que pourtant je comprends, je dis :

— Ces enfants seront le totem de l'amour qu'on brandit invincible en plein champ de bataille, quand rugit la folie des hommes. Ces enfants porteront l'espoir de notre mère la Terre, ces enfants seront les rites et les instruments pour soigner la blessure, qui sépara l'homme de l'homme.

Dès que j'arrête de parler, le truc en moi s'évapore, me laisse bouche bée. Tek'ic me regarde abasourdi. Il a cessé de battre, se tait, tombe à genoux devant moi, et soudain se prosterne. Qâ, tend les bras pour m'éloigner d'elle, pour mieux me dévisager. Son expression ébahie se mue en joie intense, comme si par là elle me reconnaissait comme celui dont on lui avait fait la promesse. Elle me dit d'un grand élan muet :

— C'est bien toi, l'homme-nu que j'ai choisi, assez fort pour aimer la forêt, assez sensible pour frôler les esprits, assez courageux pour ouvrir ses sens et boire en toute confiance aux sources de l'invisible. Oui, c'est toi, mon amour, le père de nos enfants.

— Oui c'est moi, je suis bien celui-là, je réponds tout aussi ahuri de sa réaction que de l'espèce de possession dont je viens d'être victime. Je ne comprends pas, qui t'avait prédit notre rencontre ?

— Ma mère, et sa mère et sa mère avant elle. Malgré les mises en garde des Anciens, elle m'avait dit que peut-être la vie me conduirait à être celle d'entre nous qui aimerait un homme-nu.

Quand Qâ me dit ça, elle le fait de façon si précise,

que j'ai presque l'impression qu'elle formule ses pensées avec des mots. Ses yeux brillent d'une intelligence incroyablement responsable, et ce n'est que bien plus tard que je comprendrai la portée de ce qu'elle me raconte.

Je l'étreins de plus belle, ivre d'un bonheur funambule, fait d'appréhension incrédule et de conviction passionnée, que rien ne peut altérer.

Qâ est enceinte de moi, et la vie en est transformée.

6

Le matin, Qâ me laisse éreinté de notre nuit de liesse, et à peine sort-elle de la cabane, le chaman m'alpague. La veille, il s'est relevé avec déférence de sa prosternation, est sorti à reculons, et nous a laissés en tête à tête, une bonne partie de la nuit. Il me secoue à présent sans aucune considération pour mes bâillements.

— Loumouillé, mon fils. Sors de là, va te rafraîchir et reviens avec les idées claires. Nous avons à faire.

J'étire mes muscles engourdis en reprenant mes sens.

— Qu'est-ce que c'était, Tek'ic, hier soir, qui ? Qui m'a fait parler comme ça ?

— Je crois que c'était l'esprit d'un très ancien chaman Athapascan. Tu t'es exprimé dans une langue qui n'est plus utilisée depuis des siècles mais qui se rapproche de différents idiomes que je connais. Cela confirme ce que Rising Smoke et moi pensions. Tu es un messager des esprits. Ton amour pour Mère de nos mères accomplit des oracles immémoriaux.

Je me contente de secouer la tête, ahuri des bouleversements de ma vie.

— Qâ m'a dit que chez les siens aussi existait une prédiction. Que, depuis toujours, sa mère et les femmes avant elle annonçaient qu'un jour l'une d'entre elles aimerait un homme-nu et lui donnerait des enfants. Ce jour est venu, et je suis l'heureux élu.

— Tu vois, tu vois ? Depuis toujours les esprits avaient prédit votre rencontre, m'affirme Tek'ic, tout excité.

— Eh bien vivent les esprits ! Elle est enceinte Tek'ic. De deux enfants de moi, lui dis-je, réjoui et circonspect à la fois.

— Et ça aussi, c'est inouï. En tant que chaman, je me garderai bien de classifier Qâ dans un genre ou un autre d'australopithèque, d'*Homo Habilis* ou *Erectus*, elle ne correspond à rien de ce que nous croyons savoir des hommes de la préhistoire, n'est ni néandertalienne, ni cro-magnone, puisqu'elle n'utilise ni feu, ni outil, bien qu'elle sache parfaitement le faire. Je ne sais pas ce qu'est Mère de nos mères, mais assurément elle fait partie d'une espèce totalement inconnue de la science. Ce que je sais, c'est que la plupart des paléontologues s'entendent à dire que si nos cousins de tout poil ont disparu, c'est en grande partie parce que l'hybridation avec le *Sapiens sapiens* était impossible. Il semble que Mère de nos mères et toi ayez pour la première fois inversé la tendance. Allons, hâte-toi de te lever. Nous devons contacter Rising Smoke au plus vite. Allez debout !

Lorsque je sors de la cabane, le soleil m'éblouit, je baigne dans un sentiment de quiétude pétillante, oscillant entre bonheur et incrédulité.

Je me moque des esprits, et je me fiche des oracles, de la grandeur du hasard ou de l'importance de la destinée. Je me fiche des explications rationnelles et scientifiques, je me fous des élucubrations métaphysiques, je me tape des considérations chamaniques. Non, tout ce qui m'importe c'est mon amour de Qâ et les fruits qui en résultent dans la chaleur de son ventre.

Totalement inscrit dans chaque seconde que je vis, je m'approche de l'aven. Qâ porte des enfants de moi, le métissage n'est-il pas la promesse du renouveau ? Qâ est enceinte de moi, et le monde est transfiguré.

D'une voix de tonnerre je hurle :

— Merci à vous, Dieux, merci pour la bonté de la vie !

Quand je dis Dieux, je parle des entités que sont les particules et l'Univers.

Ma conscience a changé. D'individu, je suis devenu membre d'un grand tout, jamais je n'aurais pensé qu'un sentiment d'appartenance puisse m'apporter pareille félicité.

Après m'être rafraîchi au ruisseau, je veux contacter Qâ, pour lui dire de ne pas trop s'éloigner et de m'attendre. Je suis dans un tel état de réceptivité, que lorsque je me concentre pour l'atteindre elle, je me retrouve pour la première fois à sonder et à percevoir toutes les créatures vivantes alentour.

Je sonde, j'ouvre complètement mes sens.

Pour la première fois, je le fais de moi-même, sans passer par l'intermédiaire de Qâ. C'est beaucoup plus fort, beaucoup plus intense. Pendant quelques secondes je suffoque littéralement, submergé par le foisonnement de sensations inénarrables des scènes de vie de tous les animaux des environs. La multitude est vertigineuse, je reçois tout à la fois, et pourtant, chaque chose dans le détail et très précisément. Je perçois un fouillis de sens inconnus, dont mon cerveau est l'interprète. Ailés, poilus, d'écailles ou de chitine, je ressens tout, dans un périmètre d'au moins deux kilomètres de rayon, tout autour de moi. Bien sûr dans tout ça, je perçois le chaman, qui a hâte de commencer son rituel. Qâ ne répond pas, sans doute hors de portée de mes dons, alors béat, je retourne dans la cabane.

Tek'ic est assis en tailleur, au bout de l'excroissance de rocher qui sert de foyer. Là, la pierre est creusée, et dans son réceptacle, il a versé de l'eau. Au milieu de la flaque, est posé un splendide panier de fibres, grand comme une bassine, orné de poissons, d'algues et de vaguelettes stylisées, tissé si serré qu'il en est étanche, et lui-même rempli d'eau à ras bord. Dans ses mains, le chaman tient une conque, un grand coquillage en spirale, pointe vers le bas, dont l'extrémité a été sciée. Dès que je m'assieds, il se met à chanter.

D'une drôle de façon. Il commence très bas, monte, monte, pour finir par un cri de nez, tout là-haut dans les aigus, puis recommence. Avec beaucoup de véhémence, comme s'il soulevait quelque chose de très lourd pour le jeter dans le ciel. Encore et encore, de plus en plus vite. Le coquillage dans ses mains ne bouge pas, seuls son torse et sa tête remuent. Et ses cordes vocales. Soudain, l'eau dans le panier est prise d'un mouvement concentrique. Je me penche un peu pour voir s'il le frôle du pied, mais non, il en est à une bonne vingtaine de centimètres.

C'est son chant qui produit le mouvement.

Le panier se resserre et se dilate. L'eau bouge avec exactement le même rythme que la voix de Tek'ic. Il avance la conque au-dessus du panier, en plonge la pointe à l'exact centre de la danse aquatique, maintenant le pavillon hors de l'eau. Alors, immobile, il diminue le volume de son chant jusqu'au soupir, au silence, et pourtant, les vagues dans le panier continuent à danser, à se refermer en mouvement perpétuel, sur la spirale du coquillage.

Tek'ic tourne la tête vers moi, sans bouger les bras. Haletant, en sueur, il souffle comme un cycliste en pleine côte, et me chuchote :

— Voilà, il faut attendre. Il y a toujours un léger différé. Enfin, si les lignes ne sont pas surchargées.

Je lève un sourcil circonspect, et bien sûr il se moque. Je fais la moue.

— Comment ça marche ?

— Nous faisons appel aux esprits de l'eau. Je t'expliquerai plus tard les détails. Ce sont eux qui ouvrent pour nous comme un tunnel dans l'espace. En fait, je crois que tout ça passe par les molécules d'eau de l'air. Mais je sais mieux le faire que le comprendre. Oh écoute, écoute, ça sonne chez Rising Smoke, me dit-il en se penchant en avant. Je me penche aussi, tends l'oreille...

Et voilà que j'entends sortir du coquillage une voix

nasillarde, presque inaudible, comme si un écouteur de walkman y était caché. Tek'ic, immédiatement, se met à parler haut et fort, et je comprends qu'il a Rising Smoke Alexie au bout de son téléphone chamanique.

Comment marche ce truc ? C'est complètement dément. Rising Smoke est à au moins quatre cents kilomètres. J'en reste coi.

Tek'ic se lance avec véhémence dans la narration des derniers événements. Il crie car la communication n'est pas bonne, et à l'autre bout, la voix nasillarde s'exclame de surprise, l'interrompt ou le questionne. À la façon dont Tek'ic lui répond, je devine que Rising Smoke doit être une sacrée matrone. Il se montre complètement surexcité de joie, malheureusement il s'exprime en tshimshian, et je me sens un peu exclu de la conversation. Pourtant, j'entends mon nom régulièrement, je devine quand Tek'ic parle de Mère de nos mères, à la déférence qu'il met dans ses mots. Il annonce sa grossesse, Rising s'ébahit, il lui répète et je comprends qu'il dit, non, pas un, deux, deux bébés dans son ventre, et la voix flûtée de la chamane se met à crier de bonheur.

Puis, se calmant, Tek'ic lui raconte l'épisode de ma possession. Je reconnais les paroles qu'a prononcées, par ma bouche, l'esprit du vieux chaman Athapascan. Tek'ic finit le discours, Rising Smoke reste muette un long moment au bout du fil, et lorsqu'elle se remet à parler, bien que je n'entende que les aigus de sa voix, il en émane une grande sagesse et une indéniable autorité.

Elle dit quelque chose à Tek'ic qui, surpris, lui fait répéter. Il tourne la tête vers moi, prenant bien garde de ne pas bouger le coquillage, et me fait un signe. Viens. Je me penche plus vers lui, mais il secoue le chef, me repoussant du menton, et recommence à m'appeler en écarquillant les yeux. Non pas comme ça ! Oh...

Je viens dans sa tête. L'investis psychiquement.

Immédiatement, je suis bouleversé par la solennité de ses émotions. À peine ai-je eu le temps de trouver mes marques que Tek'ic prend une profonde inspiration, se penche en avant, et souffle tout son air dans le pavillon de la conque.

C'est comme si je partais avec lui.

Je suis en moi. Je suis dans le chaman. Et, en même temps, une partie de ma conscience plonge vertigineusement dans la spirale du coquillage, qui semble n'avoir pas de fin. Je tourne, tourne, tourne, et quand enfin je jaillis dans la lumière de l'autre côté, je vois une conque, maintenue dans l'eau agitée d'un panier, mais les mains qui la tiennent, les yeux par lesquels je la vois, appartiennent à une femme.

Je suis dans Rising Smoke Alexie. Maîtresse-chamane.

L'impression est hallucinante. Ma surprise est telle que je manque interrompre l'échange. C'est elle qui me retient par son acceptation. Pourtant, je sens que c'est la première fois qu'elle communique de cette manière. Malgré le bouleversement de mon intrusion, en quelques instants, elle structure sa conscience de façon à ne me dévoiler que ce qu'elle consent, je suis subjugué par sa force de caractère.

Elle m'adresse ses pensées en anglais.

— Bienvenue Loumouillé Naquneye ; bienvenue Boris Genssiac, ami de mes enfants défunts Sherman et Ho Letite, ami de mon ami mort, Albert Kalao vom Hoffé ; bienvenue ami des morts et des esprits, être de lumière, toi que Mère de nos mères a choisi.

— Bon... Bonjour Rising Smoke Alexie, je suis très honoré de faire votre connaissance... et pardonnez la familiarité avec laquelle je débarque, c'est un peu cavalier.

— Au contraire, tu m'honores. Je te connais déjà. Sherman m'avait parlé de toi, et Tek'ic m'a tenue au courant de chacun de tes pas. C'est seulement maintenant que je comprends vraiment ce qu'il voulait dire, quand il me parlait des talents extraordinaires que Mère de nos mères a éveillés en toi. Malgré mon âge et mon expérience, jamais je n'aurais cru pouvoir converser un jour avec un homme, comme je le fais avec les esprits. Et avec un Blanc, qui plus est.

— Je ne le suis plus vraiment, Boris Genssiac est mort. Je ne suis plus que l'homme que Qâ a choisi, le père de ses enfants.

— Je plaisante, Loumouillé. Tu as prouvé mille fois ta valeur. Tu es l'élu des esprits et de Mère de nos mères, quelles que soient tes origines et ta provenance, tu es aujourd'hui un fils de la Terre. Alors c'est vrai, Mère de nos mères est enceinte de toi ?

Pendant qu'elle me parle, Rising Smoke, par égard pour ma curiosité, des yeux, fait le tour de sa maison. C'est une grande habitation de planches, une seule pièce, très vaste, décorée de masques, de sculptures et d'objets traditionnels, mais aussi modernes, il y a l'électricité et l'eau courante. Dans un coin, je vois un émetteur radio et même une télévision recouverte d'une peau de phoque. À sentir la salinité de l'air, nous sommes au bord de l'océan.

Puis la chamane baisse les yeux sur elle-même. Elle est d'une taille imposante, debout devant un totem sculpté d'un poisson, qui de ses nageoires soutient une vaste coupe d'obsidienne, pleine d'eau, au milieu de laquelle repose le même panier que chez Tek'ic. Elle porte une couverture de fibres de cèdres enroulée autour de sa taille, torse nu, sous une cape faite des mêmes fibres. Ses bras potelés, qui maintiennent la conque à moitié dans l'eau, sont ornés de sept larges bracelets d'argent, ainsi que d'une montre en plastique. Ses mains sont ridées, mais ses bras sont lisses, et je regrette de ne pas voir son visage.

L'échange avec elle est très différent d'avec Tek'ic. Lui est beaucoup plus cérébral, elle est mieux assise dans ses sens. Son intelligence est beaucoup plus sensuelle. Elle est femme, et bien qu'elle me rappelle Qâ, il y a chez elle une maturité maternelle et, dans sa manière de me livrer ses émotions, une générosité de corps, qui me fait pressentir tout ce qui manque en moi.

Alors, pour lui parler de la grossesse, au lieu d'utiliser des mots, je lui révèle un peu du bonheur que nous avons ressenti avec Qâ. Et je vis de l'intérieur les émotions qui l'étreignent. Elle frissonne des pieds à la tête, sa grosse poitrine se soulève, son cœur déborde, ses yeux s'emplissent de larmes de joie, et un bref instant, elle abaisse ses défenses, me révèle elle aussi les bonheurs et les chagrins qui ont fait sa vie.

Rising a connu l'expropriation, la persécution, l'exode. La réclusion dans des réserves sordides, soumise au dictat de religieux bénévoles, pétris de bonne volonté et de prosélytisme assassin. La désagrégation de son peuple, anéanti par l'abolition de ses rites et la rupture des liens sacrés qui les liaient à leur terre, rongés de désespoir, d'alcool et de maladies. Elle a porté la lutte sur ses épaules, les revendications bafouées par les gouvernements successifs. Elle me livre les plaisirs de ses initiations clandestines, au temps où chamanisme rimait avec prison. Les succès, les défaites. Le bonheur retrouvé de la terre ancestrale, et l'amère découverte que là aussi, tout est saccagé.

Les poissons, les forêts, l'équilibre des hommes.

Et pourtant toujours la vie, la révolte, la construction, la maternité, les traditions qu'on maintient envers et contre les autorités arbitraires. Les potlatchs qu'on déguise en cérémonies funèbres, les rites qu'on célèbre au fond des églises, couverts par les chorales des enfants.

Chamane depuis toujours. Chaman, son mari, elle me montre le bonheur qu'elle a quand elle l'initie. Chaman aussi son fils Sherman, dont elle me livre la jouissance de la naissance, et la déchirure de la mort. Je comprends pourquoi mon ami pilote volait si bien en aveugle dans les nuages.

Tous, tous les êtres qu'elle chérissait sont morts. Mais toujours l'espoir.

De chaque douleur, elle a fait l'apprentissage, et de chaque mort, chamane, elle a grandi. Tous sont là autour d'elle, ils sont la force qu'elle redonne, l'amour que lui vouent les esprits. De la mort elle a fait sa vie.

Elle guérit. Elle se bat pour guérir le monde autour d'elle. Pourtant, au-delà de son expérience infinie, elle me fait nettement ressentir que ce moment de fusion que nous vivons ensemble est un des plus grands bonheurs de sa vie.

Dans la cabane de Tek'ic, je fonds en larmes.

Lui me voit pleurer, et vitupère de plus belle dans la conque. Depuis que nous ne parlons plus, il ne sait plus ce qui se passe de l'autre côté, chez Rising Smoke, où nous entendons le chuintement énervé de sa voix, sortir du coquillage. Du regard, inquiet, il me questionne, je ne peux lui répondre sans interrompre l'échange, et lui ne peut cesser son rituel, sans couper la communication, alors...

Chez Tek'ic, agenouillé devant la tempête dans le panier, j'y laisse couler mes larmes, je prends de l'élan. C'est comme si je retournais pour la deuxième fois dans sa tête, où pourtant je suis déjà. Et cette fois, c'est moi qui le force à se pencher sur la conque, et de moi-même, j'y plonge. L'entraîne avec moi.

Je suis dans Rising Smoke, chez elle, soudés par l'intensité de notre union, et soudain Tek'ic aussi est là. Dans la tête de son amie, il s'exclame :

— Je suis là, Rising, je suis là. Il m'a emmené avec lui ! Il l'a fait, il a réussi !

— Oh Tek'ic mon frère, oui. C'est lui...

Je sens la surprise émerveillée de la chamane, la manière dont elle l'accueille en elle, avec d'abord un sursaut de pudeur, puis une complète hospitalité. Tek'ic qui lutte pour maîtriser son ahurissement, je l'aide, je le retiens, jusqu'à ce que lui aussi s'abandonne, comme jamais il ne l'a fait auparavant.

— Loumouillé, Loumouillé, sois remercié du privilège que tu nous accordes, de partager ainsi les dons que t'a révélés Mère de nos mères, me dit-elle, ô mon fils, c'est le bonheur que tu nous amènes. À ma connaissance, aucun chaman actuel n'avait entendu parler de l'oracle que tu nous as transmis. Celui qui en est à l'origine devait être un homme extraordinairement puissant pour pouvoir ainsi solliciter la vigilance de son esprit, à travers le temps. Depuis quelques siècles, tant des nôtres ont été massacrés, tant de nos peuples ont disparu, tant de nos cultures ont été déracinées, effacées, détruites, et avec elles leurs savoirs et leurs secrets, au nom d'un dieu unique avide de métal jaune, au service d'un progrès dévastateur... Il n'est pas étonnant que la prédiction ne soit pas parvenue jusqu'à nous. Pourtant, par ce que tu nous fais, par ce que tu vis avec nous, tu en confirmes l'importance indéniable. Tu es un choisi, Loumouillé, sois à jamais loué des esprits. L'amour qui vous lie, Mère de nos mères et toi, recèle l'espoir d'un avenir meilleur pour tous les hommes et pour la terre entière.

J'aimerais lui crier mon humilité, lui dire merci, merci, mais c'est Tek'ic et toi qui donnez du sens à ma vie, et tout ce qui m'arrive, c'est à Qâ, à Qâ, que je le dois, je vous aime, et je l'aime si fort... Je ne sais plus trouver mes mots, si ému, alors, comme je l'ai fait avant, je leur donne quelque chose de mon cœur. Cette fois, c'est une bouffée de l'extase divine, qui nous emmène Qâ et moi, au plus fort de notre passion.

Alors se passe la métamorphose.

L'émotion nous élève jusqu'à l'éblouissement. Je sens Tek'ic et Rising Smoke fondre d'un amour immense et j'y suis avec eux. Elle tremble des pieds à la tête, gloussant entre ses larmes, s'efforçant de ne pas bouger la conque du centre du panier, et Tek'ic pareil, de l'autre côté du système de transmission. Et en elle, tous trois réunis pendant un instant, nous fusionnons complètement.

À trois, nous ne sommes plus qu'une conscience, qu'une entité, dont les énergies et les connaissances accumulées, dépassent de loin, la simple addition de nos personnes. Rising Smoke Alexie, dans sa maison, tremble, sans remuer les bras, se tord, se contorsionne, éclate soudain d'un rire formidable qui la secoue si fort, que, bouleversée, elle lâche la conque dans l'eau du panier. La liaison s'interrompt.

Dans la cabane, Tek'ic me regarde, en larmes, ébahi de bonheur. C'est lui qui vient en moi, m'investit, et me dit :

— Voilà le don. Tu l'as fait, voilà le don de Mère de nos mères à l'avenir des hommes. Soyez pour toujours, elle et toi, protégés des esprits.

Titubant, je m'assieds, la tête me tourne. Je veux joindre Qâ, lui dire de venir, mais déjà, elle est là. Elle sait tout, déjà. Elle était là, sans qu'on le sache. Elle approuve ce que j'ai fait.

— Je viens, me dit-elle dans un souffle, et c'est comme si je plongeais dans un lac de sérénité.

Je m'endors, souriant aux anges.

J'ai éveillé les chamanes.

Depuis ce jour, Tek'ic et Rising Smoke sont capables, comme Qâ et moi, d'explorer les consciences qui les environnent, et leur gratitude envers nous est infinie.

Le don de Qâ est transmissible. J'en suis le vecteur, entre son espèce et la nôtre. Elle a attendu que ce soit moi qui le révèle aux chamanes, avant d'accepter de prendre contact avec eux. Le premier à en recevoir l'hommage, c'est Tek'ic, juste après notre fusion.

Tandis que je dors, il récupère, anéanti de joie par son échange avec Rising et moi...

— Voilà que d'un coup, me raconte-t-il plus tard, je me retrouve dans la tête d'un oiseau, volant très haut, qui franchit la montagne, descend en glissant jusqu'à frôler les cimes des forêts. Je traverse une vallée, remonte, débouche au-dessus de l'aven, en fais le tour, et je crois avoir une vision, être possédé par un esprit-oiseau, je sens jusqu'au plus infime frémissement de ses plumes. Il tourne plusieurs fois, je vois la cabane, le ruisseau, les arbres familiers, puis se pose au bord de l'eau. Ça s'arrête, ça me lâche. Je me précipite, ouvre la porte, Qâ est là, devant moi, et me regarde avec un sourire insondable. Je me penche un peu. Là-bas, près du ruisseau, je vois boire un corbeau. Alors, c'est moi qui le fais, je ne sais pas vraiment comment, mais je le fais. J'y vais, je me jette en elle et je lui livre en guise de bienvenue tout le bonheur que me procure sa rencontre. Elle me répond, elle vient en moi, et quand je sens la façon dont elle perçoit le monde, c'est comme si je vivais une seconde naissance.

Ensuite c'est Qâ elle-même qui demande à rencontrer Rising Smoke. Tek'ic fait passer le message et Rising promet de nous rendre visite au plus tôt.

Les jours suivants, c'est l'effervescence dans la cabane. Tek'ic, en vieux célibataire, nettoie avec maniaquerie le moindre recoin, passe le chiffon sur tous ses objets rituels, fait briller les masques, trie ses plantes médicinales, et range soigneusement le garde-manger, où il règne un certain capharnaüm depuis que Qâ en fait son libre-service. Comme je me moque de sa fébrilité, il me dit que non seulement Rising est une très vieille amie, mais que, s'il existait une hiérarchie chamanique, elle y serait nettement plus élevée que lui, et qu'il se doit de l'accueillir dignement. Il me chasse, me priant de le laisser faire son ménage en paix.

Depuis que Tek'ic sait venir dans ma tête, je passe beaucoup plus de temps avec Qâ, car les leçons du chaman ont considérablement raccourci. Pendant que je lis en lui, il vient en moi, puisant dans sa mémoire des exemples pour souligner ses propos, et j'ai l'impression de suivre en même temps théorie et travaux pratiques. Parfois, Qâ se joint à nous, je m'extasie de voir à quel point leurs connaissances de la nature sont complémentaires. Elle n'utilise que des ingrédients bruts, tandis que lui leur fait subir de longues préparations.

Mais Tek'ic, en apprenti-télépathe, évidemment abuse de ses talents. Une nuit, je le surprends tapi dans un coin de ma tête, alors que je fais l'amour avec Qâ.

Je pique une rage folle.

Bondis du surplomb, me précipite, agrippe sa paillasse et la retourne, l'envoyant rouler sur le sol. Je l'insulte, hurle, le menace des pires représailles s'il venait à recommencer, mais lui se marre, haussant des sourcils égrillards, et derrière moi, j'entends Qâ hoqueter, elle aussi semble avoir trouvé ça drôle.

— T'entends ? Gare à toi si tu me refais un truc pareil, c'est compris ? éructé-je, le doigt brandi, furibard.

— Ho hé, du calme, jeune homme. Je viens juste d'apprendre à le faire... Je savais même pas si ça allait marcher..., me dit-il sarcastique et ça me rappelle quelque chose.

Fulminant, vexé, je tourne dignement les talons pour rejoindre ma couche. En chemin, j'avise un grand bol encore à moitié plein d'une délicieuse purée de marrons au sirop d'érable que j'ai faite un peu plus tôt. Tek'ic n'en a pas mangé, bien fait pour lui, me dis-je en raflant le bol pour l'emmener avec moi. Je m'approche du surplomb, lève les bras pour l'y poser avant de grimper...

Tek'ic m'envahit, et avant que j'aie eu le temps de réagir, je me flanque le bol sur la tête, comme un casque.

Qâ et le chaman rient si fort, que je les entends malgré la purée qui m'obstrue les oreilles.

Que voulez-vous faire, dans une maison pareille ?

7

Un matin, le chaman revêt une tenue d'apparat, harnache sa mule, et nous partons tous les trois avant l'aube, en direction de l'Ouest. Tek'ic a donné rendez-vous à Rising Smoke dans le fjord où il nous a trouvés Mère de nos mères et moi, là où a disparu l'avion de Sherman, afin qu'elle puisse lui rendre hommage. Tout au long du chemin, Qâ joue avec la mule. Tek'ic s'émerveille de voir ce qu'elle arrive à faire d'un animal si récalcitrant. Qâ la chevauche, caracole, joue avec elle à saute-mouton, et c'est tout juste si la mule ne brait pas de plaisir.

Elle est de plus en plus belle. Avec la santé qu'elle retrouve, elle a pris du poids, et ses rondeurs, masquant un peu ses muscles, ont adouci sa silhouette. Sa grossesse l'épanouit. Ses cheveux noirs de jais ont repoussé un peu autour de sa blessure, et sa fourrure qui était terne a pris des éclats auburn et chatoyants. Ses joues autrefois émaciées sont à présent lisses. Avec ses pommettes et ses yeux en amande, elle a un petit air slave. J'aime tant son mélange de sagesse primordiale et d'enthousiasme enfantin. Pourtant, sous sa gaieté et sa nonchalance, je sens qu'elle est tendue. Jamais auparavant, elle ne s'est tant approchée volontairement des hommes-nus. Arrivés en haut de la falaise qui domine le fjord, elle et moi trouvons une cachette, d'où nous pouvons épier sans être vus, et le chaman descend jusqu'au rivage en injuriant sa mule qui d'un coup ne veut plus avancer.

Qâ se love contre moi, je l'enlace, je caresse son ventre, tente de dissiper ses appréhensions.

— Mon amour, n'aie pas peur. Pour ses hommes d'équipage, Rising Smoke vient simplement rendre visite à Tek'ic, nul autre qu'elle n'est au courant de notre présence.

— Je n'ai pas peur, au contraire, je me réjouis de la connaître. Mais je suis un peu triste. Depuis la nuit des temps, les gens de mon peuple se tiennent à l'écart des hommes-nus. Depuis toujours, nous fuyons le chaos de vos pensées comme un danger absolu. Nous nous cachons, au prix de notre propre perte. De ma vie, avant qu'Ho Letite me sauve, je n'avais connu que ma mère, mon père très brièvement, et une sœur de ma mère, que nous avons croisée lorsque j'étais enfant, et eux-mêmes n'avaient connu que très peu de nos congénères. Nous sommes devenus si rares, peut-être même suis-je la dernière ? Maintenant que je sens tes enfants grandir dans mon ventre, maintenant que je vis notre amour si fort, je suis heureuse, et un peu triste. Je pense à ma mère, et sa mère avant elle, je pense à tous les miens qui n'ont pas connu le bonheur que nous vivons. Malgré tous nos dons, nous avons laissé nos peurs dicter notre conduite. Aujourd'hui, en ressentant ton amour, celui de Rising et de Tek'ic, je réalise tout ce que les miens ont manqué.

— Non, mon amour, ne sois pas triste. La plupart des hommes-nus se conduisent comme des fous, aveuglés par leur obscurantisme. Si les miens avaient connu ton peuple, sans doute n'auraient-ils eu de cesse de vous exterminer. Non, c'est votre peur, votre méfiance qui vous ont préservés, crois-moi. Sans elles, peut-être ne t'aurais-je jamais rencontrée. Je t'aime, Qâ, au-delà de tout. Et je ne regrette pas que nous soyons les premiers à vivre un amour pareil, d'autant plus que nous pouvons le partager.

Qâ se serre plus fort contre moi. De ma paume ouverte, je fouisse les poils de son ventre, pour chercher le contact de sa peau. Vais en elle.

Je les sens. Je sens les bébés.

Oh, ils n'ont pas encore vraiment de conscience réfléchie, non. Quand je les effleure, ils sont plutôt comme des amalgames minuscules d'énergies affairées, s'agitant autour d'une bulle de paix. Oui, de pure paix. Si j'insiste pour y déceler une forme de pensée, je perçois des frémissements sensoriels, qui semblent me dire à la fois :

— On t'aime, pousse-toi pourtant de là, tu gênes, on a à faire.

Et je sens des nouvelles cellules qui s'agglomèrent. Qâ aussi les sent, je veux dire, en elle bien sûr, mais aussi dans leurs têtes, mais elle, les minuscules ne la repoussent pas, au contraire semblent s'abreuver de sa présence. Je baise son ventre avec tendresse.

D'un coup Qâ se tend. Je suis en elle, et je sens littéralement les flots d'adrénaline se déverser dans ses veines. Ses nerfs frémissent, en alerte, ses muscles se bandent pour la fuite. Une seule pensée :

— Hommes-nus...

Je reflue dans mon corps, sonde autour de moi. À part l'habituelle multitude de rongeurs et de volatiles, et Tek'ic, que je vois apparaître plus bas, au bord du rivage, qui me dit que tout va bien, je ne détecte rien. Je retourne dans Qâ, affolée. Elle oui, pas de doute, les a déjà sentis arriver.

Les hommes-nus, et le chaos de leur conscience.

Sept, sept hommes. Des natifs. Tous là pour commémorer la mort de Sherman, tous tristes, seuls deux d'entre eux vraiment inscrits dans l'instant de leur tâche. Les autres sont les proies de leurs préoccupations financières, affectives ou professionnelles. Et là au milieu, immobile malgré les vagues, le monolithe serein et grave de Rising Smoke Alexie, tout entière tournée vers l'esprit de Sherman. Elle nous accueille pourtant d'un amour immense, et répond immédiatement en venant elle-même dans nos têtes. Je m'en étonne, moi je n'arrive pas encore à l'atteindre, sans passer par l'intermédiaire de Qâ. Déjà ses dons semblent avoir plus de portée que les miens.

— C'est parce que je suis plus grosse que toi, me dit-elle. Rien que ma poitrine contient plus de pouvoir que ton thorax tout entier. Je suis une planète, Tek'ic un satellite, toi une comète et Qâ notre soleil.

— Bienvenue, Rising Smoke, mère de mon ami Sherman, bien content de t'avoir en moi. Je sais bien que tu es mince, puisque tu entres dans ma contenance. Je me réjouis de mesurer ta circonférence de mes bras.

Nous rions dans nos têtes.

— Je suis si heureuse d'être là, et je sais que Sherman est heureux aussi que Mère de nos mères et toi, Loumouillé Naquneye, assistiez à ses funérailles.

— C'est sa présence à lui, en nous, partout, qui nous honore.

Qâ ne dit rien, bien que Rising la rassérène, elle reste tendue, elle lutte contre son instinct qui lui commande de fuir. Je caresse son dos de ma main pour la rassurer. Elle lui transmet quelque chose qui ressemble à une envie irrépressible et follement timide de s'enfouir dans son giron, de frotter son nez contre elle, de sentir la vraie odeur de sa peau. Rising Smoke y répond comme le ferait une mère, se réjouissant de la rencontre de leurs êtres, puis nous interrompons l'échange, la laissons à sa concentration.

Leur embarcation met un long moment avant d'apparaître à l'entrée du fjord. C'est une longue pirogue, taillée d'une seule pièce dans un tronc de thuya, sculptée de motifs stylisés sur les plats-bords, peints en blanc et rouge, avec à sa proue comme un totem représentant une figure menaçante, au bec grand ouvert, qui me rappelle le masque de corbeau ornant le panneau chez Tek'ic. À l'arrière est monté un gros moteur hors-bord. Dès qu'ils franchissent l'entrée du fjord, le pilote coupe le contact, et six hommes prennent les rames pour y pénétrer, luttant contre les courants.

À l'avant, debout, se tient Rising Smoke sous un grand ciré jaune et nous ne voyons rien de son visage. Son capuchon a une drôle de forme, allongée vers l'arrière comme si son crâne était oblong. C'est seulement quand ils entrent dans les eaux plus calmes que Tek'ic parvient à la contacter pour renouveler nos bienvenues.

La pirogue accoste devant le chaman, deux hommes sautent à la mer, de l'eau jusqu'aux genoux, forment une chaise de leurs bras, et entreprennent de transvaser Rising sur le rivage, prenant bien soin de ne pas la mouiller, et tout au long de leurs peines, elle les invective. Dès qu'elle est debout, à terre, Tek'ic l'étreint. Rising est nettement plus grande que lui, elle referme ses bras, l'ensevelit sous son ciré jaune. L'équipage débarque, portant des grands sacs et des outils à bois, amarre le bateau. Un à un, tous vêtus de cirés de pêche, les hommes attendent que la chamane le lâche, pour saluer Tek'ic solennellement.

Puis toute la troupe se dirige vers l'endroit où a sombré le Pigeon Vert, devenu tombeau de Sherman, et s'installe au bord de l'eau.

Qâ tremble de la tête aux pieds, juste au moment où je veux la réconforter, elle sonde la troupe et d'un coup je comprends sa peur.

Jamais je n'ai été confronté à un groupe aussi important d'hommes-nus, certes je les ai sentis plus tôt, mais à distance, et là, l'impression est terrifiante. Seuls les deux chamanes sont recueillis, des autres émane une confusion indescriptible de sensations inabouties, un brouhaha d'envies refrénées et contradictoires, un vacarme de mots juxtaposés qui ne reflètent pas toujours ce qu'ils pensent. Certains sont là par amitié, ou par intérêt, d'autres par crainte de Rising, l'un d'entre eux, qui claudique de façon curieuse, lui est presque hostile, et je m'étonne que la chamane l'ait accepté dans la troupe, elle doit cependant avoir ses raisons. Et même si tous se sentent concernés par la mort de Sherman, la plupart sont loin d'être en accord avec ce qu'ils expriment, et la diversité de leurs intentions crée un chaos abominable. L'effet est complètement angoissant.

Rising, levant haut les bras derrière sa tête, fait basculer son capuchon et rejette son ciré vers l'arrière. Dessous, elle porte une couverture de fibres de thuya, enroulée en pagne autour de sa taille, et une espèce de grand poncho, de la même matière, nettement plus épais, à travers lequel passe sa tête. Surtout, elle porte une coiffe impressionnante, de fibres tissées en petites lanières avec ses cheveux, entremêlées de longues plumes blanches dont les barbes sont coupées en biseau, et parsemées de duvet floconneux. Elle défait un lacet, et sa parure se redresse comme la queue d'un paon.

Alors, c'est comme si par ce simple geste elle appelait l'attention des hommes, et très rapidement, ils font le vide dans leur tête pour se concentrer sur elle. Je comprends que ce sont tous des initiés. Qâ, surprise par la façon dont ils reprennent le contrôle d'eux-mêmes, interrompt l'échange. Nous décidons de nous contenter d'entendre et de voir, de loin. Rising distribue des tâches, les hommes enlèvent leurs cirés, et dessous, tous sont vêtus de vêtements traditionnels somptueusement brodés, ils s'éparpillent, ramènent du bois, allument un feu. D'autres s'approchent d'un thuya, et entreprennent d'en prélever de grands pans d'écorce.

Au bord de l'eau, Tek'ic aide Rising Smoke à enlever son poncho sans froisser ses plumes, découvrant sa volumineuse poitrine. Elle défait son pagne, nue, hormis sa coiffe, elle entre dans la mer, s'assied dans l'eau, et commence à chanter accompagnée par Tek'ic. La voix du chaman est plutôt aiguë et nasillarde, celle de Rising, grave et veloutée, leur unisson magnifique. Autour d'eux, les hommes s'affairent. Certains taillent dans l'écorce ce qui ressemble à des petits radeaux, d'autres déballent le contenu des grands sacs qu'ils ont apportés, et vont disposer les objets qu'ils contiennent aux pieds de Tek'ic, ou encore font cuire des aliments sur le feu.

Rising fait de longues ablutions, assise dans l'eau

glacée, et malgré la chaleur de sa voix, j'ai froid pour elle. Elle frotte sa peau et ses mouvements se prolongent au-delà de ses membres, comme si elle voulait se dissoudre dans l'eau, ou au contraire, ramènent les flots à elle, pour en repeindre son corps. Sa coiffe déployée ressemble à un nid d'oiseau posé sur sa tête, elle a le corps généreux et musclé d'une déesse aquatique.

Peu à peu, les hommes se regroupent, amenant les radeaux et la nourriture au bord du rivage. Quand ils sont les sept réunis, ils se prennent par la main, forment un demi-cercle, au ras de l'eau, enfermant Tek'ic et les offrandes, autour de Rising Smoke. Ils se mettent aussi à chanter, chacun une note tenue différente, créant un accord dissonant, et la ferveur de leurs voix de basses rehausse les scansions des chamanes, comme des violoncelles, une clarinette.

À côté de moi, Qâ ne tremble plus, elle a l'air effrayé et émerveillé d'un môme qui saute le mur de l'orphelinat et voit pour la première fois les lumières de la ville. Je lui caresse la joue, l'embrasse, sans parvenir à distraire son attention.

Rising passe ainsi une bonne partie de la matinée. Je ne comprends pas comment elle ne tombe pas gelée, elle doit avoir une maîtrise parfaite de ses fonctions vitales. Elle change d'intonation, plonge ses deux bras sous l'eau, mains tendues, pose des questions et semble attendre des réponses dans la mer. Elle se relève, chantant toujours, et debout, sans qu'elle sorte de l'eau, Tek'ic l'aide à remettre son poncho, par-dessus sa coiffe, puis elle se renfonce dans la mer jusqu'à la taille.

Sa voix se fait incantation. Ricoche sur la peau océane, rebondit entre les parois du fjord, fait frémir la forêt. Qâ et moi nous serrons plus fort, émus de la dévotion avec laquelle elle s'adresse aux esprits des lieux et à celui de son fils.

Tek'ic s'empare d'un radeau, y allume une petite lampe à huile, dépose des offrandes, nourriture et objets ayant appartenu à Sherman, et le posant délicatement sur les flots, le pousse vers Rising Smoke. Celle-ci le prend, s'avance encore. Sa cape autour d'elle flotte, s'épanouit comme une île. En son centre, les plumes de sa coiffe, agitées par son chant, scintillent comme les feux d'un volcan. Tenant le radeau à bout de bras, elle appelle, elle implore quelque chose à se manifester.

Voilà que de mon perchoir, je vois la mer se mettre à bouillonner autour d'elle, je manque de bondir sur mes pieds, Qâ me maintient au sol. La cape de Rising se soulève, par en dessous, et ça ne peut pas être elle, puisqu'elle tient le radeau ! La chamane se tait, les chanteurs aussi, le silence abrupt augmente ma panique. Effaré, je vais dans la tête de Qâ, mais elle me dit juste :

— Regarde...

Je vois le radeau quitter les mains de Rising, s'éloigner tout seul vers le large, puis deux sillages le suivre, partant de sous la cape, la faisant battre comme les ailes d'une raie manta, et s'élancer de part et d'autre de l'offrande.

Des dauphins, ce sont des dauphins !

Leurs dorsales viennent scinder la surface, révélant leurs dos argentés, leurs évents. Arrivés au milieu du fjord, il se retournent face à la chamane, la saluent de leurs rostres pointés. Celui qui poussait le radeau le prend entre ses dents, et l'emportant avec eux, ils plongent. Du haut de la falaise, je les vois disparaître dans les flots bleus. La mer est trop profonde pour que je distingue l'avion, mais aucun objet ne revient flotter à la surface, et je devine qu'ils déposent tout dans la carcasse du Pigeon Vert, là où repose le corps de Sherman, mon ami.

Chaque fois qu'ils remontent, Rising Smoke leur tend un nouveau radeau chargé d'offrandes, jusqu'à ce qu'ils aient tout emporté vers le fond.

Alors la chamane sort de la mer, pas à pas, à reculons, sa cape se refermant sur elle. Les dauphins s'approchent du rivage, battent l'eau de leurs nageoires pour un dernier salut, et c'est comme s'ils mettaient fin à la solennité du moment ; les hommes, soudain dissipés, leur crient leur reconnaissance. Rising, très pâle, vacillant sur ses jambes, sort de l'eau, les dauphins plongent et disparaissent, sous les acclamations de la troupe. Un moment, suspendus, tous regardent les flots se refermer sur eux. Même à distance, je participe à leur émotion, sachant que, pour chacun d'eux, l'alliance magique de la femme-chamane et des dauphins, l'acceptation des offrandes, signifient que l'esprit de Sherman est libre, dorénavant.

Ensuite les hommes se pressent autour de Rising Smoke pour la dépêtrer de sa cape trempée, toujours en ménageant sa coiffe, la sécher et l'envelopper dans des fourrures. En la voyant bouger, je comprends à quel point elle doit être glacée. Tek'ic se hâte de l'amener près du feu, lui prodigue massages et soins pour la réchauffer, fébrile, s'emparant de ses membres sous les fourrures, pour les enduire d'onguent et raviver sa circulation. Bien vite la chamane reprend assez de force pour le repousser, et exiger de la nourriture plutôt que ses attentions. Ses hommes accueillent son éclat par des rires, et lui apportent des plats fumants, dans lesquels elle puise avec gourmandise, sa bonne humeur retrouvée. Tek'ic, faussement offusqué, y goûte avec elle.

Les hommes-nus partagent leur repas auprès du feu, regroupés autour des chamanes, ils plaisantent, parlent, devisent et Qâ, couchée sur le ventre, le menton appuyé sur ses bras, se régale du spectacle du moindre de leurs mouvements.

Rising Smoke, ayant récupéré ses forces, se lève et, seule, va se recueillir au bord de l'eau. Ses hommes rassemblent les affaires, éteignent le feu, chargent les sacs de la chamane sur la mule de Tek'ic. Rising les remercie et les congédie ; un à un elle les embrasse. J'hésite à aller dans la tête du boiteux qui lui était hostile, mais lui aussi, elle l'étreint, et je m'en abstiens. Ils regagnent la pirogue, larguent les amarres et s'éloignent à la rame.

Debout sur le rivage, côte à côte, les chamanes les saluent de la main. Ils attendent qu'ils aient disparu de l'embouchure du fjord, que retentisse le bruit du moteur qui démarre, pour se tourner et lever la tête vers nous.

Encourageant Qâ d'une caresse, je sors de notre cachette, m'avance à découvert au bord de la falaise, lève le bras à leur intention. Derrière moi, j'entends Qâ qui s'approche, sans oser se montrer. Je me retourne, lui tends la main. Elle la prend et, au lieu de venir à mon côté, elle se cache dans mon dos, guignant par-dessus mon épaule. En bas, les plumes de la coiffe de Rising s'agitent comme des antennes, et malgré la distance je perçois la chaleur de son sourire.

Alors Qâ, brisant des atavismes millénaires, pour la première fois s'expose de son plein gré au regard d'une femme de l'espèce à peau nue, et, timide, maladroite, imite mon geste de bienvenue. Pas un de nous n'use des talents, Rising, sur le rivage, lève ses deux bras au ciel. Qâ se met à courir, je m'élance derrière elle, et en bas, Tek'ic tirant sa mule, emboîte le pas de la chamane qui déjà gravit la sente.

Les deux femmes se rencontrent dans la forêt.

Comme toujours la course de Qâ est parfaitement silencieuse, ni la mule ni Tek'ic ne l'entendent venir, quand elle apparaît soudain à quelques mètres d'eux, Rising est tournée vers elle, bras ouverts, prête à l'accueillir. Je déboule avec le fracas d'un sanglier, freine de mon mieux, haletant.

Qâ est tétanisée.

De près, Rising est vraiment impressionnante. Elle est plus grande que moi, pas grosse, non, mais volumineuse. Les fibres et les plumes sur sa tête sont si bien mêlées à ses cheveux, qu'elles semblent lui appartenir corps et biens, comme des excroissances végéto-animales. Son visage est entièrement ridé de chagrins et de rires, ses yeux noisette, très clairs, et son sourire jovial où scintille une dent en or, l'illuminent d'un éclat juvénile. Comme Tek'ic il est impossible de lui donner un âge, elle a les rides d'une centenaire et dégage l'énergie d'une femme de vingt ans.

Effleurant le bras de Qâ, je la dépasse, m'approche de la chamane. À regret elle quitte Qâ des yeux, me dévisage des pieds à la tête, mes cheveux hirsutes, ma balafre, mon œil blanchi, ma peau burinée et les trois poils de mon menton.

Elle vient brièvement dans ma tête.

— Loumouillé Naquneye, mais tu as presque l'air d'un des nôtres ?

Moi aussi la dévorant des yeux, je vais dans la sienne.

— Bienvenue, Rising Smoke, mère de mon ami Sherman. Tu es plus belle que tous les printemps. C'est vraiment merveilleux de te voir pour la première fois, alors que j'ai l'impression de te connaître depuis déjà longtemps.

Nous tombons dans les bras l'un de l'autre. Elle sent bon la mer, la terre, les fibres et les fourrures, elle sent la pugnacité des grands arbres, la danse des vagues de l'océan, elle sent l'espoir immense des pollens minuscules, la force des racines et des graines en germination. Elle sent la mère. En la serrant dans mes bras, j'éprouve le bonheur d'un enfant.

Dans mon dos, Qâ s'approche tout doucement, pose deux doigts sur mon épaule. Rising et moi nous lâchons, la chamane d'un geste gracieux lui présente sa paume ouverte. Je m'écarte un peu, passe un bras autour de la taille de Qâ, elle frémit, me regarde dans les yeux. De tout mon cœur, je lui signifie :

— Aie confiance mon amour.

Elle avance un peu, tend sa main vers celle de la chamane, l'effleure, la frôle, la touche, l'étreint et leurs doigts s'entremêlent. Je lui cède ma place.

Noyées dans les yeux l'une de l'autre, Rising Smoke et Qâ se rapprochent et s'enlacent. Je vois l'expression de bonheur de leurs visages. Qâ n'a jamais connu la solitude, pourtant elle découvre dans ce contact une qualité de relation dont elle n'avait même pas soupçonné l'existence. Et la chamane, en la serrant dans ses bras, vivante déesse de légende, touche la vérité profonde de tout ce en quoi elle croit. J'en suis si ému que mes larmes coulent.

Tek'ic attendri pleure aussi, s'essuyant d'un revers

de manche, éclate d'un cri sauvage, se met à chanter et danser autour d'elles. Je l'imite, heureux. Les femmes rient de notre sarabande, tournent sur elles-mêmes et quand elles se séparent, sans se lâcher des mains, je vois combien Rising est bouleversée, et combien Qâ est fière, d'avoir eu le courage de serrer dans ses bras une ennemie héréditaire de son peuple, sans préalablement la sonder pour connaître ses intentions. Fière d'avoir rencontré sa première amie.

Alors seulement, nous communions, et l'intensité de la fusion de nos consciences est telle, le bonheur qui nous lie nous accapare tant, que nous mettons des heures à atteindre la cabane. Nous y parvenons à l'aube, éblouis par ses teintes de pourpre incandescent, troupe de fêtards enivrés par la nuit.

Rising Smoke Alexie reste avec nous pendant deux lunes, et sa présence est comme un rire permanent. Elle bouleverse les habitudes de Tek'ic qui devient tout simplement charmant, attentionné et prévenant. Je le soupçonne d'avoir pour elle un petit béguin, et je crois qu'elle le lui rend bien.

Qâ, en sa présence, révèle toute sa féminité, s'épanouit. Rising la conforte dans le bonheur de sa grossesse. La première fois qu'elle l'ausculte, la palpe, et sonde son ventre, Qâ me lance un regard inquiet, mais elle sent que les fœtus, au contact de Rising, frémissent de plaisir, alors pour tout de bon, elle s'abandonne à son amitié.

Moi, la chamane me traite comme le fils qu'elle a perdu, le neveu qu'elle n'a plus, et qui vivent en moi, toujours. Un fils, mais aussi un choisi, un élu des esprits. Un élu un peu simplet, à qui il faut bien faire comprendre la nature de ses privilèges.

Maternelle et autoritaire, elle nous vénère Qâ et moi, tout en nous imposant clairement sa discipline. Elle prend en main les rênes de mon éducation.

Chaque jour, pendant des heures, les chamanes m'enseignent. J'ai l'impression de m'abreuver à deux sources de connaissance infinie. D'une part, l'érudition, l'analyse, la recherche et l'expérimentation ; de l'autre la pratique sensuelle, l'expérience charnelle et émotionnelle, l'application contemporaine du pouvoir des traditions. À eux deux, ils me comblent, et parfois, je les interromps pour aller prendre l'air, submergé par la complémentarité de leurs savoirs. La façon dont ils se déversent en moi, sans jamais que je déborde, me fait penser qu'autrefois je devais être une enveloppe vide.

Souvent Qâ se joint à nous et participe aux séances. Elle s'installe entre les chamanes, malgré mes appels du pied, elle respecte le triangle de la connaissance, dont ils sont la base et moi, l'anguleux sommet, elle nous fascine par l'intelligence de ses interventions. Quand Tek'ic et Rising s'emmêlent dans des pensées verbales compliquées, elle résume leurs propos de la simple évidence de ses sens. La clarté de sa perception fait comme une loupe grossissante à ma compréhension. Nous nous ahurissons de la manière dont elle arrive à retranscrire les plus subtiles complexités du langage, par la délicatesse et la précision des sensations qu'elle nous fait ressentir, sans user du moindre mot.

Tek'ic me montre une plante séchée, me la nomme, me décrit ses applications. Rising m'explique pourquoi la traditionnelle cueillette de la deuxième floraison, une nuit de lune noire, est importante par rapport au reflux de sève dans la racine, et comment en soufflant sur la peau du patient, avant d'y étaler le miellat de son jus, on y focalise son attention, et sensibilise toute la zone pour une meilleure pénétration.

Qâ, elle, me montre la graine, le germe, ses teintes, son goût, la tige, la fleur, l'odeur sucrée des pétales ou sûre de ses feuilles en décomposition. Avec elle, je vis les saisons de la plante, et lorsqu'elle termine sa démonstration, je saurais la trouver à n'importe quel stade de sa croissance.

Rising n'en revient pas de la façon dont Qâ reconnaît les plantes, quel que soit leur degré de préparation ou de dilution. Élixir, huiles essentielles, poudres ou pâtes, elle identifie les ingrédients, devine leurs vertus ou leurs effets néfastes en quelques manipulations. Elle goûte, touche, renifle, peut dire précisément sur quels organes ils agissent, sans autre apprentissage que celui de son instinct.

À plusieurs reprises, Tek'ic lui montre des plantes qu'elle ne peut pas connaître, provenant du Mexique ou d'Amazonie péruvienne. Pourtant, à chaque fois, elle devine à quoi elle peuvent être utiles, et parvient, à partir d'un fragment, à nous montrer toute la plante. Elle tripote le morceau, l'écorce racornie, la racine cassante, ou la fleur séchée, l'examine de son nez, de ses yeux, de sa langue, se concentre, vient dans nos têtes et nous fait voir l'image de la plante sur pied.

La première fois qu'elle le fait, nous pensons qu'elle plaisante, qu'elle invente, qu'elle nous régale de son imagination, mais non. Tek'ic, ahuri, reconnaît bel et bien l'espèce en question.

— Si on regarde assez petit, chaque morceau contient la promesse du tout, nous dit Qâ à sa manière.

Elle nous montre en prenant un fragment au hasard, car comparés à elle, nous sommes des novices dans notre appréhension de la vie.

Elle focalise nos attentions sur l'échantillon végétal qu'elle brandit entre ses doigts, et comme avec les loups, nous y emmène avec elle. Elle s'empare complètement de nous, nous démonte, nous désagrège en consciences infimes.

Nous quittons nos corps.

Elle nous aspire derrière elle comme la traîne d'une comète, plonge à travers l'espace jusque dans la matière sèche. S'enfonce à travers les fibres jusqu'au cœur du débris, où quelques cellules desséchées sont encore identifiables, y pénètre, pulvérisant les cytoplasmes déshydratés, pour fondre sur une trace d'ADN subsistant. Là, à une vitesse folle, survole la double hélice dans les deux sens, parcourt les ellipses de ses enroulements, effleurant ses génomes, si vite que le souffle de son déplacement semble réactiver toute la chaîne derrière elle.

De retour dans nos têtes, sur l'écran noir de nos paupières closes, nous voyons s'élaborer, à partir de la vibration de quelques chromosomes, des cellules, une graine, un germe, des radicelles, une longue tige, très rameuse au sommet, des feuilles étroites et velues, presque blanches sur le dessus, des fleurs minuscules réunies en capitules blanchâtres à cœur jaune. Qâ nous les montre envahissant une clairière, annihilant toute autre espèce, par les sécrétions toxiques de leurs racines.

— C'est de l'érigéron, dit le chaman, un diurétique formidable, et aussi un puissant expectorant, sédatif des toux sèches. Surtout, il contient une substance antibiotique, très active contre certaines bactéries.

Rising poursuit :

— Quand on la ramasse, on cueille la plante entière. Il faut en brûler la moitié de la récolte, et répandre les cendres autour de l'endroit où elle pousse, pour favoriser la résistance des espèces qu'elle menace. Ainsi pour prix de ses services, on travaille en sacrifice, pour maintenir l'équilibre de nos sœurs les plantes, car elles sont les bienfaits que la terre nous prodigue. Ô Mère de nos mères, vivre la réalité comme tu nous la fais découvrir, c'est réapprendre l'existence.

Qâ et elle s'embrassent. Pour les applications, c'est pareil, Qâ se fie exclusivement à son extrême sensibilité. Face au désir de ressentir les effets immédiats des plantes sur nos propre corps, nous sommes démunis. À travers ses sens, nous détectons facilement les réactions infimes de certains de nos organes, et ne désespérons pas d'un jour parvenir à ressentir les choses comme elle le fait. Rising et Tek'ic voudraient que Qâ leur prodigue sans cesse ses éclaircissements, mais souvent, quand elle me regarde, pleine d'un désir immense, se lève et me tend la main, nous plantons là mes deux maîtres, et je la suis dans les bois.

Les premiers jours, en présence de la chamane, Qâ

se montre beaucoup plus prude. La nuit, nous faisons moins de bruit, pour plus de tendresse, et c'est en forêt que librement nous nous aimons.

La grossesse s'est posée sur elle comme la rosée sur des pétales. Le bonheur de son ventre la recouvre d'un hâle, qui chaque jour l'embellit. L'approche du printemps, les eaux de la débâcle, les giboulées furieuses, les vents glacés du nord, rien, rien ne parvient à diluer l'aura de beauté qui l'enchâsse à mes yeux.

Chaque partie d'elle est source de volupté. Je peux passer des heures à la détailler, en entomologiste, de mes yeux, de mes doigts, de mes lèvres. Dans la lumière du soleil, le léger duvet du lobe de son oreille scintille comme des filaments de givre. J'aime l'opacité beige de ses lunules, la façon dont les ridules qui séparent ses phalanges se prolongent autour du doigt jusqu'à celles de ses jointures, formant des anneaux de peau sombre ; les longs poils qui couvrent de son épaule à son avant-bras, raccourcissent au creux du coude, s'éclaircissent, pour révéler la peau brune et douce de son poignet. Et sous le nid de son pubis, entre les forêts de ses cuisses, là où ses chairs exemptes même de duvet, s'offrent humides, roses et violacées, entre jonction des lèvres et œillet de l'anus, elle porte un grain de beauté.

J'aime la façon dont elle m'enlace, m'embrasse, me tient les bourses dans ses mains. La façon dont sa langue me goûte, se glisse, s'enfonce dans ma bouche ou au creux de mes reins ; la manière dont elle me lèche, m'aspire, me boit, avec les mêmes gorgées désaltérantes, que si je sourdais, source rafraîchissante, sur la mousse d'un sous-bois.

J'aime en elle tout ce que je n'ai pas. Ce qui nous sépare et ce qui nous rassemble. Et tout ce qui me manque, elle l'aime en moi.

Un après-midi, Rising, contaminée par nos attouchements mentaux incessants, déménage d'office sa couchette à côté de celle de Tek'ic. S'ensuit une nuit d'artifice, au cours de laquelle, échauffés par les bruits de nos couples respectifs, nous fusionnons en pleins ébats, et chacun de nous ressent, cumulés, les plaisirs de tous. À la fougue de Qâ s'additionne la volupté de Rising, et au doigté de Tek'ic, l'insatiabilité de mes muscles. Au matin, épuisés, tandis que les femmes se rendent au ruisseau, Tek'ic m'assure que c'est pour lui comme une cure de jouvence, et me presse de recommencer. Ni Qâ, ni moi n'en avons le désir, et Rising, comblée par l'expérience, mais déterminée à ne pas faire des dons de Mère de nos mères de simples distractions, promet de lui serrer la vis et de le surveiller de près.

Plusieurs fois, les chamanes tentent d'invoquer l'esprit Athapascan qui s'est exprimé par ma bouche. Nous avons beau faire de longues cérémonies et diversifier les rituels, aucune tentative n'aboutit.

Au cours d'une promenade, je m'inquiète auprès de Rising de la réelle signification de l'oracle. Ma crainte est réelle à l'idée de devoir un jour me rapprocher du monde des hommes-nus. Mon seul désir, c'est de vivre pour toujours avec Qâ, et nos enfants quand ils seront là, cachés au fond des bois.

— Que crois-tu qu'il faudra que je fasse ?

— D'abord ce n'est pas toi que l'oracle concerne, mais vos enfants à Qâ et toi. Et ce après leur naissance. En soi, c'est une bonne nouvelle, qui nous dit que Mère de nos mères mènera sa grossesse à terme, et que vos enfants vivront. Ensuite, ce n'est pas faire qu'il te faudra, mais être. Sois, à chaque instant dans le bonheur immense que t'offre l'existence. Tu es un élu des esprits, Loumouillé, ton chemin est déjà tout tracé. Quelles que soient les décisions que tu prennes, les itinéraires que tu choisisses, toujours tes actes s'accompliront sous l'hospice des forces invisibles qui ont jeté sur toi leur dévolu.

— Et quelles sont-elles bons dieux ? Je veux être libre ! lui dis-je, excédé. Il n'y a qu'une force à laquelle j'accepte d'obéir, c'est l'amour de Qâ !

Rising sourit.

— Alors c'est la seule qu'il faut que tu considères. Sois Loumouillé, accepte ta chance. Chaque jour travaille ton corps et tes connaissances. En t'améliorant, tu rends meilleur l'amour que tu donnes à Qâ et elle le mérite mille fois. Aime-la, qu'à travers toi s'exprime la gratitude de tous les hommes. Car les dons qu'elle te révèle sont la meilleure nouvelle qu'on leur ait annoncée, depuis l'aube des temps. N'aie crainte, il n'est pas question pour l'instant de divulguer à quiconque l'existence de Mère de nos mères ou la tienne, ni la nature de ses dons. Non. À ce propos, je dois te dire que la jeune Béatrice, fille de mon ami défunt Albert, me téléphone régulièrement. Elle espère que tu n'es pas complètement mort.

— Quoi, Béatrice ? Oh non, non il ne faut pas qu'elle sache. Tu ne lui as rien dit au moins ?

— Non bien sûr, mais devant son insistance, je n'ai pas su mentir. Juste éluder ses questions. La connaissant, elle risque bien de débarquer chez moi à l'occasion. Elle tient à savoir la vérité sur la mort d'Albert et ta disparition.

— Il ne faut pas qu'elle vienne, surtout pas. Elle ne doit rien savoir de l'existence de Qâ.

— N'oublie pas qu'Albert lui en avait parlé avant même que tu le saches. Je croyais, à l'entendre, que certains sentiments vous liaient.

— Tu te trompes, dis-je en rougissant, assailli par des souvenirs que j'avais occultés. — Béatrice, sa blondeur, ses formes et ses baisers. Et ses mensonges... — Non. Elle fait partie de mon passé, Rising. Aujourd'hui ma vie est ici. Je ne veux pas la voir. Elle est cryptozoologue. Malgré tout, les risques sont trop grands. Il ne faut pas qu'elle s'approche de Qâ.

— Ne t'en fais pas, je la dissuaderai de venir, en douceur. Et pour le moment nous n'avons qu'une tâche, et c'est la seule raison de ma présence ici, assurer le bon déroulement de la grossesse de Qâ. C'est à cela que servent les rites que j'effectue avec elle. Ta présence, Loumouillé, sera de loin le soutien le plus efficace pour les accompagner, elle et vos enfants, jusqu'au bonheur de leur naissance. Et nul doute qu'elles auront vos talents réunis.

— Elles auront ? Mes talents ? je demande ahuri, en me désignant d'un doigt vil.

— Oui j'ai l'intuition que ce seront des filles, et depuis tout à l'heure, Qâ le pense aussi. Pour tes talents, tu as peut-être raison, en fait tu n'en as qu'un. C'est celui de plaire aux femmes, d'être l'amant de Qâ, le père de ses enfants. Ce talent-là tu le conjugues à son avantage. Cesse donc ta fausse humilité. Tu sais danser, chanter, écouter, caresser, faire rire, alors fais-le, concentre-toi, donne-lui tout de toi. Ah Loumouillé, si j'avais eu trente ans de moins, j'aurais fait en sorte que pour moi, tu deviennes polygame, et j'aurais pu m'assurer de la qualité de l'amour que tu prodigues à Qâ, s'exclame-t-elle malicieuse, me lançant une moue suggestive, avant de poursuivre son chemin, faufilant son imposante silhouette entre les branches, presque aussi silencieusement que Qâ.

— Arrête, Rising, tu vas me faire rougir, réponds-je, en lui emboîtant le pas.

Malgré mon sourire, la chamane sent bien l'inquiétude qui m'oppresse à l'idée d'être le détenteur d'un nouveau sens qui pourrait bouleverser l'existence des hommes, et de n'avoir pas la moindre envie de le leur faire parvenir.

— Cesse d'appréhender d'hypothétiques avenirs, Loumouillé. Quand les termes de l'oracle s'accompliront, ils t'apparaîtront comme une évidence. N'attends pas. Sois ici et maintenant. Aime Qâ au présent. Un jour des signes se manifesteront à toi, tu sauras que les temps sont venus pour que les prédictions se réalisent. Rien de ce que tu feras ne pourra en modifier l'inexorable cours. Rassure-toi, tous les rituels que j'ai pu faire, concernant le déroulement de la grossesse, tous les présages que j'ai lus dans les bâtonnets, les astres ou les entrailles de poisson, ne mentionnent que félicité et accomplissement pour les mois qui suivent. Sois tranquille, Loumouillé Naquneye. Tu ne portes pas sur tes épaules la responsabilité des événements à venir. Ce sont les esprits qui en décident, toi tu n'es que leur instrument. Et peut-être que le jour où tu devras les servir, tu auras déjà des cheveux blancs. Alors jusque-là, concentre-toi sur ton rôle d'amant formidable et de père dévoué à ses enfants. D'ailleurs, je ne comprends pas ce que tu fais, à traîner dans mes jupes, alors que Qâ se languit de toi. Va. Va vite, mon fils, n'aie que la crainte de ne pas répondre assez fort à l'amour qui t'attend.

Je la rattrape de mes mains sur ses épaules pour qu'elle s'arrête, soulève les nattes de sa coiffe qu'elle ne quitte jamais, dont les plumes restent pourtant miraculeusement impeccables, et pose mes lèvres sur sa nuque pour un long baiser. Elle glousse. Je glisse à son oreille :

— Merci. Merci, maman.

Et je sais que rien ne pourrait lui faire plus plaisir.

Je la laisse pour aller accomplir ce que veulent de moi les dieux, les esprits, les oracles et les chamanes. Mais surtout, ce que je veux moi.

Aimer Qâ, de toute mon âme.

8

La deuxième semaine de son séjour, Rising et Tek'ic s'allient pour m'apprendre une série d'exercices, destinés à me donner un meilleur contrôle de mes énergies vitales.

— Souviens-toi de ce que tu m'as fait, après ton initiation, me dit Tek'ic. Tu as ce pouvoir, il est en toi, il faut maintenant que tu apprennes à le contrôler. Alors seulement tu seras à même de ressentir la portée des enseignements de Qâ.

Depuis que, sans le vouloir, j'ai frappé le chaman à distance, je n'ai plus jamais réussi un truc pareil, bien que j'aie essayé à plusieurs reprises sur des oiseaux ou des bouts de bois. Tek'ic non plus n'a pas une bonne maîtrise de ce talent-là. Il m'explique qu'avec le tambour, c'était très différent, il n'a pas usé ses propres forces, mais a sollicité celles de l'esprit du tambourinaire, et c'est lui qui l'a projeté sur moi. Lui-même n'arrive à des résultats probants qu'après des heures d'exercices et de concentration.

Rising, elle, le possède à la perfection. Elle me dit :

— Vide ta tête, ça n'est pas affaire de conscience comme ce que Qâ nous a appris. Non, ça ne concerne que tes énergies et tes sens. Ouvre-les et, en même temps, détends tout ton corps, draine les énergies de chacun de tes muscles, pour les concentrer ici. — Elle me montre un point dans son ventre, juste en dessous de son nombril. — Essaie d'atteindre un état de non-pensée, où ta conscience est entièrement tournée vers ton appartenance à l'univers tout entier. Ouvre tes sens, puis oublie-les, ne t'en sers plus que pour t'inscrire là où tu es. Et sens, sens combien les énergies rassemblées que tu abrites vibrent harmonieusement avec celles qui t'entourent, sens comme ton corps fait le lien entre les forces du cosmos et celles de la terre. Si tu atteins un état suffisamment sincère de non-être, en tant qu'individualité, si tu parviens à suffisamment fondre ta conscience dans le monde qui t'entoure, à sentir comment tes énergies se prolongent en dehors de ton corps, comment celles qui t'environnent se prolongent en toi, alors, quiconque voudra s'en prendre à toi, s'en prendra de ce fait à l'unicité de l'univers, et se heurtera à des forces qui de loin dépasseront celles de ton propre corps.

— Ah ouaiais, bien sûûûr, pffft, fastoche, lui dis-je crânement, en pensant que j'ai très bien vécu jusqu'ici en me passant de ça. Pourtant quand j'ai frappé Tek'ic, je reprends caustique, j'étais complètement furibard et bien loin d'être zen.

— L'état dont je te parle devrait être permanent mais dans les faits, seuls quelques grands maîtres parviennent à s'y maintenir. Il peut aussi n'être qu'un éclat, une illumination soudaine. Il arrive que la colère, la haine, la peur ou l'amour, suscitent des élans éphémères qui pareillement rassemblent les énergies. Tu l'as fait une fois, donc tu sais le faire. Rappelle-toi...

Qâ interrompt la leçon en débarquant soudain avec un drôle d'air. Elle nous fait comprendre que, puisque nous avons tant d'énergie à dépenser, elle veut que nous l'accompagnions quelque part, et pour cela, il va nous falloir courir.

— Nous partons maintenant, ajoute-t-elle, en tapant sur l'épaule de Tek'ic ahuri.

Rising rentre aussitôt dans la cabane pour préparer quelques affaires.

Et pour courir, nous courons.

Le reste de la journée, et une bonne partie de la nuit.

Quand la végétation est trop épaisse, nous marchons vite. Ne faisant que de courtes pauses pour nous restaurer. Qâ reste un peu à l'écart de notre trio, et même si au passage elle me fait toujours un câlin, je comprends à sa concentration l'importance de ce qu'elle veut nous révéler. Au début, je la questionne quant à notre destination, elle me répond de me concentrer sur mes pas. Et Rising et Tek'ic de même. Alors, abandonné chacun à nous-mêmes, nous courons, moi après son amour, eux après ses révélations. Nous courons comme une prière, l'esprit vide de rien d'autre que des mantras de nos pas dans ceux de Mère de nos mères.

Rising malgré sa corpulence se montre infatigable. Avant de partir, elle a comprimé sa poitrine dans des bandelettes de daim, et sous sa cape de fibres, elle porte tunique et pantalon. Plus d'une fois, alors que le chaman et moi tirons la langue, c'est elle qui soutient le mieux l'allure de Qâ. Nous partons au sud-est, franchissons plusieurs cols, puis nous mettons à gravir le flanc d'une haute montagne enneigée. La nuit nous y surprend, et la clarté de la neige compense l'absence de lune. Qâ ouvre la marche, silhouette fantomatique et silencieuse. Avant l'aube, nous redescendons l'autre versant, il y fait plus froid, ses sommets font barrage à l'air océanique. Quand nous quittons la limite de la neige, Qâ cesse de courir, l'obscurité est telle qu'il nous faut ralentir pour nous faufiler à travers la végétation. Régulièrement, Qâ sonde autour de nous, pour s'assurer de notre discrétion, et surtout de l'absence de tout autre homme-nu aux environs. Un jour grisâtre se lève.

Nous faisons une brève halte au fond d'une vallée encaissée, bien protégée des vents, où des bouleaux brandissent la blancheur de leurs troncs osseux entre des mélèzes couleur de renard, et des érables, dont les feuilles en putréfaction tapissent encore le sol d'un rouge oxydé, ferrugineux.

Qâ fouille dans l'humus, et avec des gestes très précis, comme si elle savait où elle creuse, déterre deux samares aux péricarpes ailés, qu'elle détache, renifle, écrase délicatement pour s'assurer du bon état de préservation des graines. Elle ramasse ensuite des cônes de mélèze, en brisant les écailles pour accéder aux graines, qu'elle examine pareillement, trie dans sa paume pour en garder deux ; enfin touillant les feuilles mortes, elle trouve des restes de chatons de bouleau, sépare les poils des écailles, les gratte de l'ongle pour en détacher les nucules ailées, et conserve les trois plus belles.

Elle confie solennellement sa récolte à Rising, qui sort de sous sa cape une petite bourse de peau, et une à une, y place les sept graines, avant de la glisser sous les bandages de ses seins. Nous reprenons notre escalade, tirés en avant par l'épuisement, et par ce nouveau mystère vers lequel nous entraîne Mère de nos mères.

Nous grimpons jusqu'à une nouvelle crête, dont nous sépare un épais rideau d'épineux et de conifères. Là, Qâ nous fait signe de nous arrêter, de faire le plus complet silence, et à nouveau, elle sonde les alentours, profondément, dans toutes les directions. Puis rassurée sur notre isolement, elle nous convie à fusionner avec elle. Ce que nous faisons en nous écroulant sur le sol, lénifiés de fatigue.

La nature, autour de nous, ne nous laisse pas le temps de récupérer. Immédiatement, à travers les sens de Qâ, je suis assailli par la panique complète que notre présence suscite chez les animaux des environs. Et les chamanes de même. Une peur qui n'a rien à voir avec la crainte habituelle des hommes, non. Une terreur sans nom, comme si notre apparition annonçait le déferlement d'une apocalypse soudaine, comme si notre arrivée était significative de fin des temps. Une terreur si absolue que la forêt tout entière semble la ressentir, les arbres vibrer de tension, la terre frémir comme un épiderme géant. Même le vent, se retenir.

L'angoisse nous relève instantanément. Avant que la panique nous gagne, Qâ nous rassure de son calme intérieur, puis, alors que sidérés, Tek'ic et moi, observons les environs, inquiets de la propre peur que nous véhiculons, Qâ puise dans sa mémoire et nous dévoile ses souvenirs d'enfant.

Elle est presque au même endroit dans la montagne. C'est l'été indien. Aux roux des mélèzes s'ajoutent les carmins des érables, et les jaunes, verts, blancs, des bouleaux. Sa mère, non loin, cueille des myrtilles, Qâ joue avec un papillon. Elle sonde autour d'elle. La multitude animale est affairée à ses tâches familières, avec son habituel équilibre de bonheur et de cruauté. Tout n'est qu'harmonie, même la mort que donne le prédateur s'inscrit dans le cycle de vie. La forêt alentour est un gigantesque organisme, dont la complexité n'arrive pas à troubler la quiétude de cet après-midi ensoleillé.

Qâ nous lâche. Le contraste entre la paix de ses souvenirs et la tension qui règne autour de nous est complètement ahurissant. Je ne comprends pas, je vois à leurs airs que les chamanes ont saisi les raisons du malaise que notre présence provoque. Rising, encore haletante, semble soudain rattrapée par l'effort qu'elle vient de fournir. Qâ lui saisit le coude alors qu'elle chancelle, le visage ravagé d'une appréhension infinie. Tek'ic aussi, les sourcils froncés, serre les poings, abattu, les yeux au sol.

Que se passe-t-il ? Anxieux, je veux aller en eux mais Qâ me retient d'un geste, nous invitant à la suivre.

Nous nous enfonçons dans le taillis de jeunes sapins, si denses, qu'il nous faut nous accroupir pour y passer. De l'autre côté, nous débouchons d'un coup sur une crête découpée, et je comprends pourquoi la forêt a si peur.

Devant nous, c'est l'enfer qui s'étend.

Le désert. Pas comme les saccages de la vallée des Morgensen, non. Pas juste une vallée, non. Le désert, le désert à perte de vue.

On a arraché les arbres comme des poils, pelé la

terre de sa peau de forêts, laissé ses chairs à vif sécher sous le gel et le soleil.

Devant nous, tout est mort, jusqu'à l'horizon.

Malgré le soutien de Qâ, Rising s'affaisse sur ses genoux, le visage ravagé de larmes muettes. Tek'ic lève ses poings au ciel, fait un effort immense pour ne pas injurier les esprits, et lui aussi, d'un coup, fléchit les genoux, s'écroule, se recroqueville sur le sol, embrassant la terre de ses pleurs. Mon cœur se déchire d'un vide terrifiant. Inquiet pour les bébés, j'attrape la main de Qâ, elle me fait comprendre qu'elle les tient à l'écart de ce que nous ressentons. Elle aussi pleure. Malgré ses larmes, elle reprend possession de nous avec une impérieuse nécessité, comme si elle était désolée de devoir le faire, elle nous transmet son chagrin et sa colère, mais surtout, sa mémoire.

Sa mémoire du carnage.

La suite de ce qu'elle nous a transmis juste avant.

Qâ jeune admire le papillon qui butine le bout de son doigt, quand celui-ci soudain s'enfuit à tire-d'aile. Qâ se redresse, surprise. Sa mère aussi, lâchant ses myrtilles. Elles sondent autour d'elles, d'autres animaux sont aux aguets, elles ne détectent rien d'inhabituel. Sentent mieux.

Si, la terre tremble.

Qâ court rejoindre sa mère. C'est à peine un frémissement, mais la terre tremble. Elles sondent encore. Rien, hormis l'inquiétude de la forêt. Ça n'est pas un phénomène naturel. C'est continu, imperceptiblement ça augmente. La panique commence à gagner les habitants des bois. La mère de Qâ, inquiète mais courageuse, décide de s'en approcher. Elles courent, sur le qui-vive, sondant sans arrêt les alentours, et après quelques kilomètres, elles entrent soudain en contact avec les consciences des hommes-nus. Six hommes-nus. Elles s'arrêtent. Mais comment ? Comment six hommes-nus peuvent-ils ainsi faire trembler la terre ? Malgré leur terreur, elles s'approchent encore.

Sur la crête, à l'orée des épais taillis qui marquent

la cicatrice entre la survivance et le désastre, Qâ nous réunit les chamanes et moi, en une seule conscience et comme une indispensable torture, nous livre l'horreur de ses sens à l'instant de sa première confrontation avec les monstres mécaniques que les hommes-nus ont construits.

Pour creuser une tombe à leur démesure.

Je vis la peur immonde qui terrasse la nature tout entière. La panique incrédule des grands mammifères, de ceux qui fuient et de ceux qui périssent, étouffés dans leurs terriers ; l'hystérie de la gent ailée, des oiseaux qui s'envolent si vite que leurs plumes se brisent dans les rameaux, d'autres qui meurent de peur, accrochés à leur nid, écrasés sous les branches, ceux qui tournent en piaillant encore et encore, survolant le chaos qui peu de temps avant abritait leurs vies.

J'entends les cris des grands arbres quand ils s'effondrent. Leurs plaintes lancinantes comme des chants de baleines, leurs gémissements de géants débonnaires, anéantis d'incompréhension. Leurs branches éclatent, se brisent, les troncs frappent d'autres troncs, puis le sol. L'onde de choc retentit à des lieues à la ronde, faisant sortir les vers de terre, et pourtant n'arrive pas à couvrir les rugissements des machines.

Et je sens les consciences obnubilées des hommes-nus. Si fiers. Les premiers, ils ouvrent la route qui mènera au cœur de la forêt. De là, s'étendront comme une gangrène des ramifications létales, pour un massacre généralisé.

Les hommes-nus...

Deux d'entre eux pilotent des engins à chenillettes si grands qu'ils paraissent minuscules perchés dans leur cabine, surtout proportionnellement aux dégâts qu'ils occasionnent. Devant eux, ils manœuvrent de longs bras articulés, au bout desquels se trouvent des pinces énormes surmontant des lames circulaires, aux tranchants si affûtés, qu'elles pénètrent dans la forêt sans à-coups, sectionnant les arbres comme des fétus de paille. Puis par poignées les jettent derrière elles. Les deux pilotes sont besogneux, ils ont une prime à la tâche, ne pensent pas un instant à ce qu'ils font, sinon en termes d'efficacité. L'un est un peu rustre, préoccupé par ce qu'il va faire pendant son prochain congé avec tout le fric qu'il va falloir griller. L'autre n'est pas un mauvais bougre, non. Si content à l'idée de pouvoir payer l'écolage de ses enfants et peut-être les traites de sa maison. Allez encore un effort, et tu l'auras peut-être ta promotion. Pousse-toi de là, foutu mélèze, laisse passer la civilisation... Il hache, il tranche.

Je suis dans le mélèze, vibre de la pénétration de la scie dans l'écorce et le tronc, le sectionnement abrupt de soixante-dix ans de croissance et d'obstination, à transformer la lumière en nourriture et en oxygène, en branches, en racines, en épines, fruits, graines, abris, tanières. Je suis dans le couple de sittelles effarées qui n'osent pas sortir du trou de leur nid, et meurent transpercées par les échardes du tronc éclaté ; dans la chouette qui s'envole lorsque le tronc oscille, qu'une branche fouette et projette dans la boue des racines, juste devant les chenillettes, et malgré la débâcle, je perçois le petit bruit du craquement de ses os quand elle l'ensevelit. Je suis dans les vers à bois, les hannetons et les fourmis rousses, dans la peur qui les agite, l'affolement qui les disperse, l'impuissance qui les extermine, écrase, broie, répand, comprime.

Chaque arbre est comme une ville, et je vibre de leurs hurlements d'effroi.

Et je suis dans le pilote zélé et satisfait, sourd et aveugle à l'épouvante qu'il véhicule, abattant son ouvrage consciencieusement distrait, sans jamais être effleuré par l'idée qu'à chaque arbre qu'il détruit, c'est l'avenir de ses propres enfants qu'il assassine.

Derrière suivent d'autres hommes, tous aussi éloignés des tâches qui les occupent, cul, fric, job, prédominent leurs pensées atrophiées ; d'autres machines, bulldozer-grue-tracteuses, qui arrachent les souches, écartent la terre, séparent les troncs des déchets. Et d'autres encore les pellent comme des crayons, les amoncellent, pour quand viendront les camions. Six hommes-nus, et leurs excroissances artificielles. Ils laissent derrière eux une balafre de terre retournée et tassée par les chenillettes, tapissée de milliers de lambeaux d'écorce, de branches, de feuilles, de plumes, d'épines, de cadavres d'insectes démantelés, de racines tranchées d'où suinte la sève comme le sang de la terre.

Une piste mortuaire qui s'enfonce dans la forêt tel un tison ardent.

Et Qâ nous livre des souvenirs plus fragmentés, étendus sur plusieurs années. Des visions du panorama que nous dominons, au temps où la canopée ondoyait à perte de vue. Puis l'horizon qui s'allume de foyers multiples, feux, fumées, poussières, d'où la peur se répand comme une contagion. Un cancer dévore la forêt. Des trouées, des allées, des pistes, des boulevards, des artères entières d'arbres massacrés. Les camions par milliers se suivent et se succèdent, en procession macabre, chargés à ras bord de troncs équarris, pour aller les jeter dans la gueule béante de la vorace société des hommes.

Ses appétits sont insatiables. Prospectus, emballages, journaux, dépliants ; mangez, brûlez, rongez ; la forêt s'étiole ; chips, sciure, aggloméré, stratifié, expansé, sciez, tronçonnez, émondez, écorcez ; la forêt s'amenuise comme une peau de chagrin ; bois de chauffage, de construction, d'ouvrage, omniprésent allié des hommes, usez, abusez, détruisez, sans gratitude et sans respect, prenez, prenez encore, et s'il ne reste rien, allez prendre ailleurs. Encore. Davantage.

La forêt disparaît.

Qâ nous montre la mort des mousses épaisses, où périssent par milliards acariens, carabes, collemboles, musaraignes cloportes, mille-pattes. Spongieux tapis organiques séculaires, les mousses sont retournées, déchiquetées par les roues des camions. La désagrégation de l'humus nourricier, si patiemment accumulé par les arbres pendant des millénaires, réduit en charpie par les chenillettes des trax, pilé, haché, pulvérisé, jusqu'à ce que la pluie et le vent l'emportent. Et l'eau qui ruisselle, brune de matières mortes, pour aller envaser les lacs, étouffer les algues et les frayères, et tuer même les rivières. À travers les témoignages d'animaux effarés, Qâ nous montre les groupes successifs d'hommes-nus, qui viennent après le saccage, d'abord trouer le sol de plantoirs, pour y enfouir des pousses sélectionnées d'essences à croissance rapide, puis plus tard qui reviennent et se grattent la tête en les découvrant toutes desséchées, dans la terre traumatisée.

Devant nous s'étend le désert. Avec çà et là une vague haie, un rideau mité, de préférence bordant les pistes, pâle subterfuge qui, même vu de profil par un myope, ne saurait évoquer en rien ce qu'était autrefois la forêt. Sinon peut-être, l'ombre de son squelette.

Qâ cesse. Nos consciences réunies vibrent de colère et de tristesse.

— C'est ce qu'on appelle un plan d'exploitation de la forêt sur cent cinquante ans, transmet Tek'ic, lugubre. Son résumé, c'est : Après moi, le déluge. J'imagine les cadres encravatés des conseils d'administration des lobbies forestiers, serrant la main des ministres : Oui, cher ami, en ces temps de crise, le secteur forestier est en pleine expansion. 3 % de croissance cette année. Oui, grâce aux mesures compensatoires du gouvernement, pour le reboisement intensif, on peut le dire, disons-le, le secteur du bois se porte bien !

Et la forêt meurt.

Menteurs irresponsables, salopards criminels, connards bornés, ce sont vos propres enfants qui auront à payer vos méfaits...

Rising, les yeux noyés de larmes, perdus dans le vague, semblant voir encore ce qui n'est plus, marmonne comme une litanie :

— L'homme-Blanc est venu, il a tué les hommes-Rouges qui habitaient ici depuis des millénaires, par millions. Par millions, il a tué nos frères les animaux, les bisons, les loutres, les phoques, les castors, par millions il a pêché les poissons, barré le cours des rivières, raclé le fond des mers, épuisé esturgeons, saumons, morues, baleines ; par millions il a coupé les arbres, dévasté les prairies de ses champs monotones. À présent, on dirait qu'il veut même tuer la terre. Notre mère la terre. Il arrache sa surface, fouille ses entrailles, aspire son sang noir, enfouit ses poisons dans son ventre. Ne comprend-il pas qu'en la détruisant il va se tuer lui-même, où, quand s'arrêtera sa folie meurtrière ?

Dans l'entité de conscience que nous formons, Qâ, les chamanes et moi réunis, je fais une fois de plus figure de puceau inexpérimenté. Depuis toujours, Rising et Tek'ic se battent, luttent pour la préservation de la forêt. Qâ, elle, y habite. Moi, j'ai beau être Loumouillé, je ne suis encore qu'un touriste et pourtant...

Pourtant c'est ma colère à moi qui prédomine.

C'est ma rage à moi qui l'emporte, une révolte au-delà de toutes abjections, une haine dense, palpable. Si je tenais un des fils de pute responsables de ce carnage... Pas un bûcheron, non, bien que... Non, un des décideurs en costard, un des bourreaux de bureau, je lui ferais des choses auxquelles je n'ose même pas penser tellement ça ferait mal. Vibrant tout entier de fureur contenue, impitoyable et glacial, je déclare :

— J'aimerais que tous les hommes responsables de près ou de loin de ce carnage, que tous ceux qui participent, de la façon la plus anodine à ce désastre, soient rongés de l'intérieur, par la compréhension brutale de la portée de leurs actes, qu'ils soient dévorés de remords, comme ils ont dévoré les arbres, pour toujours et jusqu'au désert. Oui j'aimerais que l'homme attrape, comme une peste inéluctable, une maladie de la conscience...

— Garde tes énergies, m'interrompt Qâ. La maladie c'est nous, c'est toi...

J'en reste baba, et la façon dont ma colère se mue en appréhension parvient à faire sourire les chamanes.

La maladie de la conscience. C'est nous, c'est moi !

Le don. Le don de Qâ.

Et ça n'est pas une maladie, mais une guérison.

Une guérison de l'âme. C'est ça que je dois souhaiter à tous les hommes, toutes les femmes. C'est ça que j'aimerais qu'ils attrapent, et j'ai les moyens de les contaminer.

Ça n'est pas de la haine que je dois leur vouer. Mais de l'amour.

Confronté à la révolte et la colère qui m'habitent, à la dévastation du paysage, je réalise combien il va m'être difficile d'aimer plutôt que d'haïr.

Effaré par l'ampleur de la tâche, je me précipite derrière les chamanes et Qâ.

Elle sonde à nouveau les alentours, deux précautions valent mieux qu'une, avant de sortir de la forêt survivante, descend de la crête et s'avance à découvert dans la coupe à blanc. Bien qu'une bonne décennie soit passée depuis le dernier abattage, le sol est encore dur, blanchi, tassé par les machines, parsemé de touffes d'herbes anémiques et de chardons entre lesquels l'eau croupit dans des ornières. Et çà et là, des tas, des restes de souches à moitié calcinées, entourés de ronces rachitiques. Par endroits, on voit encore les grands « V », des chenillettes, comme si la terre s'était changée en béton.

Qâ nous entraîne vers un vague promontoire pelé. Là, Rising fouille entre les bandelettes de ses seins, et sort la bourse, humide de sueur. Qâ, du pouce, essuie les larmes de la chamane, lui prend la bourse, verse les graines sur sa paume et sélectionne une nucule de bouleau. Elle gratte la terre de son ongle dur, y fore un trou minuscule, dans lequel elle l'enfouit, la recouvrant d'un monticule de poussière.

Elle nous donne à chacun deux autres graines et nous indique où les planter, en cercle à quelques mètres autour de la sienne. L'imitant, de nos mains en coupe, nous puisons de l'eau dans une flaque proche pour les arroser copieusement.

Alors Qâ nous réunit au centre du cercle. Elle nous fait mettre pieds nus, nous place dos à dos, debout en triangle autour d'elle, les bras légèrement écartés, nos mains ouvertes croisées, paumes vers l'extérieur, pouces joints, puis elle s'assied sur ses talons, se positionnant juste au-dessus de son monticule, place sa tête entre ses genoux, ses bras croisés par-dessus. Elle fait une boule, une sphère, une graine.

Vient dans nos têtes. Plus fort que jamais.

— J'aimerais que vous fassiez ce dont parlait Rising. J'aimerais que vous le fassiez maintenant, avec moi. Donnez tout. Transformez tout. Vos tristesses, vos colères, vos amours et vos haines. Toutes vos énergies, toutes vos forces, tous vos doutes et vos peines. Quand je vous le dirai, donnez tout, à travers moi, donnez tout à la terre.

Debout, chacun de nous se laissant tomber en avant, retenu par les bras tendus des deux autres, nous dansons presque immobiles, vidant nos têtes, mettant toutes les forces qui nous restent dans la légèreté de nos pas. Nous rassemblons nos énergies, aiguisés par l'épuisement de la course. De nos pieds, nous massons la terre, tournant d'est en ouest autour de Qâ, en silence, inlassablement et c'est comme si nous lui insufflions une pulsion qui, au lieu de la tasser, l'aère, la gonfle et, de notre cercle se propage jusqu'à celui des graines.

À nouveau Qâ nous emmène au-delà de nous-mêmes, vers ces états de conscience où se dissolvent nos êtres. Nous tournons, profondément concentrés, la sueur coule le long de nos membres pour imbiber le sol. Nous tournons, tournons, rassemblons comme des boules de feu dans nos ventres et, soudain, Qâ lance le signal.

— Maintenant, donnez tout dans la terre. Que poussent les graines !

En même temps, nous libérons nos forces. Je sens comme des faisceaux de lumière nous transpercer, Rising, Tek'ic et moi, de l'occiput aux talons, pour s'enfoncer dans la croûte durcie du sol, obliques, et un autre vertical, passer à travers Qâ et les bébés dans son ventre, puis s'enfoncer aussi. Et plus bas, à leur point de convergence, sous terre, leur intersection irradie d'une telle énergie, qu'une onde tellurique semble faire vibrer le sol alentour.

Nous plongeons dans les graines humides de la sueur de Rising. Dans la vie qui s'y agglomère. Les molécules qui se composent, les cellules qui se multiplient, se différencient. Les samares s'entrouvrent, les péricarpes se scindent. Les enveloppes se déchirent. Nous dansons sur la terre, dansons dans la terre. L'abreuvons de nos énergies.

Sommes les premières racines qui pointent, les radicelles arachnéennes qui s'enfouissent dans les plus infimes interstices. Nous dansons pour la terre, transpirons sur elle, donnons tout. Qâ, et l'extraordinaire puissance de vie qui croît dans son ventre, celle qui me remplit de bonheur, Qâ, draine nos énergies, les augmente des siennes et les redistribue de telle manière qu'elle semble verser dans la terre les substances qui lui manquent pour nourrir les graines. Et pour elles le temps s'accélère.

Je vois poindre les germes. Le premier par les yeux de Qâ, le bouleau qu'elle domine. Très lentement elle s'accroupit sur ses talons, redressant son torse, laissant ses mains ouvertes de chaque côté du petit monticule, pour l'exposer à la lumière. La terre se soulève, poussée comme par un ver, le germe se déploie au pâle soleil, se contorsionne, se débat pour se débarrasser d'un lambeau de nucule collé à sa tige. Devant moi, je vois croître les autres pousses, à une vitesse folle, plus vite que les plus rapides des champignons. Se dessécher les cotylédons, se déployer les feuilles primordiales, les premières ramifications. Monter les tiges, se former les bourgeons. Nous tournons, nous dansons pour eux, pour elles.

Qâ, au centre, se relève, avec une lenteur végétale, épousant de ses paumes en coupe la croissance du bouleau, l'épanouissement des rameaux aux jointures jaunes, violettes, pourpres, l'ouverture des feuilles tendres qui se multiplient, l'écorce se dessine, les branches s'étalent. Qâ pousse l'arbrisseau à pousser, de ses mains, vers le haut, et des pieds contre le sol, pousse ses racines à s'enfouir plus profondément, et pour elles on dirait que la terre s'entrouvre.

Devant nous, les arbres en cercle se développent, grandissent. Un mélèze, à partir d'un petit tronc poilu, se lance dans l'élaboration d'une branche latérale deux fois plus grande que lui, l'autre monte droit au ciel. Les érables se font rugueux. Les bouleaux prennent une teinte argentée.

Je suis dans les arbres, dans les canaux qui véhiculent la sève, dans la chlorophylle des feuilles, dans les tissus ligneux qui se rigidifient, les écorces qui se définissent. Celles d'abord lisses des bouleaux, où s'entrouvrent ensuite des lenticelles horizontales, et celles presque feutrines des mélèzes, d'où pointent encore des épines. Les feuilles jaunissent, les bourgeons à écailles éclatent en chatons dont le duvet se désagrège, se détache, les érables deviennent rouges, les bouleaux jaunes. Les premières feuilles tombent en virevoltant sur le sol, et déjà d'autres bourgeons les remplacent.

Je sens les flux vitaux que j'abandonne, nourrir les arbres comme par transfusion. Non seulement je transpire, mais je fonds. Rising, Tek'ic et Qâ aussi dégoulinent. C'est comme si, en plus de nos énergies, nous donnions notre propre chair à manger à leurs racines. Les quelques kilos que nous perdons ne suffisent pourtant pas à faire pousser les arbres, pas seulement. C'est d'ailleurs, du ciel et de la terre, de partout, que nous viennent les énergies dont nous les rassasions.

Pendant des heures nous tournons, tournons, nous déversons, et les arbres grandissent. Quand le soleil atteint son zénith, Qâ est debout, les bras levés, entrelacés dans les branches d'un bouleau plus haut qu'elle. Le sol à ses pieds est couvert de feuilles mortes et l'arbre bourgeonne à nouveau, comme ceux que nous avons vus dans la forêt proche.

Qâ s'arrête, nous interrompt.

Et la croissance accélérée ralentit, reprend un cours normal. Érables, bouleaux, mélèzes, nous sommes encerclés par des arbres qui, d'après les cycles que j'ai vus, ont l'équivalent de quatre ans de croissance, et leurs premières générations de feuilles sur le sol ne se sont pas encore décomposées.

Qâ est aussi émerveillée que nous le sommes de ce que nous avons accompli. Pour la première fois, elle tente cette expérience que sa mère lui a apprise des années auparavant, mais pour laquelle, il faut au moins les énergies de trois consciences réunies. Jusqu'ici, seule ou avec sa mère, elle n'a jamais obtenu de résultat. À présent, elle réalise, en même temps que nous, la portée de ce que nous pouvons accomplir ensemble. Elle est heureuse pour les arbres que nous soyons ici, Rising, Tek'ic, moi, et nos enfants dans son ventre, et nous en remercie.

Épuisés, amaigris, à tel point que Rising doit resserrer les lacets de son pantalon, les chamanes la regardent comme la déesse de la forêt, transfigurés par une gratitude et un espoir immenses. Moi, je la regarde comme la déesse de l'amour.

Nous sommes au centre d'une ronde d'arbres pleins de vitalité, poussant au milieu du chaos stérile que les hommes ont laissé derrière eux. De leurs frêles silhouettes, des branches qu'ils déploient vers le ciel, s'élève comme un cri de joie, un appel à la révolte et à la renaissance de tout le désert alentour.

Qâ vient à moi, m'enlace, m'embrasse, je l'étreins et nous titubons, chancelons, pris d'une ivresse indescriptible, nous tourbillonnons dans le cercle des arbres avec lesquels nous venons de croître. Rising et Tek'ic, s'épaulant, en sortent, nous y laissent.

Qâ enserre ma taille de ses jambes, je la prends là, debout, et le tronc du bouleau sur lequel elle s'appuie oscille des élans de nos dernières forces.

Quand je jouis avec elle, l'arbre fait éclater ses bourgeons.

Nous mettons trois jours à rentrer chez Tek'ic, tellement nous sommes fourbus, et heureux d'être ensemble, au sein de la forêt vivante. Puis Rising nous quitte, non sans promettre de prochaines visites. Lors d'un dernier aparté elle me fait ses recommandations.

— Prends bien soin de Mère de nos mères, Loumouillé, et de vos enfants qui s'accomplissent, prends-en soin comme de ma propre fille et de mes petits-enfants. Je te les confie. Et Tek'ic mon ami. N'aie crainte, Loumouillé. Le jour où les oracles s'accompliront, tes enfants seront là, et c'est le bonheur que tous réunis nous apprendrons à redécouvrir. Ce que nous avons accompli à quatre, imagine-le à cent, à mille, à des millions. Sois en paix, Loumouillé. Le don de Qâ, c'est l'espoir retrouvé pour l'avenir des hommes. Ça n'est pas une si grande responsabilité..., sourit-elle ironique, et rayonnante de courage.

Je l'embrasse en l'appelant maman.

Lorsque la pirogue qui emmène Rising Smoke Alexie contourne le cap du fjord, je suis debout au bord de la falaise, et Qâ devant moi a la gorge serrée du départ de son amie. Je l'enlace, me colle contre elle, elle frissonne, lève un bras pour attraper ma tête, me presser dans son cou. Je caresse sa fourrure soyeuse, le duvet de ses seins, glisse mon auriculaire au creux de son nombril.

Autour de nous, partout des fleurs éclosent, des insectes bourdonnent, la forêt tout entière semble reprendre vie.

Déjà, le printemps est là.

Et, sous mes mains, le ventre de Qâ s'arrondit.

Quatrième partie

LE DON DE QÂ

1

Comment pourrais-je jamais dire mon bonheur avec Qâ ? Comment pourrais-je trouver les mots qui expriment l'intensité de notre union, l'unicité de notre amour, au-delà du verbe ?

Ancolie, primevère, pivoine, ellébore, violette, il n'existe pas de fleurs assez délicates ; tsunami, ouragan, cyclone, maelström, pas de tempêtes assez puissantes, pour élaborer des métaphores susceptibles, ne serait-ce que d'effleurer ce qu'est l'osmose qui nous réunit.

Toujours, ce que Qâ communique a beaucoup plus de sens que mes mots ne pourront jamais contenir. Pour décrire la façon dont elle s'exprime, je devrais écrire un mot au centre de chaque page, et à partir de là, tout autour, en spirale, égrener de la poésie abstraite, contemplative, impressionniste, spontanée, néanmoins d'une précision parfaite, et quand j'aurai noirci le dernier coin de la feuille, du sens général qui s'en dégagerait, je tirerai à peine le quart d'un mot, tel que Qâ nous l'exprime.

Elle devient pour moi le centre du monde.

Elle, et nos filles dans le nid aqueux de son ventre.

Car elles vont être filles, Qâ me l'a confirmé et elles l'ont fait elles-mêmes. Quand je rentre en contact avec elles, les jumelles, à peine grosses comme des crevettes, sont déjà réceptives à l'univers qui les environne. Je leur donne sans arrêt des bisous et des caresses, à travers la peau de Qâ, et bien souvent mes effusions dégénèrent. Qâ, alanguie, m'accuse alors d'abuser de ses instincts maternels, avant de me chevaucher. L'amour que nous faisons est de plus en plus tendre. Chaque jour la rend plus belle. Sa fourrure s'éclaicit avec l'avancée du printemps, prenant des reflets châtains, et sa poitrine s'arrondit encore. En même temps que son ventre, bien qu'elle m'assure que c'est surtout dans mon imagination.

Les matins, je multiplie les exercices avec Tek'ic ou les séances d'enseignement, au cours desquels il me submerge de son savoir inépuisable. Ensuite, il me laisse vaquer librement avec Qâ, à condition que nous venions prendre nos repas, ce que nous ne faisons pas toujours.

Elle et moi courons les bois.

La nature explose alentour, à croire que la grossesse de Qâ est contagieuse. Partout des fleurs apparaissent, des pousses et des bourgeons. Les colimaçons des fougères percent l'humus des sous-bois comme des têtes de violons, et nous les dégustons après les avoir pelés de leur rouille ; ou bien Qâ m'entraîne sur des kilomètres, pour aller nous régaler de jeunes pousses d'antoinette, dont elle connaît un champ entier, ou encore nous grimpons jusqu'aux limites de la neige, pour admirer la façon dont les crocus en trouent la croûte comme des glaives.

Avec elle, je découvre quotidiennement de nouvelles dimensions à l'univers. Nous pouvons passer tout un après-midi en aficionados, devant la toile de maître que des scolytes ont sculptée en bas-relief, à l'intérieur de l'écorce d'un vieil aulne. Suivant du doigt les circonvolutions de leurs arabesques, Qâ m'indique par endroits leur parfaite symétrie, disant qu'à son avis, ça ne peut être une coïncidence : les scolytes ont gravé là un message à notre intention, dont il nous faut percer le sens.

— Ça ce sont les entrelacs de nos cœurs, ça la

flèche de notre passion et ça, c'est la spirale de l'amour que nous vivons, dis-je en l'enlaçant. Tu es la quintessence de mon imagination.

Elle rit.

— Non. Ça, c'est la goutte de rosée sur la feuille, qui s'évapore ; là, c'est le nuage où elle se recondense, qui pleut dans la mer, la goutte que le goéland avale en gobant un poisson, et là la fiente contenant la goutte tombe sur une graine, qui germe, puis déploie sa feuille pour accueillir la rosée. Tu as mal vu, et celle-là ?

Et nous replongeons dans les dessins infimes que les larves écrivent pour nous.

Après ça, elle me fait courir jusqu'au sommet d'une montagne, et là, à plat ventre, bousculés par le vent, nous nous penchons, précautionneux et discrets au-dessus de l'abîme, pour observer les rapaces qui souvent s'y perchent. Une fois, dans une anfractuosité de roches, nous surprenons un couple de gerfauts blancs, poussés trop au sud par les vents de l'hiver, prêts à repartir vers leurs terrains de nidification. Qâ m'invite à aller en eux.

— Attention, ils sont très susceptibles. Et on ne peut vraiment voler qu'avec leur approbation. Nous le faisons, nous investissons les faucons.

Avec eux, je vole plus haut qu'avec aucun autre oiseau. Ils décollent, montent, montent, portés par un courant ascendant. Avec eux, nous volons par-dessus vallées et montagnes, élevés vers l'azur en mouvement tournant jusqu'à des altitudes folles, et quand ils disparaissent à ma vue, à travers eux, je nous vois encore, Qâ et moi, minuscules, couchés le dos au surplomb. Par leurs yeux impitoyables, comme avec un système de vision rapprochée, je vois nos quatre mains unies par un amour inextricable, et en même temps me rends compte de combien nous sommes petits sur la peau de la terre.

Mère de nos mères, Mère de nos enfants, ma femme, mon âme.

Avec le printemps, les insectes aussi réapparaissent. Les plus féroces, les plus précoces, les moustiques les premiers. Par bonheur, les environs de la cabane en sont préservés, mais ailleurs dans la forêt par endroits, mieux vaut courir sans cesse. Tek'ic dispose de toute une panoplie d'onguents répulsifs, aussi efficaces les uns que les autres, et j'y recours abondamment. Qâ a sa propre méthode. Dans un endroit particulièrement infesté, elle me montre.

Levant sa main entre nos deux visages, le poing fermé, elle attend qu'une femelle avide vienne s'y poser, sur le muscle protubérant de la jonction de son pouce, et la pique, enfonçant profondément sa trompe à travers l'épiderme. Quand la première goutte de sang teinte l'enveloppe striée et translucide de son ventre, Qâ bande son muscle, et le stupide anophèle, en plein goinfrement, se retrouve coincé par les tissus musculaires durcis, coincé le nez dans son breuvage. Avec une moue désolée et résolue, Qâ me fait signe de bien écouter les vrombissements que l'insecte émet en se débattant pour s'envoler et ensuite, quand elle lui arrache les pattes une à une, avant de l'écraser. Et en vérité c'est la seule fois où je la vois se montrer cruelle. Puis elle se met à imiter consciencieusement ces bourdonnements d'épouvante et la plupart des moustiques des environs fuient à tire-d'aile. Ensuite, elle se contente de bourdonner quand nécessaire, renouvelant de temps en temps le sacrifice.

J'essaie moi aussi, sans aucun succès, et malgré les onguents, somme toute, pendant la période que je passe dans les bois, je sacrifie aux insectes quelques bonnes pintes de mon sang. Ce n'est qu'un tribut de plus à verser à la forêt. Comment trouver les mots pour dire un bonheur tel que, lorsque j'émerge de mes rêves les plus beaux, les plus sereins, les plus sensuels, la réalité m'apparaît si idéale, qu'elle les relègue à l'état de moments insipides, moroses, ennuyeux. Le ventre de Qâ s'arrondit, et avec elle, ma vision du monde.

Des jours se résument en fous rires emportés par le vent, en gémissements que la pluie ruisselle, en odeurs soufrées de peaux et de poils séchés par le soleil. D'autres, en confidences muettes au coin du feu, en concentration complice, lors des séances avec Tek'ic, en serments solennels échangés par nos sens avec pour seuls témoins des cèdres immenses ; en abandon, en appartenance si complète l'un à l'autre, en émerveillement si perpétuellement renouvelé que le temps semble couler autour de nous, entre parenthèses. Sinon pour le ventre de Qâ.

Je suis là depuis seulement quelques mois. S'il m'arrive de penser au Pripréfré, et à mes amis morts comme si je les avais rencontrés la veille, ma mémoire d'avant Qâ m'apparaît très lointaine, emmêlée, confuse. Même le chagrin inconsolable de Béatrice ne m'inspire plus que sympathie et regrets pour la mort d'Albert. Une vague gêne à l'idée d'avoir chargé Rising de l'éconduire, sachant comme le mensonge lui sera difficile, mais je ne veux pas y penser. Mes souvenirs se diluent comme des réminiscences de cauchemar. J'ai l'impression d'avoir toujours vécu ici, dans la cabane devant l'aven, d'avoir toujours côtoyé tonton Tek'ic, responsable de presque tout ce que je sais, et depuis toujours et pour toujours d'aimer Qâ et nos enfants à naître.

Pourtant cycliquement, quand je me retrouve seul à la faveur d'une cueillette ou d'une course en forêt, si j'ai le malheur d'évoquer mon passé, une angoisse insoutenable me saisit à l'idée que la réalité m'échappe, que mes échanges télépathiques avec Qâ ont complètement modifié mon appréhension de la vie. Peut-être tout ce bonheur ressenti ne repose-t-il que sur l'altération de mes états de conscience ? Et nos filles comment seront-elles ? Les jumelles, nos enfants, porteuses de nos gènes mélangés, comment seront-elles ? Poilues ou pas, là n'est pas la question, non. Nos espèces seront-elles vraiment compatibles ? Ne risquent-elles pas de naître affublées de terribles handicaps, de monstrueuses difformités ?

Ainsi, lorsque par mégarde j'interprète mon présent à la lueur de mes valeurs d'autrefois, je stresse, j'extrapole, je flippe et finis par me laisser gagner par une panique sans nom. Chaque fois, même quand les présages de l'oracle obscurcissent mon ciel, Qâ débarque inopinément et sa seule proximité, physique ou psychique, me ramène au bonheur.

Qâ non plus n'évoque pas souvent son passé, le faisant seulement pour répondre à des questions précises. D'après elle, ses congénères sont si rares, depuis déjà la nuit des temps, qu'ils n'ont pu survivre que grâce à leur talent, détectant leur présence mutuelle à distance, sans cela, jamais ils ne se rencontreraient. Mais elle n'aime pas évoquer les siens, et je respecte ses réticences. Après tout, elle est une femme poilue des bois et moi un sapiens, et quelle que soit sa volonté de se donner à moi en tant qu'individu, son instinct farouche l'empêche de trop en révéler sur les mœurs de son espèce.

— Je suis la dernière. Avant nos filles, me dit-elle. Tout ce que tu veux savoir, en moi tu peux le voir.

Et c'est vrai que tout est inscrit dans sa mémoire, mais plutôt que d'y puiser en passant outre sa pudeur, je préfère qu'elle me les distille peu à peu.

Nous sommes en liaison régulière avec Rising Smoke Alexie, par l'entremise du téléphone chamanique, et bien que ce soit pour elle un long périple, elle vient nous rendre visite aussi souvent que possible. Chacun de ses séjours marque comme un palier supplémentaire dans l'ascension de notre bonheur. Depuis la pousse miraculeuse des arbres, elle a troqué sa gravité pour une opulente gaieté et à son contact Qâ rit tant, se fabrique tant de globules rouges, et les jumelles avec elle, qu'à chaque fois en quelques jours, je vois sa circonférence augmenter.

Rising nous tient informés des événements du reste du monde, où partout des gens de connaissance pressentent l'imminence d'un bouleversement profond de la société des hommes. Bien qu'aucun de ceux qu'ait consulté Rising n'eût mentionné l'existence de Qâ, ou la mienne, l'idée de leur agitation m'effraie.

Puis, lors de sa quatrième visite, après un long conciliabule avec Tek'ic, Rising demande solennellement à Qâ l'autorisation de transmettre ses dons à quatre autres chamanes, depuis longtemps ses amis. Je suis pris d'un trac incommensurable, comme devant l'avènement d'une échéance fatidique, Qâ calmement répond :

— Comment pourrais-je t'autoriser à donner ce qui ne m'appartient pas. Ce don, chaque homme, chaque femme, le possède déjà. Au lever du soleil, le premier oiseau s'éveille et se met à chanter, son chant éveille d'autres oiseaux alentour, qui à leur tour se mettent à chanter, en réveillant d'autres encore et ainsi, le chant se propage dans toute la forêt. Le don est comme un oiseau qui dort en chacun de nous. Le mien a éveillé celui de mon amour, qui a réveillé le tien, Tek'ic, et le tien, Rising. À présent tu veux chanter pour d'autres oiseaux endormis qui chanteront à leur tour. C'est ainsi. Il ne m'appartient pas d'en décider. L'aube d'une saison nouvelle se lève pour les hommes, les oiseaux doivent se réveiller et leurs chants se répandre pour l'annoncer. Tant que je ne tiendrai pas mes enfants sur ma poitrine, je ne chanterai pas avec d'autres que vous. C'est à toi, mon amour, qu'incombera cette tâche, me dit Qâ, comme si elle m'accordait une faveur, et mes deux amis sourient de ma consternation, d'un air d'encouragement.

Voilà comment, quelque temps plus tard, je me retrouve, moi, Loumouyé Naquneye, chaman de hasard, à présider la cérémonie d'éveil des amis de Rising, deux hommes et deux femmes, tous chamanes aguerris, à côté de qui je fais figure de novice. Rising aurait pu les éveiller toute seule, mais elle insiste pour marquer ce premier essaimage des dons de Qâ par une forme de rituel, et tient à me les faire rencontrer.

Elle les reçoit chez elle. Chacun d'eux a fait un rêve au cours duquel la chamane leur est apparue en situation délicate, chacun est venu à ses frais, par ses propres moyens, pour lui prêter assistance et cela représente pour eux un voyage important. Rising interprète leur venue comme un signe, et sans qu'ils sachent exactement de quoi il retourne, elle leur parle de moi comme d'un protégé de Tek'ic, ayant des dons extraordinaires, et leur faisant promettre le secret, les convainc de se prêter à cette cérémonie, qui doit bouleverser pour toujours le cours de nos vies.

Nous entrons en contact à travers les conques.

Il y a là Annie White Elk, une Crow de la cinquantaine, à la beauté anguleuse ; Mariama Smart Bell, une métisse afro-séminole, à l'âge indéfinissable et dont l'accoutrement m'évoque une prêtresse vaudoue ; John Two Snakes Gurche, un vieux Cherokee que Tek'ic connaît, maître forgeron et guérisseur hors pair ; Pascal Whishikan, un Dakhota dont les ascendances guerrières marquent les traits au couteau, sans parvenir à atténuer la bonté du regard. Rising les a tous rencontrés lors de colloques sur les médecines traditionnelles, dans les années 70, et a en chacun une confiance totale. Je ne peux qu'y souscrire lorsque à travers Tek'ic, les conques, et elle, je les sonde pour la première fois. Tous font preuve d'une sincérité absolue envers la chamane, et envers leurs propres croyances, et si leurs personnalités ont été forgées dans le deuil et la souffrance, ils n'en ont retenu qu'espoir et tolérance. Leurs certitudes reposent sur des doutes permanents et une curiosité insatiable, chacune de leurs connaissances est destinée à être mise au service désintéressé de la santé des hommes, et du monde. De nous tous, non seulement je suis le plus jeune, mais face à leurs forces de caractère, à l'intégrité de leur philanthropie, mes convictions semblent plus fragiles que des velléités. Lorsque je les investis, je sens leur surprise, du fait de mon inexpérience et de mon éducation occidentale, au-delà de tout préjugé. Sans les présences de Rising et Tek'ic à mon côté, jamais ils ne me prendraient au sérieux.

Pourtant ce sont mes énergies qui nous font vraiment fusionner, et quand j'éveille en eux le don de Qâ, leur stupéfaction n'a d'égale que leur gratitude. L'extase qui nous réunit ne dure qu'un instant, mais lorsque Tek'ic interrompt la communication, je résonne encore longtemps dans la cabane, de la soudaine béatitude des chamanes et de leur complète dévotion. Rising me raconte plus tard leur effervescence, la façon dont elle élude leurs questions, pour les renvoyer chez eux avec pour mission de parfaire leurs nouveaux talents, et d'attendre mon signal, avant de les diffuser autour d'eux.

Après cela, je suis presque soulagé à l'idée de partager dorénavant la responsabilité de la propagation du don. Si mon rôle s'arrête à éveiller des gens à distance, cela me convient parfaitement. Je m'empresse de m'en convaincre et, débarrassé de ce tracas, je gagne en sérénité, m'appliquant exclusivement à aimer Qâ davantage.

Je vis sa grossesse avec une si constante attention que, malgré les exercices qu'elle et Tek'ic m'infligent, je me mets à prendre des kilos, pas de la bedaine, non, de la masse musculaire qui m'épaissit quand même. À force d'amour, de course, de danse, de rires, d'escalade, à force de vivre au rythme de la forêt et des animaux, évidemment les appétits s'aiguisent. Rising renouvelle notre garde-manger et la nature se montre d'une générosité folle. Moi qui, peu de temps auparavant, n'aurais pu y survivre plus de quelques jours, je m'y promène à présent, fort des enseignements des chamanes et des connaissances de Qâ, comme dans les rayons d'une épicerie fine.

Têtes de violon, poireaux sauvages, racines de sagittaires cueillies dans les étangs, dent-de-lion, ail aux ours, cresson, que nous mangeons sans cesse au cours de nos excursions, mais aussi que je ramasse pour les apprêter en salades chez Tek'ic. Orties, dont je fais une soupe délicieuse, un *brodo di strega*, avec un peu d'ail, et quelques têtes de truites pêchées à la main ; racines de joncs des marais, quenouilles et bardane, blanchies puis cuites dans la braise, enroulées dans des feuilles de nénuphar, servies avec les truites en question ; tiges de laiteron pelées, bouillies au sel de tussilage, comme des gros spaghettis, avec une sauce à l'oseille et aux fleurs de pissenlit ; steak de chair tendre de pin à sucre, prélevée dans l'écorce au sud, en pleine montée de sève, sautée dans la graisse d'oie, sur purée de topinambours. Sans compter les gros vers blancs, au goût de crevette d'eau douce, dont Qâ est friande et que j'apprends à apprécier, juteux et parfumés qu'ils sont, selon l'essence des souches desquelles nous les extrayons.

Dans les bois, lorsqu'elle détecte une traque, si la proie est saine et plus grosse que l'appétit du prédateur, Qâ intervient parfois pour prélever son tribut. En général, son irruption suffit à faire reculer les prédateurs, sinon, elle les y force quelque peu. Elle s'avance, prélève un morceau de la victime, repart à reculons, rendant leurs places aux carnassiers. Je la vois faire avec des coyotes et des loups, des gloutons, des renards, dont une femelle argentée est la seule de tous les animaux à tenter de la mordre, avant de s'enfuir en traînant son oie derrière elle, refusant de lui céder le pas. Je vois Qâ faire reculer des lynx, et même un ours brun, suffisamment affamé pour avoir tué une biche. Moi, je n'essaie même pas, me contentant d'observer à distance et de partager la viande encore tiède avec elle, car incontestablement les animaux font la différence entre l'homme-nu que je suis, et elle, la femme poilue des bois.

Les jours rallongent et la température plus clémente nous incite à passer de plus en plus souvent les nuits dehors, et à descendre au bord de l'océan pour nous empiffrer de palourdes et de bigorneaux. Pour elle, avec elle, je plonge dans les eaux froides pour attraper des langoustes et des araignées de mer. Qâ les mange crues, tandis que je les cuis à la braise. Curieusement le don ne s'étend pas aux créatures de la mer, à part aux grands mammifères. Il est impossible de sonder poissons et crustacés, et Qâ ne montre envers eux aucun état d'âme. Quand je m'en étonne, elle me dit :

— Essaie donc de convaincre un poisson de te céder un peu de son repas... Je ne les prends pas pour mon plaisir. Les enfants en ont besoin pour leur croissance.

Qâ n'aime pas donner la mort, mais je lis dans sa mémoire qu'en des périodes difficiles il lui arrive de tuer pour se nourrir. Et s'il le faut, elle sait faire de ses envies des nécessités.

— Autrefois les miens vivaient plus près de la mer.

Avec la prolifération des hommes-nus, nous nous y sentions trop à découvert et avons fini par nous retirer dans les bois. Ma mère me disait que les femmes des anciens n'aimaient rien autant que d'accoucher dans la mer, avec les dauphins.

— Si tu veux, nous pourrions essayer. Rising saurait les faire venir.

— Non. Je le pourrais aussi, mais il vaut mieux pour eux que les dauphins se tiennent loin d'ici désormais. Vos machines volantes ont beau être bruyantes, elles arrivent beaucoup trop vite, et je sais que leurs yeux peuvent voir de très loin. Et de fait, lors de nos séjours, malgré les délices que l'océan nous octroie, Qâ fait toujours preuve d'une grande vigilance, et même quand nous nous prélassons sur le rivage, elle ne cesse jamais de sonder autour de nous.

Comment dire le plaisir qui nous réunit, quand vautrés sur le sol moelleux d'une pinède aux troncs torsadés par le vent, nous jouons à être des phoques. Avec les animaux fuselés, fous de cet après-midi ensoleillé, nous virevoltons dans une baie d'émeraude parsemée d'îlots de rocs noirs et luisants, qui fragmentent les vagues en écume neigeuse. Avec eux nous piquons, frôlons les algues, remontons en chandelle, ivres de liberté ; avec eux nous jappons en crevant la surface, battant l'eau de nos nageoires, énervés de la présence de nos propres silhouettes enlacées sur la côte, en lisière de forêt, elle et moi confondus sur le tapis roux des aiguilles de pin, châtaine sa fourrure et beiges mes habits de daim.

Ou dans la nuit obscure d'un vallon moussu, tirés du sommeil par un raton laveur rinçant à gros bouillons une racine dans les ondes, Qâ prend mon visage dans ses mains. Les pouces sur mes yeux, moi de même, et de légères pressions sur nos globes oculaires, fusionnant, nous nous amusons à faire coïncider les dessins iridescents de nos phosphènes en cercles de lumière, derrière nos paupières closes, où notre bonheur se reflète.

Avec elle, j'apprends à téter érables et bouleaux. À grimper dans les branches, pour plus de discrétion, et là, percer un trou dans l'écorce, de l'ongle pour Qâ, et pour moi, d'un bout de bois taillé en pointe. À m'asseoir confortablement à califourchon, enlacer le tronc, y plaquer ma bouche. Puis somnoler consciencieusement pendant des heures, en avalant des gorgées pleines de l'eau sucrée des arbres.

Plus jamais je n'ai de crise de venin de tatzelwurm. Et mes doutes ne durent plus qu'un instant.

Avec la chaleur viennent les mouches noires, et aussi, beaucoup trop fréquentes à mon gré, bien qu'elles soient rares, les rencontres avec les hommes-nus.

Les dons de Qâ couvrent une surface d'une bonne vingtaine de kilomètres de diamètre, les miens, peut-être trois ou quatre, jamais je ne les sens autrement qu'à travers elle, chaque fois, pourtant nous nous enfuyons au plus vite. Pêcheurs en bateau, chasseurs, randonneurs, toujours en meute, animés d'instincts prédateurs, nous les fuyons comme la peste, nous fondant dans les bois. Avec Qâ, j'apprends à ne laisser aucune trace. J'ai depuis longtemps troqué mes godasses pour des mocassins de cuir aux semelles plus discrètes, et je sais discerner sur le sol les endroits où poser mes pas. Les dons nous confèrent un avantage indiscutable, mais Qâ fait toujours preuve d'une grande hâte pour nous éloigner de là.

De sa mémoire, elle me montre comment, une nuit où elle dormait dans une clairière, elle faillit être débusquée par un hélicoptère. Faisant irruption dans les têtes des hommes-nus qu'il contenait, elle réussit à suffisamment les déconcerter pour se précipiter à couvert. Leur machine pouvait voir la nuit. Elle eut beau multiplier les feintes, la machine sans cesse retrouvait sa trace, comme si elle sentait sa chaleur. Alors elle avait couru pendant des heures sous les arbres, et s'était arrangée pour croiser un groupe d'autres hommes-nus, se cachant sur leur passage, et la machine l'avait confondue avec eux. Cela exacerba sa prudence. Aussi, dès que nous détectons le moindre soupçon de présence, nous nous évanouissons comme des ombres, dans la touffeur de la forêt.

Tek'ic aussi reçoit quelques visites. Chaque fois, Qâ et moi nous cachons dans les bois pour observer les intrus, et c'est une sensation enivrante, d'être ainsi du côté de la vie sauvage, pour observer les hommes. Quand le chaman part quelques jours pour soigner des gens, Qâ et moi en profitons pour faire des agapes dans la cabane, des grasses matinées au coin du feu. Pendant des heures nous échangeons des caresses et des massages, nous explorons comme des paysages, voyageant de chairs en sens, avec de longues pauses de ravitaillement dans le garde-manger.

Avec Qâ, j'apprends à faire du plaisir, des ellipses à la lenteur astrale, où temps et espace, corps et âmes confondus, transforment notre amour en extase absolue. Avec elle, j'apprends à me retenir pendant des heures, à ne venir que lorsque ses orgasmes de moi l'exigent, et le plaisir de ma retenue est aussi intense que celui de notre jouissance. Avec elle, j'apprends à faire de chaque jour, chaque seconde, chaque frisson, chaque mouvement, chaque murmure, chaque silence, une éternité de délices.

Puis un jour, alors que nous cueillons pour Tek'ic des feuilles de nénuphar, dans un vallon marécageux bordé de salicaires pourpres, je comprends que l'été est là. Qâ me fait signe de la rejoindre, je pense qu'elle a trouvé quelque chose, mais elle prend ma main et la pose sur son ventre.

Je sens les jumelles bouger.

Partout le camaïeu des verts s'éclabousse de taches de couleur. Rouge des sumacs et des asters, blanc des lys, des ciguës et des lobélies, des sureaux et des merisiers, jaunes des symplocarpes dans la tourbe fangeuse, des vesces et des soucis. Les rares clairières deviennent prairies de graminées, roses de castillège, oranges d'arnica, mauves d'échinacée, arc-en-ciel d'une multitude de fleurs innombrables qui courent des sous-bois aux branches des arbres, des marais aux rocs escarpés, des mousses aux lianes, et jusqu'à la canopée où parfois nous trouvons refuge, pour échapper à l'humidité. Là aussi fleurissent liserons et cucurbitacées, pour le plus grand bonheur d'une myriade d'insectes, dont je ne connais pas les noms.

Déjà nous avons fait nôtres les bleuets et les épilobes, les choux gras, les fraises des bois, les premières chanterelles. Déjà la chaleur est telle qu'elle transforme la forêt en sauna, et malgré la raréfaction des pluies, elle devient vraiment pluviale. Elle, déjà dense, se fait impénétrable, ronces, aubépines, lierres entremêlés, épines, troncs, branches déployées, et même Qâ par endroits ne peut pas passer. Parfois, après avoir franchi des taillis inextricables, nous nous retrouvons recouverts d'une couche si épaisse de pollens, qu'on nous dirait peints en jaune de la tête aux pieds.

Pourtant, c'est en sentant les jumelles bouger dans le ventre de Qâ, que je réalise vraiment que l'été est là.

Les jumelles bougent. Elles accueillent mes caresses par des petits coups de pied, et c'est comme de sentir la vie se mettre à remuer.

Qâ et moi nous émerveillons de percevoir comment leurs consciences se développent presque plus vite que leurs corps. Elles sont déjà capables de discerner avec précision les élans que ressent leur mère, enthousiasme ou tension, et à travers elle, parmi le brouhaha des animaux environnants, de distinguer les fréquences des trilles d'un pinson saluant la gaieté du jour, comme des chatouillis agréables.

Lorsque nous fusionnons très intensément, nous nous ahurissons de la manière dont, après avoir salué nos présences de soubresauts de plaisir, elles semblent nous oublier et profiter des énergies de nos attentions pour les concentrer dans leur croissance. Elles tirent leurs forces du ventre de Qâ bien sûr, cordon ombilical et liquide amniotique, mais aussi semblent pomper comme des éponges, à travers placenta et peau, les énergies favorables. La façon dont leurs consciences président à leurs répartitions en faveur de différents organes ou systèmes en formation ; la façon dont elles stimulent la reproduction de leurs cellules, leurs spécialisations, leurs morphogenèses : la façon qu'elles ont de sembler piéger des particules venues de nulle part, pour les amalgamer en atomes, en molécules, en protéines, en cellules, en muscles, en sang et en chair, dans la volonté concertée de la croissance, fait apparaître qu'indubitablement l'esprit forge la matière.

En Qâ, je les aime comme le fruit ses graines, et en poussant ainsi, chaque jour, elles émoussent le mordant de mes doutes, neutralisent l'acidité corrosive de mes dernières appréhensions quant à l'harmonie de leur croissance.

Au plus fort de l'été, lorsque Rising revient nous rendre visite, je suis devenu un autre homme. Ce que Qâ a gagné en rondeurs, je l'ai gagné en plénitude. Non seulement je suis dans une forme physique éblouissante, que je n'ai plus connue depuis mes vingt ans, mais pour la première fois de ma vie, je suis complètement en accord avec moi-même, et cela confère à chacun de mes actes, une satisfaction d'accomplissement ignorée jusqu'alors. Qâ fait de moi le plus heureux des hommes, et ce bonheur rejaillit sur le monde alentour, tout comme rejaillissent sur moi le foisonnement des oiseaux qui nidifient, des portées multiples de renardeaux, de martres, de castors, qui batifolent hors de leurs tanières ou de leurs terriers, et de tous les animaux pour lesquels c'est l'heure des amours et de la reproduction. La conscience que j'ai de cette multitude de vies me mûrit, comme les fruits de la forêt.

Nos échanges avec Rising et Tek'ic deviennent de plus en plus limpides, au fur et à mesure que nous perfectionnons nos dons. Même si nous sommes encore loin de l'aisance de Qâ, la façon dont nous communiquons tisse entre nous une amitié extraordinairement confiante et sincère, et parfois, nous subodorons ce que pourrait être un monde d'où les hommes auraient banni hypocrisie et mensonge.

Rising nous donne des nouvelles des autres chamanes que j'ai éveillés. Ils ne cessent de la contacter pour chanter nos louanges, en découvrant la valeur de leurs dons. La chamane se réjouit qu'ils les partagent à leur tour, et deviennent eux-mêmes les récipiendaires du bonheur de nouveaux élus ; elle appelle ça la multiplication des gratitudes, disant que cela ne peut qu'être bénéfique à tous. Et même la perspective de devoir un jour reprendre contact avec d'autres hommes-nus ne parvient plus à assombrir la lumière de mon amour pour Qâ et les jumelles.

Tek'ic accompagne Rising et part à son tour pendant presque un mois, me laissant seul avec Qâ. Nous convenons de rendez-vous ponctuels en utilisant les conques et les bassines, dont il m'a appris les rituels d'usage, et à travers lui, j'éveille trente-sept autres personnes.

Il fait un périple à travers l'Amérique du Nord, Vancouver, Phœnix, Houston, Atlanta, St Louis, Boston, et partout, réunit des gens de connaissance. Certains chamanes traditionalistes, d'autres pas, des gens de toutes sortes, de tous âges, dont une majorité de femmes. Des Peaux-Rouges et des Blancs, des Noirs et des Jaunes, des cultivateurs, des scientifiques, des guérisseuses, des artisans, des philosophes, des artistes et même un prêtre défroqué, devenu thérapeute qui œuvre dans les bas-fonds new-yorkais. Tous, quelles que soient leurs professions, font montre de qualités philanthropiques indéniables et d'une grande intégrité, et ils guident leurs vies sur les chemins des forces de l'invisible pour soulager les maux de l'humanité.

Il y a une chamane Rapa Nui de l'île de Pâques, une Mapuche du Chili, un Jivaro, une Kiowa, une hounsi vaudoue haïtienne, des Inuit, un Maya ; et aussi un sourcier breton, un mamu kogi de Colombie, une herboriste lapone, une biologiste maorie, un Papou de Nouvelle-Guinée, une princesse huichol du Mexique, un vegetalista péruvien, une Saora des Indes, un Ashanti, petit homme aux pieds nus, en costume trois pièces, avec des lunettes dont un verre manque. Il y a une radiesthésiste roumaine, un musicien camerounais, une astrologue de l'Utah, une chamane taiwanaise, par ailleurs cheffe d'entreprise dans les nouvelles technologies, une rebouteuse sicilienne, un tambourinaire népalais, un acteur de théâtre « irrationnel » berlinois, deux sœurs yakoutes, chamanes héréditaires, acrobates de profession. Et quantité d'autres.

De chacun je pourrais dire le nom et l'histoire, de chacune, je pourrais raconter les bonheurs et les peines, tant sont intenses nos fusions. Tous ont répondu à l'appel de Tek'ic, qui les connaît depuis longtemps, et il a généreusement financé le voyage de certains.

Lorsqu'à travers les conques et lui j'investis les premiers d'entre eux, après m'être assuré de leurs intentions, je les submerge de l'extase qui nous a réunis, Rising, Tek'ic et moi. Cela suffit pour éveiller en eux le don de Qâ. Par la suite, j'augmente chaque échange des extases précédentes. Les cérémonies deviennent de plus en plus denses, et les derniers que j'éveille sont emportés par les élans de la foule de leurs prédécesseurs, tandis que je fonds de bonheur, chaviré par la reconnaissance de tous et de chacune.

Durant les préparatifs avec Tek'ic, nous avons longuement discuté des risques inhérents à la diffusion des talents. Quelles que soient les qualités des gens que nous éveillons, il est impossible de s'assurer de leur probité future.

Mais le don a ceci de particulier, qu'en plus de tisser des liens entre les hommes, il situe chacun de nous au centre de forces naturelles, où n'ont pas cours les artifices. Et je reste persuadé que le don de Qâ peut rendre meilleur le pire des hommes.

Pendant les éveils, Qâ est là, à côté de moi dans la cabane. Juste à l'orée de nos fusions. Elle s'en tient à l'écart, tout en lisant sur mon visage les émotions qui m'habitent. Et tandis que, livide, cramponné à la conque, je fuse avec une ichtyologiste groenlandaise, un mage moscovite, un paysan malgache, une éleveuse du Montana, réputée pour l'efficacité de son magnétisme sur les rhumatisants et les chevaux, et un Apache, pilier du mouvement de résistance à l'implantation des observatoires du Vatican au mont Graham, depuis toujours leur montagne sacrée, je vois Qâ sourire de contentement.

Je l'aime comme la mer le ciel, la terre les nuages, les oiseaux le vent.

Entre deux cérémonies, nous profitons de notre tranquillité pour faire de longues excursions, passant nos nuits dans la forêt. Avec Qâ, j'apprends à vivre comme un homme sauvage, allant à moitié nu aussi souvent que possible, avec juste une besace, contenant mon poignard, des habits, qu'il me faut enfiler pour franchir certains taillis, une couverture de fibres de cèdres pour nous protéger du soleil ou de la pluie, et de l'onguent pour ne pas servir de repas aux insectes.

Aux fraises s'ajoutent les framboises, les cerises, les champignons ; aux graminées, les fèves et les lupins. Nous nous nourrissons de baies et de poissons, d'insectes et de racines, et jamais n'avons le temps d'avoir faim. Nous partons, au gré des trouvailles que la nature égrène devant nous. Nous partons, tantôt au sud, en direction de la côte, tantôt vers l'intérieur, jusqu'à nous enfoncer loin dans les montagnes. Au nord, le relief de la forêt est si escarpé que, parfois, il nous faut des heures de descentes et de remontées pour franchir quelques centaines de mètres. Qâ et moi évoluons dans les bois comme des faunes, et les dons transforment pour nous chaque nouveau paysage, en territoire familier.

Pourtant, quelle que soit la direction que nous choisissons, toujours, à quelques jours de distance, au détour d'une colline, au-delà d'une crête, d'un taillis ou d'une ravine, nous nous heurtons aux barrières des hommes. À la forêt saccagée, à la terre meurtrie de carrières béantes, à des balafres parfois anciennes, où jamais la nature ne parvient à reprendre sa beauté primordiale. Chaque fois nous ressentons dans nos chairs, ses blessures. Affligés, nous rebroussons chemin.

— N'as-tu pas peur, Qâ ? En voyant l'ampleur de la bêtise de mes semblables, n'as-tu pas peur qu'ils gaspillent les dons que nous leur transmettons ?

— Au contraire. Mère Terre est très malade. Vous êtes responsables de ses maux, mais vous êtes aussi ses remèdes, elle a hâte que vous l'aidiez dans sa guérison. C'est pourquoi elle a voulu que je porte tes enfants, et c'est pourquoi elle veut que le don s'essaime.

Alors nous replongeons dans la matrice de la forêt, à l'abri du foisonnement végétal et animal, nous éloignant au plus vite du champ de bataille, nous désolant qu'il reste juste assez de forêt pluviale, pour y héberger nos amours.

Puis un matin, à travers les conques, Rising nous prévient que Béatrice est arrivée jusque chez elle, malgré son interdiction de séjour en Colombie-Britannique, bien décidée à entreprendre des recherches pour retrouver l'avion de Sherman et nos dépouilles. Devant la sincérité de son chagrin et sa persévérance, Rising hésite à lui parler et même à lui transmettre le don. Je la conjure de n'en rien faire, passe quelques jours à me ronger les sangs, avant que Rising me rappelle. Devant sa mauvaise grâce à l'aider, Béatrice, déçue, assistée d'amis cryptozoologues, est allé rendre visite aux fils Morgensen, qui bien sûr ont nié nous avoir jamais vus, et ont prévenu les autorités de sa présence. Elle a dû repartir en catastrophe, très affligée. Rising s'en veut de lui avoir caché la vérité, et je m'en veux aussi. Malgré tout, je respire.

Qâ s'étonne de mes appréhensions et de mon soulagement. Dans ma mémoire, elle trouve Béatrice sympathique et jolie, elle sait les élans que j'ai pu ressentir pour elle, pense qu'elle devrait avoir ma confiance, puisqu'elle m'a sauvé de ce ver à pattes venimeux. Elle ne comprend pas bien la fermeté de mon refus. Je m'emberlificote dans les justifications, argue de ma volonté d'oubli, de la nécessité du secret et finis par admettre que, même si j'accepte que le don doive essaimer, la seule raison de mes réticences, c'est ma jalousie exclusive. Je veux Qâ pour moi seul. Moi tout seul. Et nos filles avec elle.

De rebondi, son ventre devient carrément proéminent, le nombril en avant d'un promontoire où le poil s'éclaircit du fait de la tension de la peau, puis s'expand graduellement pour, à la fin de l'été, atteindre une rondeur impressionnante. Elle se cambre pour soutenir sa grossesse, mais ne perd rien de sa souplesse et de son endurance.

Quand je lui demande quels noms elle souhaiterait donner aux jumelles, elle me répond :

— Attendons de les voir, si tu veux trouver des mots qui les réfléchissent, elles sauront bien te les montrer elles-mêmes. Qâ, j'aime être Qâ, pour toi. Cependant autrefois, je n'avais pas besoin d'un nom pour être.

À vrai dire, elle ignore pourquoi Ho Letite l'a baptisée ainsi. Mais comme c'est le nom qui rassemble ce que j'éprouve pour elle, alors elle accepte pleinement de l'être devenue.

— Qâ, me susurre-t-elle de sa vraie voix.

Elle parvient très bien à articuler des sons précis de sa bouche et de ses cordes vocales, utilise sa voix pour ses rires, ses gémissements, ses douces mélopées respiratoires, et je l'ai entendue imiter des cris d'animaux avec des modulations très précises. Si elle le voulait, elle pourrait parler parfaitement. Mais les sens étriqués des mots l'indiffèrent. À mesure que j'apprends à ne plus y avoir recours pour communiquer avec elle, de plus en plus souvent, elle se met au contraire à murmurer mon nom, dans nos moments d'extase, et c'est la plus belle des musiques, de sa bouche à mes oreilles.

Tek'ic et Rising reviennent. Celle-ci me fait quelques remarques désobligeantes quant à mon attitude envers Béatrice, mais en fait, elle approuve mon choix pour Mère de nos mères. Les chamanes sont chargés de récits formidables, et nous passons de longues soirées devant la cabane, autour d'un feu, dans le crépitement incessant des insectes qui viennent s'y brûler les ailes. Ils donnent libre cours à leurs talents de conteurs, conservant une verve folle tout en s'affranchissant des mots. Ils transforment leurs voyages en épopées grandioses, tandis que Qâ et moi, béats, gobons chacun de leurs silences.

Quiconque assisterait à nos conversations en serait ahuri d'incompréhension. Nous n'utilisons pas de paroles, non, mais pourtant, ponctuons nos échanges de nos rires, de nos gloussements. Tek'ic est maître dans sa façon de raconter ses histoires, en reproduisant en même temps les bruits qui les accompagnent. Nous laissons fuser des cris de ravissement, de brèves exclamations d'étonnement où parfois un mot surgit, soulignons tel ou tel passage d'onomatopées reflétant les sensations qu'ils nous évoquent. Pour parachever l'irréalité de nos bavardages muets, Qâ, seule d'entre nous à ne pas être enduite d'onguent répulsif, bourdonne sporadiquement.

Tous ceux à qui les chamanes ont transmis le don ont été stupéfaits de ses potentiels et de leur propre métamorphose, et à l'idée que le don existe en chaque homme, chaque femme, chaque enfant, et qu'il suffise d'une seule « connexion », pour l'activer, tous nous ont voué leur reconnaissance éternelle, et par avance, celles des personnes à qui ils le transmettront à leur tour.

Tek'ic nous fait beaucoup rire en nous racontant les liesses qui ont suivi les cérémonies. La façon dont les chamanes ébahis, fusant pour la première fois, sans aucune maîtrise, se retrouvent les uns dans les autres, pour faire connaissance, ahuris de leurs présences mutuelles ; comment certaines vieilles amies se découvrent soudain des facettes insoupçonnées jusqu'alors, et comment les séances, inévitablement, tournent en fous rires dévastateurs.

Pendant les extases, certains, les plus sensibles, ont perçu à travers nous l'existence de Qâ et des jumelles, et en ont été bouleversés. Tous respectent pourtant notre volonté de confidentialité, même si Tek'ic a eu le plus grand mal à persuader deux d'entre eux que Qâ est bien humaine, et en aucune façon la déesse d'une nouvelle religion.

Non, le don est la possession de chacun et de chacune, et quand viendra l'heure de le répandre autour d'eux, les chamanes devront le faire en leur propre nom, et non en celui de la femme poilue des bois, de Loumouyé Naquneye ou de quiconque, quelle que soit leur gratitude à notre égard. Tous, dans la transparence absolue de la fusion, ont juré de ne jamais dévoiler le mystère.

Rising nous raconte comment Mariama Smart Bell l'a contactée très émue, pour lui dire que grâce au don, elle est arrivée à tirer sa jeune sœur d'un coma profond, dans lequel elle était plongée depuis plus d'un an. Mais pour cela, elle a été obligée de le lui transmettre, et elle tient à nous en avertir. Nous accueillons la nouvelle avec joie. C'est ainsi. Le don doit se répandre parmi les hommes. Bien que Rising, Tek'ic et moi soyons convenus de retenir sa diffusion jusqu'à la naissance des jumelles, nous savons que cela est impossible, et Qâ la première manifeste son contentement.

Les deux chamanes sont revenus si bardés d'enthousiasme, si dynamisés de joie, si chargés de l'espoir de leurs émules, qu'ils semblent avoir rajeuni l'un et l'autre. Une fois de plus, les élans qu'ils véhiculent se déversent en nous en cataractes, pour gonfler encore le fleuve des sentiments qui nous charrient. Qâ et moi nous aimons au-delà de l'imaginable, comme peuvent s'aimer des neutrinos, des méduses ou des galaxies.

Nous sommes les témoins permanents d'un miracle. Celui de ces fragments minuscules de nos êtres, si ressemblants et si dissemblables, qui se sont assemblés, réunis, agglomérés pour devenir les germes de ces vies qui chaque jour dans son ventre grandissent.

L'été tire à sa fin. Sans même que je m'en aperçoive, le manteau vert de la forêt s'est taché de couleurs éparses. Les averses se font plus denses, plus froides, mais le soleil, quand il apparaît, dégage encore une moiteur étouffante.

Un jour, les jumelles sondent pour la première fois.

Tandis que Qâ, accroupie dans un ruisseau, satisfait ses besoins naturels, sur la berge, je me faufile entre des épines pour gober de délicieuses mûres, gorgées de jus et de soleil, quand soudain, je sens les jumelles me sonder. Non, ça n'est pas Qâ. C'est infime, minuscule, presque imperceptible. Ce sont elles, les jumelles, en moi. Clairement intéressées par le sucre dont je me régale. Alors, je m'empresse d'en cueillir encore, pour aller les glisser une à une entre les lèvres de Qâ qui les mâche consciencieusement à leur intention et, peu après, je sens leur satisfaction pour cet apport de glucose.

La façon dont leurs consciences se développent est ahurissante. Elles ne sont encore que de gros fœtus baignant dans leur liquide, n'ont que des embryons de sens : ni vue, ni odorat, ni ouïe, ni toucher, en contact avec le monde extérieur. Pourtant, à travers les sens de Qâ, elles en ont déjà une perception très précise. Leurs mémoires sont faites des sensations de leur propre croissance, mais la sûreté de leur instinct, notamment dans leur manière de distinguer les qualités nutritives des aliments que consomme leur mère, fait montre d'un savoir empirique ancestral.

Elles n'ont nul besoin de représentations du monde, semblent en percevoir directement la nature essentielle et vibratoire. Elles ne voient pas l'arbre ou le rocher, pourtant distinguent parfaitement l'animal du végétal, le minéral du gazeux, l'inerte du vivant, comme si à travers le don, sans passer par les autres sens, elles sentaient la texture intrinsèque de ce qui fait le monde. Elles ne formulent ni pensées structurées, ni réflexions abstraites, et répondent tout entières à des intuitions formidablement complexes, qui laissent présager les qualités de leurs intelligences.

Lorsque, deux mois avant leur naissance, elles se

mettent à sonder autour d'elles, et en nous, nous comprenons qu'indubitablement, le don sera chez elles le sens le plus important, et que, stimulées par nos multiples présences et attentions, elles en auront sans doute une maîtrise encore plus grande que celle de Qâ.

Le don grandit en elles, avec elles. Elles sont nos enfants. De moi, elles auront peut-être les carences, mais sûrement, de Qâ, les talents. Je leur voue un amour si vaste, qu'il me faudrait des vies pour le parcourir, et je suis prêt pour elles, à toutes les arpenter, toutes les explorer, toutes les découvrir.

Viennent les myrtilles, les noisettes, les châtaignes, les glands, le riz sauvage et les champignons excentriques. Les satyres puants, les éperviers, les coulemelles, les armillaires couleur de miel, dont Tek'ic blanchit deux fois les chapeaux avant de les apprêter et dont le goût d'hydromel poivré ravit nos papilles. Reviennent les pluies.

Soudain la forêt entre en éruption.

Les taches de couleur enflamment le vert alentour, le dévorent d'un incendie d'incarnats, de jaunes, d'ocres, de rouges, de violets, d'oranges, de pourpres. Aux feux si violents que parfois, à la fin d'une journée pluvieuse, quand le soleil, pointant sous les nuages montre ses derniers rayons, la forêt prend une telle incandescence, la lumière gagne une telle intensité, qu'on pourrait croire assister à une nouvelle aurore. La forêt chatoie, l'érable se pare de carmins, le bouleau d'or, le saule d'argent, les aulnes, les peupliers, les chênes et les hêtres revêtent leurs habits miroitants. Et si les arbres tissent leurs tenues d'apparat, Qâ le sait comme moi, c'est pour mieux se préparer à la naissance des jumelles.

Qâ devient immense. Son ventre distendu par des protubérances, selon que les jumelles y poussent des pieds ou de la tête. Nous ne nous aimons plus que de caresses. Depuis que les jumelles sondent, je n'ose plus la prendre, j'aurais l'impression de le faire en leur présence, sans pouvoir éteindre la lumière, et Qâ parfois se moque de ma décence inconvenante. Malgré son état de grossesse, elle se montre incroyablement lascive, et nous nous faisons jouir de nos doigts, de nos bouches, de nos peaux tout entières. Sa fourrure redevient plus sombre et plus épaisse, et ses seins se gonflent comme deux outres pleines. Elle incarne la beauté, épanouie et rayonnante, assouvie et satisfaite, d'une déesse féconde.

Rising, avant de repartir, m'initie aux mystères de l'accouchement, me livrant ses propres expériences de sa mémoire. En plus de Sherman, elle a eu un autre garçon, décédé lui aussi longtemps auparavant, et une fille, qui a tourné le dos aux traditions de son peuple, mais qu'elle ne désespère pas de voir revenir un jour. Elle me montre de l'intérieur chacune de leurs naissances, l'alchimie insensée qui transcende la déchirure de son corps, la dilatation de ses organes, en bonheur primordial. Elle m'enseigne la façon de s'hyper-oxygéner pour ensuite accompagner chaque convulsion de tous les muscles de l'abdomen ; et puis, la rupture, la délivrance, la douleur la plus intense et la joie la plus pleine.

Elle m'explique comment débarrasser le nouveau-né de son placenta déchiré, comment couper et nouer son cordon ombilical. Elle me fait vivre la révolution hormonale de son corps, la façon dont les capillaires de ses mamelons se dilatent pour laisser sourdre quelques gouttes de lait. Et le bonheur de poser sur ses seins l'homoncule bienvenu au monde.

Rising me donne de ses accouchements une expérience si intime, qu'après cela, je reste pétrifié, engourdi par l'intensité des douleurs que je viens de ressentir, et la béatitude de leur libération, me palpant régulièrement le ventre, stupéfait de la révélation de cette parthénogenèse que depuis toujours les femmes vivent, sans que les hommes en mesurent le courage et les effets. Ensuite, en regardant Qâ, je la vois avec des yeux de sage-femme, comprenant le pourquoi de chacune de ses postures écartelées, parfois un peu indécentes. Et elle, palpant son ventre à son tour, semble me dire :

— Alors, es-tu prêt ?

Et elle rit.

Quand Rising veut l'ausculter une dernière fois, Qâ refuse nonchalamment, et son air de santé est tel, que la chamane ne peut que l'embrasser longuement. Elle nous promet de revenir à la fin de l'été indien, pour l'accouchement, dont elle et Qâ ont précisément déterminé la date, par je ne sais quels moyens. Une nouvelle fois nous l'accompagnons jusqu'au fjord, où l'attend son équipage, et prenons congé d'elle à l'abri de la forêt et du regard des hommes.

Qâ devient de plus en plus pesante et prend un soin accru à vérifier derrière elle qu'elle ne laisse pas de traces, mais malgré ses dimensions, elle reste infatigable. La forêt nous attire d'appât en appât, et comme des errants en pays de cocagne, nous nous y perdons passionnément. Malgré le froid vif, nous passons souvent la nuit à la belle étoile, blottis sous la pelisse de caribou, dans une anfractuosité de roche, ou au contraire juchés sur les dernières fourches de séquoias immenses, dominant les scintillements de la canopée sous les rayons de lune.

Qâ veut accoucher dans la forêt, et nous nous mettons en quête de l'endroit adéquat. Il doit être à la fois exposé au sud et moussu, protégé du vent et de la pluie, à proximité d'une source d'eau claire, à l'abri des regards bien sûr, et pourtant, offrant un point de vue dégagé sur les environs, et de multiples possibilités d'échappatoire. En plus, il doit correspondre à des normes d'harmonie, dont seule Qâ connaît les secrets.

— Si la terre était un corps, l'endroit que je cherche se trouverait ici, me dit-elle, en caressant doucement l'arrière de ma jambe, à hauteur du genou, là où vaisseaux, veines et artères se rassemblent en passage obligé, ou ici, ajoute-t-elle encore, glissant sa main sous ma tunique pour la poser sur mon cœur.

J'ai trouvé un lieu idéal. À proximité du sommet de la colline de nos rêves, une plate-forme de rocher, au pied d'une épinette et d'un mélèze qui poussent dos à dos, et dont les branches entremêlées font un avant-toit imperméable. Là, à leur ombre, pousse une mousse épaisse et étonnamment sèche, car plus bas, le soleil chauffe le rocher pendant toute la journée. En aval, à quelques mètres, sourd une source glougloutante, au bord de laquelle croissent myrtilles, cresson et mouron des oiseaux. Il émane de l'endroit une atmosphère incroyablement paisible, et lorsque Qâ m'y rejoint, elle est immédiatement séduite. D'autant que les jumelles lui font comprendre leur désir qu'elle s'y arrête pour y restaurer ses forces, le temps d'une petite sieste, ou qui sait, d'y passer la nuit.

Dès ce moment, nous y revenons chaque jour, nous y réfugiant pendant des heures, comme dans un nid.

C'est au tour de Tek'ic de repartir. Il veut retourner à Boston pour rassembler de nouveaux candidats à des cérémonies d'éveil. Rising envoie un bateau pour le prendre, et en partant, Tek'ic Standing Crow le chaman, porte sa cape bariolée sur un costume de daim brodé, ses bourses, ses amulettes, son chapeau pointu orné de sept anneaux de potlatchs, et pour tout bagage, le don de Qâ. Très ému, il l'embrasse longuement, embrasse même son ventre, et me serre si fort dans ses bras, que des larmes nous viennent.

— Loumouyé, me dit-il, souriant de son regard d'aigle, sache qu'aujourd'hui, à chaque instant je suis fier que ton amitié m'accompagne.

— Tek'ic, mon ami, mon frère, moi, à chaque instant, je suis fier d'être ton élève.

Nous ravalons nos paroles, la communion de nos consciences supplantant tous les discours.

Avec lui et Rising j'ai gagné plus que des amis, une famille. À travers eux, avec les gens que j'ai éveillés, j'ai gagné un peuple, une tribu, aux racines multiples et mouvantes, qui me donne un sentiment d'appartenance à la terre tout entière.

Tek'ic nous quitte, et au cours des deux semaines qui suivent, à travers les conques et lui, je transmets le don à vingt personnes de nationalités et d'horizons multiples, qui toutes sont en quête de connaissance et travaillent leurs talents pour les mettre au profit des plus démunis.

Il me laisse seul avec Qâ.

Seul avec la femme dont je partage le corps et l'âme.

La pluie cesse. L'incendie de la forêt se mue en tempête de flammes. Le feuillage déjà éclatant se gorge de soleil, se met à briller de feux de diamants si rutilants que la lumière semble venir de la terre et des arbres, plutôt que de l'astre. Et pourtant...

Quand je regarde Qâ, l'intelligence et le bonheur de ses yeux noirs, la bonté de son visage, le soyeux chatoiement de sa toison, la façon dont chaque jour davantage sa poitrine brandit vers le ciel ses promesses d'abondance, et la rondeur planétaire de son ventre ; quand je regarde Qâ, la forêt alentour n'est à mes yeux qu'un sertissage, dont les couleurs rehaussent la magnificence de son joyau.

La poésie de nos sens, la simultanéité et la complexité des émotions qui nous lient l'un à l'autre, aux jumelles et au monde alentour, jamais je ne pourrai les retranscrire.

Chaque jour avec elle, je vis avec la simplicité de gestes familiers, des extases transcendantales. Chaque jour je suis en elle, en moi, dans nos consciences éthérées et dans l'intimité charnelle de nos organes. Chaque jour, je suis en moi, en elle, dans son ventre distendu et dans la croissance des jumelles ; dans l'effervescence bouillonnante de leurs cellules, et dans l'éveil de leurs consciences ; dans le désir de sa peau, et les élans de leurs cœurs.

Chaque jour, sans autre nécessité que le plaisir, je quitte mon corps, me dissémine dans la multitude animale. J'assiste de l'extérieur à la tendresse de nos ébats, et je vois, au travers les sens croisés d'insectes, d'oiseaux et de mammifères, l'aura d'énergie qui nimbe notre amour.

Et nous sommes encore plus heureux de savoir que, grâce aux dons, un jour, nos enfants, tous les hommes, toutes les femmes, pourront connaître à leur tour, les vertiges d'une fusion spirituelle, qui fait des êtres des autels, et des vies, des cathédrales.

Notre passion est telle que chacun de ses reflets semble devoir durer toujours, et chaque instant être éternel.

Au sein de la forêt, bercés par les chants des vents de l'automne et la danse chamarrée des grands arbres, j'aime Qâ d'un amour immortel.

Jusqu'à ce que la folie des hommes-nus nous rattrape...

2

— Hommes-nus, dit-Qâ, et je ne sursaute même pas.

C'est le jour prévu du retour de Tek'ic. Elle et moi, nous sommes éloignés en direction du sud-est, longeant le flanc des montagnes. Nous ne sommes qu'à une heure de marche de la cabane, mais à une distance bien plus grande du fjord où le chaman doit arriver. Ces derniers jours, Qâ est devenue si immense que nous avons limité nos excursions alentour. Dans un vallon abrité, nous cueillons des myrtilles tardives, que le soleil a presque transformées en confiture. Accroupi, j'en ai plein la bouche et les doigts.

— Hommes-nus, dit Qâ.

Je ne me retourne même pas. Je sonde brièvement, ne sens rien d'inhabituel, bien sûr, ils sont trop loin pour moi, alors, je m'empiffre encore d'une grosse bouchée. C'est son silence qui m'intrigue. Je fais volte-face et mon sang se glace.

Qâ est livide, blême, hagarde, les mains crispées sur son ventre, et même les jumelles se sont tétanisées de peur.

— Qâ ? Qu'y a-t-il ?

Elle est trop effrayée pour répondre, en deux bonds je suis sur elle, la serre dans mes bras. Je sonde à nouveau, mais je n'arrive pas jusque-là.

— Qâ, montre-moi, Qâ, s'il te plaît, dis-moi ce qui se passe ! Je suis là, Qâ, montre-moi.

Elle le fait. Quelques secondes funestes ; à travers elle je fuse et je vois.

Je ne peux retenir un cri d'angoisse, d'abjection et de rage.

Les Morgensen...

Les deux fils Morgensen sont là, d'autres avec eux, et des chiens.

Et Tek'ic, entre leurs mains, sous la menace de leurs armes, qui de toutes ses forces dans sa tête nous crie, bien que nous soyons hors de portée de ses talents :

— Fuyez, fuyez ! Ils sont là pour vous. Partez, disparaissez dans les bois !

— Non ! Je hurle, non pas ça ! C'est pas vrai, non !

Je voudrais que Qâ m'en montre plus, mais elle recule en secouant la tête, frissonnante. Oh non, les jumelles... Mais déjà Qâ a tissé autour d'elles comme un cocon de protection pour les préserver de la terreur qui tord son âme. Je lui attrape les mains, la serre encore.

— Fuis, Qâ, fuis. Non... Non, reste là, il faut que j'aille aider Tek'ic, il a besoin de moi.

Les Morgensen, s'emparant de Tek'ic, mais comment ? Une colère blanche m'essore les tripes, comme si mon passé, que j'ai si bien oublié, me rattrapait soudain de ses outrages.

— Écoute, il faut que tu te caches, cours, passe au nord et va dans le nid de mousse, je t'y rejoindrai. D'accord ? Attends-moi là. Tu y seras en sécurité, et sonde, sonde pour savoir ce que font ses salopards, d'accord. Oh mon amour, attends-moi, je viendrai te chercher. Fais très attention, Qâ, je ne peux pas laisser Tek'ic aux mains de ces fumiers, il faut que j'y aille. Je reviendrai, je reviendrai te chercher. Je t'aime, Qâ. Vas-y, vas-y et cache-toi, il ne faut pas que... Je ne les laisserai pas.

Je l'embrasse encore et encore, caressant son ventre, priant pour que les jumelles ne sentent pas mon effroi. Qâ, surmontant son instinct en pleine panique, prend mon visage entre ses mains, pose ses lèvres sur ma bouche, et ses yeux noirs dans les miens brillent d'une confiance si farouche, d'un amour si sauvage, qu'ils me rendent invulnérable.

— Je t'aime pour toujours, me dit-elle, reviens vite. Cours, cours au secours de Tek'ic ! Demain, notre amour sera réuni.

La mort dans l'âme, impuissant à juguler les torrents de peur, de haine et de rage qui fissurent mon cœur, je déchire notre étreinte pour nous séparer.

Je fonce à travers bois, cours comme si j'avais des ailes, en prenant soin de ne pas laisser de traces qui puissent mener à la piste de Qâ. Je saute des précipices, patauge dans des torrents et des tourbières, me faufile dans des taillis, dont les épines lacèrent mes vêtements de daim, et plusieurs fois je fais demi-tour pour en récupérer des lambeaux.

Qâ vient en moi quelquefois, sondant le groupe pour me donner une idée de leur avance. C'est trop fugace pour m'en apprendre plus.

Mais comment ? Pourquoi ces fumiers sont-ils venus jusque-là ? Je ne peux m'empêcher de penser à mon initiation incomplète, aux cristaux que je n'ai pas tous réunis. Et, surtout, à leur père que j'ai tué de mes mains. À ma culpabilité que j'ai si bien oubliée. Oh non, non... Je cours à une vitesse folle, multipliant les précautions et les subterfuges, et je finis par les tenir à portée de mes propres dons. Et de ceux de Tek'ic.

— Je suis là, Tek'ic, tiens bon, j'arrive.

— Non, Loumouyé, non, me crie-t-il dans sa tête. C'est toi qu'ils veulent, et Mère de nos mères, fuyez, vous et vos enfants !

— Non, Tek'ic, Qâ est à l'abri, je viens t'aider.

Et malgré ses craintes je sens une bouffée de réconfort.

Le groupe arrive à proximité de l'aven, et mes poils se hérissent. Il y a là cinq hommes. Les deux fils Morgensen, le grand maigre et le rouquin. Et puis un Indien. Salaud. Je le reconnais, c'est un des hommes qui accompagnaient Rising lors de son premier séjour, le boiteux, celui qui faisait montre d'hostilité envers elle. C'est lui qui a guidé ces fils de pute jusqu'au fjord où repose l'avion de Sherman, c'est lui qui les a mis sur la piste de Tek'ic, qu'ils ont appréhendé juste à son retour.

— C'est pas vrai...

Et avec eux, deux autres hommes se tiennent un peu à l'écart de la violence que les Morgensen affiche envers Tek'ic. Eux aussi je les connais. Le cryptozoologue, le moustachu de la conférence, celui qui autrefois nous avait suivis Albert et moi. Vladimir Podrowsky et son partenaire, un brun râblé au profil grec, qui lui sert d'homme de confiance. C'est lui le maître des chiens, trois molosses, dont il ne cesse de faire claquer les laisses, tentant en vain de les calmer. Les deux hommes sont très mal à l'aise, et en les sondant légèrement, je comprends la situation. Et la fatalité m'accable.

Les cryptozoologues, ce sont eux qui ont accompagné Béatrice lorsqu'elle a voulu interroger les fils Morgensen. Sans le savoir, c'est elle qui les a mis en relation. Après son départ, Vladimir et le Grec ont su convaincre les Morgensen, et les ont engagés, leur promettant une grosse somme pour retrouver la femme poilue. Ceux-ci ont fouiné dans la région et trouvé l'Indien boiteux qui connaît le vieux qui sait où repose l'épave de l'avion. Mais, à présent, la situation leur échappe. Inquiétés par l'hystérie alcoolisée des Morgensen, ils désapprouvent la façon dont ils bousculent Tek'ic, sans oser intervenir, et comprennent que ceux-ci ne veulent pas seulement retrouver Qâ, mais surtout me trouver moi.

Me trouver pour me tuer...

L'Indien boiteux aussi est très mal à l'aise. Initialement, il devait les guider jusqu'au fjord, mais les Morgensen l'ont forcé à les accompagner. Il regrette à présent d'être là, c'est trop tard. C'est trop tard désormais pour éviter la colère du chaman et du coup, celle ultérieure de Rising. Il le sait et en tremble de peur.

Tek'ic joue les vieillards effarouchés, prétend ne pas parler anglais. Le boiteux doit traduire chaque question des Morgensen, souvent ponctuée par des coups, à quoi

Tek'ic répond la voix éplorée et suppliante, alors qu'en fait, il lui énumère dans sa langue les supplices infinis que lui feront subir les esprits, quand, couche par couche, ils dévoreront sa peau, extirperont ses yeux de leurs ongles, vivants dans ses orbites, et les goberont comme des œufs à la coque. Le type se contorsionne de pétoche, le suppliant à son tour de lui pardonner. Alors les Morgensen se mettent à le frapper aussi pour qu'il traduise ce que dit Tek'ic.

Le sbire de Vladimir les engueule, leur ordonnant d'arrêter de les malmener, mais il ne peut pas s'approcher, ses chiens aboyant furieusement au bout de leurs laisses. Le rouquin se retourne sur lui, et le canon de son fusil vient dangereusement osciller à hauteur de son ventre. Vladimir intervient à son tour.

— Ça suffit bon dieu, qu'est-ce qui vous prend ? Je ne vous paye pas pour torturer des gens. Lâchez-le, crie-t-il au grand maigre qui projette l'Indien au sol à côté de Tek'ic. Rappelez-vous, c'est à Bella Coola que vous aurez votre argent, et seulement si nous ramenons la sasquatch. Et il n'est pas question de brutaliser quiconque.

— Allez, allez, on se calme, dit le rouquin. Comment qu'on saura où elle est la femme poilue, si on peut pas interroger les gens ?

Vladimir le menace de sa moustache, s'approche de Tek'ic, lui tend son mouchoir pour qu'il éponge le sang qui coule de ses lèvres, lui parlant mielleusement.

— Écoute, vieil homme, je sais que tu comprends très bien l'anglais. Nous cherchons une sasquatch, une femme poilue des bois, qui était dans l'avion qui s'est écrasé, tu vois ? Nous la cherchons elle ou peut-être un homme, un borgne qui l'accompagnait. Si tu sais quoi que ce soit à leur propos, dis-le-moi, dis-le-moi et nous te laisserons en paix, et même, je te donnerai cent dollars pour te dédommager.

Tek'ic, l'air terrorisé, mais vibrant tout entier de colère contenue, répond en langage vernaculaire, s'adressant au boiteux, lui disant :

— Dis au Blanc à moustache, que vous allez tous

mourir ici. Dis-lui que vous avez offensé les esprits de la forêt, et que seul votre sacrifice pourra les apaiser. Dis-le-lui !

— Non, non, vieil homme, je t'en supplie, pas ça, je...

— Qu'est-ce qui raconte ? fait le rouquin.

— Que dit-il ? demande Vladimir.

— Dis-lui qu'en vous les esprits vont faire germer des graines, dont les racines transperceront vos membres pour plonger dans la terre, tandis que leurs branches pleines d'épines sortiront par tous vos orifices, et des fruits grossiront dans vos poumons, plus piquants que des cactus, explique-leur que leur vie ne sera plus que supplice.

L'Indien affolé ne fait que secouer la tête. Le rouquin le frappe à nouveau.

— Foutu bâtard, tu vas traduire oui !

— Non, non, crie-t-il, il dit qu'il ne les a jamais vus, jamais, ni elle ni lui. Il dit qu'il ne sait pas de quoi vous parlez...

— Tu mens ! Il a parlé bien plus que ça, me prends pas pour un crétin. — Le rouquin lui enserre la nuque, lui tirant un gémissement de douleur, le secouant comme un prunier, et d'un coup lui relève le menton du canon de sa carabine. — Tu traduis ou j'te fais péter la tronche ?

— Assez ! l'interrompt le Grec. Vous êtes complètement tarés !

Et ses chiens se font si menaçants que le grand maigre dégaine son quarante-cinq de sa ceinture pour le pointer sur eux.

— Fais-les tenir tranquilles hein, sinon...

Le boiteux, à moitié étranglé par le canon du fusil, balbutie :

— Il dit que nous allons tous mourir, il dit que les esprits sont fâchés et qu'ils vont nous tuer, mais il dit aussi qu'il ne sait rien de ceux que vous cherchez...

Le rouquin à nouveau le projette au sol.

— Hé ben, tu vois qu'tu sais causer, c'était pas si

difficile... — Puis, marchant sur Tek'ic. — C'est quoi ces conneries le vieux, tu crois qu'tu peux nous embobiner. Et il lève son fusil pour le frapper. Vladimir retient son bras.

— Arrêtez.

Les deux hommes se foudroient du regard, le moustachu repoussant l'autre s'accroupit devant Tek'ic.

— Écoute, vieil homme, pardonne la rudesse de mes amis, mais ils sont un peu échauffés, vois-tu. Nous ne voulons offenser personne, et surtout pas les esprits. Je respecte pleinement tes croyances tu sais, et les esprits bien sûr, tous les esprits de la forêt, mais...

— C'est des conneries, dit le maigre, des foutues conneries de sauvage, y'a qu'un Dieu tout-puissant dans le ciel et...

— Ferme-la, réplique le rouquin.

Vladimir continue, obséquieux :

— Tu vois, on a de bonnes raisons de croire que la femme poilue des bois est toujours en vie. Nous ne lui voulons aucun mal, au contraire, nous voulons l'aider, tu saisis ? C'est vraiment très important pour nous de pouvoir la trouver. Si tu en sais si long, sur la magie et les esprits, alors peut-être que tu pourrais nous aider. Il semble qu'il y ait eu beaucoup d'allées et venues autour de chez toi ces derniers mois, peut-être as-tu entendu parler de quelque chose. Viens, allons-y, allons là-bas et nous pourrons discuter de tout ça calmement.

Prenant le bras de Tek'ic, il l'aide à se relever, tout en le maintenant fermement.

— Ouais, dit le maigre effrayé, en pointant son arme sur le chaman. Ben moi j'aime pas ça, ces foutues diableries, t'as intérêt à te tenir à carreau, t'entends, saleté de macaque ?

Le rouquin se met à rire, et va baisser le flingue de son frère, le lui faisant rengainer.

Le Grec, relevant le boiteux au passage, reprend la piste que suivent ses chiens, celle que nous avons prise trop souvent entre la cabane et le fjord.

Je sens comme Tek'ic relâche complètement les

muscles du bras que tient Vladimir, lui laissant croire qu'il est sans force, pourtant de l'intérieur, il bouillonne, et je sais qu'il est parfaitement capable de tuer le moustachu et le maigre qui les suivent, s'il lui en prenait l'envie. Dans sa tête, je lui dis :

— Attends, Tek'ic, attends, je suis presque là, nous agirons ensemble.

Et je cours comme un fauve, plein d'une rage carnassière, fais un large détour autour de l'aven, pour être sous le vent des chiens, et hors d'haleine, me tapis sous un fourré, à l'orée de la forêt. Le groupe arrive à la cabane.

De les voir de mes yeux ravive encore ma haine.

C'est un cauchemar, les Morgensen. Les Morgensen m'ont retrouvé. Il faut que j'en finisse une bonne fois pour toutes, que je m'en débarrasse. Pour seule arme j'ai mon poignard, mais je vais les massacrer, les déchiqueter, en faire de la chair à pâté, et j'irai jeter leurs carcasses aux animaux de la forêt, comme ils ont jeté les corps d'Albert et Ho Letite à leurs visons. Avant, je vais leur faire vivre les pires terreurs de leurs vies, les confronter aux pires atrocités. Je vais...

— Je suis là, Tek'ic, lui dis-je impitoyable, et le chaman frémit d'impatience.

J'observe le groupe pour définir une stratégie, mais Qâ vient en moi à ce moment-là. Elle, et les jumelles.

Un rayon de lumière dans une tempête d'obscurités. Elle vient en moi, avec la béatitude des jumelles dans son ventre, qui ne savent rien de tout ça. Elles sont tranquilles, mais Qâ a peur. Des hommes-nus, mais surtout, elle a peur que je me perde.

— Ne sois pas comme eux. Ne te laisse pas salir par leurs haines. Je t'aime. Non, ne sois pas comme eux.

— Laisse, laisse-moi, Qâ, je ne veux pas que tu assistes à ça, laisse-moi je...

— Non. Tu n'es pas comme eux.

Elle me laisse, mais son intervention a fissuré ma colère et distrait mon attention. Quand je relève la tête, c'est trop tard, Tek'ic passe à l'action.

Le Grec attache ses chiens à un arbre à quelque distance. Le rouquin a ouvert la porte de la cabane, et observe l'intérieur sans oser y entrer, impressionné par les masques. Le boiteux veut empêcher Vladimir et Tek'ic d'y pénétrer, hurlant que le chaman va en profiter pour prendre des poisons et leur jeter des sorts, ce que le grand maigre approuve pleinement.

Tek'ic va très vite. D'un moulinet de son bras, il tord celui de Vladimir, le lui brise d'un coup sec, lui faisant mordre la poussière ; pivote sur sa jambe et son pied cueille le maigre à la trachée, l'envoyant valdinguer les quatre fers en l'air, le souffle coupé. Déjà le rouquin relève son arme, mais le chaman en deux bonds est sur lui, d'une main écarte le canon, un coup part, de l'autre, le frappe d'un uppercut terrible juste sous la mâchoire, faisant sonner sa tête contre le panneau de bois.

Le boiteux dans son dos, hystérique de terreur, ramasse une grosse pierre, et avant que j'aie pu l'investir, assomme Tek'ic d'un grand coup sur la nuque. Le maigre se relève, hoquetant, une main sur sa gorge, l'autre saisissant son flingue pour le pointer sur Tek'ic. Je tente de m'emparer de lui, mais il est trop fou, alors je m'empare mentalement de l'Indien. À sentir sa terreur, il doit me prendre pour un esprit. Je le jette malgré lui sur le Morgensen, juste quand il fait feu, déviant son arme.

Malgré la promptitude de l'action, la balle frappe le chaman inconscient.

Les deux hommes luttent, et à nouveau le maigre se fait jeter à terre, il ne lâche pas son arme, et le boiteux quand je le laisse terrorisé, s'enfuit en hurlant, courant comme un malade pour contourner l'aven. Avant que j'aie eu le temps de l'en empêcher, le maigre lève son arme, et l'abat de deux balles dans le dos.

Vladimir, verdâtre, s'assied le dos à la cabane, tenant son bras plié selon un angle impossible. Le Grec les rejoint. Derrière lui, je fonce et, les maîtrisant avec une facilité indécente, je détache les chiens, les rends plus furieux encore, et ils se ruent vers la mêlée. Désolé pour eux.

Je les suis.

— Vous êtes fou ! Vous êtes complètement cinglé, bon dieu, vous venez de tuer un homme, crie le Grec au maigre en voulant lui prendre son arme.

Celui-ci le repousse, voit les chiens, lève son flingue.

— Retiens-les, retiens-les aaah !

Le Grec, comprenant trop tard, tente de reprendre le contrôle de ses molosses furieux, mais déjà ceux-ci attaquent le maigre qui vient d'agresser leur maître.

— Non, noon !

Le maigre tire, encore, encore, en tue deux, le troisième est sur lui en même temps que son maître, qui cherche en fait à le retenir, et broie le bras tenant l'arme. Le maigre pousse un hurlement d'orfraie. Le Grec, tirant sur le collier du chien, shoote le flingue dans les airs. À ce moment le rouquin revient à lui, se redressant sans comprendre, voit son frère en difficulté, met le Grec en joue et fait feu plusieurs fois de suite, le tuant, lui et le molosse.

— C'est pas vrai, c'est pas vrai, dit Vladimir, hagard.

Le maigre hurle.

— Mon bras, seigneur, il m'a bouffé le bras ! C'est lui, c'est ce foutu sorcier avec ses diableries !

En désignant Tek'ic.

Il n'en faut pas plus au rouquin. Les traits déformés de rage, titubant, il s'approche du chaman évanoui, lui donne un coup de pied, épaule son fusil, haletant, le visant à la tête. Son doigt blanchit sur la gâchette.

Je suis sur lui. Comme une ombre, une rafale, un esprit.

J'attrape sa veste, le fais pivoter, bloquant le fusil contre mes côtes, passe mon bras à l'extérieur du sien, puis à l'intérieur, sous son aisselle, et pousse de toutes mes forces. Je sens ses muscles se déchirer, ses tendons se rompre, son épaule se démettre et le fusil tombe à terre. Il me frappe de son autre main, je la saisis au vol, fléchis mes jambes, pirouettant sur moi-même et lui brise le poignet en le tordant dans son dos.

Je ne veux pas le tuer, non, juste le mettre hors d'état de nuire, je ne veux pas le tuer. Alors je fais quelque chose de pire.

Devant moi, le rouquin tombé à genoux hurle de douleur me suppliant de le lâcher, mais dans mon dos je sens le maigre, sans parvenir à contrôler son esprit. Il rampe sur le sol comme un insecte à trois pattes, fonçant sur son flingue en criant :

— Non, le borgne, c'est le borgne ! Alors...

Je plaque mes mains sur la tête du rouquin, paumes sur les oreilles, et je donne tout. Toutes mes énergies. D'une seule déflagration. Le laissant tomber inerte, je me retourne et vole jusqu'à son frère.

Il a déjà ramassé son arme, et s'aidant des deux mains me vise. Tire. Quatre fois. Il tire quatre fois, et chaque fois je saute juste avant qu'il presse la détente. Je fais deux bonds, une roue, un saut de main, et son cinquième coup claque sur sa culasse vide. D'un geste, sans le toucher, je balaie l'air de ma main, et l'arme lui est enlevée avec une telle violence, que son index est arraché avec elle. Il tombe en arrière, siclant de plus belle, se met à ramper sur les coudes.

Je marche sur lui. Marche sur son genou cagneux, le clouant au sol. Attrape sa tête à deux mains, et donne tout, comme pour son frère. Explose toutes mes énergies.

Mais lui, en le faisant, je le regarde dans les yeux. Et sa frayeur est telle, que je regrette de ne pas l'avoir plutôt tué, car la mort aurait été moins cruelle. Je réduis leurs cervelles à néant, les lobotomise littéralement, les laissant comme des légumes, même plus capables de savoir leur nom. Seulement de sentir les douleurs de leur propre corps et une terreur immonde.

Je cours en direction de Tek'ic. Vladimir en me voyant venir lève son bras valide devant lui, suppliant.

— Non, non, pas moi, je suis pour rien dans tout ça,

ces types étaient fous, complètement fous ! Julian, ils ont tué Julian, bon dieu. Non, non je vous en prie !

Je passe tout droit sans lui prêter attention et m'accroupis au-dessus du chaman inerte sur le sol. Il est couché sur le ventre, un bras replié sous lui. Je le sonde, il est totalement inconscient, et examine sa nuque. Heureusement le boiteux a frappé à la jonction de l'épaule. Il a un hématome d'un très vilain aspect, mais de l'intérieur, je sens que ses cervicales ne sont pas lésionnées. Par contre, je sens la brûlure de la balle dans son ventre. J'essaie de le réveiller, mais n'ose pas le brusquer dans son inconscience.

Précautionneusement, je soulève sa cape. La balle du rouquin l'a frappé dans le dos, transversalement, quinze centimètres à gauche des lombaires, d'un trou net. Je le fais doucement pivoter et pousse un soupir de soulagement. Je vois le sillon de la balle sous l'épiderme, relativement superficiel, le projectile est ressorti juste en dessous de l'aine, laissant un trou de chairs déchiquetées. La douleur est très vive, l'hémorragie importante, pourtant, je ressens avec certitude qu'aucun organe vital n'a été atteint.

Derrière moi, Vladimir attend ma réaction en geignant, comme le verdict de sa condamnation, et me voyant me redresser, demande :

— Il est vivant, n'est-ce pas ? Oh oui, il faut qu'il soit vivant. Ah bon dieu, c'est atroce, pauvre homme, et Julian, et l'Indien... Ces types étaient fous, fous. Ils ont commencé à boire alors que nous attendions cet homme au fjord, et jamais il n'a été question de... J'ai tout fait pour qu'ils arrêtent, tout... Vous, vous les avez tués ? Vous avez bien fait. Ils le méritaient, ces ordures. Ah mon bras, oh non, c'est horrible, qu'est-ce qu'on va faire ? Et...

Et dans sa tête, il pense : « Bon dieu, le borgne, c'est lui le borgne. Ces tarés de Morgensen disaient vrai. La femme poilue existe, et si lui a survécu, elle doit être à proximité. Il faut que je l'amadoue. Aïe mon bras, ce foutu Peau-Rouge m'a brisé le bras. Peut-être qu'il accepterait du fric ? Non, non, mieux vaut gagner sa confiance, oui, c'est ça, il faut... Je suis une victime moi aussi, une victime... »

Je me redresse, me retourne pour lui faire face, glacé d'un désir létal. Marche lentement sur lui. Il me dévisage, tiraillé entre la peur, l'espoir, l'opportunisme et la nécessité, détaillant ma cicatrice, hésitant à me reconnaître.

— Vous, vous êtes... Maurice Pontiac non, le... l'ami de Béatrice. Non, je oui, c'est ça, c'est ça hein ? Vous... Aïe, mon bras, aidez-moi, aidez-moi à me relever.

Je marche sur lui, résolu à l'écraser comme un insecte immonde. Il me tend sa main valide, son bras droit brisé serré contre son torse. Je la prends de ma main gauche, tire pour qu'il allonge le bras, et le frappe du tibia, brisant son autre coude, le retournant vers l'intérieur. Il hurle, basculant, veut se rattraper sur son bras blessé, hurle de plus belle, s'avachissant sur le dos. Je pose mon pied sur son plexus, me penche au-dessus de lui, il secoue la tête terrorisé, découvrant mon œil de reptile.

— Non, non, je vous en supplie. J'ai de l'argent ! Je, je ne dirai rien à personne !

Levant mes mains devant moi, je rassemble mes énergies, fâcheusement assassines, et les abats de chaque côté de sa tête, claquant ses oreilles. Au moment où froidement je vais lui faire subir le même sort qu'aux Morgensen, la voix de Tek'ic résonne, rauque comme un gémissement d'outre-tombe.

— Laisse-le, laisse-le-moi... Aaaha.

Il vient de reprendre conscience, et vaillamment tente de se mettre à quatre pattes. Abandonnant Vladimir, je me rue à son aide.

— Attention, Tek'ic, ne bouge pas, tu es salement touché.

— Sans blague ?

J'ai beau tenter de le faire rester tranquille, il s'accroche à moi, pour se relever, comprimant sa blessure d'une main.

— Ça, pfuut, tu pl... plaisantes, à peine une éraflure. J'ai la peau dure. — Et, découvrant les cadavres des chiens, du Grec, du boiteux et les Morgensen inertes. — Oh, tu as fini le travail, fils, c'est bien... Et celui-là, dit-il encore en râlant, désignant du menton Vladimir. Tiens, attends, prête-moi ça. Et dégainant mon poignard de sa fourre de peau, il me repousse de côté, fait luire le fil de la lame au soleil. — Puis, regardant Vladimir l'air féroce, ajoute : — Je n'ai encore jamais scalpé un chauve. Non. En fait je vais plutôt prendre ses moustaches...

Titubant il s'approche de lui. Celui-ci, dans un sursaut de panique, parvient à s'agenouiller, sans l'aide de ses bras, à se mettre debout pour fuir, mais Tek'ic rassemblant ses forces lui plante un genou dans l'estomac, le clouant à la paroi de la cabane. D'une main il attrape ses longues moustaches, tirant dessus jusqu'à allonger sa lèvre, de l'autre il plante comme un couperet le tranchant de la lame dans l'arête de son nez, entamant suffisamment peau et cartilage pour l'immobiliser. Vladimir roule des yeux fous, même plus capable de suppliques.

— Visage Pâle, tu crois qu'il vaut mieux que je prenne le nez avec, ou juste les lèvres ?

— Onononh, hoonn, émet le chauve d'un cri guttural.

D'un geste leste, Tek'ic arrachant la lame la glisse sous les moustaches, pétrifiant le cryptozoologue de son regard cruel, et d'un coup sec, il rase les bacchantes au ras de la lèvre, jusqu'à entailler la base de ses narines. Les yeux du chauve se révulsent, il bascule le long du mur, évanoui pour de bon.

— Bande de lavettes, dit Tek'ic crânement, jetant ses moustaches sur son corps. Mais ses jambes soudain fléchissent et je le rattrape juste à temps. Le soutiens jusqu'à l'intérieur de la cabane. En passant la porte, je le sens sonder les Morgensen, et frémir d'effroi.

— Par les esprits, comment as-tu fait ça ?

Je préfère ne pas répondre.

— On dirait que l'heure de la bataille a sonné, Loumouyé. Tu es un combattant redoutable, Rising sera fière de toi. Mais Qâ ? Mère de nos mères, il faut que tu la rejoignes. Peut-être que...

— Non, tais-toi, tais-toi, pas maintenant, d'abord il faut qu'on s'occupe de ta blessure.

L'installant sur sa paillasse, j'entreprends de lui enlever ses colifichets, sa cape, et sa tunique. Il m'aide du mieux qu'il peut, mais sa fanfaronnade lui a coûté ses forces. Sa blessure n'est pas fatale, il faut toutefois arrêter son hémorragie. Je commence par nettoyer ses plaies. Dans son dos l'orifice de pénétration a presque été cautérisé par la brûlure de la balle, mais sur son ventre, les chairs boursouflées et sanguinolentes ont vilain aspect.

— Il va falloir que je te recouse, Tek'ic, lui dis-je en l'examinant.

— Pas question, nous n'avons pas le temps pour ça, il faut éloigner tous ces chiens blancs d'ici. Et puis, excuse-moi, fils, je ne doute pas de tes talents, mais je préférerais les doigts de Rising sur moi.

— Tu perds ton sang, je crains que nous n'ayons pas le choix.

Il secoue la tête, têtu.

— Si, fais-moi un pansement compressif en utilisant des...

— Je sais, l'interromps-je, et je fais ce qu'il aurait fait à ma place.

Il sourit, malgré la douleur, fier de me voir si bien accomplir ce qu'il m'a appris. Je nettoie sa plaie, l'enduis de poudre de lichen et de propolis pour prévenir l'infection, et la refermant de mon mieux, j'y plaque des compresses de sommités fleuries de salicaire pourpre et de lavande, enveloppées dans des fibres de saule, puissant hémostatique, que je maintiens d'un bandage serré autour de sa taille.

— C'est bien, mon fils, dit-il, maintenant il faut...

Et il s'évanouit.

Tek'ic a raison. Il faut que je nous débarrasse au plus vite de tous ces Visages Pâles, et la meilleure solution consiste à les remettre dans leur bateau, et à les éloigner de la région, mais j'hésite encore quant à la marche à suivre pour Vladimir, regrettant presque de ne pas l'avoir tué dans le feu de l'action, car désormais je m'en sens incapable, ni de lui faire subir le sort des Morgensen. Pourtant, il en sait beaucoup trop pour le laisser partir. Peut-être faut-il que je lui transmette le don ?

Rapidement je prépare le rituel des conques, et contacte Rising, la mettant au courant de la situation, lui demandant de venir à notre rencontre pour s'occuper de Tek'ic, et à la façon dont elle interrompt la communication, je sais qu'elle est déjà en route. Je sonde, tente de joindre Qâ, mais elle est loin hors de ma portée, doit savoir le danger écarté.

En sortant, l'atrocité du spectacle me coupe les jambes. En quelques minutes, la folie des hommes-nus a ravagé l'harmonie du lieu. Ma haine s'est évaporée pour laisser place à une profonde affliction. Le cadavre du Grec gît sur le dos, trois fleurs pourpres sur sa poitrine, au milieu des corps ensanglantés de ses chiens. Plus loin, le boiteux, tombé sur le ventre, a presque la tête dans le ruisseau. Les Morgensen assis tous deux, dodelinent du chef, en proie à une perpétuelle stupeur effroyable, et je détourne les yeux. Profitant de l'inconscience de Vladimir, je lui immobilise les bras sur le torse, dans des attelles d'écorce, lui attachant les pieds par la même occasion.

Je siffle la mule du chaman qui baguenaude dans les environs. Le cœur au bord des lèvres, je rassemble les cadavres et les armes sur une peau d'orignal, les trois chiens d'abord, ensuite les deux hommes, et en rabattant les bords, je les saucissonne de mon mieux, pour les attacher au travois. La mule, effrayée par l'odeur du sang, rechigne à venir, il faut que je m'empare d'elle à son détriment, mais une fois harnachée de son fardeau macabre, elle se tient tranquille. Ensuite, je vais relever les Morgensen, me gardant bien de les sonder. Ils me suivent comme des zombies, des enveloppes vides, et leur contact m'est si odieux que je renonce à soigner leurs blessures, les liant l'un et l'autre d'une ficelle à l'encolure de la mule.

Vladimir, les yeux ouverts, observe les attelles de ses bras.

— Vous n'allez pas me tuer, n'est-ce pas ? Non, je vois bien que vous n'êtes pas un assassin comme ces salopards. Tout cela est atroce, terrible, et je me sens vraiment responsable, mais pourtant, je n'y suis pour rien. Pour rien, vous m'entendez, je, je n'avais aucune intention malveillante, et...

Je lui coupe la parole en l'attrapant par ses habits pour le redresser et le traîne jusqu'au travois.

— Aaah, non, je vous en prie, j'ai mal, qu'est-ce vous faites ? — Tordant son col pour l'empêcher de parler, je le mets debout, et il voit soudain les Morgensen, défigurés par leur peur irrémédiable. — Vous ne les avez pas t... Mon dieu, que leur avez-vous fait ? Ils sont... ? La même peur se peint sur son visage. Je dégaine ma lame, il se met à secouer la tête, les yeux exorbités, et un instant je regrette de ne plus avoir le courage de la lui planter dans le ventre, mais je me contente de me baisser pour couper les entraves de ses chevilles.

— Tu peux marcher, ou tu préfères que je t'attache sur les cadavres ?

— Marcher, je peux marcher...

Passant une lanière à sa ceinture, je le lie au travois.

À ce moment, Tek'ic sort de la cabane. Revenu à lui, il s'est rhabillé seul et semble tenir vaillamment sur ses jambes. Dans ses mains il porte un bol d'une boisson fumante. Dès qu'il le voit, Vladimir s'écrie :

— Ah monsieur, monsieur vous êtes vivant, dieu soit loué, vous êtes vivant. Tout ça est atroce, mais je n'y suis pour rien. Dites-lui, dites-lui comme j'ai pris votre défense.

Je vais à la rencontre du chaman pour le soutenir, et je lis dans ses yeux quelque chose qui me retient. Il s'avance droit sur Vladimir, et lui tend le bol.

— Buvez, lui intime-t-il d'une voix impénétrable.

L'ex-moustachu rit jaune, grimaçant de pétoche.

— Qu'est-ce que c'est ?

— Ça atténuera vos douleurs. Buvez.

— Alors, vous parlez anglais hein ?

Tek'ic acquiesce du chef, présentant le breuvage, l'encourageant d'un sourire. Vladimir pouffe, le jauge longuement, et décidant de lui faire confiance, boit le liquide d'une traite, pour reprendre aussitôt :

— Écoutez, tout cela est terrifiant et ridicule. Tous ces morts, Julian et l'Indien et avant, Albert Kalao vom Hoffé et d'autres peut-être... — Il attend prudemment notre réaction, encouragé par notre silence, continue. — Tous ces morts, nous savons tous les trois pour quoi, pour qui ils sont morts, n'est-ce pas ? Elle existe, n'est-ce pas ? Écoutez, je suis terriblement désolé de tout ce qui s'est produit, je n'y suis pour rien, vous comprenez. Je suis un scientifique. Cette femme poilue, je ne veux pas la prendre, l'enfermer dans un zoo, ou même l'étudier, non, tout ce que j'aimerais c'est pouvoir prouver son existence. Vous la connaissez hein, vous... savez où elle est ?

Tek'ic répond calmement, secouant le bol vide avant de l'enfouir dans sa besace.

— Je ne sais pas de quoi vous parlez.

— Arrêtez, j'ai mal, je suis blessé, ne me prenez pas en plus pour un idiot. Vous dites que vous ne parlez pas anglais, et vous le parlez parfaitement. Vous dites que vous ne connaissez pas de borgne, et comme par hasard en voilà un. Et vous, je vous reconnais, vous n'êtes pas indien, vous êtes le type qui accompagnait Albert. Je sais que la femme poilue existe, et je comprends que vous la protégiez. C'est ça, hein c'est ça ! Elle est à proximité ?

— Les femmes poilues n'existent pas, et n'ont jamais existé.

— Alors pourquoi n'appelez-vous pas les autorités ? J'ai une radio dans mon bateau, allez-y, allez-y, appelez-les. Il y a eu un double crime, bon sang et vous en êtes victimes comme moi. Où allons-nous ? Vous ne pouvez pas déplacer la scène d'un crime comme ça, vous n'avez pas le droit. Mais non. Vous ne le faites pas, parce que vous ne voulez pas voir débarquer la police ici, vous ne voulez pas courir le risque que quelqu'un l'aperçoive, n'est-ce pas ? Je comprends parfaitement votre désir de confidentialité, et l'urgence de cette horrible situation. Je pourrais revenir seul quand je serai guéri. Je suis prêt à vous payer très cher, si vous me laissiez la filmer, même de loin et...

Vladimir commence à sérieusement regonfler ma fureur, chacun de ses arguments me donne une raison supplémentaire pour le faire disparaître. Je ne comprends pas le flegme de Tek'ic.

— Vous rendez-vous compte de l'importance de son existence aux yeux de la science ? Je vous en prie, dites-le-moi, dites-moi seulement si elle existe.

— Qui ? répond Tek'ic.

— Eh bien le... La... — L'expression de Vladimir se teinte soudain d'une grande perplexité. — Allons, nous savons très bien tous les trois de qui l'on parle, de...

— De quoi ? demande le chaman, se rapprochant encore de lui.

Vladimir, troublé, semble chercher le mot sur le bout de sa langue sans pouvoir le prononcer.

— Oh, mais c'est ridicule, j'ai mal. Aah mes bras... Nous parlons de la... Du...

Tek'ic vient carrément se coller contre lui, le pétrifiant de son regard aquilin, impitoyable, et d'une voix à la fois indifférente et catégorique, affirme :

— Ça n'existe pas. Cet endroit n'existe pas, lui et moi n'existons pas, et toi, tu n'existes pas non plus.

Il lui souffle longuement sur le visage, et quand il cesse, Vladimir en reste coi, plongé dans une profonde circonspection. Tek'ic le contourne pour aller monter sur la mule, je l'aide à se mettre en selle.

— Tu es sûr que ça va aller, Tek'ic, tu n'as pas trop mal ?

— Non ça va, ne t'en fais pas, et ne t'en fais pas pour lui, je lui ai donné une mixture de ma préparation, un mélange de datura et de valériane à côté duquel la drogue que tu as prise pour ton initiation fait figure de cachet d'aspirine. Il va voyager pendant plus d'un mois, et quand il reviendra à lui, il sera incapable de faire le tri entre son délire et sa mémoire. Allons, fils, allons-nous-en d'ici.

Vladimir, bavard intarissable, ne se tait pas longtemps, et tandis que je tire la mule par sa bride, il suit au bout de sa laisse et se remet à nous apostropher.

— Non, attendez, on ne peut pas... Il faut que... Je crois que nous devrions... Ah non non pas comme ça...

Je ne lui prête plus attention, me hâtant de nous éloigner de l'aven, tout en modérant l'allure de la mule, car le chaman, malgré la superbe qu'il affiche, souffre de sa blessure et je crains que les mouvements de sa monture ne ravivent son hémorragie.

L'horreur est totale.

La façon dont ces hommes ont déferlé sur nous tient du cauchemar. Le matin même je vivais la plénitude du bonheur avec Qâ et les jumelles, au sein de la forêt profonde. La volupté de sa grossesse si proche de la maturité. Voilà que je fuis, en tête d'un cortège funèbre, l'entraînant loin des lieux de notre amour, comme un convoi de pestiférés qu'on sort des murs de la ville. C'est moi qui y avais introduit le germe, je suis en partie responsable de ces atrocités. Et Béatrice... Malgré toutes ses bonnes intentions. Mais surtout, je pressens la présence d'une hydre menaçante que mon dédain n'a pas suffi à décourager, et j'ai eu beau trancher ce premier tentacule, je sais que dorénavant je ne pourrai plus nier son existence. Il me faudra l'affronter.

Tek'ic, dont le corps endolori somnole, cramponné au pommeau de la selle, débarque dans ma tête, et avec sa perspicacité habituelle me dit :

— Loumouyé, je crois que tu viens de résoudre à ta manière les manques de ton initiation. Ne te blâme pas. Rappelle-toi les termes de l'oracle. Tu es un guerrier, vainqueur d'une première bataille, pourtant tu n'as tué personne, à peine brisé quelques membres... Quant à ces deux Visages Pâles tu n'as fait que les réduire à la plus simple expression de ce qu'ils étaient. Des hommes pleins de peurs et de méchanceté. Ne t'invente pas de remords qu'à ta place ils n'auraient jamais éprouvé. Ils voulaient te tuer, Loumouyé, ils allaient me tuer. Tu m'as sauvé et dorénavant, je te dois une vie. Tu n'as rien à te reprocher. Tu ferais mieux de me laisser conduire cet équipage, et d'aller voir si Mère de nos mères est en sécurité.

— Tais-toi, économise tes forces. J'irai plus tard.

En arrivant finalement au rivage, devant la pirogue que lui a prêtée Rising, Tek'ic me fait prendre quelques-unes de ses affaires, qu'il a débarquées juste avant que les affreux lui tombent dessus. Dont une pelisse de caribou qu'il me fait enfiler. Puis halant la pirogue derrière nous, nous nous enfonçons dans le fjord jusqu'à une crique encaissée où le bateau de Vladimir est amarré. C'est un petit cotre racé dont l'équipement témoigne de la bonne santé financière de son propriétaire. J'y attache la pirogue à côté de l'annexe, fais monter Tek'ic, qui refuse de prendre une couchette, pour s'installer à la proue du bateau, entouré de son matériel et tandis qu'il se prépare une médication, je vais chercher tous les autres. Je mets les Morgensen dans une cabine et, avant de les enfermer, malgré mon dégoût, bande grossièrement leurs blessures avec des draps déchirés.

Vladimir, quand je le détache du travois, a les joues rouges d'un skieur de fond, et des pupilles comme des soucoupes. Enjoué, malgré ses bras ficelés dans les attelles d'écorce, il parle avec à la queue de la mule. Je le fais monter à bord et l'enferme lui aussi dans une cabine, mais d'abord, je lui lie les pieds, au cas où il se prendrait soudain pour un coureur cycliste. Puis j'enveloppe les deux cadavres dans des couvertures avant de les descendre dans la soute, ainsi que les chiens.

Je sonde Tek'ic et le trouve comme toujours vigilant et lucide. Il souffre, ne saigne plus beaucoup et avec son aplomb habituel me dit :

— Va, va vite, fils, ne fais pas attendre Qâ davantage. Je surveille ces Visages Pâles.

Alors, incapable d'y résister, je saute à terre, enlève

son harnachement à la mule, et bondissant sur son dos, je lui fais gravir la pente en caracolant. Arrivé en haut du fjord, je la talonne de plus belle et, après un galop d'enfer, je me laisse glisser, lui claque la croupe et, courant sur mon élan, grimpe dans la forêt touffue d'une colline, au sommet de laquelle pousse un grand séquoia. Hors d'haleine, j'escalade l'arbre comme un singe, jusqu'au sommet. Là, de tout mon être, de toutes mes voix, j'appelle.

— Qâââ !

Mais Qâ ne répond pas.

Elle doit être loin de la portée de mes dons, et sans doute ne veut-elle pas sonder dans cette direction, de crainte de ce qu'elle pourrait y découvrir. Je me tends, me concentre, encore appelle. En vain. Je suis trop loin. Alors dans mon cœur je lui murmure :

— Reste cachée, Qâ, jusqu'à mon retour. Je reviendrai vite, dès que Tek'ic sera entre de bonnes mains, je viendrai te rejoindre. Ne va pas à la cabane, non, n'y va pas. Je t'aime, Qâ. Demain, demain dans le nid de mousse, je te tiendrai contre moi, et les petites dans ton ventre.

Qâ ne me répond pas. Son abandon me donne le vertige, et je dois descendre très précautionneusement. J'ai beau l'imaginer en sécurité, je n'arrive pas à me départir d'une sourde appréhension. Peut-être est-ce dû à la violence du contraste entre sa sérénité et la vilenie des hommes-nus, car malgré ma métamorphose, je suis encore l'un d'eux.

Pourquoi sommes-nous devenus des animaux si dénaturés, des créatures si insatisfaites ? Quand avons-nous perdu notre gratitude envers la vie ?

Qâ est trop loin, mais je ne peux pas abandonner Tek'ic dans son état. Le cœur serré, je rebrousse chemin.

Je trouve le chaman éveillé. Il a renouvelé son pansement tout seul, et en le sondant j'admire la façon avec laquelle il parvient à circonscrire sa douleur.

— Comment est Mère de nos mères fils ?

— Je n'ai pas réussi à l'atteindre.

— Quoi ? — Inquiet, le chaman se redresse avec une douloureuse grimace. — Alors laisse-moi, il faut que tu ailles la rejoindre, elle doit avoir besoin de toi, tu dois...

— Non, Tek'ic. Pas question que je te laisse naviguer seul avec ces affreux. Qâ va bien, j'en suis certain, et je la trouverai demain. Partons, éloignons ces ordures d'ici.

Éludant ses récriminations, je largue les amarres, lance le moteur, m'assurant que les réservoirs sont presque pleins, prends la barre, et nous sortons du fjord alors que le soleil plonge dans l'océan. Je prends droit au large avant de bifurquer vers le sud, car le long de la côte, les récifs sont nombreux et je ne veux pas m'y aventurer. La mer est houleuse et le vent fort, je suis trop piètre navigateur pour hisser les voiles, et le moteur est bien assez puissant. Rising m'a fixé rendez-vous dans une crique bordée de trois îlots pointus que Tek'ic connaît, avec de la chance, nous y serons avant l'aube.

La nuit tombe, éclairée par une lune presque pleine. Tek'ic à l'avant se fait mouiller par des embruns, je l'aide à venir s'installer près de moi dans le cockpit bien chauffé et pourvu d'une instrumentation complexe à laquelle je ne comprends rien, me contentant des manettes et de la barre.

— Le chauve aura les moyens de se faire soigner dans les meilleures cliniques, dit le chaman, faussement admiratif.

— Que va-t-il se passer, Tek'ic ?

— Les hommes de Rising vont remorquer le bateau, l'abandonner quelque part en prévenant la police maritime. Ceux-ci, passée la surprise de la découverte, seront trop contents d'avoir à la fois les macchabées, les armes et les tueurs pour se soucier de leur provenance. Quant à leur état mental, ils ne pourront que se perdre en conjectures. Moustache se réveillera dans un asile d'aliénés, sa mémoire proche complètement effacée, et il passera de long mois à prouver son innocence et sa santé mentale. Sois tranquille, fils, ce danger est écarté. Mais n'oublie pas, c'est une bataille que nous avons gagnée, et une guerre qui commence.

— Une guerre, je murmure accablé, et contre qui devrais-je la mener ?

Le chaman reprend mes pensées.

— Contre l'hydre tentaculaire et dévastatrice de l'anthropocentrisme aveugle qui dévore le monde, où tu voudrais que demain tes filles puissent vivre en paix, au sein d'une forêt végétale plutôt que synthétique... Contre le postulat de la pensée judéo-chrétienne et des modèles qui en découlent, qui depuis des siècles dictent aux hommes une conduite irresponsable, en prétextant que des dieux les ont créés à leurs images, donc supérieurs aux autres créatures, et que le monde entier leur est asservi. Contre les dogmes éculés que des grabataires auront beau faire reluire, dont jamais ils n'effaceront les taches et les miasmes du sang des millions de victimes dont ils sont maculés. Contre les ravages d'une économie aveugle qui considère croissance et prolifération comme des qualités, alors qu'elles sont les signes tangibles des déséquilibres qu'elle a provoqués. Regarde la nature, si tu soumets une plante à un stress intense, son réflexe va être de tout faire pour se reproduire avant de mourir, afin d'assurer la pérennité de l'espèce. Il en est de même pour l'humanité. La surpopulation, l'urbanisation effrénée, l'extension incontrôlable des hyper-mégalopoles, toutes marques découlant d'un prétendu « progrès » inexorable, sont en fait les preuves manifestes que l'homme, en tant qu'animal civilisé, se sent condamné. En proliférant, il répond à un instinct naturel qu'il ne sait plus comprendre, et en multipliant ses chances de survie, il œuvre à sa propre perte. Notre guerre, Loumouyé, va consister à redonner aux hommes la conscience de leurs instincts profonds, de l'humilité de leur appartenance au monde et à l'univers, la conscience de l'artificialité des normes qui régissent leurs sociétés, et surtout celle de leur indissociabilité et de leur responsabilité envers une planète qui les porte, les chauffe, les nourrit, sans qu'ils lui montrent aucune gratitude.

— Je ne saurais pas par où commencer, Tek'ic. J'ai honte de le dire mais tout ce que je veux c'est retourner près de Qâ, dans la forêt.

— Rien ne dit que tu puisses le faire. Quand je serai sur pied, je te ferai rencontrer quelques amis, à travers les conques si tu préfères, avec qui je voudrais que nous parlions stratégie. Le don de Qâ doit se répandre parmi les hommes, Loumouyé. Il va nous falloir agir avec circonspection, ruse et fulgurance, car ses effets sur leurs comportements, risquent de ne pas être au goût de la grande machine qui gère les affaires matérielles de ce monde.

— J'en serai ravi, Tek'ic, mais je ne vois pas bien en quoi je pourrais vous être utile. Je ne suis pas très fin stratège et...

Le chaman attrape ma main, me forçant à m'asseoir à son côté sur la banquette, me souriant douloureusement.

— Loumouyé, mon fils, loués soient les esprits qui t'ont mis sur ma route. Tu es un élu, un choisi. L'amour qui te lie à Qâ fait de toi le premier, le mieux à même de comprendre la nature instinctive de ces sens qu'elle nous fait découvrir. J'aimerais pouvoir toujours solliciter ton avis.

— Je ferai tout mon possible, tu le sais bien, lui disje en le bordant d'une couverture, et j'ajoute : Entre deux tétées...

Il sourit de plus belle, réjoui, et d'un air extasié de grand-père égrillard s'exclame :

— Tes jumelles, vos enfants, vont naître avec le don en elles. Te rends-tu compte qu'elles seront les germes d'une nouvelle humanité ? À leur tour elles auront des jumelles qui auront des jumelles et encore et encore. Le monde sera peuplé de petites jumelles poilues et télépathes !

— Je crois que tu délires, vieil homme, c'est la

fièvre qui monte. Tu ferais bien de dormir, lui dis-je en admirant son courage qui lui fait prendre appui sur sa douleur, du coude pointu de son humour.

— Tu as raison. Aide-moi, aide-moi à me tourner sur le côté. Aah, Loumouyé, si tu persistes dans cette bonne voie, bientôt je pourrai songer à faire de toi un vrai chaman.

— J'y compte bien... je lui murmure alors qu'il s'endort.

Une guerre. Je n'ai nulle envie de la faire...

Calant la barre, je descends dans les cabines. Vladimir, tombé de sa couchette, repose à genoux, pieds et bras entravés, la joue sur le parquet ciré. Souriant aux anges, il gazouille volubile, s'adressant visiblement aux lames du plancher. Je renonce à l'investir car y chercher l'embryon du début d'une velléité de bon sens équivaut à trouver une goutte d'eau dans la mer, et je ne peux rien contre la chimie du chaman. L'ex-moustachu s'est souillé, je me contente de le tourner sur le dos, dans une position plus confortable, le laissant par terre pour éviter qu'il n'y tombe à nouveau.

Les Morgensen n'ont pas bougé, inertes sur leurs couchettes. Leurs masques de frayeur muette sont tels, que ma haine se mue en culpabilité. C'est la guerre, d'accord, mais les conventions existent. Je sais que si je les laisse dans cet état, au long des interminables nuits que je passerai en sentinelle, toujours je le regretterai. Alors, les saisissant l'un l'autre au collet, je les lève, les avançant devant le hublot qui découpe la cloison. À travers lui, la lune illumine les lointaines montagnes et les flots argentés. Surmontant mon abjection, je prends possession d'eux. L'abîme de leur esprit est vertigineux, mais je m'empare de leur mince enveloppe d'effroyable terreur, et luttant contre moi-même, je les rassure, les réconforte, pour finalement les laisser contempler le paysage, presque paisibles. Je les réinstalle sur leurs couchettes et les abandonne à leur sort de légumes rassérénés.

Je vais me laver les mains dans la cuisine, en fouillant les placards, y trouve des barres de céréales et de chocolat dont je m'emplis les poches, et mets à chauffer du thé pour Tek'ic. En fouinant je tombe soudain sur un miroir et je ne reconnais pas mon reflet. Je suis devenu un vrai homme-sauvage. Mes longs cheveux hirsutes sont pleins de dreads, que Qâ de ses doigts affine sans les démêler. Émacié, mon visage est encore rallongé par ma barbichette, me donnant l'air d'un pirate. Les doigts de brodeuse de la mère Morgensen ont fait des miracles, et la cicatrice de la griffe de l'ours, qui barre mon front, mes paupières et ma joue, est incroyablement fine. Mon œil blanc, avec sa pupille oblique me donne un regard insoutenable. Je m'extasie d'avoir si bien compensé l'altérité de ma vision par les dons de Qâ, m'y être si bien habitué, que je la considère comme un avantage plutôt qu'un handicap.

J'ai l'air bien plus féroce que je le suis, et je défie quiconque en me voyant de deviner mes origines.

— Je suis Loumouyé Naquneye, et s'il faut faire la guerre, Qâ. Je la ferai, je la ferai pour préserver notre amour et pour que ses fruits se répandent à travers le monde.

Je tente un sourire impitoyable, mais une bouffée d'appréhension me tord le cœur, et je ne parviens qu'à une vilaine grimace. Pourquoi Qâ ne m'a-t-elle pas répondu ? Jusqu'où a-t-elle pu s'enfuir, avec les jumelles si proches de la naissance ? Ô Qâ, où que tu sois, où que vous soyez, attends-moi, je te trouverai, demain, je serai près de toi...

Portant le bol de thé, je remonte dans l'habitacle. Tek'ic est très agité dans son sommeil. Inquiet, je tâte son front, la fièvre le fait frissonner et je n'aime pas du tout la façon dont il halète. Il se met à proférer des paroles incompréhensibles, dont l'urgence est telle que je n'y résiste pas. Je l'investis et, avant même que je réalise, il m'emmène avec lui dans les affres de son cauchemar.

Tek'ic est seul, à l'orée de la forêt dense, tournant

le dos aux arbres immenses et aux fourrés fleuris, il sonde et le foisonnement végétal et animal derrière lui est tétanisé par une peur immonde. Devant lui s'étend le désert d'une coupe rase à perte de vue. La terre se met à vibrer, et des machines apparaissent au loin. Des dizaines, des centaines, des milliers de machines, de trax, de grues, de bulldozers, couvrant tout l'horizon, s'approchent en demi-cercle devant lui, broyant tout sur leur passage. Alors Tek'ic lève les bras, minuscule, comme s'il voulait les arrêter.

Un cauchemar ? Non, un rêve. Je vis de l'intérieur le rêve du chaman.

Il lève les bras, et les machines semblent se heurter à une barrière invisible. Les chenillettes éclatent, les roues se disloquent, les essieux se brisent. À leur bord, les hommes en salopette, casqués de plastique jaune, vocifèrent, s'insultent les uns les autres, s'accusant mutuellement de leur incapacité à avancer, puis commencent à montrer le chaman du doigt, le désignant à leurs petits-chefs. Une délégation furieuse descend des machines et s'approche de lui, guidée par un grand malabar.

— Au nom de qui, l'Indien, toi, tout seul, oses-tu ainsi empêcher les honnêtes travailleurs de gagner leurs vies ?

Alors le tambour de Tek'ic apparaît comme par magie. Il l'élève dans les airs, et regardant les hommes, impassible. Il en frappe le centre de sa main, et le tambour éclate d'un son terrible.

C'est plus fort qu'un milliard de cornes de brume.

C'est le cri atroce des grands arbres qu'on arrache, de la terre qu'on bafoue, des animaux qu'on extermine. Il frappe son tambour et c'est le hurlement d'agonie des âmes des millions de Peaux-Rouges, hommes, femmes et enfants, génocidés depuis quatre siècles au nom du progrès de l'homme-Blanc. Il frappe encore et c'est le fracas des autels qu'on détruit, des idoles qu'on abat, des guérisseurs qu'on brûle, accusés de sorcellerie ; c'est le vacarme effroyable des croyances qu'on piétine, des connaissances qu'on renie, des cultures qu'on anéantit.

Chez les hommes en bleu c'est la débâcle. Certains fuient, les mains sur les oreilles, d'autres tombent à genoux prostrés, d'autres encore, fous de rage, exhortent leurs confrères à se battre pour avancer, à ne pas se laisser ridiculiser par ce damné Peau-Rouge.

Mais Tek'ic imperturbable frappe son tambour de tous les chants de révolte, et son visage se métamorphose. Je reconnais successivement en lui des personnes que tous deux nous avons éveillées et bien d'autres inconnues. Il frappe son tambour, et il est le djoudjouman Ashanti aux lunettes dépareillées et à travers lui explose le tonnerre des tam-tams de l'Afrique, et les chants des millions d'âmes assassinées, déportées, violées, meurtries, déniées d'humanité par des prélats séniles, exploitées, torturées, déracinées, avilies au nom des conquêtes commerciales et de la juste foi. Il frappe du plat de sa paume au centre de la peau, il est la chamane Toungouse de Sibérie, et dans le son magique du tambour se tordent les râles d'agonie des membres de son clan, tous morts empoisonnés, par la pollution au mercure de la rivière harmonieuse qui depuis toujours porte leur nom. Ses doigts claquent sur le bord du tambour. Il est la guérisseuse Saora, lapidée par des barbus fanatiques pour son refus de porter le voile, et qui doit son salut à sa faculté de se faire passer pour morte, recevant leurs coups sans broncher, au nom du droit d'être femme.

Et Tek'ic se met à avancer. Il est le représentant des peuples indigènes de toutes latitudes, spoliés de leurs territoires et de leurs racines, dépouillés de leurs savoirs ancestraux, de leurs identités millénaires, de leurs lieux les plus sacrés au nom d'une uniformisation civilisatrice. Et chacun de ses sons véhicule les douleurs, les peines, les atrocités subies par les hommes et, aussi, les saccages des forêts, l'étouffement des rivières, la plainte des grands lacs englués de boues putrides, les gémissements des vents lourds de fumées corrosives, les échos innombrables et macabres du pillage systématique des ressources de la Terre.

Et Tek'ic avance, pulsant ses pas de son tambour magique et voilà que, derrière lui, la forêt se met à avancer aussi. Coulant d'abord une prairie de fleurs, de buissons, d'arbrisseaux, et puis d'arbres immenses, le suivant pas à pas, grignotant la coupe rase d'une verdure envahissante.

Des hommes en bleu tirent sur le chaman sans que leurs balles jamais l'atteignent ; d'autres ont regagné leurs machines et tentent d'avancer ou de s'enfuir, se heurtant les uns les autres dans un fracas indescriptible ; d'autres encore se laissent prendre par les chants du chaman. Soudain ils enlèvent leurs casques et leurs bleus de travail, et nus courent se réfugier dans les bois, de son côté de la vie. Leurs collègues font tout pour les retenir, mais Tek'ic avance invulnérable, et derrière lui la forêt repousse, la nature reprend ses droits. Des hommes en bleu se replient, d'autres toujours plus nombreux, tombent en extase, et se précipitent ivres d'allégresse sous le couvert de la forêt.

Les machines empêtrées dans un chaos dévastateur, râlent, hoquettent, ronflent, rugissent de leurs moteurs emballés, s'imbriquant les unes dans les autres, se poussant, se heurtant si fort que la terre se met à vibrer d'une façon insoutenable, amplifiée par les bruits du tambour, et les machines s'y enfoncent, comme des dinosaures dans des marécages.

Et quand la dernière grue, le dernier bulldozer y est englouti, la poussière retombe et la forêt recouvre tout. Alors Tek'ic le chaman, seul au milieu des grands arbres, cesse de battre son instrument. Il s'installe confortablement sur un lit de fougères, posant le tambour au sol pour s'en faire un coussin, se drape dans sa cape. Et, dans son rêve, il s'endort.

Je m'arrache à lui, titubant jusqu'au siège du capitaine, commotionné. Le regardant éberlué, reposer tranquille dans son sommeil.

— Hé ben mon vieux, lui dis-je, secouant la tête pour reprendre mes sens, bonjour la mégalo...

Et je ris de ma propre surprise et de la grandiloquence onirique du vieil homme. Il dort étonnamment paisible, souriant d'un sourire détendu qui m'inquiète. Me rapprochant de lui, je pose ma main sur son front. Sa température est revenue à la normale, sa fièvre a complètement disparu, et je comprends que, sous le symbolisme de son rêve, il a combattu et vaincu son mal. La forêt de son énergie a recouvert la coupe rase de sa blessure. Son rêve l'a momentanément guéri.

— Sacré chaman, lui dis-je, je suis fier d'être ton ami.

Je sais que chacune des plaies, chacune des souffrances ou des revendications qu'il a évoquées, quelle que soit sa provenance, il l'a faite sienne. Que chacune d'elles, justifie la guerre qu'il veut mener, et que chacune, à travers lui, est devenue mienne.

— J'en serai, Tek'ic. J'en serai à ton côté.

Plus tard je reconnais l'ombre d'une montagne oblique surmontée d'oreilles de chat dont le chaman m'a parlé, et je mets le cap vers la terre. Tek'ic s'éveille et, malgré mon insistance pour qu'il reste tranquille, va se placer à l'avant du bateau, allumant un fanal pour déceler d'éventuels récifs. Nous trouvons les îlots, les contournons pour nous enfoncer dans la crique que Rising a mentionnée, mais elle n'est pas encore au rendez-vous.

Tek'ic me presse de repartir et j'ai hâte de retrouver Qâ, mais je ne veux pas abandonner le chaman seul avec ces morts et ces prisonniers, sans être sûr de l'arrivée des secours. Je me montre inflexible. Je jette l'ancre, mets le moteur en panne, puis renouvelle son pansement, il a beau plaisanter de ma maladresse, je vois bien qu'il rit jaune et a perdu beaucoup de sang.

Soudain Rising est là. Pas en pirogue non, elle se trouve encore à quelques kilomètres, mais dans nos têtes, inquiète de l'état du chaman et instantanément elle s'assure de la situation.

— Va-t'en, va-t'en vite, Loumouyé, Mère de nos mères a besoin de toi, et il ne faut pas que mes hommes te voient. Va-t'en vite. Je m'occuperai de Tek'ic, de ces morts, de ce fou et de ces assassins.

— Merci, Rising, fais vite. Tek'ic fanfaronne, mais il n'est pas bien...

— Dès que je l'aurai soigné et réglé tout ça, je viendrai te rejoindre et resterai près de Qâ jusqu'à ce qu'elle accouche.

— Je t'embrasse, Rising, je ne suis déjà plus là...

Saluant Tek'ic avec effusion, je saute dans sa pirogue, largue le bout et repars vers le nord.

Vers Qâ et la forêt profonde.

3

L'aube se lève, puis un soleil pâle, filtré par une brume diaphane. La pirogue est beaucoup plus rapide que le cotre de Vladimir, et je longe la côte, slalomant entre les récifs. Les heures s'égrènent, d'une lenteur maritime, j'ai beau m'énerver et pousser le moteur à ses limites, les distances s'amenuisent avec la même nonchalance. Même la somptuosité de la côte ne m'est plus que supplice. J'aimerais courir sur l'eau, voler, mais la pirogue se traîne comme une limace sur l'immensité océane. À plusieurs reprises je croise des bateaux, chaque fois je passe le plus loin possible, rabattant mon capuchon sur mon visage pour éviter leurs binoculaires.

Je pense à Qâ, à notre dernier échange. À sa supplique pour que je ne me perde pas. Et même si je n'ai tué personne, je me sens les mains bien sales. Pourquoi n'a-t-elle pas répondu à mes derniers appels ?

Peut-être est-elle sur le point d'accoucher, peut-être se prépare-t-elle à le faire et je ne suis pas là.

— Oh non Qâ, je t'en prie, attends-moi, attends-moi !

Mais bien sûr elle ne m'entend pas. Et peut-être même a-t-elle déjà accouché sans moi. Les jumelles sont peut-être nées. Sans moi...

J'atteins le fjord en milieu d'après-midi, dans un état

de fatigue et de tension terrible. Je sonde Qâ, tout en sachant que nous sommes hors de portée l'un de l'autre, avec pour seul résultat d'augmenter mon appréhension. Dès que j'ai touché terre, et tiré la pirogue sur le rivage, je me mets à courir, gravissant la côte en ménageant mon souffle, prenant mon pas de fond, celui qu'adoptent les loups pour les longs périples.

Qâ doit se trouver au nid de mousse, à deux heures au nord-ouest de l'aven, et le fjord s'en trouve à deux heures et demie au sud. En coupant par la montagne je raccourcirai le trajet de moitié. Je m'y élance, espérant ne pas rencontrer trop de précipices en travers de mon chemin. Je cours dans la forêt, sans un regard pour ses artifices et les couleurs dont elle se pare, croisant des animaux sans les voir, et des merveilles sans leur prêter attention. Je cours, obnubilé par ma hantise que Qâ ait accouché seule, sans moi.

— Qâ, je suis là, je suis revenu. Mon amour, où es-tu ?

Mais Qâ ne répond pas. Je la sonde et n'obtiens rien. Je me rappelle alors les derniers conseils de Rising :

— La peur, vois-tu, est la pire ennemie de la femme qui accouche. Elle seule déchire le cocon du bonheur et laisse entrer la souffrance. Souvent les pères qui assistent aux naissances ne se rendent pas compte à quel point leurs appréhensions influencent le bien-être de leurs femmes et de leurs bébés, car les bébés ressentent les émotions que ressentent leurs mères. Cette douleur-là n'est pas souffrance. Elle est bonheur. Malgré le sang, les cris, les pleurs, malgré les convulsions, les halètements et les crampes, la venue au monde d'un enfant est le plus grand des bonheurs. Tu dois prendre garde d'en tenir à distance toute peur. Quand le moment sera venu, c'est en partageant son bonheur et non sa douleur que tu pourras le mieux aider Qâ...

Il faut que je me calme, que je me tranquillise, mais si Qâ est encore hors de portée de mes dons, à présent, je devrais être depuis longtemps à portée des siens. Et si elle sondait, elle m'entendrait.

— Qâ, Qâ, je t'en prie, réponds-moi...

Qâ ne répond pas. Soit elle ne sonde pas, soit elle est partie. Peut-être depuis vingt-quatre heures d'autres hommes-nus sont-ils venus, peut-être qu'elle a dû fuir ailleurs ? Peut-être qu'elle ne sonde pas parce qu'elle est en train d'accoucher à l'instant même ? Arrête. Arrête, tu ne peux pas la trouver dans cet état !

Je cesse mes vains appels, et je cours comme jamais, bondissant à travers bois comme une antilope ou un sanglier, suivant la densité de la végétation. J'essaie de tenir un cap le plus droit possible, malgré les embûches du terrain, bien souvent je dois faire des détours pour franchir des ravins, des parois à pic, ou des taillis trop touffus. Au bout d'un temps interminable, je gravis une nouvelle pente escarpée, où des genévriers s'accrochent aux rochers en dépit du bon sens et moi à eux comme une araignée. Au sommet, je dois ramper sous des buissons d'aubépines qui m'écorchent le dos, me relève aussitôt passé pour me remettre à courir, à tout hasard je sonde...

Et tombe à genoux, tétanisé, submergé par la vague immense des émotions de Qâ. À son contact, ma peur instantanément se pulvérise. Elle vit, elle est là, elle accouche et je suis presque à côté d'elle.

— Je suis là, Qâ, je suis là.

Elle ressent ma présence avec un soulagement manifeste.

— Oui, mon amour, Loumouyé, je te nomme. Elles viennent, les jumelles veulent naître et tu es là pour les accueillir.

— Je suis là, j'arrive, j'arrive, Qâ...

Mais je n'arrive pas. Ce qu'elle ressent est beaucoup trop fort pour que je coure en restant en elle, et je ne veux pas la laisser, alors je reste là, en elle, avec elle mais loin de son corps, progressant dans sa direction en trébuchant pas à pas.

— Mon amour, je suis là, je te sens, je sens tout de toi. Puise mes forces, puise en moi les forces dont tu as besoin, prends les miennes, elles t'appartiennent, je suis avec toi, Qâ, et je t'aime.

Qâ accouche. Qâ accouche, je l'ai trouvée. Et tout va bien. Pas d'horreurs, pas d'hommes-nus, pas de terrible surprise, non. Juste la forêt hospitalière, notre amour réuni, et les jumelles qui poussent pour voir le jour.

Qâ accouche et je sens tout.

L'extraordinaire transformation qui bouleverse son corps. L'immensurable dilatation de son ventre et de ses organes. La façon dont les os de son bassin s'ouvrent, comprimant les cartilages, les tissus écartelés de son utérus transformé en entonnoir béant, la pression inqualifiable qu'exerce la tête d'une jumelle sur l'étroit orifice de son vagin. Je sens chaque muscle de son abdomen, leur étirement ou leur crispation, leur souplesse ou leur tétanie, l'explosion alchimique des hormones que charrie son sang.

Les jumelles, agitées de mouvements spasmodiques, semblent pourtant plongées dans un profond sommeil. Qâ a déjà perdu ses eaux et aussi beaucoup de sang, ruisselante de sueur, elle lutte déjà depuis des heures, l'accouchement est difficile et j'arrive au moment ultime. Je sens sa fatigue globale et le détail de ses épuisements, de ses élongations, de ses crampes, de ses tiraillements, et les morsures soudaines de ses blessures lorsqu'elle commence à s'ouvrir.

Mais, par-dessus tout, je sens son bonheur immense.

Elle est la proie de l'extase la plus intense que jamais je ne pourrais connaître, et je la partage avec elle. Elle est le jouet émerveillé d'un miracle orchestré par des forces qui de loin la dépassent, un prodige qui la scinde, la sépare, du dedans vers le dehors et pourtant, l'accomplit. Elle est le témoin fasciné des élans de son ventre possédé, transforme chaque douleur, chaque peine, en ondée de joie féconde. Au-delà de son corps, elle est entièrement vouée à la sensualité de cette parthénogenèse qui la désunit, tout en multipliant son appartenance au monde. Elle accueille chaque convulsion comme l'expression du désir de la nature entière, et chaque déchirure comme les prémisses d'un bonheur essentiel. Celui de la vie venant au monde.

Je suis en elle, avec elle, parmi les forces auxquelles elle s'abandonne avec passion et gratitude. Je lutte, transformant mon exaltation en puissance sereine pour mieux la soutenir. Elle est couchée sur le dos, les épaules appuyées aux racines du mélèze, les mains accrochées derrière ses jambes pliées pour mieux s'ouvrir. Par ses yeux je vois son ventre comme agité de spasmes, ses seins gonflés et durs ; en elle, je sens les flots d'adrénaline et d'endorphines que son corps sécrète pour annihiler ses peines, mais surtout, avec elle je ressens cette incommensurable énergie de toute la forêt alentour et la façon dont la naissance de nos enfants directement y participe.

J'arrête de marcher, ferme les yeux pour être tout entier avec elle.

— Je suis là, Qâ, sens la joie dont ton amour et la venue de nos enfants m'inondent.

Profitant d'un bref répit, Qâ, bloquant son diaphragme, remonte le long du tronc, jusqu'à presque s'accroupir, les pieds plantés dans l'épais tapis de mousse. Elle se met à haleter très fort, s'hyper-oxygénant au maximum, campée sur ses jambes pliées, inhale très profondément à plusieurs reprises, comme pour prendre de l'élan, exhale, puis posant ses mains sur son ventre, le pressant du poids de son thorax, penchée en avant, elle accompagne les convulsions suivantes de toutes ses forces. Et des miennes je l'assiste.

— Je suis là, mon amour, je suis là et je pousse avec toi.

Je sens la déchirure abrupte de ses tissus tendres, le poids incontenable qui pousse à l'intérieur de son ventre pour jaillir vers le jour. Et chaque supplice, elle le transmute en délice extatique, magnifié de mon admiration éperdue.

Elle pousse, pousse et la tête d'une jumelle apparaît entre ses cuisses, protubérance incongrue au visage fripé, elle semble dormir profondément. Surmontant la souffrance écarlate qui pétrit son corps, Qâ se penche en avant, la saisit doucement dans ses mains, et tirant, l'aide à s'extraire d'elle-même, glissant dès que possible ses doigts sous ses aisselles pour mieux l'attraper. Elle doit lui faire une rotation presque complète pour qu'elle consente à se détacher de son ventre, à franchir la porte de cette vie.

Le temps de la déposer sur la mousse, l'autre se présente. Plus grosse, et avec elle plus intenses les pulsions de la douleur.

Et le bonheur toujours plus immense.

Nos deux filles sont là, sur le nid de mousse. Qâ, à moitié évanouie, pleinement épanouie, et moi à travers elle, illuminé d'un amour aux couleurs si violentes que les yeux fermés j'en suis ébloui. Qâ les débarrasse des lambeaux de placenta, les essuie délicatement du dos de ses mains et réunissant les forces de son corps épuisé, elle les soulève au-dessus de sa poitrine, pour que par ses yeux je les admire, et avec moi le monde entier.

Alors les jumelles, pour prouver de qui elles sont les filles, s'éveillent et se mettent à brailler à l'unisson, contrariées qu'on ose les tirer ainsi du sommeil, respirant l'air de leurs poumons tout neufs, agitant leurs membres minuscules et potelés en signe de protestation, puis leurs cris s'évanouissent sur une note de ravissement, lorsqu'à la même seconde, elles ouvrent toutes deux les yeux. Oh, elles ne voient rien encore, juste une lumière diffuse, leur vue comme leurs autres sens ne sont pas encore pleinement développés, mais en même temps que leurs yeux, leurs bouches et leurs oreilles, elles ouvrent leurs dons.

Notre extase devient passion.

Nous fusionnons, Qâ et moi, avec elles. Vivons une seconde naissance.

Leurs consciences sont vierges de tout, autre que la béatitude de leurs croissances dans le ventre de Qâ. Quand elles s'ouvrent, comme des pellicules photographiques qu'on expose à la lumière, elles s'imprègnent du monde alentour. D'un coup, en vrac, dans son foisonnement et son détail, sa multitude et sa singularité, sa réalité tangible et impalpable, minérale, végétale, animale. Elles découvrent la forêt, la fragile pérennité de sa globalité, la vitalité éphémère des êtres qui la constituent, son harmonie impitoyable, son chaos prolifique, ses cruautés et ses délices. Elles ouvrent le diaphragme de leurs esprits et le monde se révèle à elles, en elles. Et en nous, avec elles.

Elles acceptent sa complexité avec une quiétude si absolue, que j'en suis à jamais bouleversé. Le monde, elles lui appartiennent. En aucune façon elles ne nous dissocient de la forêt alentour, non qu'elles soient inconscientes de nos individualités, non, elles nous reconnaissent, nous livrent leur amour, mais considèrent le bonheur de nos vies comme partie intégrante d'une vie beaucoup plus vaste constituée par la nature tout entière. Elles ne séparent pas la réalité de nos consciences de l'inexprimable existence des plantes, des arbres, des insectes et des animaux.

Et chaque pierre, chaque brin d'herbe, chaque oiseau, chaque taillis, chaque mammifère, chaque graine, chaque géant millénaire, chaque batracien, coléoptère, montagne, nuage ou rivière, chaque rayon de soleil, chaque souffle de vent, participe en créature à part entière chargée de son expérience, à la vie qu'elles découvrent.

Elle sentent tout. Leurs dons ont déjà une portée bien supérieure à la mienne, et à des kilomètres de là, elles sentent mon cœur battre la chamade pour elles, et mes larmes m'inonder de joie. Elles nous emmènent, Qâ et moi, dans une extase qui nous propulse jusqu'au ciel. Puis avec de petits gémissements de contentement, elles serrent leurs poings miniatures sur les doigts de leur mère, froncent leurs minois d'un air concentré, et s'endorment béates, pour digérer tout ça.

— Ô mon amour, me dit Qâ faussement apitoyée, alors qu'elle jubile de ses forces exténuées, elles sont nues comme toi, elles n'ont de poils que sur la tête...

— Mais c'est de ta beauté qu'elles rayonnent, Qâ,

indiscutablement. J'arrive, il faut que je vienne vous serrer dans mes bras.

J'interromps le contact pour me remettre à courir, criant de ma vraie voix :

— Mère de nos mères est Mère de nos filles ! Je suis Père de nos enfants ! Bienvenues soient nos jumelles dans ce monde !

Et, très loin, je suis sûr que Qâ entend les échos de mon chant et qu'ils la font sourire. Je cours pendant plus d'une heure, trouant la végétation comme un missile, avant d'enfin rejoindre le nid de mousse, et en chemin, je ne peux m'empêcher de souvent ralentir pour sonder Qâ, car curieusement, elle ne le fait que dans un petit périmètre autour d'elle, sans doute pour ménager sa fatigue.

Je la vois les installer sur son ventre en partie dégonflé, les saisir l'une après l'autre de ses doigts agiles, nouer leurs cordons ombilicaux, les cisailler avec ses dents. Je la vois les lécher des pieds à la tête, pour les débarrasser de son sang, aspirer leurs mucosités nasales de sa bouche pour les recracher sur la mousse. Scruter le moindre détail de leurs anatomies, de la finition de leurs orteils aux contours de leurs fontanelles sous la soyance de leurs cheveux, châtain pour l'une, pour l'autre noir de jais. Je la vois les poser délicatement sur sa poitrine, sens la pression dans ses seins gonflés, et sourdre les premières gouttes de lait, et les jumelles sans sortir de leur sommeil, gobent de leurs bouches avides ses mamelons. Et quand elle embrasse leurs têtes, je sens leurs odeurs de bébés.

Tandis que les jumelles tètent soutenues par son bras, Qâ ramasse les lambeaux de placenta déchiré et consciencieusement les mange, pour reprendre quelques forces et en faire disparaître les traces. Malgré mes injonctions à rester tranquille et à attendre mon arrivée, elle s'accroupit, se soutenant au tronc du mélèze, et entreprend d'arracher le tapis de mousse sur lequel elle a répandu ses fluides et son sang, puis titubante, le tire jusqu'au ruisseau pour le désagréger dans le courant. Elle agit mue par son instinct, et j'ai beau insister pour qu'elle retourne s'étendre, serrant les jumelles sur la chaleur de sa poitrine, elle descend dans l'eau froide pour se laver le corps et le visage, évitant soigneusement de mouiller les bébés. Je sens la douleur sourde dans son ventre, que le choc de l'eau avive, et son état d'épuisement, mais rien ne peut refroidir l'ardeur maternelle qui réchauffe son cœur.

Finalement, à bout de souffle je les rejoins. Qâ s'est recouchée plus haut sur la mousse, là où elle a éparpillé un épais duvet de quenouilles, et profite d'un dernier rayon de soleil ; l'eau sèche sur elle dans la lumière, la nimbant d'un halo de brume.

Enfin je me jette dans ses bras, très précautionneusement ; enfin je la serre contre moi et, entre nous, nos filles, nos enfants. Je baise ses yeux, sa bouche, son cou et son front, presse mes lèvres sur sa peau comme pour y fondre, et elle agrippe mes cheveux de sa main pour mieux me retenir.

— Loumouyé, mon homme-nu, mon amour, tu es là près de moi, et tu l'as toujours été.

Son sourire, sa manière de se noyer dans mes yeux, annihile toutes mes appréhensions.

— Oh Qâ, regarde, regarde, elles sont belles comme des poupées, toutes menues, et toutes chiffonnées, et elles ont ton nez camus, et leur peau est cuivrée comme la tienne ! — Sous le tohu-bohu de mon émoi, les jumelles se réveillent, s'agitant sur les seins de Qâ. — Est-ce que... J'aimerais, oh je veux les prendre dans mes bras.

Qâ m'aide à les saisir dans mes mains maladroites, elles sont si petites, si fragiles, j'ai peur de les serrer trop fort, je les installe sur mes avant-bras, pouces et auriculaires sous leurs aisselles, leurs têtes reposant dans mes mains. Elles me regardent de leurs yeux aux couleurs indéfinies, et à travers elles, je vois mon ombre se découper sur la lumière.

Qâ et moi nous régalons de leur façon de découvrir

toutes choses. Le goût du lait maternel dans leurs bouches, les parfums des multiples essences végétales dont l'air est chargé, que leur odorat distingue sans pourtant les connaître ; la chaleur et la force de mes mains sur leurs peaux, et le réconfort qu'elles tirent de ma présence familière et protectrice. Indubitablement elles me reconnaissent et me rendent la qualité d'amour que je leur prodigue. Je les élève au-dessus de ma tête, pour les brandir dans les dernières lueurs du crépuscule et leur déclame de ma vraie voix :

— Mes toutes belles, mes enfants, fruits de nos ventres, chairs de nos chairs. Vous serez pour toujours les princesses de la forêt. Loué soit ce jour de votre venue au monde !

Alors à nouveau elles sondent, à nouveau nous fusionnons les quatre réunis, jusqu'à n'être plus qu'un avec la forêt entière, et tandis que le soleil couchant illumine le ciel de son incandescence, notre bonheur tournoie en tornade, nous élevant comme de simples fétus de paille.

Et je sais que jamais mes filles dans l'avenir, n'oublieront leur appartenance.

Plus tard, rassasiées de mes câlins, de mes baisers et des tribulations de la forêt, les jumelles à nouveau s'endorment sur la poitrine de Qâ, et elle et moi nous immergeons dans notre tendresse amoureuse. En plongeant dans ses yeux noirs, en caressant son visage illuminé d'une félicité divine, je revis cette tourmente de la naissance, cette séparation, ce partage, cette victoire qui extrait de la vie la vie, et fait de la douleur un bonheur insondable. Je sens toujours celle dans son ventre et la manière dont elle la transcende. Qâ sourit de mon incapacité de trouver des mots pour lui dire la profondeur de mon admiration, l'incommensurabilité de ma reconnaissance et de ma dévotion. L'avalanche de mes sens charrie des émotions si complémentaires que toute velléité verbale y est engloutie.

Qâ est plus belle que jamais. Achevée, complétée,

mûrie, accomplie, et les sentiments qu'elle me renvoie en sont d'autant plus denses, lucides, responsables.

La nuit tombe sur nous, d'indigo, estompant la rousseur de l'automne. Je nous recouvre de la pelisse de caribou, m'étendant à côté d'elle, pour qu'elle se love sur mon épaule, prenant garde de ne pas déranger les jumelles. D'elle, je ne vois plus que l'éclatant sourire, et les lacs de diamants brillant dans ses yeux d'abîme, où je me noie vertigineusement. Puis la lune apparaît, d'une blancheur d'équinoxe, ronde et pleine comme nos cœurs agglomérés. Escortée d'un vent frais qui fait bruisser les feuilles, elle allume la forêt de scintillements argentés, d'une luminosité telle qu'à nouveau je peux voir le visage de Qâ, auréolé de la noirceur de sa chevelure, et la soyeuse brillance du duvet de son cou et de sa fourrure.

Nous fondons l'un dans l'autre d'un amour sans nom.

Plus tard, les jumelles se remettent à téter, et Qâ, mordillant sa lèvre sous l'avidité de leur succion, me demande des nouvelles de Tek'ic.

— Il doit aller bien, Rising s'occupe de lui, il a eu beaucoup de chance tu sais. Mon amour, il a fallu que ça arrive juste quand...

— Chuuut... Nous sommes réunis, Loumouyé, et seul ce bonheur compte.

— Oh oui. Puisse cette nuit durer toujours.

Qâ me regarde longuement de ses yeux insondables, pose sa main sur ma nuque et ses lèvres sur les miennes pour un baiser.

— Ils vont être fous de joie, les chamanes, en apprenant que nos filles sont déjà là, lui dis-je quand elle me lâche. Ils se réjouissent tellement tu sais. Rising doit débarquer dans quelques jours, quelle surprise ! Tu as presque une demi-lune d'avance mon amour, vous avez, mes amours... je reprends à l'attention des jumelles. Ô Qâ, te rends-tu compte que tu as fait de moi un père ? Bon sang, c'est tellement merveilleux que je n'arrive pas à y croire.

Pourtant je le vis pleinement, mais à chaque

seconde il faut que je m'en assure. Je la touche, caresse les jumelles, la renifle, l'embrasse de plus belle. Oh oui, et c'est vrai, tout est vrai, ma déesse. Je fuse encore plus fort avec elle, et je sens.

La joie que lui donne mon exubérance, le bonheur essentiel que nous partageons, nos élans de passion qui bercent les jumelles comme un océan. Et je sens aussi de façon précise la petite brûlure gagnant ses mamelons, la montée de lait qui gonfle ses seins d'une dureté de marbre. Et la douleur franche et vive qui pulse dans son ventre... Et je pense qu'après ce qu'elle a enduré, c'est normal que ses chairs restent endolories, et chaque fois que je les effleure, Qâ m'obnubile avec sa manière de transcender petites et grandes douleurs en bonheur essentiel.

— Il faut que tu te reposes, Qâ, que tu reprennes des forces. Demain je vous porterai nos filles et toi jusqu'à la cabane, pour t'installer confortablement. Il faut que tu dormes beaucoup, que tu manges plein de bonnes choses. Je vais te dorloter comme jamais, et les enfants aussi. Demain, j'attraperai une femelle orignal et son petit, je les ramènerai. Comme ça tous les jours je pourrai la traire et toi boire son lait. Et je te presserai des pousses de blé tendres, pour que tu en boives le jus, parce qu'à voir leur tempérament, il te faudra plein de vitamines et de sels minéraux pour pouvoir assouvir les appétits de ces deux affamées. Et puis, je crois que je vais faire un four, oh oui bonne idée, et je te ferai des tourtes aux poireaux et aux topinambours, ou aux noix et au miel, et des tartes aux pommes et aux groseilles ou bien aux pignons et aux cerises, car c'est à nos filles que profitera ta gourmandise. Oh mais Qâ, as-tu faim maintenant, j'ai des barres de céréales et un truc qui s'appelle chocolat, que peut-être tu aimeras ? Ou si tu veux je peux aller cueillir quelque chose ?

Mais Qâ ne veut rien d'autre qu'un peu d'eau fraîche.

Je me lève, et le temps de trouver un bouleau auquel arracher un lambeau d'écorce suffisamment grand pour être plié en récipient, et de le remplir à la source, je trouve les jumelles profondément endormies. Qâ boit lentement, et je sens la fraîcheur du liquide apaiser la douleur de son ventre, et à nouveau quand je veux m'en inquiéter, elle captive mon attention.

— Dis-moi encore les délices que tu vas nous faire subir, mon amour.

Elle est Mère de nos mères, mieux que personne elle sent ce qui se passe en elle, et si elle me dit que tout va bien, je ne dois pas en douter. Je me réinstalle à côté d'elle, couvrant les jumelles de mon bras, effleurant de l'autre main ses lèvres, le lobe de son oreille, la courbe parfaite de l'implantation de ses cheveux sur sa tempe.

Pour elle, je rivalise de recettes inventives où se mêlent gourmandise et satiété, nutrition et plaisir des papilles. J'élabore des programmes compliqués qui jalonneront nos journées de fous rires effrénés en siestes lascives, d'éclats d'allégresse en tendre félicité, de contemplation passionnée en féroce rigolade, et tout, tout ce que nous ferons, tout ce bonheur qu'il nous faudra sans cesse construire, c'est aux jumelles, à nos filles, que nous le reverserons.

— Chaque matin et chaque soir... chaque après-midi et avant aussi d'ailleurs, et des fois pendant toute la journée, je te masserai le ventre avec de l'huile d'amande et de l'arnica, jusqu'à ce que ta peau ait retrouvé toute sa souplesse, et les jumelles pourront y faire des cabrioles. Je masserai aussi tes seins bien sûr, tout doucement pour les détendre, et sur leurs bouts, je te mettrai une goutte de miel, ça préviendra tes gerçures et ça apprendra aux jumelles à moins se hâter, pour faire durer le plaisir.

Les paupières de Qâ s'alourdissent, doucement elle s'enfonce dans le sommeil, et son sourire me ravit.

— Qâ, mon aimée, ma femme primordiale, Mère de nos filles, je t'aime plus que tout et à jamais, tu sais ? — Elle pousse un petit gémissement, resserrant son étreinte sur mon bras et les jumelles. Je me colle mieux contre elle et susurre : — Rising m'a dit qu'elle va leur tisser à chacune une couverture, elle attend de les voir pour décider des couleurs, mais le motif est déjà défini. Elles devaient représenter le cosmos au moment de leur naissance, enfin, au moment que vous aviez choisi. Évidemment, elle va devoir redessiner toute la trame, mais je suis sûr qu'elle en sera ravie. Elle m'a appris à faire des langes aussi, avec des fibres de bouleau, ça pourra être utile dans la cabane. Et Tek'ic, attends qu'il revienne, j'entends déjà ses cris de chouette, ça va être un grand-père formidable pour les enfants. Nos jumelles, nos filles. Je suis père, mon amour, il y a tant de choses qu'il va falloir que tu m'apprennes.

Qâ dans son demi-sommeil sourit de mon exaltation. Alors je lui raconte encore. Mille souvenirs anticipés, mille promesses que la vie se chargera de concrétiser pour nous. Les premiers pas des jumelles, le moment où d'elles-mêmes elles lâcheront nos mains, trouveront leur équilibre, et s'avanceront seules, les bras levés au ciel. Leurs facéties lorsqu'elles apprendront à contrôler leurs dons et à investir les oiseaux. Plus tard, nos galopades silencieuses à travers bois, quand leurs courses seront plus farouches et puissantes que les nôtres.

Bercée par mes hymnes au bonheur à venir, Qâ finalement s'abandonne à son épuisement et, sereine, s'endort. Une fois encore je sens cette douleur vive dans son ventre, qui pulse en même temps que son cœur, mais même dans son sommeil, elle la dompte, la muselle, en fait une de ses forces. Je ne sais pas m'en inquiéter. Les jumelles dorment aussi sur sa poitrine, sous la chaleur de nos bras réunis, et je m'émeus que leurs souffles minuscules, puissent receler toute la puissance de la vie.

Je reste seul éveillé, dans la nuit de la forêt.

Guetteur. Sentinelle, veillant sur ma femme et mes enfants.

Mes femmes, mon clan. Ces bébés, ces amours potelées, sont comme la matérialisation vivante des sentiments qui nous lient Qâ et moi.

Je suis père. La lune blanchit la canopée, transperce le feuillage tranchant des reliefs contrastés où les gris sont inexistants, les grands arbres obombrent le sol d'une mosaïque kaléidoscopique de taches noires et blanches, la terre frémit comme une peau de panthère. Là où la végétation est trop dense, l'obscurité intégrale, la noirceur semble irradier de pourpres, les feux de l'automne y couvent, braises sous la cendre, attendant un rayon de soleil pour s'enflammer.

Je suis père des filles de Qâ, la femme poilue des bois. Ma femme.

Je suis le plus heureux des hommes.

Pendant des heures je sombre dans une somnolence vigilante, sondant la forêt alentour, ou me concentrant sur nos respirations, celles rapides des jumelles, profonde de Qâ et la mienne lente. Parfois nos rythmes s'imbriquent jusqu'à n'être plus qu'un au sein de la nature.

Puis viennent les prédateurs.

Un renard le premier, je le détecte de loin. Il s'approche en glissant d'ombre en ombre. Sans bouger, pour ne pas déranger les jumelles, je l'investis soudain et lui flanque une telle pétoche qu'il doit courir encore. Puis un autre, une femelle, nettement plus vorace que je décourage pareillement ; mais à peine quelques minutes après, deux coyotes franchissent le périmètre de mes dons, courant vers nous, la truffe à l'air. Précautionneusement, je me redresse, assis sur la mousse, rabattant la pelisse sur Qâ et les jumelles.

Les coyotes courent de leur galop de chasse, très déterminés. J'imagine qu'ils ont senti le fumet de chair fraîche des bébés mais en prenant possession d'eux, je découvre que seule l'odeur du sang motive leur hâte. Je les chasse méchamment, les terrassant de ma colère, et ils s'enfuient avec des glapissements de terreur. Du sang ? Peut-être Qâ n'a-elle pas suffisamment arraché de mousse là où elle a accouché ? Ou alors... ?

Me penchant inquiet, je glisse le bras sous la pelisse et les cuisses de Qâ, la mousse y est très humide. En ramenant ma main, je ne peux voir la couleur de mes doigts dans la pénombre, mais j'en reconnais la poisseur.

Qâ saigne encore...

Ma bouffée d'angoisse est telle que Qâ et les jumelles s'éveillent en même temps, et celles-ci se mettent à brailler de concert. Dans son sursaut infime, Qâ bouge les jambes, et je sens de façon très précise la douleur acérée qui déchire son ventre, mais avec la même fulgurance, elle la jugule, la muselle, me submerge du bonheur de son réveil avec les jumelles sur son thorax.

— Tu saignes encore, Qâ, il faut que je t'examine...

— Non. Tout va bien, mon amour, me dit-elle à sa manière. Elles ont faim, aide-moi à les remonter sur mes seins.

Et comme pour sa douleur, elle ligote mon inquiétude d'un filet serré de plaisir, et les jumelles s'en mêlent, sondant autour d'elles, et je ne peux résister, de crainte que ma retenue ne fissure ce qui nous rassemble. En les réinstallant pour leur tétée, à nouveau elles nous extasient par l'innocence de leur appréhension du monde et l'ampleur de leur perception, la naïveté virginale de leurs sens et l'ancienneté millénaire de leurs instincts.

Nous nous dissolvons dans la forêt. D'ombres et de lumières, de rochers et de vent, de feuillages et de chair, de plumes et de terre, d'arbres et de torrents, tout s'y oppose. L'activité fébrile des nocturnes et le repos paisible des diurnes, la lenteur de la croissance des arbres et l'explosion des champignons, la placidité des herbivores et l'agitation des carnassiers, l'immobilité des montagnes et le glissement des nuages. Et les jumelles réunissent les contrastes les plus extrêmes en harmonie indissoluble où mon inquiétude n'a plus lieu d'exister. Mais quand elles s'endorment à nouveau, gavées du lait de Qâ, malgré son sourire, je ne peux m'empêcher d'insister.

— Laisse-moi t'examiner, Qâ, je t'en prie. Je vais faire du feu, il faut que j'y voie clair.

— Non, Loumouyé, la lune nous suffit.

— Mais tu saignes, Qâ, il faut que je te soigne et

pour cela que je voie ce qu'il en est. Attends, je vais installer les jumelles.

— Doucement, ne les réveille pas.

Elles sont si belles dans leur sommeil. L'une après l'autre, je soulève délicatement les filles, Qâ et moi les couvrant de baisers au passage, elle leurs têtes, moi leurs petits pieds, et je les pose dans la pelisse, les y emmitouflant soigneusement. Je suis à genoux. Quand je veux me relever, Qâ saisit ma tunique et me fait tomber sur elle. Je me rattrape en appui sur les mains pour ne pas l'écraser, effleure sa poitrine aux tétons sensibles. Caressant mon visage, elle l'approche du sien.

— Donne-moi ta bouche, me dit-elle, donne-moi le goût de nos salives mélangées.

Je l'embrasse, nos langues se mêlent, ainsi que les goûts de nos cœurs en un long baiser. Qâ se montre passionnée, mais je la sens très faible et je ne veux pas me laisser distraire de mon inquiétude. Quand je cesse de l'embrasser, elle m'attrape par les oreilles, m'empêchant de me redresser. Dans la pénombre, ses yeux brillent d'une lueur stellaire.

— Loumouyé, mon amour, mon homme-nu, père de mes filles, promets-moi de ne rien laisser dissiper du bonheur de cet instant que nous vivons ensemble, nos enfants, toi et moi réunis.

— Je promets, mon amour. Et toi promets de me laisser m'occuper de toi comme tu le mérites.

Qâ, cessant de sonder alentour, rassemble tous ses dons en moi, et je fais de même. Elle me donne tout, son corps et sa conscience. Tout en un élan d'amour indicible, auquel je réponds.

Qâ me transmet des choses si belles, qu'aujourd'hui encore je pleure, de les évoquer. Des choses que les mots seront à jamais impuissants à décrire. Des choses à la fois brûlantes comme dix mille volcans et rafraîchissantes comme des cascades glaciales au jus de groseilles ; belles comme des esquisses d'idées en sept dimensions, peintes par des soleils anachorètes sur des ailes de libellules ; des choses plus complexes que les univers, plus simples et élémentaires que le premier fil tissé par l'araignée. Des choses chantant un amour si sincère qu'elles font se redresser les montagnes en posture solennelle, se pencher les grands arbres en taisant leurs murmures pour y prêter l'oreille, se gondoler la terre en frissons de désir. J'y réponds de mes pauvres mots, de mes pauvres sens, en y mettant une telle passion, que le ciel et la forêt pareillement s'en émerveillent.

Qâ me donne tout. Son amour. Son bonheur de m'appartenir et d'avoir mis au monde nos enfants, avec une ferveur qu'elle n'a jamais atteinte jusque-là. Et, parmi les composantes fondamentales de cet amour, elle me livre ce souvenir...

Âgée d'une dizaine d'années, elle se trouve en compagnie de sa mère et de la sœur de celle-ci, une femme poilue de grande stature, au pelage nettement plus foncé, mais dont le visage lui ressemble beaucoup. Elles l'ont rencontrée quelques jours plus tôt. C'est un événement rare dans une vie de femme des bois. Aussi, ravies, elles ont décidé de passer quelques lunes ensemble. Qâ s'en réjouit car la sœur de sa mère est femme d'expérience et adore partager ses connaissances. Ce jour-là, tandis qu'elles se reposent à l'orée d'un bois de cornouillers, après s'être gavées de coprins chevelus au goût de fromage frais, sa tante, d'un air de mystère et après avoir longuement sondé alentour pour s'assurer que personne d'autre n'entend, évoque la légende que depuis toujours se transmettent les femmes dans le plus grand secret.

— Un jour, raconte-t-elle, l'une d'entre nous, par un caprice de mère-terre, rencontrera un homme-nu. Malgré leurs différences, ils apprendront à se connaître et se découvriront si proches que leur amitié deviendra amour, leur amour, passion, et de leur union, elle portera les fruits dans son ventre.

— Oooh...

Qâ-enfant frissonne, il s'agit là de la transgression

suprême, mais sa mère la réconforte de sa présence fascinée.

— Alors la femme poilue, notre sœur amoureuse, saura qu'elle est la dernière de notre peuple. Elle donnera naissance à des jumelles, deux filles, nues, mais qui pourtant auront les talents de leur mère. C'est ainsi que se perpétuera le don. La dernière d'entre nous vivra cet amour sans pareil, au-delà de tout ce qui a jamais existé, et pour mettre au monde ses enfants, elle donnera sa vie en sacrifice.

Ma peur... Blême... Nuit... Livide... Blanche...

— Quoi ? ! Non. Qu'est-ce que tu racontes, Qâ ? Sacrifi... Non, des conneries, des légendes, Qâ, rien que des légendes. Ça ne se peut pas. Qu'est-ce que c'est que cette histoire, Qâ ? Non, Qâ !

Je veux me redresser, mais Qâ me maintient de ses dernières forces, et pas un instant ne laisse ma peur entamer sa béatitude.

— Ta promesse, mon amour. Sens, sens la forêt, nos enfants. Sens le bonheur qui m'étreint d'être avec toi et nos filles, ici et maintenant.

Et elle me montre. Elle me montre l'inébranlable harmonie de la forêt, sa formidable vitalité, le chaos arbitraire de ses énergies foisonnantes, qui pourtant détermine son équilibre. Elle me montre les arbres étouffés par les lianes et le lierre, et dans leur bois pourri, la frénésie des insectes qui y prolifèrent ; la joie meurtrière des prédateurs et les souffrances fatalistes de leurs proies, la décomposition de l'humus et la croissance végétale.

Et partout la vie se nourrit de la mort et la mort de la vie.

Ma peur me disloque.

— Non, Qâ, attends. Arrête, il n'est pas question que tu... Non, je vais te soigner, arrêter ton hémorragie. Je suis chaman, Qâ, je vais cueillir des herbes pour te panser et même, même si je dois te recoudre, Qâ, je peux le faire, tailler une aiguille et utiliser tes cheveux, laisse-moi...

— Loumouyé, mon homme-nu, père de mes filles adorées, c'est dedans que je saigne, il n'y a rien d'autre que nous puissions faire, que de jouir du bonheur de notre amour. Je t'en prie, partage-le avec moi.

— Non, Qâ, attends, c'est pas possible, je vais te porter, vous porter toi et les jumelles jusqu'à la cabane, là-bas il y a tout ce qu'il faut et...

— C'est ici que je suis heureuse, c'est ici que culmine notre union, c'est ici que Mère-Terre rendra aux jumelles ce que je lui donnerai, c'est ici que je veux rester avec toi et nos filles, mon amour.

— Mais, Qâ...

Et l'homme-nu en moi hurle : « Mais je t'aime, Qâ ! Tu ne peux pas mourir comme ça, tu ne peux pas me faire ça. Je vais te soigner, te guérir. Et nos filles, tu ne peux pas les laisser comme ça ! Non, Qâ, non, je ne veux pas. Et je me maudis de n'avoir pas plus tôt réagi à ses souffrances, même si elle les transcende, je m'en veux de ce bonheur qui m'a trop obnubilé pour me rendre compte de son extrême faiblesse. Et pendant que j'étais en extase, Qâ saignait. Qâ saigne... Non, Qâ, il ne faut pas, je refuse que tu meures comme ça... »

Et le chaman amoureux en moi dit : « Qâ, ma femme, ma vie, Mère de nos filles, tu me dis que tu dois mourir ? Ma vie se déchire. J'aimerais que tu te trompes, j'aimerais que tu me laisses essayer de te guérir. Mais tu es Mère de nos mères et par expérience je sais. Chaque chose que tu affirmes est vraie... Alors, mon impuissance me terrasse. Ô Qâ, s'il n'y a rien que je puisse faire, pardonne ma tristesse égoïste et mon désarroi, et prends mon bonheur, Qâ, sens tout l'amour que me donne le bonheur de vivre avec toi, et celui de la naissance de nos filles. Je t'aime Qâ et tu sais que je t'aimerai toujours. »

« Non, crie l'autre, c'est trop injuste, pourquoi ? Je ne veux pas ! Réagis, arrache-toi, prends-la dans tes bras, et tes filles, et cours à la cabane, tu dois la sauver. » Mais je sens bien qu'elle est déjà beaucoup trop faible pour supporter le voyage. Alors y foncer prendre de quoi la soigner ? En la laissant seule ici avec les jumelles, dans son état ? Non, impossible. Qâ, je t'aime tant, et nos filles, tu ne peux pas nous faire ça, non, je t'en prie, Qâ, ne me laisse pas.

« Pense à elle, reprend le chaman. Ne laisse pas ton chagrin amoindrir sa béatitude. Sa douleur, que depuis si longtemps elle maintient à l'écart de vos cœurs, ton inquiétude l'avive. Aide-la à la repousser de ton bonheur. Montre ton humilité envers ces forces auxquelles elle s'abandonne, accepte comme elle l'idée de ton appartenance à un monde où l'amour perdure au-delà de la vie et de la mort. Mère de nos mères va mourir, tu ne peux rien y faire. Elle doit s'en aller dans l'extase, et pas dans la tristesse et la souffrance. Aide-la, aime-la de tout ton cœur. »

Je comprends que depuis toujours Qâ a su qu'en m'aimant, elle allait mourir... Pourtant, elle s'est donnée à moi de toute son âme.

À genoux, penché au-dessus d'elle, je lui caresse le visage, le cou et les épaules, baise son front et ses lèvres, chaviré d'émotions qui m'essorent les entrailles et me gonflent le cœur. La lune a disparu derrière les arbres, et dans la pénombre, je vois les lueurs de ses yeux, diaphanes comme des perles. Et je sens comment, lentement, elle s'amenuise. Ses énergies vitales diminuent, s'écoulant dans la terre en même temps que son sang. Commotionné d'impuissance, je lutte pour l'assister de façon sereine, sans parvenir à empêcher mes larmes de couler, et soudain les jumelles s'éveillent, sondent, et d'un coup, sentent notre émoi.

Alors j'étrangle mes peurs, je les bâillonne, leur serre la gorge pour les faire taire, pour n'être plus que dans la joie d'accueillir nos filles. Soulevant la pelisse, j'aide Qâ à les en extraire pour les installer sur sa poitrine et encore une fois elle les allaite. Elle a trouvé l'énergie de fabriquer du lait, elle trouve la force de le leur donner, et c'est comme si, à chaque gorgée des jumelles, elle laissait un peu de sa vie s'épancher en elles. Elle les nourrit avec une générosité telle que la bonté qui émane d'elle nous irradie tous les trois, et la forêt alentour semble se recueillir.

Les jumelles savent que leur mère est en train de mourir. Elles en sont affligées bien sûr, mais avant tout, elles sentent sa béatitude, sa sérénité, son abnégation. Elles interprètent le phénomène comme une manifestation accablante et implacable de la vie, mais l'acceptent avec le même naturel qu'elles acceptent l'omniprésence des morts individuelles des plantes ou des animaux, qui vitalisent la forêt tout entière.

Et Qâ de tout son amour les rassérène. Les filles sentent aussi ma tristesse, malgré tous mes efforts pour la leur cacher, mais elles en semblent réconfortées, comme si elles préféraient sentir ma fragilité sous ma force.

Nous fusionnons plus intensément que jamais, et le bonheur de Qâ, malgré sa faiblesse, parvient à me faire sourire. Elle les berce longuement sur sa poitrine, frottant ses lèvres sur leurs têtes et moi, sous la pelisse dont je les ai recouvertes, je caresse ses bras et leur dos en même temps.

— Tu es le meilleur des pères, Loumouyé, je le sais. Et vous mes filles, vous prendrez soin de lui.

— Ô Qâ, tu es avec nous... Tu seras avec nous chaque instant de chaque jour... Cristallisée dans nos cœurs.

Plus tard, les jumelles, assouvies de la pérennité de nos sentiments, se rendorment comblées. J'aide Qâ à les prendre dans ses mains pour les approcher de son visage. Elle les embrasse avec effusion, inhalant leurs parfums de bébés avec délice, palpant leurs membres potelés et la douceur de leur peau. Un instant, son émotion est si forte qu'elle manque laisser sa souffrance la submerger, mais elle se reprend d'un de ces élans de courage admirable, et me les remet pour que je les enveloppe dans le couffin de la pelisse, après les avoir à mon tour embrassées.

Je m'étends sur la mousse, passant un bras sous sa tête, et Qâ vient se lover contre moi. Quand elle bouge, la douleur transperce son bas-ventre comme un coup de poignard, et il lui faut tout mon amour pour parvenir à la circonscrire. Tête contre tête, je souffle sur son visage pour l'aider à la chasser et l'effleure de mes lèvres jusqu'à ce que le bonheur revienne. Mais sur ma cuisse, sous la sienne, je sens la chaleur de son sang. Toujours, au tréfonds de moi je pleure : « Non, Qâ, ne meurs pas, je t'en supplie, ne me quitte pas... » La gorge nouée, je lui dis :

— Qâ, pour te sauver je donnerais ma vie, tu le sais.

— Je l'accepte, répondit-elle. Tu me sauves à travers nos filles.

Elle prend mon visage dans ses mains, me scrutant dans la nuit, et aux coins de ses yeux, je vois luire des larmes. Alors, en un murmure rauque et sensuel, de sa vraie voix, en utilisant les simples mots des hommes pour la première fois, les prononçant de sa langue et de sa bouche de femme poilue des bois, avec juste un petit défaut d'élocution, Qâ me dit :

— Loumouyé, mon amour, mon homme-nu, ne pleure pas. Je serai là. Je m'en vais pour être plus près de toi.

Et j'ai beau tout faire pour les retenir, mes sanglots étranglent ma gorge, mes larmes coulent.

— Qâ, Mère de nos mères, mère de nos filles, à jamais, au-delà du temps et de l'espace, des mondes que j'ignore et que tu connaîtras, à jamais, mon amour t'accompagne.

De toutes mes énergies, je lutte contre ma tristesse pour la bercer sur mon cœur.

Qâ meurt dans mes bras aux premières lueurs de l'aurore.

Heureuse. Sereine. Forte et paisible de nos amours. Je suis en elle. Nous sondons la forêt intime et la plénitude du sommeil de nos filles. Je sens sa conscience s'amenuiser, la portée de son don rétrécir, s'attarder sur les jumelles, puis n'être plus qu'une bulle entre elle et moi.

Mais jamais, elle ne s'éteint. Non.

Elle ferme les yeux, sombre vertigineusement dans un abîme de néant, accélérant en s'effilochant pour le scinder à une vitesse incommensurable, et juste quand, suffocant, je vais m'arracher à elle, elle jaillit dans une lumière si éblouissante que les noirs y paraissent blancs.

Explose.

Dans le souffle, sa conscience se diffracte, se délocalise, se répand dans chacun de ses membres, chacun de ses organes, chacune de ses cellules. Et quand le premier rayon du soleil nous touche, dans la légère brume que dégage son corps, s'élèvent des myriades d'étincelles invisibles, comme si chacune des particules qui la composaient relâchait ses énergies essentielles, suspendant dans les airs des volutes éphémères, qui essaiment alentour en poussières d'étoiles.

La bouche grande ouverte, j'en aspire, brassant l'air de ma main libre pour en inhaler davantage. Et chaque étincelle, chaque fumerolle, chaque éclat miroitant, contient une parcelle de la conscience de Qâ, et chaque parcelle vibre de l'amour de Qâ, tout entière. J'en bois, j'en avale de toute mon âme.

J'en vois retomber sur les jumelles, pénétrer leurs fontanelles en tourbillons iridescents ; s'enfoncer dans la mousse, dans l'écorce et les racines ; se dissoudre dans l'eau claire de la source, se poser sur les pives, l'herbe et les chatons, s'éparpiller dans le vent ; et de là, gagner le feuillage, rallumer les feux de l'automne de mille éclats de diamants ; luire sur le pelage d'une musaraigne, dans les sphères de rosée sur le mauve d'un chardon, ou sur le museau d'une biche et son faon, qui nous observent, figés, à l'orée des grands arbres. J'en vois se faire gober par des oiseaux, grignoter par des scolopendres, absorber par des champignons. J'en vois s'évanouir dans le ciel en fumées ultimes.

Et je sais qu'à jamais, partout, toujours, en nous et tout autour, les jumelles et moi décèlerons, à des signes invisibles, la présence de Qâ et de l'amour qu'elle portait au monde.

Toujours, elle sera là, mais pour la dernière fois, je la tiens dans mes bras.

Qâ est morte. Morte pour que notre amour puisse exister.

Alors seulement, terrassé, je laisse libre cours à mon chagrin, hoquetant en silence pour ne pas réveiller les jumelles. Je pleure comme une mer qu'on étouffe, un fleuve qu'on détourne, une forêt qu'on dévaste. Et quand mes fluides se tarissent, je pleure de larmes sèches dont les cristaux de sel tracent mes joues de sillons sanglants.

Qâ est morte. Mère de nos mères, ma femme, ma mie. Elle s'en est allée en mettant au monde nos filles. Depuis toujours, elle savait qu'il en serait ainsi, elle ne m'en a rien dit car elle savait que pour moi, l'homme-nu, la mort est cruelle, et elle ne voulait pas que son ombre, qu'elle acceptait, puisse altérer notre amour.

Si j'étais seul, je resterais là, enlacé avec Qâ, baisant son front, ses yeux, ses lèvres, à attendre que la mort me prenne. Seul, j'aurais attendu là que la mort veuille bien de moi, pour y rejoindre la femme que j'aime. Mais l'amour des jumelles me retient comme un harnais au-dessus du vide, et les promesses que j'ai faites, plus précieuses que des repentirs, m'empêchent de sombrer dans le gouffre où ma tristesse m'aspire.

Et je finis par m'y raccrocher pour en ressortir.

— Mère de nos mères, mon amour, je te promets de tout faire pour que jamais nos enfants, même si elles ont de la peine, ne souffrent de ton absence. Non, cette douleur-là, ce manque, je veux les garder pour moi. Moi seul. À jamais...

Doucement, la caressant encore, j'étends Qâ sur la mousse et me relève. J'ôte mon pantalon, et en nouant les jambes à la ceinture, j'en fais un genre de sac ventral. Me penchant sur les jumelles, je les y installe sans les réveiller, les plaquant sur ma poitrine, pour qu'elles profitent de la chaleur de ma peau, je les attache autour de mon torse comme dans un soutien-gorge géant, rabattant ma tunique par-dessus, déchirant l'échancrure pour leur donner de l'air. Puis, enfilant la pelisse, je m'accroupis, soulève Qâ, un bras sous ses genoux, l'autre soutenant sa tête et ses aisselles, et titubant, je prends la direction de la cabane.

Qâ est lourde de mon chagrin, belle d'un abandon sans retour, alanguie d'une plénitude irrémédiable, et légère de tous les bonheurs qu'elle m'a fait connaître.

En chemin les jumelles s'éveillent et sondent. J'ai beau leur susurrer des mots doux, elles sentent ma tristesse et la présence inerte du corps de leur mère. Alors elles refluent prudemment. À tâtons elles trouvent mes tétons arides, et un instant s'y collent goulues, puis comprenant qu'ils ne sont qu'un vague subterfuge aux délices que prodiguait Qâ, leur instinct leur dicte de se replier dans le cocon du sommeil, pour revenir à un moment plus propice. Quand j'arrive enfin à la cabane, épuisé, j'étends Qâ sur ma paillasse et, après un dernier baiser, je la recouvre d'une fourrure. La sérénité inatteignable de sa beauté me devient douloureuse et je m'arrache à elle pour me concentrer sur ce que je dois faire. Rallumant le feu, je mets à cuire un brouet de farines de céréales pour les jumelles, et fouillant dans les affaires de Tek'ic, j'y trouve un genre de vessie de poisson dont il se sert pour filtrer certains de ses breuvages, et la fixant au bouchon troué d'une carafe de grès, avec des lanières de cuir, je fabrique un biberon à double tétine tout à fait convenable.

À leur prochain éveil, j'accueille les jumelles de tout mon amour, qu'elles reçoivent avec un plaisir évident, mais aussi une certaine circonspection. Elles sondent, découvrent l'environnement familier de la cabane, et son calme par rapport au foisonnement de la forêt, et même la façon dont le corps de leur mère repose sous les fourrures, semble les rassurer.

— Mes toutes belles, mes chéries, il faut que vous mangiez, leur dis-je anxieux que le biberon leur plaise.

J'ajoute un peu de sirop d'érable au brouet, et de l'eau fraîche jusqu'à bonne température. Quand je le leur présente, l'une et l'autre détournent la tête, offusquées. Je presse la tétine, faisant perler une goutte sur leurs lèvres, et en elles leur montre les plantes sur pieds, le blé, le maïs, le riz sauvage, et l'eau fraîche de la source et le jus de l'érable, et surtout leur montre le plaisir que Qâ avait à les manger. Alors, elles consentent à téter, d'abord parcimonieusement, puis à grandes goulées.

— Je sais bien que ça n'est pas aussi bon que le lait de Qâ, leur dis-je tendrement. Pour le moment, je n'ai rien de mieux à vous offrir.

Et déjà, en acceptant ma nourriture, elles montrent leur capacité d'adaptation. Après, je les prends sur mes épaules, leur tapotant les fesses pour les faire roter, comme me l'a montré Rising, et elles maculent ma tunique de leurs régurgitations. Puis leur installant une couche de renard argenté dans un grand panier d'osier, je les y berce, luttant contre ma tristesse pour les abreuver de tendresse jusqu'à ce qu'elles s'endorment.

Ensuite, prenant la machette de Tek'ic, je vais dans la forêt, et coupe quatre jeunes bouleaux, les choisissant pour leurs mauvaises conditions d'ensoleillement, et leurs chances réduites de croissance, par rapport aux arbres qui les entourent. Pour chacun, je fais le rituel approprié. Je les ramène au bord de l'aven, les émonde, et utilisant les troncs comme piliers, avec les branches je construis une plate-forme surélevée. Je ramasse toutes sortes d'essences de bois alentour, et dessous, je monte un foyer. Mousses, brindilles, branches sèches, bûches, troncs, puis encore des branches vertes de sapins et de séquoias, rouges d'érables, jaunes de saules et de peupliers, chargées des feuilles multicolores de l'automne.

Je passe à nouveau quelques heures avec les jumelles. Après les avoir nourries, je les prends sur ma poitrine et, fouillant dans les coffres de Tek'ic, je prélève un peu de chaque ingrédient de sa pharmacopée, les assemble sur une peau de daim. Puis je fais la même chose dans le garde-manger, prenant un peu de tout ce que Qâ préférait, graines, germes, fruits, miel ou céréales. Enfin, ouvrant la boîte en ardoise avec la tête d'ours, j'y prends le quartz avec les deux inclusions d'or, celui dans lequel elle m'avait fait entendre la musique de nos vies.

Emmenant les filles avec moi, je vais dans la forêt, cueillir un bouquet de roses trémières aux tons pastel, de branches de sumac d'un rouge éclatant et de chardons mauves, auxquels j'adjoins des ramures de bouleaux, chargées de chatons argentés. Les jumelles s'endorment sur moi en chemin ; posant le bouquet sur la plate-forme, je vais les remettre au chaud de leur couffin.

Profitant de leur sommeil, je découvre le corps de Qâ.

Dieux qu'elle est belle.

Dans la mort, elle sourit d'un sourire angélique, semble dormir et rêver de notre amour, et je dois lutter pour m'empêcher de la secouer pour la faire revenir. À nouveau mes larmes coulent.

Mais je sais ce qu'elle aurait voulu que je fasse.

Alors je la soulève une dernière fois dans mes bras, frissonnant de la douceur de son pelage, et sortant de la cabane, dans la lumière du crépuscule, je la porte jusqu'à la plate-forme, la hisse à bout de poignets pour l'y déposer et grimpe la rejoindre. Je la couche sur le dos, les bras légèrement écartés, paumes tournées vers le ciel. Une fois encore je m'étends contre elle, une fois encore je réchauffe ses lèvres froides de mes baisers.

Puis je vais prendre les offrandes et les dispose autour d'elle, sur elle, dans ses mains, sur son front, ses épaules, égrenant les pollens le long de ses bras, les fleurs sur sa poitrine, et les graines dans ses cheveux. Je pose solennellement le cristal sur son ventre, le recouvre du bouquet chamarré, et me redresse, debout à ses pieds.

Il y a tant de choses que j'aurais voulu lui dire, tant de tendresses que j'aurais voulu lui faire, tant d'amour que j'aurais voulu lui donner. Mon émotion est telle que la forêt tout entière écoute, suspendue à mes lèvres ; les nuages dans le ciel freinent pour entendre mon discours et le soleil se retient de disparaître pour ne pas perdre l'essentiel.

Et moi, pauvre homme-nu, cœur balafré par la douleur, luttant pour refouler l'incontinence de ma tristesse, la voix brisée, je laisse mes mots se bousculer en chanson, comme si Qâ chantait dans mon cœur.

J'irai t'attendre, comme autrefois,
à l'orée de nos serments éternels,
j'irai t'attendre, malgré le froid,
là où je sais qu'un jour tu viendras

J'irai t'attendre, je serai là,
à l'endroit où tomberont tes larmes,
où tes mots tendres, tu jetteras,
au fil du temps qui te rapproche de moi

je serai la cendre, je serai le bois,
l'herbe qui caresse chacun de tes pas
et le vent, et le rire des enfants
j'accompagnerai ta joie
de l'au-delà

J'irai t'attendre, ne pleure pas,
ce n'est pas l'amour que la mort enlève,
j'irai t'attendre, je serai là,
où ton désir me décèlera,

j'irai t'attendre, tu comprendras,
ma présence à des signes invisibles,
j'irai t'attendre, je serai là,
je m'en vais pour être plus près de toi.

je serai pollen, dans l'air que tu bois,
molécule ou gène, ce que tu perçois,
dans les cris, et les chants de la vie,
dans l'amour indicible,
de l'au-delà

J'irai m'étendre, tout contre toi,
pour goûter au sel de tes songes.
je saurai attendre, tu me reviendras,
chacun de tes jours te ramène à moi,

je serai la pierre, l'éclat des étoiles,
l'odeur des espoirs qui animent ton cœur,
dans le chant des vagues que l'univers,
élabore à la lisière
de l'au-delà

Je chante d'un souffle rauque, et quand ma voix se tarit, je murmure encore les seuls mots qui me restent :

— Je t'aime, Qâ, je t'aimerai toujours...

Et mon murmure ténu plonge dans l'aven, vibre d'un écho improbable, rebondit, s'enfle, gronde, rugit d'un « Mmmououou... » immense, montant des entrailles de la terre, comme si, elle aussi, avec moi, pleurait.

Alors je saute au sol, et allume le bûcher.

Le feu dure toute la nuit. À l'aube la plate-forme s'effondre en une tornade de flammèches, et le brasier brûle encore une bonne partie de la matinée. Tout ce temps je veille devant la cabane. Régulièrement, les jumelles me tirent de mon affliction pour que je m'occupe d'elles. Elles font irruption en moi directement, rayons de lumière dans ma nuit, m'obligeant à sans cesse rester sur mes gardes pour qu'elle ne me surprennent pas trop meurtri par la peine, et ce sont elles qui m'empêchent de sombrer complètement dans le chagrin.

Quand tout n'est plus que braises, je me mets nu, et vais les fouiller avec une branche de saule, les balayant jusqu'à ramasser un à un les os calcinés de Qâ, les réunissant sur une pierre plate, au bord du gouffre. Et le cristal aussi, noirci mais intact ; et son crâne, qui me fait pleurer.

Mais de Mère de nos mères, je ne dois laisser aucune trace.

Avec une autre pierre, je les broie, et chaque coup donné, j'ai l'impression de le porter à mon cœur. J'écrase, casse, pulvérise chaque os, jusqu'à tout réduire en poudre fine que j'amoncelle en tas à l'extrême orée du vide.

Là, debout, poignée par poignée, je laisse la poussière de Qâ s'envoler entre mes doigts dans les turbulences de l'aven, et avec elle, s'envole le bonheur de ma vie, car celui qu'il me faudra construire, jamais plus ne sera le même.

La dernière poignée de cendres, je la frotte dans mes mains, sur mes bras et mon cou, mon torse, mon ventre, mon sexe et mes cuisses, m'en noircissant les doigts. Puis, les écartant, je trace trois sillons transversaux, à partir de mon nez en travers de mes joues, me marquant de peintures de guerre.

C'est ainsi que me trouve Rising.

Laissant Tek'ic aux mains expertes d'un confrère, elle a derechef repris la mer, suivant une terrible intuition. En arrivant, atterrée de ne pas être sondée par Qâ, du coup, elle n'a pas osé sonder elle-même. Ordonnant à ses hommes de l'attendre au fjord, elle a couru tout le long du chemin, et arrivant à l'aven, elle me découvre là.

Elle voit le bûcher calciné, les pierres noires, les peintures sur mon corps, et mon visage ravagé. Elle comprend. Dans ses yeux, sa douleur est insoutenable. Tout l'amour qu'elle a pour Qâ transparaît, et comme elle secoue la tête, ne voulant pas croire à l'horreur de sa perte, les jumelles dans la cabane se mettent à sonder, déferlant en nous comme des ondes fraîches.

Alors Rising Smoke Alexie, la chamane, un instant déchirée entre souffrance et espoir, s'illumine et avec tout le réconfort que savent prodiguer les mères, elle me laisse à mes adieux funèbres, sur un signe apaisant doux comme une caresse du vent, et se précipite du côté de la vie. Très vite, je sens le contentement des enfants qui la reconnaissent.

Me tournant vers l'aven, j'en scrute les profondeurs, lève les yeux sur la forêt proche, les séquoias, la falaise, le ruisseau, la caverne, le grand saule, remerciant tous et chacun de leur beauté, et je dédie mes larmes à chaque lieu familier, me promettant d'y revenir un jour. Tous et chacun ont hébergé nos amours.

Puis, tournant le dos à la quiétude de ma vie, à la forêt profonde et à l'aven, je rentre dans la cabane, auprès des jumelles, pour aider Rising Smoke Alexie à préparer nos bagages.

Épilogue

Rising m'installe dans la maison de Sherman, juste à côté de la sienne. J'y dors deux jours, d'un sommeil sans rêves, puis pendant trois jours, je reste prostré. Qâ me manque dans chaque bouffée d'air que je respire. Je ne mange rien, bois des litres d'eau, à en pisser l'âme, pour tenter de diluer ma tristesse.

Rising s'occupe des jumelles avec une de ses cousines. Malgré la curiosité et l'hospitalité des membres de sa tribu, elle évite de les sortir, car les filles ont une fâcheuse tendance à sonder sans retenue, et Rising craint qu'elles ne provoquent la pagaille autour d'elles. Leurs visites sont les seuls intermèdes à ma tristesse. Quand je les tiens dans mes mains, les embrasse, les caresse, je le fais avec Qâ, pour Qâ. À chacune de leurs mimiques, j'aimerais lui dire :

— Regarde, elles sont belles comme...

Mais Qâ n'est pas là. Qâ n'est plus là.

Alors je les rends à Rising, pour que mon chagrin ne les affecte pas. Je ne me sens pas assez fort pour les aimer comme elles le méritent.

Je bois de l'eau, des litres...

Le sixième jour, Tek'ic insiste pour me parler au téléphone, Rising vient me chercher et je dois affronter la lumière du soleil. Les habitants de son village que nous croisons me saluent solennellement, la chamane leur a simplement parlé de mon deuil, et tous respectent mon désir d'isolement, leur sollicitude me touche. J'ai presque oublié ce que peut être la gentillesse des gens normaux.

Tek'ic me dit sa peine pour Mère de nos mères, sa joie pour les jumelles, et me rappelle qu'inexorablement les oracles s'accomplissent. Il se trouve à Vancouver, en convalescence, chez des amis qu'il veut me faire rencontrer. Quand je lui dis n'en n'avoir ni la force, ni le courage, il me traite de couilles molles, de lavette, de petit-Blanc. L'énoncé de ce qu'il va me faire subir, si je ne réponds pas à son invite, finit par me faire sourire.

— Loumouyé, mon fils, je comprends ton chagrin, mais c'est sur lui qu'il te faut bâtir l'avenir de tes filles.

Bien sûr, le chaman a raison.

Je voyage avec Rising et les jumelles, en autocar. Rising a confectionné pour elles un sac ventral plus décent que mon pantalon, je les porte contre ma peau, sous ma tunique, et j'ai l'air d'avoir une poitrine aussi volumineuse que la sienne. Les gens se montrent avec moi d'une courtoisie affectée. Due en partie à mon œil balafré, qui leur interdit de soutenir mon regard, mais surtout à la présence des jumelles, dont les têtes apparaissent à mon échancrure. Quand elles sont éveillées, je dois les surveiller de très près. À la moindre de mes inadvertances, elles sondent et investissent des gens. Ils viennent alors, spontanément et malgré eux, me présenter leur crème glacée ou leur bâton de chocolat, que je décline poliment. Rising se marre et gentiment tapote les fesses de ces coquines. Les gens, gênés, ne comprennent pas ce qui les a pris, je leur souris comme si de rien n'était.

Et à chaque sourire, j'ai mal. Qâ ne partage pas nos plaisirs.

À travers les vitres du car, je redécouvre le monde. Les dons m'en donnent une conscience nouvelle. Je m'émerveille de la magnificence des ouvrages des hommes et m'ébaudis de leur démesure.

Montagnes entières qu'on fait exploser pour y laisser passer le mince ruban d'asphalte des routes ; vallées immenses, obstruées de barrages de béton, noyées sous des lacs stériles qui s'envasent de l'humus arraché par la déforestation, et à leurs pieds, l'eau canalisée, hyperoxygénée par les turbines, brûle toute velléité de vie sur des kilomètres ; et des scieries, plus grandes que des villes, vers lesquelles convergent des convois ininterrompus de camions, où l'équarrissage des arbres prend des allures de génocide systématisé.

Tout ce que je vois ou sens, pylônes, barrières, hangars, poteaux, panneaux publicitaires, maisons, véhicules qui nous croisent ; tout a été pris, extrait, arraché, extirpé, volé à la nature sans que jamais lui soit rendue la moindre grâce.

Et partout, se multiplient les signes d'une expansion aveugle, d'une croissance avide, d'une volonté d'extension des outrages, comme si les hommes pensaient encore les ressources de la planète inépuisables.

Je m'effraie, et j'y participe. Bien content d'être assis dans ce car qui pue si fort de gaz mortels, pour nous amener plus vite où nous devons aller.

Pour les hydrocarbures dont sont tirés le vinyle de mon siège, ses pneus, ses garnitures et son fuel, des compagnies pétrolières ont sans doute fomenté des guerres, organisé des massacres généralisés, alimenté les commerces des charognards de l'armement et de la reconstruction, ceux qui savent si bien créer des déséquilibres artificiels pour justifier l'augmentation de leurs recettes.

De le savoir, d'en avoir la conscience, ne me rend pas meilleur... Mon siège est confortable, et je suis bien content de ne pas y aller à pied.

Mais je me réjouis, d'un jour proche, où chaque être humain ressentira comme moi cette espèce de responsabilité individuelle envers la nature et les hommes ; éprouvera cette gêne et ce désir, de vouloir mesurer de chaque bienfait, les causes et les conséquences ; cette envie, sinon de prévenir, au moins de remédier aux dommages occasionnés par l'exploitation outrancière ; d'harmoniser les différences entre les réels besoins des hommes et les nécessités factices de l'économie.

Et demain, en ouvrant leur conscience avec le don de Qâ, je sais que chaque femme, chaque homme, chaque enfant, partagera avec moi, avec nous, cette envie de toujours plutôt donner, que prendre.

À plusieurs reprises au cours du voyage, Rising et moi sondons avec les jumelles. Pour les empêcher de faire des bêtises, mais surtout pour ne rien manquer de leur formidable découverte du monde. Chaque jour leurs facultés sensorielles deviennent plus extraordinaires. Elles sont nées avec le don, elles ne l'ont pas, comme nous, acquis sur le tard. En même temps que leurs autres sens se précisent, il se développe en elles, et déjà elles nous surpassent de loin dans la perception. Le don est en elles, inscrit dans leurs génomes, elles en usent avec un bien plus grand naturel, et à défaut de comprendre, accumulent les sensations.

— Mes amours, mes princesses, Qâ serait fière de vous, leur dis-je sans cesse.

Et vite, pense à autre chose, avant que mon cœur ne s'étreigne.

Quand nous traversons des villages en sondant, l'impression est ahurissante. Mes filles effleurent chacun au passage et résonnent d'un charivari tumultueux de tranches de vie, un tohu-bohu chahuté de bribes d'émotion, un brouhaha houleux de fragments d'états d'âme, et de leur amalgame se dégage une formidable énergie, mais aussi et forcément, une sensation de complet inaboutissement. La circonspection avec laquelle l'accueillent les jumelles nous flanque des fous rires à Rising et moi. La première fois, j'ai presque honte de tromper ma tristesse, mais Qâ à ma place rirait, alors, je m'abandonne et je ris de leur joie. Dans leur étonnement ravi, elles semblent penser :

— Mais pourquoi tous ces gens sont-ils plongés

dans des quêtes fébriles pour détenir, posséder, acquérir, accumuler, manipuler, transformer des choses matérielles, alors que ce qu'ils cherchent se trouve en eux-mêmes ? Quelqu'un leur a fait une farce ?

La naïveté de leur ébahissement fait la synthèse de questions pertinentes, et en sortant de nos transes Rising et moi essuyons nos larmes de rires, les gens dans l'autocar nous regardent inquiets, l'air de dire :

— Vraiment ces Peaux-Rouges se croient partout chez eux...

Mais dès que je pose sur eux mon regard pers, ils détournent les yeux. Un instant l'envie me prend de leur transmettre le don, mais Rising me retient. Il n'est pas encore temps d'agir. Elle me lance des regards complices.

Il est vrai qu'à nous quatre, nous formons un drôle de trio.

Qâ me manque. Et Qâ est en moi.

Dans les jumelles, Rising, chaque parcelle d'amour que je surprends autour de moi.

À Vancouver, Tek'ic vient nous accueillir solennel, et je sens combien son affliction pour Qâ est sincère. Quand il voit les jumelles, il fond d'attendrissement, et se met à gâtifier de telle manière, que Rising doit le presser de nous emmener.

Les neuf personnes que nous rencontrons, dans une salle de basket prêtée par un compère, sont des gens de connaissance. Tous, toutes font partie de ceux que lui et moi avons éveillés. Et tous me montrent leur gratitude. Rising et moi n'avons jamais expérimenté la fusion de si nombreuses personnes, et l'effet de souffle nous force à nous asseoir sur le sol. Alors, les jumelles se réveillent et sondent aussi, et c'est toute la bande qui s'effondre sur le parquet.

Elles sont si incroyablement ouvertes au monde, si avides de découvertes, si exemptes de retenue, de préjugés, d'a priori, que nos dons en elles résonnent comme entre des montagnes, pour en ressortir magnifiés, et pendant deux bonnes heures, l'extase nous terrasse. Je détache le baudrier, pour les installer dans ma pelisse, au centre de notre cercle, afin que chacun puisse les dorloter. Tous se demandent qui était leur mère, mais, comme Tek'ic et Rising, je fais poliment l'impasse sur la mémoire de Qâ, et même si la plupart d'entre eux pourraient très bien passer outre, tous respectent la confidentialité de mon deuil.

Ensuite, nous refaisons le monde. À l'endroit, à l'envers, en diagonale et en profondeur. Il y a là une belle brochette d'agitateurs des cinq continents. Spontanément notre conférence s'organise comme un conseil de tribu, où chacun écoute la question, le sujet, l'idée débattue, puis se l'approprie et la réinterprète de son point de vue, et au point de convergence de la multiplication des perspectives, se définissent les solutions.

Au matin, vautrés entre les cartons de pizzas, les autels encensés, les tasses de café vides, les amulettes rituelles, et les cendriers pleins, nous arrêtons une date, décidons que le don doit se répandre par les racines, dans les ghettos les plus misérables, là où pullulent les espoirs entravés. Mais pour en faire connaître l'existence au monde, il va nous falloir frapper à la tête.

Et tous, de tourner les leurs dans ma direction.

Alors, les jumelles, réveillées en catimini dans l'effervescence générale, pour me faire comprendre leur appétit, s'emparent mentalement, à distance, d'une tasse contenant des sachets de sucre. Nous la voyons tous ébahis, glisser sur le sol dans ma direction, avant de sauter sur mes genoux. Dans la liesse qui s'ensuit, mes filles entérinent à leur manière la décision de me faire porter le flambeau de la révélation du don de Qâ aux hommes.

Au plus fort de la joie de notre célébration, et de la découverte des talents insensés des jumelles, au fond de moi, la tristesse m'assaille, et l'absence de Qâ rend mon bonheur grave.

Les jours suivants, accompagné de Rising, je me forge une identité. Dans un bureau d'état civil, j'investis un fonctionnaire revêche qui veut nous éconduire de son officine. Très efficacement, aidé des suggestions de Rising, le cher homme, de son plein gré, me fabrique les papiers nécessaires, du certificat de mariage de mes parents, à mon acte de naissance. Et bien sûr celui de mes filles. Faisant de nous des Natifs Tshimshian, du même village que Rising, et à elle apparentés. Quand je le lâche, après trois heures de complète coopération, brouillant sa mémoire proche, il nous chasse, en pleine confusion, disant que le bureau des renseignements se trouve à côté.

En moins d'une semaine, agissant avec la même facilité indécente, je me procure un passeport parfaitement officiel de citoyen canadien, au nom de Loumouyé Naquneye, et mes filles sont Pluie de Lune et Flocon d'Étoile Naquneye, des noms qui nous sont apparus au plus fort de nos extases communes avec les chamanes ; et plus je les regarde, plus je trouve qu'elles leur ressemblent.

Au cours de mes malversations, les jumelles m'aident à maintenir mon emprise sur les gens que j'investis, me servant d'amplificateur, et j'ai un peu honte d'utiliser ainsi leur innocence. L'arrogante supériorité que les dons nous confèrent par rapport aux hommes-nus me dérange.

J'ai hâte de les répandre autour de nous pour redistribuer la donne.

Le soir où, tout fier, je montre à l'assemblée réunie mon passeport neuf et décline à haute voix mon identité Peau-Rouge, mes amis se tordent les côtes. Car tous et toutes, non contents d'être de vrais chamanes, sont de vrais aborigènes, et mes élucubrations les font bien rire. Mais qu'importe, pour la première fois de ma vie, je sais parfaitement qui je suis, et j'ai des documents qui l'authentifient. Chacun de mes amis, quel que soit mon état civil, me respecte pour mon cœur.

Après avoir vaincu mes dernières réticences et avec l'accord de l'assemblée, Rising reprend contact avec Béatrice, pour lui annoncer que je suis vivant. La chamane ne lui parle pas de Qâ, mais la jeune femme doit se douter du rapport entre le secret entourant ma survie, et la sasquatch que cherchait son père. Quand Rising me passe le téléphone, Béatrice est très émue d'entendre ma voix, et moi aussi d'évoquer mon passé que j'avais si bien oublié. Je réalise à quel point j'ai pu changer. Sans poser de questions indiscrètes, elle accepte de nous prêter assistance, de m'héberger quelque temps, soulagée dans son chagrin, à l'idée d'enfin connaître les réelles circonstances du décès de son père, mais aussi, en tant que scientifique, exaltée de mes éventuelles révélations quant à l'existence de la sasquatch. Ou pas.

Elle ne se doute pas que les desseins qui me ramènent à Genève n'ont plus grand-chose à voir avec la cryptozoologie.

Dans l'avion, je surveille de très près les jumelles. Les exceptionnelles qualités de leurs dons s'affirment davantage chaque jour. Notre métissage, avec Qâ, semble en avoir décuplé les potentiels. De crainte qu'elles ne multiplient leurs tentatives de télékinésie, et comme j'ignore de quoi elles sont vraiment capables, je ne les lâche pas d'un cil. Je m'en voudrais qu'en jouant, elles bidouillent l'ordinateur de vol et toutes ces jolies petites lumières clignotantes. Heureusement les hôtesses s'empressent autour d'elles, séduites, et comblent leurs attentions. Je souris, mélancolique, de voir à quel point, dans l'unanimité de l'amour qu'elles suscitent, elles ressemblent à Qâ.

À l'aéroport où elle vient m'accueillir, Béatrice ne me reconnaît pas. Elle me regarde, me contourne, cherche derrière moi, je dois l'attraper pour qu'enfin elle me voie. Les bras lui en tombent. Je l'entraîne vers la sortie. Au passage, les douaniers n'ont pas apprécié mon air de perpétuel étranger et la présence de mes filles sur ma poitrine, il m'a fallu quelque peu infléchir leurs attitudes, et je ne veux pas m'attarder. Étonnée de ma hâte, mais habituée aux soudaines urgences de la clandestinité, Béatrice me suit à grands pas.

— Eh bien, bonjour quand même, me dit-elle essoufflée, et c'est seulement en nous installant dans sa voiture qu'elle aperçoit les jumelles, stupéfaite. Oh... Boris, qu'elles sont mignonnes. Ça alors... Mais qui sont-elles, que font-elles avec vous ?

— Béatrice, je crains que Boris n'ait disparu en même temps que votre père. Je suis Loumouyé Naqu-neye, et voici mes filles, Pluie de Lune et Flocon d'Étoile.

— Vos filles ? reprend-elle éberluée, et peut-être aussi un peu désappointée, puis hochant la tête, eh bien vous êtes allé vite en besogne, dites donc... Où est leur maman ? Elle est indienne ?

— Elle... n'est plus là, malheureusement...

Et j'ai beau lutter, mes yeux s'embuent. Béatrice fronce les sourcils.

— Navrée, je suis désolée, je... Rising m'a dit que vous étiez loin de tout et j'ignorais que...

Elle me dévisage, s'attardant sur mon œil balafré, cajole les jumelles endormies, me regarde encore, puis à nouveau les petites, interloquée, et soudain son expression s'illumine. Et je sens qu'intuitivement elle devine, de qui mes filles sont les enfants. Elle en sait trop. Je ne peux pas lui parler de la mort de son père sans lui parler de Qâ. Et je ne peux parler de Qâ sans pleurer d'amour. Mais je la sais capable de garder un secret.

Alors, éludant le flot de questions qui se bousculent en elle, je l'éveille, là, dans la voiture, je lui transmets le don, et notre extase est telle, qu'un instant les jumelles, saoulées de leur voyage en avion, sortent brièvement de leur sommeil, juste pour y participer et là...

Béatrice est littéralement bouleversée d'émotions. Elle n'a pas l'habitude qu'ont les chamanes, des états seconds. Elle est la soixante-quatrième personne que j'éveille, et la première non-initiée à connaître le don, et en voyant combien elle est bouleversée, je réalise à quel point sa révélation va révolutionner la vie de chacun. Je prends le volant pour la ramener chez elle, et tandis qu'elle récupère, à la fois circonspecte et béate, me regardant comme si j'étais le Père Noël, ahurie de tout ce qu'elle ressent, autour d'elle et en elle, je lui raconte toute mon histoire. Notre histoire.

En le faisant, j'ai l'impression d'entendre la légende qu'un jour se conteront les hommes, en parlant du temps où Mère de nos mères, la cousine primordiale, la dernière femme poilue des bois, transmit à leur espèce le don de conscience, qui la rassembla dans sa disparité ; et comment les jumelles, ses filles, dans l'essence de leur nature de Sapiens, portèrent les graines de l'osmose, qu'eux-mêmes vivront, avec la planète entière.

Je lui dis tout, de la mort de son père aux raisons de ma présence à Genève, et quand je parle du bonheur de Qâ, au sein de la forêt, je pleure. Béatrice partage chacune de mes émotions, avec une sincérité sans failles, et caressant les jumelles rendormies, elle me dit être presque fière à l'idée que la mort de son père ne soit pas vaine, dans sa quête de l'espoir d'un meilleur avenir pour l'humanité, Albert ne s'était pas trompé.

En elle, les sentiments se bousculent, et je ressens l'attirance qu'elle a éprouvée pour moi, depuis notre rencontre avant mon départ, et ensuite, attisée par ces longs mois d'anxiété de ma disparition. Malgré elle, son cœur se serre. Elle comprend. Désormais, même si un jour nos corps devaient s'appartenir, à jamais, c'est Qâ que j'aimerai. Que j'aime.

Et je la décèle, dans chaque créature qui croise mon chemin.

Alors, surmontant son désarroi, avec un immense élan de gratitude, Béatrice se penche sur moi, essuie mes larmes, pose un long baiser sur ma joue. Et me demande si elle peut prendre les filles de Mère de nos mères, l'incarnation de notre amour, l'étincelle de ce que seront les hommes et les femmes de demain, les jumelles, comme des bébés normaux, sur ses genoux, plutôt que je les secoue en prenant mes virages.

Je m'arrête, et lui pose mes enfants dans les bras.

Chez elle, le tatzelwurm, dès qu'il détecte ma présence, se précipite de sa course glaciaire, à travers la cuisine et le salon, et devant moi ouvre sa gueule toute grande. Je m'agenouille, y plonge le doigt et le caresse. Béatrice a un sursaut d'appréhension pour les jumelles. Je la réconforte, elles sont comme moi, je le sens, immunisées contre son venin.

Curieux, je sonde Pripréfré avec Béatrice, et nous nous retenons l'un à l'autre sous la surprise. Sa conscience est aussi complexe et rapide que sa reptation lente, et de son intelligence différente, il pense volubile, quelque chose comme :

— Ah finalement, vous vous y êtes mis ! Il vous en aura fallu du temps pour devenir des êtres de bonne compagnie...

Nous installons les jumelles sur la mezzanine, puis Béatrice allume son ordinateur et nous nous mettons au travail. Elle ameute ses multiples contacts, tous ardents défenseurs de la nature et des défavorisés, pour faire en sorte que les événements à venir soient retransmis en direct sur le Web, dans le monde entier, au cas où les gouvernements affolés réduiraient les médias au silence.

J'admire la façon dont elle parvient à mobiliser les gens, sans leur dire exactement de quoi il s'agit, en un formidable élan de solidarité, et je comprends mieux pourquoi Rising m'a recommandé de faire appel à elle. La complémentarité du don et des nouvelles technologies nous ravit. Nous avons aujourd'hui les outils de la connaissance. Reste à insuffler le sens qui leur manque, directement dans la conscience des hommes.

Le don de Qâ saura s'en charger.

Qâ...

Comme elle est loin la forêt de nos amours complice.

Et pourtant tu es là, en moi, à chaque instant, dans nos filles, dans les arbres que je vois dehors, s'agiter dans le vent, et même dans l'espoir exalté qui fait pianoter Béatrice.

Le lendemain, les jumelles éveillées sur ma poitrine,

baignant dans la joie de leur découverte de la ville, je cueille un bouquet de fleurs sur une plate-bande, de nature alentour il n'y a plus assez ; et je vais voir la tombe d'Ulysse. Mon pavillon délabré n'est plus là. À la place, il y a un parking. J'apprends, par un voisin qui ne me reconnaît pas, que toutes les affaires et les instruments de musique de l'ancien locataire ont été mis sous séquestre.

J'avance sur le goudron lisse, vers l'endroit où reposait mon chien, et là, la surface fissurée forme une protubérance. Je m'accroupis, la gratte, détachant des morceaux de gravier. Une tige jaillit de la terre, se déroulant comme un ressort. Elle oscille et déploie une simple feuille enroulée. J'en reconnais la forme, c'est du volubilis.

Alors, je ris, de tout mon cœur, j'acclame les forces de l'univers, qui des contrastes les plus opposés savent faire naître l'harmonie, et des chaos les plus indicibles, faire émerger les équilibres. Je remercie Ulysse, ivre de me dire que, somme toute, l'humanité devra sa métamorphose aux errances d'un vieux chien qui puait. La mesure de la différence des deux événements sera sans aucun doute égale à la somme des bouleversements, que la découverte du don de Qâ entraînera chez les hommes.

Dans trois jours, dans les soixante plus grandes villes de la planète, le don de Qâ éveillera la conscience des femmes, des hommes et des enfants.

Très vite, nous serons des milliers. Des millions...

Rien ne pourra nous arrêter.

Dans trois jours, Mariama Smart Bell, Rising Smoke Alexie, et Tek'ic Standing Crow les chamanes, viennent nous rejoindre. Avec Béatrice et les jumelles, nous serons sept pour déclencher notre bombe.

Dans trois jours, nous sommes invités en tant que délégués de nos tribus, et Béatrice comme photographe, à une conférence de l'Unesco, sur les droits des peuples indigènes de la terre entière.

Mes filles seront sur ma poitrine, les enfants de Qâ, mes amours, comme un formidable amplificateur.

Pendant la conférence, une immense manifestation pacifique aura lieu à l'extérieur, autour du Palais des Nations unies. Et à l'intérieur, en plus de la multitude des délégations internationales, se trouveront réunis la plupart des puissants de ce monde.

Nous n'allons pas leur transmettre le don, non. Pas un ne le mérite, tant le pouvoir sans transparence corrompt.

D'autres s'en chargeront plus tard. Peut-être...

Nous allons leur faire dire les vérités innommables de leurs motivations, les tenants et les aboutissants des pressions qu'ils subissent ou qu'ils exercent, des conflits qu'ils déclenchent ; nous allons leur faire avouer les crimes que masque leur feinte solidarité, les abjections sournoises de leurs décisions économiques, les enjeux réels de leurs alliances ou de leur dédain.

La vérité des discours que nous allons les obliger à tenir, malgré eux, va faire basculer l'équilibre du monde.

Parallèlement, sous l'œil effaré des médias internationaux, nous éveillerons l'assemblée. Les délégations multiples, les journalistes, les fonctionnaires, les traducteurs, les factotums, les secrétaires et même les gardes de sécurité.

Ce sont eux qui feront au monde la révélation de leur conscience nouvelle.

Ce sont eux qui clameront leurs métamorphoses ébahies, leurs fusions transcendantales anarchiques et spontanées, et dans la pagaille qui suivra, nous essaimerons tout autour.

Parmi les manifestants, dans la ville, la région, les pays.

La planète tout entière.

Dans trois jours, le don de Qâ se répandra parmi les hommes. Inexorablement. Cela ne se fera pas sans heurts et sans dommages, je le crains. J'espère que ses bienfaits, dans l'avenir, compenseront largement les torts occasionnés par son émergence, l'inévitable dislocation des structures actuelles des sociétés, au profit d'expériences peut-être plus harmonieuses.

Je ne suis sûr de rien.

Mais en moi, la terre saigne, balafrée, meurtrie, souillée.

Les forêts gémissent, à chaque seconde, des plaintes des grands arbres qui tombent.

Les mers étouffent, les lacs s'embourbent, les fleuves charrient comme des fardeaux, leurs pestilences nauséabondes.

En moi, les animaux supplient qu'on les épargne, dans leurs réserves exiguës ; qu'on les achève, dans les élevages démesurés où ils grossissent morts-nés, gavés des excréments des villes.

En moi, les peuples innocents hurlent sous le tonnerre des bombes, dont chacune vaut le prix de trois de leurs maisons ; les ventres vides crient famine, affrontant toutes les humiliations pour vivre, quand d'autres meurent de lassitude, asphyxiés sous la vacuité de leurs accumulations.

En moi, des enfants pleurent aux seins de leurs mères exsangues, épuisées d'iniquité, tandis que les gouvernements détruisent les trop-pleins de leurs usines, pour obéir aux lois du marché.

En moi crissent les injustices, grincent les exactions, claquent les outrages perpétrés sur la planète et les hommes, au nom des revendications matérialistes des dieux expansionnistes, Économie et Progrès.

Mais, en moi aussi, chantent les rêves des opprimés, les espoirs des utopistes, les visions des poètes et des magiciens ; en moi aussi résonnent, l'amour que Qâ portait au monde, dans son détail et son intégralité, l'harmonie qu'elle retirait de chacun de ses rapports à la vie, le respect avec lequel elle considérait chaque élément, chaque créature, chaque chose, et le bonheur incommensurable que l'univers entier en écho lui renvoyait.

Alors je forge le courage de ma détermination au creuset du bonheur de Qâ.

Si les forces invisibles qui régissent le monde ont décidé de notre rencontre ; si elles ont voulu que nous nous aimions d'un amour éternel, Mère de nos mères et moi ; si elles ont fait en sorte que de notre union naissent les jumelles, de mon espèce, porteuse du don de Qâ ; sans doute ont-elles prévu les troubles qui suivront sa révélation au sein de la société des hommes.

Nul doute, qu'elles aient agi, envers la planète, contre notre arrogance, en état justifié de légitime défense.

Il est temps de marquer le respect de notre appartenance à un monde qui nous a créés, et que nous saccageons, avec une systématique aveugle, confinant à l'autodestruction.

Il est temps que l'humanité ouvre les yeux de sa conscience.

Qâ, Mère de nos mères, ton amour est en moi, dans chaque souffle qui m'environne, chaque être qui me passionne, chaque pensée qui m'effleure.

Pour toujours.

Dans trois jours, je plongerai au cœur de la tourmente.

Avec mes enfants sur le ventre et les chamanes, mes amis, j'irai révéler aux hommes ce don qu'ils possèdent déjà, sans savoir le comprendre.

Dans trois jours, forts d'un amour irrévocable, nous irons, les jumelles et moi, partager avec tous le don de Qâ.

Remerciements

J'aimerais adresser mes remerciements à Mouchka et Fabienne, ma mère et ma sœur, pour leur soutien inconditionnel, à Luigi, Yasmine, Michel, Manu, Rico et tous mes amis, pour la constance de leurs encouragements, merci à Isabelle et Laurent Laffont, mes éditeurs, pour leur enthousiasme et leurs conseils avisés, à Michel Random pour nos discussions inspiratrices, merci à tous les poètes et musiciens qui ont su ouvrir mes sens sur le monde. Et merci à la fondation Pro-Helvetia, pour m'avoir aidé financièrement à me concentrer sur l'écriture.

Impression réalisée sur CAMERON par

BRODARD & TAUPIN
GROUPE CPI

La Flèche
en mars 2001

Imprimé en France
Dépôt légal : mars 2001
N° d'édition : 13504 – N° d'impression : 6719